いつかは行き
一生に一度だ

世界の聖

BEST 500
［コンパク

SACRED PLACES of a

いつかは行きたい
一生に一度だけの旅
世界の聖地
BEST 500 [コンパクト版]

SACRED PLACES of a LIFETIME

序文　キース・ベローズ
『ナショナル ジオグラフィック トラベラー』編集長

NATIONAL GEOGRAPHIC

目次

序文：心に響く旅へ出よう　　6

❶ **伝説の風景**　　8
神聖な山や聖者ゆかりの泉、伝説や神話を生んだ風景を訪ねる

❷ **謎の巨大遺構**　　44
先人たちが残した巨大な遺跡。謎に包まれた時代を知る手がかりだ

❸ **信仰の発祥地**　　84
宗教の礎が築かれた地を訪ねて、心の平安を感じよう

❹ **永遠の史跡**　　112
時間の荒波で崩れかけた廃墟にも、魂を揺り動かす魅力がある

❺ **日々の祈り**　　138
素朴な教会から黄金の仏教寺院まで、祈りに満ちた場所を巡る

❻ **神が宿る場所**　　200
人々から崇拝と敬愛を集める聖人ゆかりの地

❼ **巡礼の道**　　234
開祖や聖者が経験した苦難の日々をしのび、その足跡をたどる

❽ **儀式と祝祭**　　266
厳粛な儀式と華やかな祝祭が、人々の暮らしを彩ってきた

❾ **忘れえぬ人々**　　310
世界各地には、先立った大切な人をしのぶ場所がある

❿ **心を見つめて**　　354
修行体験や温泉巡りで、疲れた心と体をよみがえらせよう

用語解説　　388
各宗教の聖地と見どころ一覧　　391
索引　　394
執筆者と写真のクレジット　　399

2-3ページ：英国南部に残るストーンヘンジ。古代から神聖な場所として崇められてきた場所だが、何の目的でこのような環状列石がつくられたのか、詳しいことはまだ解明されていない。夏至や冬至を祝うためではないかと考える研究者もいる。**前ページ**：韓国・ソウルの子どもたちが、ハスの花をかたどった提灯を手に行進する。ブッダの生誕を祝う燃灯祝祭の一場面。

心に響く旅へ出よう

私たちを取り巻く世界は余りにもせわしなく、やるべきことが多すぎる。職場での仕事、家庭での役割……。私たちは個人としての自分を押し殺さなければならないことが少なくない。

そんなとき、私は6年前に訪れた南インドを思い出す。旅の途中、80歳を有に超えているだろう1人の老人と話す機会があった。痩身で、しわだらけのその男は病気やケガを治すヒーラー（治癒者）で、私の目や足、手、それに息づかいをじっと観察していた。こうして私の"心"も診るのだという。そして、1時間ほどした後、彼は神妙な様子でこう告げた。「身体と精神、それに生きる目的をよく考えてみるといい。そしてこの三つのバランスをうまく保つことですな」。実は、当時の私には彼の言葉の真意が理解できなかった。でも、今ならわかる気がする。

生活のペースが速くなり、世の中が複雑になればなるほど、私たちはより深遠で、人生を変えてくれるような強い力をもち、自分を見つめ直させてくれる"或るもの"を必要とする。急ぎ焦る私たちを立ち止まらせ、身体と精神をよみがえらせてくれるものだ。それはつまり、長い歳月にわたって、人類に多大な影響を与え、導いてきた聖なる遺産の数々だと思う。こうした人類の遺産に触れることで、心は安らぎに満たされる。この複雑きわまりない現代社会を生き抜くための"お守り"と言ってもよい。

本書『いつかは行きたい 一生に一度だけの旅 世界の聖地BEST 500』では、人々の心のよりどころとなってきた場所や聖像、世界各地で行われている祝祭などを紹介している。しかし、これは超自然的な現象や宗教そのものに関する本ではない。さまざまな文化ではぐくまれ、時代を超えて受け継がれてきた人類の叡智を今に伝える場所を集めた。

あなたの心を動かし、人生を変える力をもった場所。世界を見る目を変える場所。自然が発する力を感じさせ、身体が刻むリズムを気づかせてくれる場所。そんな不思議な力をもった旅先を、この本で見つけていただきたい。

旅とは、単に自分の体を移動させるだけでは完成しない。心が動かされてはじめて、本当の旅となるのだ。

6年前の南インドでの出来事を振り返って、私の旅はまだ始まったばかりだとつくづく思う。今後、心に響く旅をいくつ経験することができるだろう。そしてあなたにも、そんな旅をしていただきたい。まずはこの本から。

キース・ベローズ
『ナショナル ジオグラフィック トラベラー』編集長

前ページ：イラクの聖地カルバラーにあるイマーム・フセイン廟で、内陣入り口の扉に手を当て祈るイスラム教シーア派の女性。

1 伝説の風景

人間は地球上に誕生して以来、自分たちの周囲に広がる風景に強い関心を抱き、そこから多くの物語を紡ぎ出してきた。山や湖などの風景に結びつけ、自分たちは何者なのか、自分たちはどこから来たのかを語り、崇拝する神々や超自然的な出来事にまつわる物語をつくってきた。

この章では、誰もが、いかなる信仰をもとうが、あるいは信仰のあるなしにかかわらず、旅に誘われる風景を紹介する。感動的で目の覚めるような風景、壮大で神々しい風景、静かに心を揺さぶる風景がある。

ボリビアのティティカカ湖を船で渡れば、古代インカのアイマラ族が、太陽と月の生まれた場所だと信じる島々がある。英国北アイルランドの荒涼とした海岸で、ケルト神話の巨人フィン・マクールに思いをはせ、玄武岩でできた奇観、ジャイアンツ・コーズウェーを歩く。米国アリゾナ州では太古の昔にできた岩山、セドナを訪ねる。日差しの変化でさまざまな色合いを見せるセドナは、ナバホ族、アパッチ族、ホピ族をはじめ、米国南西部の先住民の聖地となっている。

左：火山の火口にできた米国オレゴン州のクレーター・レイク。その穏やかな湖面には円錐形のウィザード島がぽつんと突き出ている。この地に暮らすクラマス族は、1万年以上も前から湖と島を聖地として崇めてきた。

米国ミネソタ州／カナダ

無数の島が浮かぶ ウッズ湖

この広大な湖は、約8000年前に、先住民であるオジブワ族の祖先が
この地に定住して以来、崇拝の対象となってきた。

北米

オジブワ族の伝説によると、先祖代々受け継がれてきた歌は、もともとウッズ湖から授かったものだという。食料となる魚やブルーベリー、咳止めの薬となるニオイヒバや万能薬のヒロハセネガ……。湖はオジブワ族の暮らしを支える不可欠な存在だった。

湖畔沿いには針葉樹林があり、ヘラジカが生息している。砂浜もあり、カエデ、カバノキ、ヤナギなど、秋には色鮮やかに紅葉する木々も多い。ワシ、カイツブリ、ペリカンが空を飛び、米国ミネソタ州とカナダにまたがる4473平方キロの湖にボートを浮かべると、下にはチョウザメや、特大のカワマスが泳いでいる。

だが、最大の魅力は湖の周りの花崗岩の岩肌だ。この岩肌は数々のことを語ってくれる。そこはオジブワ族が子孫に伝えたい教えを絵文字にして描いたキャンバスなのだ。いつまでも湖上にとどまりたいと思いつつ岸に戻ったなら、「さようなら」と言わず、「ギガ・ワバミン（また今度）」と言おう。

ベストシーズン 9月は水温が冷たくなり始めるが、蚊に悩まされなくて済む。また9月は、オジブワ族が湖で育てるワイルド・ライス「マノーミン」を収穫する時期でもある。

旅のヒント ウッズ湖には釣り客用の施設がたくさんあるが、ひっそりしたこの地の魅力を堪能するには、大自然の中でのキャンプが最適だ。島と島の間をカヌーで移動するのは時間がかかるので、少なくとも4泊はしたい。必要なものは、詳細な地図、キャンプ道具、食料、浄水器、カヌー（現地のアウトドア用品店でレンタル可）、パドル（予備必要）、救命胴衣など。人や島々を指差さないこと。オジブワ族はこのしぐさを"挑発"と受けとめる。方向を示すときは、頭か唇を使おう。

ウェブサイト www.lakeofthewoodsmn.com（英語、米国側）
www.morson.org（英語、カナダ側）

見どころと楽しみ

■ ウッズ湖に浮かぶ**1万5000の島々**をいくつか探検しよう。ミネソタ州側には湖水が広がるばかりだが、カナダ側には多くの小島が点在し、大きな島もいくつかある。

■ 春と秋が格別だが、どの季節でも月明かりのない晴れた夜は、早寝をせずに、オジブワ族が「**踊る精霊**」と呼ぶオーロラをぜひ見てみよう。

■ オジブワ族の絵文字を解読してみよう。**十字形**は星を象徴している。**上げた腕**は踊りか祈りの姿勢を表し、**動物の角**は知的で霊的な生命を表現している。**波形の線**は、通常、精霊同士の交信を表しているといわれる。

たそがれ時、ウッズ湖の鏡のような水面は、大きな安らぎを感じさせてくれる。

午後の太陽がデビルス・タワーの表面を照らし、岩に刻まれた深い溝を際立たせている。

米国ワイオミング州
巨大な岩柱 デビルス・タワー

ワイオミング州北東部の平原にそびえ立つ、この世のものとは思えないこの巨岩は、今でも先住民の魂の象徴である。

堂々とした火成岩の巨大な柱は、15キロ以上離れても見える。ここは映画『未知との遭遇』のロケ地として世界的に有名になった。1906年、セオドア・ルーズベルト大統領はデビルス・タワーを米国初の国立記念物区域に指定したが、20を超す先住民の部族は、それよりはるか以前からここを聖地と崇めており、太陽の踊り、通過儀礼である「ビジョンクエスト」、祈りの儀式などを今でもここで行っている。

高さ264メートルのこの岩の柱は約5000万年前、溶岩が堆積岩層を通って大気中に押し上げられ、その後浸食されてできたものだ。しかし、先住民のクロウ族に伝わるデビルス・タワーの伝説は、これよりロマンチックだ。

2人の少女がクマから逃げようと岩に登った。すると、彼女たちを救うため偉大な精霊が地面を持ち上げた。クマはあきらめずに少女たちを捕まえようと岩に登ったが、滑って岩肌につめを立て、それが無数の溝を残し、今の姿になったという。

タワーは朝の光に包まれると、灰緑色に見える。日没前にはろうそくのように輝き、金色からオレンジ色、ピンク、赤褐色へと色を変えていく。

ベストシーズン 5月から9月。デビルス・タワーには曜日に関係なく、24時間いつでも行ける。ビジターセンターは、4月上旬から11月下旬まで開いている。

旅のヒント 丸1日の予定で行こう。涼しい服装で、水を持っていくこと。夏には気温が、38℃以上になることもある。双眼鏡を持参し、岩を登る人(先住民は神聖を汚す行為と考えている)を観察しよう。ハクトウワシ、ソウゲンハヤブサ、ヒメコンドルなども探してみよう。周辺ではキャンプやトレッキングができる。全景を見るには、公園を出てデビルス・タワー・ゴルフコースまで車で行くと良い。ここからタワーの雄大な姿が一望できる。

ウェブサイト www.uswest.tv/wyoming (アメリカ西部5州政府観光局)

見どころと楽しみ

■ デビルス・タワーの周囲2キロの**タワー・トレイル**を歩こう。所要時間は45分から1時間かかる。トレイル沿いには、タワーの表面から崩れて落ちた大きな岩がごろごろしている。

■ **オグロプレーリードッグ**を探そう。デビルス・タワーとベルフーシュ川に隣接した公園内に、広さ16ヘクタールのプレーリードッグ・タウンがある。リス科のこの動物は群れをつくって巣穴にすんでいる。彼らの「街」を歩くことはできるが、くれぐれも餌を与えないこと。

■ ビジターセンターで開催される「**カルチャーナイト**」では、地元の先住民が伝説を語り聞かせてくれる。催しの日時は前もって電話で確認すると良いだろう。

大地のエネルギーを感じる セドナ
米国アリゾナ州

超自然的な力を求めて、数多くの人々が引きつけられてきた岩山。
「レッド・ロック・カントリー」としても知られる、強力なパワースポットだ。

岩山は時間帯により、サンゴ色、ピンク色、黄褐色、くすんだスミレ色、栗色に変化する。この色彩は、砂岩と石灰岩が含む鉄分のおかげだ。先住民は、セドナの岩山に超自然的な力を感じた。とりわけ、ボイントン・キャニオンは、ナバホ族、ヤバパイ族、アパッチ族、ホピ族の聖地である。

アリゾナ州南部の砂漠とフラッグスタッフの山々に挟まれたセドナは、時を越えて魂の探求者を魅了してきた。ハイウェー89A号線を走り、18億年にわたる浸食がつくり上げた光景を目の当たりにした時、誰もが畏敬の念を抱くだろう。オーククリーク・キャニオンの端に、赤い丘や切り立った断崖、尖峰が織りなす雄大な風景が広がり、地球が形成されてきた歴史を教えてくれているようだ。

この風景を見ていると、自然の力の大きさに改めて気づく。そのあまりの迫力に、ベルロック、カテドラルロック、エアポートメサといったスポットから、地球内部のエネルギーが放出されていると信じる人さえいる。

ここに暮らしてきた先住民はこれらの地を霊世界への入り口と考え、ニューエイジ運動の信奉者たちは、祈り、瞑想、癒やしを誘引するそれらを「ボルテックス(渦巻き)」と名づけた。パワースポットを見つければ、色々な感情が湧き、その後安らぎと悟りを得られるかもしれない。それをセドナで確かめてはどうだろう。

北米

ベストシーズン ハコヤナギが金色に黄葉する10月。

旅のヒント 3日は滞在したい。ハイウェー179号線を通ってベルロックに寄る。あるいは、オーククリーク・キャニオンの景色のいいハイウェーを走る。車を止めて写真を撮る場所はたくさんある。セドナにはキャンプ場、簡易な宿、豪華ホテルなど、さまざまな宿泊施設がある。ハイキング、乗馬、ゴルフもできる。シャーマン、霊能者、占い師が数多くいる。タロットカードや霊視占いをする人、カルマを落とすという人もいる。前世に連れていくという人もいる。そのような場所へは誰かに紹介してもらい、予算を決めてから行くこと。ホーリークロス教会での月曜の祈祷会は、17時から。

ウェブサイト www.visitsedona.com/article/115 (セドナ商工会議所観光局)
www.uswest.tv/arizona (アメリカ西部5州政府観光局)、www.gatewaytosedona.com (英語)

見どころと楽しみ

■ボイントン・キャニオンにある**エンチャントメント・リゾートとミイ・アモ・スパ**は、霊が行き交う場所といわれている。ヤバパイ族とアパッチ族は、ここを自分たちが誕生した場所と信じた。また、ニューエイジ運動の信奉者は、スパの裏手近辺に、霊界の入り口「ボルテックス」があると考えている。リゾート内では、先住民文化の催し物がある。

■高さ76メートルの**ホーリークロス教会**は、そびえ立つ赤い岩壁から突き出たコンクリート製の建物だ。まるで人類を宇宙へ送り出す発射台のようで、見ているだけで別世界に来た気がする。教会の建物はボルテックスの上に位置しているという人もいる。

前ページ: カテドラルロックに暗雲がかかっても、崖の燃えるような色彩はくすむことはない。オーククリークの川面にその姿が映し出されている。**上左**: 儀式や瞑想に使われるニューエイジ運動のメディスン・ホイール。**上右**: ホーリークロス教会は、セドナの砂岩の層に食い込むようにして建っている。

米国アリゾナ州
聖なるサンフランシスコ連峰

米国先住民たちは、このきらめく連峰を神々のすむ場所と考えた。そして、現代の都会人にとっては涼しく、ありがたい楽園だ。

北米

秋の夕暮れ、太陽がアリゾナ州北部のサンフランシスコ連峰の五つの峰の頂を照らす。辺りではアスペンの葉が紅葉し、黄金色に満ちている。ナバホ族は昔からこの光景を「ドコ・ウ・スリイド（頂が輝く）」と呼ぶ。彼らは、前世から大地がもたらされ、生命の源である峰へと成長したと信じている。

13を超す米国先住民の諸部族が、ココニーノ国立保全林内のこの聖域を神々のすみかと考えている。彼らは巡拝したり、大切な聖所で瞑想するために頻繁に山に分け入る。呪医は山腹を歩き回り、枝、葉、ベリーを集めて軟膏をつくる。

最高峰は、コロラド高原にそびえる標高3854メートルのハンフリーズ・ピーク。アリゾナ州の最高地点でもある。環境保全のため、頂上への道は未舗装である。

自然保護区である一帯の地形は変化に富む。麓には砂漠があり、標高の高い場所はツンドラになっていて、多様な生態系が見られる。雪解け水は地中に浸透し、近くの都市フラッグスタッフの水源となって聖なる山と麓の人々をつないでいる。

ベストシーズン　シーズンごとに違った楽しみがある。紅葉や黄葉を撮影するには、9月から11月上旬が最適。ハイキングは6月下旬から9月。冬にはリフト4機のあるスノーボール・リゾートでスキーが楽しめる。

旅のヒント　周辺のハイキングやドライブは、1日あれば足りる。5月から9月はキャンプもできる。山麓でも標高2286メートルの高地にあるので、頭痛や吐き気など、高山病の徴候に気をつけよう。ハイキングには、気温の急変に備えて重ね着をして行くこと。頂上は風が強い。日焼け止めやリップクリームを持っていこう。道は険しく岩が多いので、丈夫な登山靴が必要。火山活動によってできた峰々はスポンジのように雨を吸い込むため、小川や湖はない。水をたっぷり持っていこう。

ウェブサイト　www.uswest.tv/arizona（アメリカ西部5州政府観光局）

見どころと楽しみ

■ ミニチュアのヒマワリのような**サンフランシスコ・ノボロギク**を探そう。世界でここにしかない珍しい植物で、米国森林局が保護をしている。

■ ニシアメリカフクロウ、アメリカグマ、オオタカ、シカ、プレーリードッグ、ハヤブサなど**貴重な野生生物**がいる。

■ 秋に色づく**アスペン**を観察しよう。遠くから見ると、金色に色づいた木々が連峰を華やかに飾っている。

■ 全長14.5キロの**ハンフリーズ・ピーク・トレイル**はきつい行程。頂上までは少なくとも3時間はかかるので早めに出発しよう。頂上からはグランド・キャニオンの周縁部が見える。

うっすらと雪化粧したサンフランシスコ連峰は、神秘的な美しさをたたえている。

ビッグ・サーには、誰も知らないようなすばらしいビーチがたくさんある。

米国カリフォルニア州

隠遁者の聖地 ビッグ・サー

サンフランシスコの南に延びる岩だらけの海岸は、
瞑想と巡礼の地として古くから知られてきた。

海岸線に沿って生えるセコイアの木の下で温泉につかったり、波を眺めながら宇宙に思いをはせるのは、まさにカリフォルニア的だろう。中でもサンフランシスコの南に延びる海岸ビッグ・サーは、絶好の場所だ。

太平洋に面して垂直に切り立つような山ばかりで、近づきがたい海岸は、古くから世捨て人や芸術家たちを引きつけてきた。例えば『北回帰線』などの名作を著した作家ヘンリー・ミラーは、ビッグ・サーの魅力を次のように語る。「人が長年夢に見たカリフォルニア、創造主が見せたかったとおりの地上の姿」

先住民は癒やしを求めてこの地に湧き出す温泉につかり、多くのニューエイジ運動の信奉者もこの海岸に集まる。ここでは、ベネディクト派修道士の隠遁生活や、禅の瞑想を体験できる。だが、この海岸を訪れる人々にとっては、このビーチを心ゆくまで歩き回ることこそ、心を浄化する最良の方法だろう。

ベストシーズン 青空が広がり、暖かい日和の続く秋が一番よいだろう。春は少々雨が多く、夏は霧が出る。冬は風が強くて寒い。

旅のヒント 2日か3日あれば、ビッグ・サーの真髄を味わえる。北端のカーメルは、サンフランシスコから南へ210キロ。季節にかかわらず、ウィンドブレーカー、セーター、ウォーキングシューズを持っていくこと。ビーチで泳ぎたい気になるかもしれないが、アラスカからの潮流で海水は冷たく、ウェットスーツなしでは泳げない。州立公園の多くにキャンプ場があり、太平洋を見渡せるしゃれた宿もある。

ウェブサイト www.visitcalifornia.jp (カリフォルニア州観光局)
www.bigsurcalifornia.org (英語)

見どころと楽しみ

■**ファイファー・ビッグ・サー州立公園**では、セコイアや野生動物の生息環境を保護している。**ジュリア・ファイファー・バーンズ州立公園**は岩だらけの海岸で、滝が海に流れ落ち、沖ではコククジラが泳いでいるのが見える。

■ヘンリー・ミラーの友人のエミール・ホワイトは、**ヘンリー・ミラー記念文庫**を自宅につくり、上映会や詩の朗読会、コンサートなどを催している。

■手つかずの自然が残されている**ベンタナ自然保護区域**は内陸の険しい山岳地帯に広がる。そのほとんどは徒歩で行くしかなく、トレイルは全長645キロに及ぶ。

■1962年に設立された**エサレン研究所**は、精神文化の研究で世界的に有名な施設。ヨガや瞑想から科学や芸術といったさまざまな幅広い分野で毎年500以上のワークショップ、講義、セミナー、瞑想などの催しを行っている。

北米

米国アラスカ州

大自然の宝庫 デナリ国立公園

アラスカ先住民が聖なる山と崇めるデナリ。この山を中心とする
2万5000平方キロに及ぶ公園では、雄大な風景と野生生物に出合える。

地球上にこれほど壮大な眺めはないだろう。その大きさに思わず目を疑うに違いない。澄み切ったワンダーレイクの背後には、はるかかなたのアラスカ山脈の麓まで続く渓谷が広がり、デナリ国立公園のツンドラの原野がそこを覆い尽くしている。

ひときわ高くそびえるのが、北米大陸の最高峰、マッキンリー山だ。雪を頂いた雄大な稜線が、透明感のある空気の中に、くっきりと浮かび上がっている。

アラスカ先住民のアサバスカ族は、マッキンリー山を「偉大なるもの」という意味の「デナリ」と呼んだ。彼らは季節ごとに山の周囲を移動した。多くの先住民にとって、この山やその周辺は聖なる土地だった。テナ族は、デナリをすべての創造の源と信じた。山にはグリズリーやドールシープが多く生息し、カリブーやヘラジカは平原をのんびりと動き回っている。秋には巨大な雄のヘラジカが枝角をぶつけ合って闘い、その音が辺りに響き渡る。クラウドベリー、ブルーベリー、クランベリーが実り、鮮やかな色彩がツンドラに季節の彩りを添える。

軽飛行機でデナリの美しい峡谷やそびえ立つ峰の上空を飛ぶと、狭い岩棚にいるシロイワヤギや、凍土に滑り落ちる大氷河が見られる。氷河に降りると、そこは雪と氷と霧がつくる白と青の世界。それ以外は岩の稜線とアラスカの広い空だけだ。すべての人間が原野に生きていた太古の時代を、しばし感じてみよう。

北米

ベストシーズン 好天に恵まれる6月から9月中旬まで原野に入るパークロードが開通している。この期間中にはパークレンジャー主催のイベントがある。デナリ国立公園はスキーヤーや犬ぞり旅行者には一年中開放されている。

旅のヒント デナリ国立公園はアラスカ中南部にあり、眺めのすばらしいアラスカ鉄道やハイウェーが通じている。少なくとも3日は滞在したい。双眼鏡、カメラ、日焼け止め、ハイキング用具、雨具、重ね着用の衣類を持っていくこと。公園内かその近くの宿泊は予約が必要。ガイド付きツアーなど、企画ツアーがたくさんある。到着したらすぐに遊覧飛行やディスカバリー・ツアーを調べ、申し込んでおこう。早朝バスツアーは、原野のかなた、マッキンリー山が最も良く見える場所まで連れていってくれる。

ウェブサイト www.alaska-japan.com/activities/denali_1.html（アラスカ観光協会）

見どころと楽しみ

■ 広大な公園の全体像をつかむには**遊覧飛行**がおすすめ。氷河に覆われた風景を空から眺め、ヘラジカやクマを見て、マッキンリー山を旋回し、北壁ウィッカーシャム・ウォールを見てから、大きな氷河に着陸する。

■ **原野へのバスツアー**に参加しよう。ワンダーレイクを目指し、デナリ国立公園の中心部へと連れていってくれる。貴重な野生生物を観察し、アラスカ山脈とマッキンリー山の壮大な眺めを堪能したい。

■ **レンジャー主催のハイキング**で、凍土や三日月湖、山の斜面を探検しながら、デナリの自然や歴史について学ぼう。

■ ハイキングブーツを履き、1日分の食料と水、雨具を携帯し、**ディスカバリー・ハイク**に参加しよう。道のないデナリの荒々しい未開地を探索できる。

前ページ：デナリ国立公園には高い山と湖が織りなす雄大な風景が広がる。野生のヘラジカが数多く生息していて、川を渡ったり、水草を食べている場面に出合える。上：犬ぞりで雪原を移動するのは爽快である。

聖なる樹木
トップ10

森や樹木を崇拝する宗教や文化は多い。
心のよりどころとして大切に守られてきた木々だ。

❶ 春日山原始林（日本 奈良県）

奈良市郊外の春日山原始林は、太古の昔から神々の宿る場所とみなされてきた。ここでは、1200年前から狩猟や伐採が禁じられている。林への立ち入りは制限されているが、周囲を走る全長9キロの春日奥山周遊道路は1年中通行できる。周遊道路からも林の全景を眺められるし、珍しい動植物にも出会える。

旅のヒント　春日奥山周遊道路の起点は、奈良公園の春日大社の近くにある。また、奈良中心部から奈良奥山ドライブウェーを15分ほど車で行けば原始林に到着する。yamatoji.nara-kankou.or.jp（奈良県観光連盟）、narashikanko.jp（奈良市観光協会）

❷ 聖なる菩提樹（スリランカ）

スリランカ北部のアヌラーダプラでは、仏教の僧侶たちが寝ずの番で聖なる偉大な菩提樹を守っている。祈祷旗が風に揺れ、木の根元には供物が並ぶ。大きく張り出した枝の下で信者が祈りを捧げ、瞑想する中、野鳥のさえずりやサルの鳴き声が聞こえる。この木の起源は、スリランカに仏教が伝来した紀元前245年にさかのぼる。インドのブッダガヤにあった、ブッダがその根元で悟りを開いたとされる菩提樹の枝を挿し木したものといわれる。

旅のヒント　この聖木はアヌラーダプラのミヒンドゥ通りとクルネガラ通りの交差点にある。警備が厳重で武装兵士もいる。www.srilankatourism.org（英語）

❸ 神の杉の森（レバノン）

聖書が編まれる以前からよく知られていた杉の森を歩くと、時代を何世紀もさかのぼっていくような気分になる。聖書で103回も言及される「アルツ・エル・ラーブ（神の杉）」は、昔はレバノン全土を覆っていたが、今では数カ所の森を残すだけとなっている。300本ほど残る杉の中には、樹齢1000年を超す木もある。

旅のヒント　トリポリの南東30キロに位置するマクメル山の北西にあるエーデン自然保護区に杉の森がある。森を歩くには公認ガイドの同行が必要。www.destinationlebanon.gov.lb（英語）

❹ ステルムジェの樫の木（リトアニア）

リトアニア西部には樹齢1500～2000年の「ステルムジェの樫の木」がある。ヨーロッパでも特に古いといわれている樫の木だ。こぶだらけの幹は周囲13メートルにも達する。生きているのは脇の枝だけで、それも支柱で支えられている。この木は、ペルクーナス神を祭るものだ。ペルクーナスは、豊穣の神、法と秩序の守護神、雷と稲妻の神としてバルト海地方の人々に崇められてきた。時代を超えて、人々の喜びや悲しみを見守り、祈りを受けとめてきたこの古い樫の木は、若い樹々に囲まれながらも堂々とした存在感を漂わせている。

旅のヒント　この木はリトアニア西部のザラサイ市ステルムジェ地区にある。litabi.com/travel.html（リトアニアナビ）www.travel.lt（リトアニア語、英語ほか）

❺ ネヴェの森（フランス）

フランス北西部のブルターニュ地方にあるネヴェの森では、樫、栗の木の枝が頭上を覆う。ここは、6世紀のアイルランドの修道士、聖ロナンゆかりの地だ。ロナンはケルト人たちが崇拝していたこの森で、俗世から離れて隠遁生活を送った。

旅のヒント　ブルターニュ西部のキンパーに近いロクロナンは、森を散策するのに最適の拠点になる。jp.franceguide.com（フランス政府観光局）

❻ 樫の礼拝堂（フランス）

アルーヴィルに樹齢1000年の樫の木がある。フランスで最古、最大の樫の木だ。空洞になった太い幹の中に、二つの礼拝堂が上下に重なるようにつくられている。下の礼拝堂は聖母マリアのために1669年につくられた。上の礼拝堂はそれより新しく、隠遁所としてつくられた。上の礼拝堂に行くには、太い幹に巻きつくように設けられた外階段を使う。

旅のヒント　アルーヴィルはルーアン近くのD33号線沿いにある。毎年7月2日には、この木でミサが行われる。jp.franceguide.com（フランス政府観光局）

❼ バオバブの並木道（マダガスカル）

マダガスカル西部のモロンダバ村郊外の未舗装の道路脇に木が並んでいる。バオバブは真っすぐに成長するので、少しも通行の妨げにならない。ねじ曲がった枝は短く、傘のように木のてっぺんだけに生えている。バオバブはマダガスカルの多くの部族に聖木と崇められ、直径は3.6～6メートルにもなる。

旅のヒント　並木道はモロンダバの東48キロにある。www.madagascar-embassy.jp（駐日マダガスカル大使館）

❽ イチジクの木（タンザニア）

マサイ族の伝説では、最高神ンガイは家畜となる牛を、野生のイチジクの木を通して地上の人間に与えたとされている。天と地を結ぶ唯一の存在がイチジクなのだ。マサイ族にとって、家畜は神聖であり、イチジクの木は今でも祈りや儀式、犠牲の象徴である。

旅のヒント　マサイ族にとって神聖な火山、オル・ドイニョ・レンガイ山へ向かうサファリツアーに参加して、イチジクの木を探してみよう。www.tanzaniaembassy.or.jp（駐日タンザニア大使館）

❾ マラムバテムワ（ジンバブエ）

ドンボシャワにあるランバクリマの神聖な森は「マラムバテムワ（伐採を拒む場所）」の代表だ。ショナ族はこの太古の森を、人間と自然と精霊の世界が重なり合う場所として敬っている。

旅のヒント　森へは首都ハラレから日帰りで行ける。ドンボシャワの洞窟と岩絵も一見の価値あり。www.zimtokyo.jp（駐日ジンバブエ大使館）

❿ オシュン-オショグボの聖なる木立（ナイジェリア）

ナイジェリア南部で最後の原生林といわれ、ヨルバ族の豊穣と守護と幸福の女神がすむといわれている。世界遺産に登録され、ヨルバ族が崇める数少ない木立の一つ。

旅のヒント　年に一度のオシュン-オショグボの祭りは、8月の第1週にオショグボで開かれる。www.nigeriaembassy.jp（駐日ナイジェリア大使館）www.tourism.gov.ng（英語）

次ページ：奇妙な形をしたバオバブには言い伝えがある。「果実もきれいな花もつけられない」と木が不平を言ったため神が怒り、根元から引き抜かれて逆さにされたという。

米国オレゴン州
神話が息づく クレーター・レイク

青く澄んだ水をたたえた巨大な火山湖。その姿はまるで、天に向かって
掲げられた聖杯を彷彿とさせ、訪れる者を魅了する。

北米

クレーター・レイクを訪れる人々は、湖を取り囲む高台へと続く急坂を登りながら、その先にある景色を思い描く。しかし、その坂を登り終えた頂上からの眺めは予想をはるかに超え、誰もが思わず息をのむだろう。

険しい岩の壁に囲まれた湖の周囲は42キロ。湖面はこの世のものとは思えぬほどに青く澄んでいる。そこに円錐形をしたウィザード島がぽつんと突き出ている。7000年前のマザマ山の大噴火でできたカルデラ湖に現れた小さな火口だ。

1万2000年前にここに定住したクラマス族はこの湖を聖地として崇め、多くの神話を生んだ。黄泉の世界の王ラオとこの世の王スケルが戦い、ラオの家だったマザマ山が壊れて湖ができた。スケルは負けたラオの体をラオの仲間のザリガニに与え、ラオの体とは知らずにザリガニが切り落とした首こそがウィザード島なのだ。

クラマス族にとって、クレーター・レイクは常に恐ろしい場所だった。いつ怪物ザリガニが飛び出してきて、人間をさらうかもしれない。彼らがここを訪れるのは、霊的能力を試し、通過儀礼の「ビジョンクエスト」を行うためであった。

ベストシーズン　クレーター・レイク国立公園は通年入園可。7月から9月上旬が良い。冬は雪で通行止めになることもある。スチール・ビジターセンターは4月から11月まで、リム・ビジターセンターは6月から9月まで開所。

旅のヒント　クレーター・レイクへはサンフランシスコからもシアトルからもほぼ同距離の690キロ。最寄りの空港は湖の南97キロにあるクラマス・フォールズ。クレーター周縁部までの道路はよく整備されている。

ウェブサイト　www.oregonjapan.org（オレゴン州公式日本語ガイド）、www.nps.gov/crla（英語）

見どころと楽しみ

■ 目を見張るほど水が青いのは、湖が非常に深いからだ。最深部は**水深592メートル**。米国で最も深い湖だ。

■ 湖を取り囲む**縁（リム）**から**眼下の湖面**を眺めてみよう。リムの最も高い地点は標高2438メートルになる。

■ クレーターの内側の、林を抜ける道を降りて湖岸に出てみよう。そこでは**ボート**に乗ったり、**水遊び**や、**釣り**をしたり、**スキューバダイビング**も楽しめる。

■ できれば**夏の嵐**を体験してみよう。空には稲妻が走り、雷鳴がとどろき、湖面は強風に波打つ。普段の穏やかな湖とは全く違う顔が見られるだろう。

冬のクレーター・レイク。うっすらと雪が積もり、白い静寂に包まれる。

スペイン人はポポカテペトルの山腹に14もの修道院を建てた。

見どころと楽しみ

■ 青空にくっきりと映えるポポカテペトル山はいつ見ても雄大だ。しかし、残念なことに、**大気汚染の影響**でメキシコ市からこの山を眺められる機会はますます減っている。

■ 標高5452メートルのポポカテペトル山は**イスタ・ポポ・ソキアパン国立公園**にそびえている。大自然が豊かに残る公園には、ハイキングや登山を楽しめるルートがたくさんある。

■ 16世紀、スペイン人宣教師たちがポポカテペトルの山腹に**14の修道院**を建てた。それらは「ポポカテペトル山腹の16世紀初頭の修道院群」としてユネスコの世界遺産に登録されている。

メキシコ
アステカの聖山 ポポカテペトル

噴火を繰り返す、美しく力強い火山。ここでは、数々の神話が誕生しただけでなく、独自の世界観も生まれた。

　噴火を目撃したアステカ人はこの山を「ポポカテペトル（煙をはく山）」と命名した。1345年のことだ。火山は何世紀にもわたって大噴火を繰り返し、周辺の人々はその様子にとてつもない力を感じ取った。

　アステカ人はポポカテペトルを、大地の神トラルテクトリと水の神トラロクになぞらえ、ナワ族の伝説では、哀れな恋人たちが神によって二つの峰に姿を変えられ、それがこの山とイスタシワトル山になったとされている。

　16世紀初めにスペイン人に征服されると、古代アステカの神々はキリスト教の聖人に結びつけられた。二つの信仰が混合した儀式は今もナワ族の間で続く。シャーマンはポポに豊作を祈願し、ポポの怒りを鎮めようと供物を捧げる。

ベストシーズン　天気さえよければ季節を問わず楽しめる。イスタ・ポポ・ソキアパン国立公園を訪れる登山者は11月下旬から3月上旬の乾期に行く人が多い。公園を楽しむには最低1日は必要。トレッキングや登山をする場合には数日を要する。

旅のヒント　ポポカテペトル山はメキシコ市の南東72キロ、プエブラの西40キロにある。二つの山の麓にアメカメカの町がある。登山者の多くは準備と高度順応のために、トラマカスの集落（標高3950メートル）に行く。1994年に始まったポポカテペトルの噴火活動により、現在は登山禁止になっているが、ポポカテペトルとイスタシワトルの二つの峰をつなぐコルテス峠まで登れば、山に近づける。

ウェブサイト　www.visitmexico.com/wb/Visitmexico/Visi_Puebla（メキシコ政府観光局）

伝説の風景 | 21

アティトラン湖に小舟を浮かべる漁師。数千年前から繰り返されてきた光景だ。

グアテマラ
神秘に包まれる アティトラン湖

高地のカルデラ盆地に生まれた美しく神秘的なこの湖は、
マヤ族の文化と信仰を今もはぐくみ続けている。

辺り一帯が穏やかな静けさに満ちている。どこまでも広がるアティトラン湖のきらめく水面を見ていると、目の前の光景や耳に届く音のすべてが穏やかになっていくように感じる。ここはマヤ族の聖地であり、湖畔には数十ものマヤの集落が点在する。村人は今も古来の独自の言語（ツトゥヒル語とカクチケル語）を話し、カラフルな民族衣装を身につけている。

湖の南側にある三つの火山は、湖面まで緩やかな傾斜を保ち、くっきりとした姿を湖面に映し出す。山の斜面には、ネギやイチゴ、コーヒーが栽培され、働く人々の姿が見える。湖面に小舟を浮かべた漁師は魚がかかるのをじっと待つ。

広大なカルデラは8万4000年前の火山噴火で形成されたものだ。その火口にできた淡水湖は標高1560メートルの高地にあり、水深は約340メートルといわれている。流出河川はなく、水は噴火でできた深い亀裂から流れ出ていると思われる。湖を船で渡れば、そそり立つ崖が迫る絵のように美しい風景に次々と出会える。

ベストシーズン 雨期（5月〜10月）を避けて11月から4月が良い。ただし、雨期でも気温は安定し、ほぼ毎日太陽が顔をのぞかせる。

旅のヒント 湖と村を巡るには、泳いだり、くつろいだりする時間も入れて最低4日は必要。グアテマラ市とアンティグア・グアテマラから湖畔の町パナハッチェルまで頻繁にバスが出ている。所要時間は2〜3時間。宿泊には豪華なカーサ・パロポから、素朴なホテル・アルカ・デ・ノエルまで隠れ家的な宿がいろいろある。ボートのシャトル便がパナハッチェルの桟橋から出ていて、荷物とともに目的地まで運んでくれる。船での遊覧は湖が穏やかな午前中がおすすめ。午後はショコミルと呼ばれる強風が吹き、湖面が波打つ。

ウェブサイト www.atitlan.com 、www.casapalopo.com（英語）

見どころと楽しみ

■パナハッチェル近くの**サン・ブエナベントゥーラ自然保護区**には、自然遊歩道やチョウの保護区、野鳥保護区がある。

■ソロラ村の**金曜朝市**をのぞいてみよう。見事な織物や特産品が売られている。ここは地元のカクチケル族が開く市場で、近くのティティカステナンゴと比べて観光地化されていないし、男性もいまだにカラフルなマヤの民族衣装を着ている。こうした伝統的な村は、ここ以外には数力所しかない。

■パナハッチェルからボートで30〜50分の、活気のある町**サン・ペドロ・デ・ラ・ルナ**では、趣のある教会とすばらしい風景に出会える。

ボリビア

太陽の島と月の島

アンデス山脈に囲まれた湖に浮かぶ聖なる二つの島。
島の陰から昇る太陽を目にした瞬間、古代アイマラ族の世界がよみがえる。

標高3810メートルの高地にあるティティカカ湖にいると、太陽がいつもより近くに感じられる。湖畔の町コパカバーナで船に乗り、青く深い湖を渡って12キロ沖に浮かぶイスラ・デル・ソル(太陽の島)へ向かう間、薄い空気は身を切るように冷たい。

面積8288平方キロの広い湖には41もの島があり、中でも最大で、文化的にも重要なのが太陽の島だ。やせた土壌に育つ植物は限られるが、全体の色彩は鮮やかだ。樹木の生気あふれる緑、カントゥータの花の赤、黄、緑が島を彩る。

ここにはインカ時代以前からアンデスにすむアイマラ族の文化がある。アイマラ族は太陽を神と考え、太陽神「インティ」は太陽の島で生まれたと信じている。

また、近くのイスラ・デ・ラ・ルナ(月の島)は、月の神の生地と信じられている。月の島は太陽の島より小さく「女王の島」という意味の「コアティ」と呼ばれることもある。アイマラ族は、太陽を男性、月を女性と考えていたからだ。島に残るアイマラ族の遺跡を散策していると、彼らの信仰や文化を感じ取れるだろう。

ベストシーズン　7月下旬。ヤティリスと呼ばれるまじない師が、太陽の島でアイマラの新年を祝う儀式を執り行う。

旅のヒント　コパカバーナからの日帰りツアーで両島を回るが、アイマラ族の文化を感じたいなら、1泊して日の出を見にいくのがいい。太陽の島には質素なホテルやその他の宿があるが、月の島に宿泊施設はない。電気や給排水の設備は完璧ではないと覚悟しておこう。島は歩いて回るのが良い。太陽の島は4時間もあれば主な見どころを回る。標高が高いため、空気はひんやりしていて、暑さは気にならないが、日焼け止めと帽子は必要。また、丈夫なウォーキングシューズと防寒具も忘れずに。

ウェブサイト　www.bo.emb-japan.go.jp/jp (在ボリビア日本国大使館)、www.boliviaweb.com (英語)

南米

見どころと楽しみ

■ 太陽の島には、石づくりの巨大迷路が残るチャラパンパ遺跡がある。**チンカナ**と呼ばれる迷路はインカの神官たちが修行した場所だったといわれている。

■ 太陽の島で最大の町ユマーニには、206段のインカ時代の階段がある。この階段を上り、**若返りの泉**を探してみよう。

■ 太陽の島の灯台に上ると、**美しい日没**を眺めることができる。沈む夕日が湖と周辺の山々を照らす。

■ 月の島には、保存状態の良い「**女性の宮殿**」がある。アイマラ族が月を崇めるために建てたものだ。

アイマラ族の伝承では、太陽の神はこの島で生まれた。

聖なる泉
トップ10

泉は太古の昔から、癒やしの場であると同時に、
生けにえを捧げ、祈る場でもあった。

❶ チチェン・イッツァの生けにえの泉（メキシコ）

チチェン・イッツァ遺跡にある、セノーテと呼ばれる生けにえの泉では、水の湧出口に近づきすぎないように気をつけよう。マヤの部族、イッツァは直径60メートルのこの穴を地下世界への入り口と考え、雨と雷の神チャークに捧げるため、黄金の宝物のほか、時には人間を生けにえとして投げ込んだ。

旅のヒント 暑さと混雑を避けるため朝8時には現地に到着していたい。この近くにある別の泉、セノーテ・イク・キルでは泳ぐこともできる。
www.visitmexico.com/wb/Visitmexico/Visi_Yucatan（メキシコ政府観光庁）、mesoweb.com/chichen（英語）

❷ バリ島のアイル・パナス（インドネシア）

アイル・パナスの硫黄泉は、川と泉にゆかりのあるヒンドゥーの神、ガネーシャをかたどった石像の口から流れ出てくる。バリの人々が魂を清めるために使うこの温泉プールは、石のテラスや熱帯植物を趣味よく配置し、天然の滝に似せてつくられている。

旅のヒント アイル・パナスはバリ島唯一の仏教寺院、ブラフマー・ビハーラ・アラーマーから3キロ。移動にはバイクをチャーターするのが良いだろう。
www.visitindonesia.jp（インドネシア共和国文化観光省）

❸ ダグラス温泉自然公園（オーストラリア）

ノーザン・テリトリーにあるこの場所は、アボリジニのワギマン族の女性の聖地だ。一帯は、ダグラス川沿いの枯れ木や流木ばかりの土地だが、温泉の周囲には、緑が豊かに茂っている。

旅のヒント 温泉は高温になっていることもあるので、湯加減をみてから入ること。公園は宗教儀式のために閉鎖されることもある。
ja.travelnt.com（ノーザン・テリトリー政府観光局）

❹ リラ修道院の隠者の洞窟（ブルガリア）

10世紀、世捨て人となったリラの修道士イワンは山の洞窟にこもり、癒やしの奇跡を行ったといわれている。現在、聖イワンの洞窟のほか、聖なる泉、彼の遺物を納めた聖堂を訪ねることができる。

旅のヒント リラは首都ソフィアからバスで2時間。リラ修道院では山小屋でも宿泊できる。www.travel-bulgaria.com（英語）

❺ サルデーニャ島の聖なる井戸（イタリア）

サルデーニャ島には、切石の井戸が40カ所以上ある。そのほとんどは紀元前1800年から同1200年のヌラーゲ（石を積み上げた巨大な塔）文明時代につくられた。井戸の入り口は広々とした空間になっていて、その先に、急な階段が地の底に向かうように続いている。階段を下り切ると、ソロスと呼ばれるハチの巣状の墓があり、聖なる水を守っている。

旅のヒント 最も保存状態が良い「聖なる井戸」は、サンタ・クリスティーナ。カリアリから北西へ100キロのパウリラティノの町にある。
www.sardegnaturismo.it/en（英語）

❻ イングランドの干満する泉（英国）

イングランド北部、ヨークシャー・デイルズのギグルズウイック・スカーという石灰岩の崖の麓にある不思議な井戸の水は、かつては日に幾度も干満を繰り返していた。しかし、今では大雨の後しか、この現象は見られない。干満の秘密を明らかにしようと、地元の人が井戸を掘り返したからだ。土地の伝説では、美しい精霊が好色なサテュロスから逃れようと全力で走ったため息が上がり、その荒い息遣いによって干満するようになったといわれている。

旅のヒント 井戸は市場の開かれる町セトルのそばにある。ギグルズウイックの聖アルケルダ教会に行けば、趣のあるステンドグラスが見られる。洗礼用の水は井戸からくみ上げられたものだ。
www.visitbritain.jp（英国政府観光庁）
www.yorkshiredales.org（英語）

❼ ウェールズの聖ウィニフレッドの泉（英国）

ホーリーウェルという町にあるこの聖なる泉は、7世紀に聖ウィニフレッドが斬首された後、湧き出したといわれている。ゴシック様式の星形の水盤は、ヘンリー7世の母によって1500年頃につくられた。

旅のヒント 巡礼シーズン中（聖霊降臨日から9月最後の日曜日まで）は泉でミサが行われる。日曜は14時半から、そのほかの日は11時半から。
www.visitbritain.jp（英国政府観光庁）

❽ ウェールズのカレグ・ケネン城（英国）

13世紀につくられたカレグ・ケネン城の廃墟は、ケネン川のほとりにそそり立つ90メートルの岩山の上にある。アーチ屋根のある通路を進むと洞窟があり、水の湧き出る泉がある。この泉は願い事をかなえるといわれ、かつては泉の神に捧げるために曲がったピンが投げ入れられた。また、女性はハンサムな男性との結婚を願って、勇気を出して洞窟に入ったといわれている。

旅のヒント 泉に行くときは足元を照らす懐中電灯を用意しよう。城は風光明媚なブレコン・ビーコンズ国立公園内にある。
www.visitbritain.jp（英国政府観光庁）

❾ キルデアの聖ブリギッドの泉（アイルランド）

聖ブリギッドはキリスト教の聖人であり、異教の女神でもある。この泉には直立した石、小さなアーチ型の橋、祈りの布切れを結びつける木があり、キリスト教と異教の伝統が緩やかに混合した跡が見られる。

旅のヒント 2月1日に訪れれば、夜に行われる井戸までの行列に参加できる。
www.discoverireland.jp（アイルランド政府観光庁）

❿ アンブヒマンガの泉（マダガスカル）

19世紀にマダガスカルを支配していたメリナ族は、先祖崇拝のため凝った儀式を執り行っていた。その一つが年に一度の沐浴祭、ファンドゥルアナ祭である。これは王と后だけでなく国全体の清めの儀式とされた。現在、ここを訪れると、石灰岩をくり抜いた浴場のほか、聖なる小川などを見学できる。

旅のヒント マダガスカルの新年（3月）に訪れ、ファンドゥルアナ祭を見よう。
www.madagascar-embassy.jp（駐日マダガスカル大使館）

次ページ：バリ島アイル・パナスの温泉は三つのテラスを流れた後、石像の口から流れ出て、水浴びをする人の頭に勢いよく落ちていく。

中国チベット自治区

天空の湖 ナムツォ

標高4718メートルの高地にある広大な塩水湖。
時が止まったような世界で、チベット高原の遊牧の民と触れ合う。

アジア

湖畔を一周する巡礼、コルラは黙々と行われる。岩山の道をたどる巡礼者の足音とヤクのベルの音が聞こえるだけだ。果てしなく広がる青空と薄い空気が、辺りを満たす静寂をさらに深めている。

聖なる湖がある一帯は、チベット自治区の中心都市ラサの北にあり、車で1日かかる。ここは中央アジアでも特に人里離れた辺境の地だ。40以上の湖と20余りの川があり、青と茶色、高峰の雪の白が、見事なキルト模様の風景を生み出す。数ある湖の中で最も崇拝されているのがナムツォだ。チベット語で「天空の湖」を意味するこの湖の標高は4718メートル。世界で最も高地にある塩水湖だ。

この地域は仏教伝来以前のチベットの古代宗教、ボン教の儀式や風習が色濃く残っていて、湖とその周辺は守り神やその他の神々のすむ場所と考えられている。

夏になると、大勢の巡礼者たちがタシドル・ゴンパ（幸運の岩）といった湖畔の聖地を訪れる。3週間かけて湖を一周する苦行を行う者もいる。ボン教の教義に従い左回りで湖に沿って歩きながら、途中にある多くの聖地で祈りを捧げるのだ。

ベストシーズン　5月から9月が最適な季節だろう。ほかの時期は大雪や極度の寒さのため、訪れたとしても快適な旅は期待できず、時には続行不可能になる。

旅のヒント　この地域へはラサからガイド付きツアーが出ている。最低3日間は必要で、これには標高5182メートルでのハイキングも含まれる。高度順応の時間をとっておくことが必要だ。普段低地にすんでいる人は少し歩いただけで、頭痛や息切れに悩まされるかもしれない。夏でも防寒具は必要。7月でも夜は氷点下になることがある。争乱が起きるとチベットへの立ち入りはできなくなる。安全情報を確認しよう。

ウェブサイト　www.cnta.jp（中国国家観光局）、www.responsibletravel.com（英語）

見どころと楽しみ

■ **ナムツォ・チュクモの僧院**は湖の南岸の岬にある。石灰岩の洞窟には8世紀頃から隠遁修行僧が集まった。伝説の密教の高僧、リンポチェもここで過ごしたといわれている。

■ **夏には**、クロヅルなどの渡り鳥がタシドル・ゴンパの西側、湖の入り江に設けられた**野鳥保護区**に集まって繁殖する。

■ **中央チベットの遊牧民**はナムツォで夏を過ごすので、彼らの生活を垣間見るチャンスだ。布を織ったり、皮をなめしたり、家畜の世話をしたりする姿のほか、ヤクのバターと大麦の粉を使ったツァンパなどの伝統食をつくっているところが見られるだろう。

天空の湖を見下ろすようにたなびく、色とりどりの祈祷旗。

泰山の頂上を目指す参拝者は、南大門へと続く石段「摩天雲梯」を登る。

中国 山東省

皇帝たちが崇めた 泰山（たいざん）

孔子の足跡をたどって、中国屈指の聖なる山を登る。
その頂には、道教で天界の王とされる玉皇上帝が祭られている。

道教の五大聖山「五岳」で、最も信奉されているのが山東省泰安市（たいあん）にある泰山だ。標高1545メートルのこの岩山は、肥沃な華北平原の東端にある。五岳の各山頂は霊力に満ち、神がすむとされている。泰山に主に祭られているのは、天の支配者で全生命の源、玉皇上帝（ぎょくこうじょうてい）だ。

伝説では、泰山の頂上 ── 玉皇殿がある玉皇頂 ── に登れば、誰もが100歳まで生きられる。古代中国の皇帝たちは山を神として崇め、国を治める権威は神から授けられると信じていた。そのため、歴代の皇帝は多くの臣下とともに泰山に参拝して、盛大な祭儀を行ったという。儒家の始祖である孔子もこの山に登っている。

毎年多くの人が、孔子や歴代の皇帝だけでなく、古代中国の僧侶や詩人や学者の足跡をたどろうと、頂上までつくられた6000段以上ある石段や小道を登っていく。参道沿いや周辺には寺院や廟が多く、岩の上や参道にまたがる林の中には石像や石刻が無数に残っている。

晴れた日には、山頂から東方に200キロ離れた黄海が見えることもある。

ベストシーズン 4月中旬から6月中旬と9月から10月。雨は年中降るが、特に夏に多い。冬は寒さが厳しいが晴天の日が多い。週末や中国の祝日、特にメーデー（5月1日）と国慶節（10月1日）の週は混雑する。

旅のヒント 泰山は済南から南へ64キロ。最寄りの空港は北京。数多くのツアーが出ているし、頂上までの道は案内標識があってわかりやすい。道沿いには食べ物の屋台、休憩所、宿泊施設がある。普通の体力があれば日帰りで頂上まで往復できるが、山頂付近に泊まって日の出を眺めるのもいい。ほかには、中天門まで小型バスで行き、そこから少し歩いて南大門行きのロープウェーに乗るという方法もある。

ウェブサイト www.cnta.jp（中国国家観光局）、www.mount-tai.com.cn（中国語）

見どころと楽しみ

■ 泰山の麓には、高い壁と樹齢2000年のヒノキに囲まれた**岱廟**（だいびょう）がある。遙参亭（ようさんてい）から入って古い石畳の道を進むと、11世紀に建てられた天貺殿（てんきょうでん）がある。

■ 1009年に建てられた**碧霞祠**（へきかじ）は、玉皇上帝の娘で女性の守り神である、碧霞元君を祭っている。

■ 山頂に宿泊して早起きして**日の出**を見よう。中国の古い信仰では、太陽は毎朝泰山から昇り、夜になるとそこに帰るとして、泰山は太陽の在処とされていた。

伝説の風景 | 謎の巨大遺構 | 信仰の発祥地 | 永遠の史跡 | 日々の祈り | 神が宿る場所 | 巡礼の道 | 儀式と祝祭 | 忘れえぬ人々 | 心を見つめて

アダムズ・ピークの鋭くとがった頂が、周囲の丘陵地帯を見下ろすようにそびえている。

スリランカ
アダムズ・ピーク

スリランカ南西部にそびえるこの聖山の頂へと通じる巡礼路をたどると、地上の楽園に少し近づけたような気持ちになる。

風雨にさらされた祈祷旗が風に揺れる中、アダムズ・ピークの麓に広がる原生林に朝が訪れる。頂上では異なる宗教の巡礼者が日の出を見守る。笛や太鼓の音に合わせ、「サドゥ、サドゥ、サ！」と声を上げる者もいる。

仏教徒、ヒンドゥー教徒、キリスト教徒、イスラム教徒の誰もが皆、「スリー・パーダ（聖なる足跡）」とも「サマナラカンダ（チョウの山）」とも呼ばれる、標高2243メートルのこの山を聖地と考えている。頂上近くの岩に残る大きな足跡のいわれについては、宗教ごとに別々の見解がある。

ダルフージーから頂上までの曲がりくねった道は陽光に照らされて遠くからでも見えるが、ところどころほぼ垂直になっている。幅の狭い5000段の階段を登る巡礼者は「カルナヴァ（あなたに神仏のお慈悲を）」とあいさつを交わし、伝統的な詠唱が辺りにこだまする。道沿いにはいくつもの休憩所があり、屋台には、いれたてのお茶、揚げたてのヒヨコ豆や多くの菓子が並び、疲れた登山者を出迎える。

ベストシーズン モンスーン・シーズン前の12月から4月がベスト。頂上が混雑するので、満月の日や週末は避けたい。天気予報をチェックして晴天の日を選ぼう。

旅のヒント 頂上でご来光を拝めるように計画しよう。ほとんどの人は深夜2時に登り始めるが、前日の午後に登り、頂上の山小屋に泊まってもいい。ダルフージーから登るのが最も楽だ。登りが4時間、下りは3～4時間。ラトゥナプラからの道は険しく、登りが7時間、下りは約5時間かかる。ラトゥナプラからの道には屋台がないので、食料や水を持参すること。ダルフージーで熟練のガイドを雇える。

ウェブサイト www.lankaembassy.jp/index_ja.htm（駐日スリランカ大使館）
www.srilankainstyle.com　・　www.teatrails.com（英語）

見どころと楽しみ

■ 年に1度だけ、モンスーンの直前にアダムズ・ピークに集まる、**黄色いチョウの群れ**を探そう。土地の言い伝えによると、チョウは死ぬ前に、山に参拝に訪れるということだ。

■ コドゥ・カラヨ（初めての巡礼）の儀式に従い、**インディカツ・パハナ**にあるクモの巣のように絡まった糸の固まりに糸を奉納しよう。休憩地のインディカツ・パハナは、ブッダが衣服の裂け目を繕うために休んだ場所といわれている。

■ アダムズ・ピークで栽培される**ホワイト・ティー**を飲んでみよう。このお茶は1週間に30キロしか採れない。

アジア

インド
女神に守られる カニャークマリ

三つの海が出合うインド最南端は、
ヒンドゥー教徒にとって大切な巡礼と祈りの地だ。

アジア

　詩人は4月になると、カニャークマリにかかる美しい満月を思い出し、ヒンドゥー教徒はチャイトラプルニマの祭りを祝う。旅行者は、透き通るような青い海の向こうに、太陽が沈むと同時に月が昇るのを見て感動する。
　インド洋、アラビア海、ベンガル湾の三つの海が出会うインド南端のタミル・ナードゥ州カニャークマリには、多くの人が訪れる。この町には1000年の歴史を誇るクマリ・アンマン寺院があり、女神カニヤが祭られている。伝説によると、カニヤは破壊と創造の神、シバと結婚するはずだったが、シバは結婚式に現れなかった。そのため、カニヤは処女神とされており、すべての参詣者を祝福するといわれる。
　町では米粒に見立てた色のついた小石が売られている。参詣者たちはその石を買い、女神カニヤの結婚式に出されることのなかった食物に見立てて、カニャークマリの砂浜にまく。海辺には100年前に建った灯台や多くの古寺がある。朝には、海辺で沐浴する人や、寺院で祈りを捧げ、花を供える信者の姿が見られる。

ベストシーズン　日の入りと月の出を同時に見るには、満月の時（特に4月）がベスト。
旅のヒント　最寄りの空港は約90キロ離れたトリバンドラムだ。カニャークマリには、清潔な簡易ホテルがたくさんある。少なくとも2日か3日は滞在したい。月曜日には閉まっている寺院もある。クマリ・アンマン寺院では、ヒンドゥー教徒以外は最奥部の聖堂に入るのを許されないことがある。男性は入る前に、シャツを脱がなくてはいけない。たくさんの小銭を用意しておこう。ほとんどの寺院や観光スポットで、わずかな額だが入場料と撮影料を取られる。
ウェブサイト　www.embassyofindiajapan.org（在日インド大使館）
www.kanyakumari.tn.nic.in（英語）

見どころと楽しみ
■クマリ・アンマン寺院の南東、**スリ・パダ パライ**には、足跡の岩がある。地上にいもうとした処女神カニヤが、天から降りた時に残した足跡だといわれている。

■フェリーに乗って、紀元前30年頃に生まれたタミルの詩人で聖人としても崇められる、**ティルバッルバル**の像を見よう。インドの自由の女神とも呼ばれているこの像は、小さな島に立っている。

■**ガンジー記念館**を訪れよう。ガンジーの遺灰が海にまかれる前まで、置かれていた場所。この建物は、彼が生まれた10月2日に、太陽がちょうど遺灰の置かれていた場所を照らすように設計されている。

砕ける波の向こうに、タミルの偉大な詩人ティルバッルバルの像が見える。

インド

聖なる川岸 トリベーニー・サンガム

世界中から訪れたヒンドゥー教徒が沐浴するここは、ガンジス、ヤムナー、架空のサラスバティの三つの流れが合流する場所だ。

ウッタル・プラデーシュ州アラーハーバードから、ほこりだらけの直線道路を東へ進み、不毛の平原を抜けて目的地に着いてみると、話に聞いていたのとは全く異なる光景に、拍子抜けするに違いない。そこは、橋が何本か架かるだけの、ただの穏やかな大きな川としか見えない。カモメが数羽頭上を飛び、川の神々に供物を捧げる信者が川岸にまばらにいるだけ。

だが、満月か新月、あるいはメーラ（祭り）の期間にここを訪れると、巡礼者が川岸にひしめく光景を目にするだろう。群衆の中には、色鮮やかな衣をまとった僧侶たちが小さな木の台に腰掛け、信者の沐浴を手助けしている。ここはヒンドゥー教で最も神聖な三つの川が合流する、トリベーニー・サンガムである。ヒンドゥー教徒は、茶色く濁った大河ガンジスを生命の母ガンガーであると考え、流れの速い緑色のヤムナー川を死の神ヤマと結びつけている。さらに、地下を流れるという架空のサラスバティ川（悟りの川）がここで合流すると信じている。

トリベーニー・サンガムがあるアラーハーバードはヒンドゥー教四大聖地の一つである。天から不老不死の霊薬がこぼれ、地上に四つの滴が落ち、それぞれが聖地になったという伝説がある。この四つの聖地でインド最大の宗教祭典「クンバ・メーラ」が順に開催される。祭りの時は、川岸がおよそ7000万人の仮住まいとなる。

ベストシーズン 祭りが行われる1月か2月がいい。夏の猛暑は避けたい。
ヒンドゥー教徒でない者には、祭りの期間中であっても、1日の滞在で十分だろう。

旅のヒント アラーハーバードからヴァラナシ空港までは146キロ、ラクナウ空港までは210キロだ。アラーハーバードとは、両空港とも鉄道と高速道路でつながっている。サンガムまでは、アラーハーバードから東へ約12キロ。バスやタクシーの便がいい。メーラに合わせて旅程を組むのが理想的。マーグ・メーラは、毎年行われている。アルドゥ（半）・クンバ・メーラは12年ごとで、最近では2007年に行われた。次のマーハー（全）・クンバ・メーラ（同じように12年ごと）は、2013年に行われる。

ウェブサイト www.embassyofindiajapan.org（在日インド大使館）

アジア

見どころと楽しみ

■ 聖なる川を**ボート**でゆっくり進もう。ボート乗り場は、1583年にアクバル大帝が築いたムガール帝国の壮大な砦の東の桟橋にある。

■ 砦の東側の地下に、**パタルプリ寺院**がある。ラーマ神が訪れたといわれ、聖なるアクシャヤ・バッド（不死のバニヤンの木）がある。

■ トリベーニー・サンガム周辺には、**古い寺院**が点在している。猿神ハヌマーンを祭る寺院が砦の近くにある。

■ ガンジス川とヤムナー川の**水の色**ははっきりと違う。二つの川の合流地点で、水の色をよく観察してみよう。

前ページ：夜明け前、アルドゥ・クンバ・メーラの巡礼者が、ガンジス川で沐浴をしている。ヒンドゥー教徒にとってこの沐浴は、心と体を清める大切な行為だ。上左：信者はマリーゴールドとハスの花でつくった花輪を買い、川の神々に捧げる。上右：ガンジス川に入り、祈る巡礼者。

オーストラリア
創造神話の舞台 カタ・ジュタ

鮮やかな色彩を放つオーストラリア奥地で、
アボリジニの「ドリームタイム」の世界に足を踏み入れよう。

オーストラリア／オセアニア

群れて飛ぶセキセイインコの翼が陽光に照らされて、カタ・ジュタ（オルガ岩群）のオレンジ色の巨大な岩山に、鮮やかな黄緑色の光がよぎる。ノーザン・テリトリーにあるウルル-カタ・ジュタ国立公園で28平方キロを占めるこの奇岩の集合は、5億年前に形成されたもので、先住民文化の一部である。

この地にすむアナング族にとり、36の各々の岩は、創造の時とされるアルチェリンガ（ドリームタイム）に誕生した、守護動物、人間、食料を表す。部族の語り部は、岩群で最も高いオルガ山（1069メートル）にすむヘビ、ワナンピの話を伝える。

岩の間をジグザグに抜ける「風の谷」の道を行くと、カルやカリンガナの展望台から、岩山の多くが見られる。アボリジニ以外が近づける他の道は、ワルパ渓谷の道だ。二つの高いドーム岩に挟まれた河床の道を進むと、ウルジャンパのやぶに着く。アナング族の人々は、やぶに生える木を利用して、伝統的なやりをつくる。

見どころと楽しみ

■ **ワルパ渓谷**を探索し、古代のペトログリフ（岩面彫刻）、砂漠の珍しい動物、希少な植物を観察しよう。ここでしか見られない種もある。

■ **カタ・ジュタの夕日**を見よう。岩の色が、オレンジから血のような赤、藤色へと変化し、最後は濃い紫色になる。

■ オルガ岩群とウルルの上を飛ぶ**ヘリコプターツアー**に参加するのもいいだろう。岩群のスケールの大きさや砂漠の美しさが堪能できるはずだ。

ベストシーズン　通年。ただし、ハイキングに適しているのは冬（6月～8月）。

旅のヒント　車のない人は、カタ・ジュタへ行くツアーを利用しよう。ウルル近くのエアーズロック・リゾートから毎日出ている。丈夫な靴、つばの広い帽子、日焼け止め、ハイキングの途中で飲む水をたっぷり持っていくこと。夏の暑い日にはオルガ岩群とウルルではハエに悩まされるので、ネット付きの帽子も持っていこう。全長7.4キロの風の谷の道を行くと、3時間から4時間でカル展望台とカリンガナ展望台に到着する。そこからはカタ・ジュタのパノラマが楽しめる。ワルパ渓谷は往復2.6キロ、所要時間約1時間。予想気温が36℃を超えると、11時以降は風の谷の道の通行が制限される。

ウェブサイト　ja.travelnt.com（ノーザン・テリトリー政府観光局）
www.australia.com（オーストラリア政府観光局）

オルガ岩群の燃えるようなドーム岩は、アボリジニが信じる「ドリームタイム」の重要な要素だ。

春になると、ウルルの下のオレンジ色の砂丘には、野草の花が咲く。

オーストラリア
聖なる赤き巨岩 ウルル

**巨大な岩の麓に残る、先史時代の洞窟壁画の下に座って、
アナング族が語り継いできた太古の物語に耳をすまそう。**

　ウルルの赤い岩は、ノーザン・テリトリーの砂漠に堂々とそびえている。その高さは、ニューヨーク市のエンパイア・ステート・ビル（348メートル）ほどもある。「エアーズロック」という名でも知られているこの巨大な岩の塊は、およそ3億から4億年前に地表に突き出てきたとされる砂岩層の一部で、現在はウルル・カタ・ジュタ国立公園に含まれ、保護されている。

　アボリジニはウルル周辺に1万年以上前から居住していた。その子孫のアナング族は、ウルルを祖先から受け継ぎ、子孫に伝える大切な存在と考えている。部族の生活様式を定める複雑な信仰体系によれば、ウルルは創造主がつくったとされている。のっぺりしていた地球の地形を創造主が今のような形にしたというのだ。

　ウルルにまつわる精霊は多い。例えば、ニシキヘビ女のクニアは、ヘビ男のリルと死闘を演じたと言われる。岩山の巨大な筋は、彼らの激しい戦いの跡なのだ。

ベストシーズン　ウルルの夏（12月～2月）は、猛烈に暑く、日中の気温はしばしば38℃を超える。冬（6月～8月）は快適だが、砂漠の夜は非常に寒く、気温は氷点下になることもある。春（9月～11月）は、野草の花々がオレンジ色の砂丘のあちこちに咲き乱れる。いつ訪れようとも、日の出と日没は多彩な輝きに包まれたウルルを見るのに最高の瞬間だろう。

旅のヒント　午前か午後の半日で公園をざっと回れるが、ウルルとカタ・ジュタを十分に見て回るためには少なくとも2日は滞在したい。宿泊施設は公園の外のユラーラにある。日焼け止め、頭を保護する帽子は不可欠。ツアーでも飲料水は持参しよう。1人離れて砂漠に出ないこと。
ウルルに登るつもりでいる人は、足元が滑りやすいことを覚悟しておこう。

ウェブサイト　ja.travelnt.com（ノーザン・テリトリー政府観光局）
www.australia.com（オーストラリア政府観光局）

見どころと楽しみ

■ アボリジニが経営するアナング・ツアー社は、**ガイド付きハイキング、ラクダ・トレッキング**を主催している。夜は輝く星の下で、**天文学講座**が受けられる。

■ **ウルル**近くには、**ウルル・カタ・ジュタ・カルチャー・センター**があり、アボリジニが伝統工芸品をつくっているところを見学できる。また、アナング族がはぐくんできた文化やブッシュ・タッカー（砂漠での食べ物）、この地域の歴史や自然についても学べる。

オーストラリア／オセアニア

伝説の風景

謎の巨大遺構　信仰の発祥地　永遠の史跡　日々の祈り　神が宿る場所　巡礼の道　儀式と祝祭　忘れえぬ人々　心を見つめて

ニュージーランド

息づく大地 ロトルア

太古の昔からマオリ族が崇めてきたここは、ニュージーランドで最も活発な地熱地帯。
蒸気が立ちこめ、間欠泉がシューシューと音を立てて噴き上がり、色とりどりの池が点在する。

ロトルアの町は、噴火口、山、湖などが連なる活火山帯の中心に位置している。高温の間欠泉が空高く噴き出し、泥が沸き立ち、湯気の立つ池は緑やピンク色、青などに染まる。硫黄の刺激臭が辺りに漂う。

マオリは、この激しい地熱活動を見て、数々の物語をつくった。その一つは次のようなものだ。古代の神官ナトロイランギは、山の頂で寒さに震えていた際、マオリの伝説上の故郷であるハワイキの神々に、暖めてくれるように祈った。神々はナトロイランギの願いを聞き、地中深くに火を放ったという。

数世紀にわたるシリカ(二酸化ケイ素)の堆積によってつくられた、巨大な階段状のピンクテラスとホワイトテラスは、19世紀には、世界の8番目の不思議に数えられ、ヨーロッパ人の観光地となった。だが、1886年、ロトルアの南に位置する聖なるタラウェラ山が噴火し、テラスは破壊され、周囲の村も壊滅的な被害を受けた。それでも観光客は後を絶たず、「地獄巡り」や温泉治療に訪れる。

ロトルアの南27キロの「ワイオタプ(聖なる水)」といった静かな地区は、今も多くの人が訪れる人気スポットだ。そこでは、派手な色をした池がいくつもあり、地熱活動が絶え間なく繰り返される様子を見たり、感じたりできる。もしかして、自分が立っている地下深く、溶けた地殻の奥のどこかに、本当に神から与えられた炎があるのではと感じられるかもしれない。

ベストシーズン ロトルアの地熱活動は季節に関係なく活発だ。温泉公園のほとんどが、日中いつでも開放されている。

旅のヒント ロトルアへは、オークランド、ウェリントン、クライストチャーチ、クィーンズタウンから国内線のフライトが毎日出ている。車だとオークランドから3時間。車がなくても、たくさんあるロトルア行きのツアーを利用すればいい。さまざまな宿泊施設があり、数日間滞在して、観光や散策を楽しんだり、催し物に参加してみたい。

ウェブサイト www.newzealand.com/travel/Japan(ニュージーランド政府観光局)
www.rotorua.nz.com(英語)

オーストラリア／オセアニア

見どころと楽しみ

■ 一帯には**マオリ族の文化**があふれている。特徴ある地形、間欠泉や池の変化する様子、さらにマオリ族の民芸品や工芸品、文化行事などを見ることができる。マオリの伝統料理のハンギも食べてみよう。

■ **ワイマング火山渓谷**のツアーでは、タラウェラ山の噴火の跡を見られる。タラウェラ湖や岩絵を見て、ボートでテ・ワイロアの村にも行く。この村は噴火で埋まったが、現在一部が発掘されている。

■ ここは**温泉治療**の本場だ。ロトルア湖岸にあるポリネシア・スパに行ってみよう。1878年、マホーニー神父が池を掘り、その湯につかったところ、関節炎が治ったといわれる。

■ カヤックやジェットスキー、フィッシングなど**アウトドア・スポーツ**が楽しめる。

前ページ：ワイオタプ温泉公園にある「画家のパレット」。鮮やかな色は、水中の鉱物が混ざった結果だ。
上左：レディ・ノックス間欠泉は、ニュージーランド総督の娘にちなんだ名である。定期的に噴出させるため、せっけんを間欠泉に投げ入れる。上右：ワイオタプの「シャンパン・プール」からは、湯気が激しく上がる。

伝説の風景 | 35

ウシュグリには、石の塔の家が20軒以上もある。12世紀に建てられたこの家屋には教会がある。

グルジア
神話の里 上スバネティ地方

**ヨーロッパとアジアを隔てるカフカス山脈の南麓にある辺境の地は、
古来さまざまな神話の舞台として知られてきた。**

　古代ギリシャ人は、グルジアをコルキスと呼んだ。ギリシャ神話の英雄イアソンがアルゴ船探検隊を率いて、コルキス王アイエテスから黄金の羊の毛皮を奪ったとされる土地だ。上スバネティ地方では、小川で砂金を採るのに羊の毛皮を使う習慣があったため、この伝説が生まれたのかもしれない。

　この地域にすんでいるスバン人はキリスト教徒だが、古来の民俗信仰の影響も強く受けている。ウシュバ山は、スバン人にとって特別な場所だ。ここには、金色の髪をした自然と狩猟の女神、ダリがよく姿を現すといわれ、狩人は女神のタブーを守る。守らなければ、彼女は獲物の動物に変身し、狩人を死に追いやるからだ。

　カフカス山脈の高峰に囲まれた上スバネティ地方は、今なお辺境の地だ。手つかずの山々が見せる荘厳な美しさと中世の村の風景からは、悠久の時が感じられる。

　村の教会や礼拝堂には、8世紀から14世紀にかけて描かれたすばらしいフレスコ画や聖画が残っている。村独特の景観をつくっているのが、石づくりの塔の家屋だ。略奪目的の侵略者などが襲ってきた時、塔に逃げ込んで身を守った名残だ。

ベストシーズン　夏(5月〜9月)が良い。冬には大雪で、陸の孤島になることもあるし、スバネティ地方の中心都市メスティアと石の塔の家があるウシュグリ村とを結ぶ道路は閉鎖される。

旅のヒント　グルジアの首都トビリシに飛行機で着いたほとんどの旅行者は、車でまずツグヂヂまで行き、その後、メスティアへと向かう。480キロの距離で、所要時間約8〜10時間。ツグヂヂとメスティアの間は、バスや小型バスが走っている。トビリシから1週間のツアーがあり、上スバネティ地方には3日滞在する。上スバネティ地方は今でも治安があまり良くないので、1人旅は避けよう。信頼できる土地の旅行代理店、ガイド、宿の主人の忠告は守ろう。旅行者は最初はうさんくさい目で見られるかもしれないが、一度お客として受け入れられると伝統的なもてなしを受けられるだろう。

ウェブサイト　www.music-tel.com/georgia　(日本グルジア文化協会)

見どころと楽しみ

■ 動物の角のような二つの峰をもつ標高4690メートルの**ウシュバ山**は、カフカスでも特に有名。登山者やトレッキングを楽しむ人に人気の山だ。

■ 石塔の家屋のある集落として最も有名なのが**チャジャシ**。ウシュグリ村に四つある集落の一つだ。石塔の家屋は20以上も残っている。

■ **上スバネティ地方**は山に囲まれて孤立していたため、侵略を免れることができた。そのため金の十字架や色鮮やかな聖画像など、**教会の宝物**が残されている。**メスティア歴史民族博物館**にはすばらしい展示品がたくさんある。

アジア

イスラエル

奇跡の舞台 ガリラヤ湖

イスラエル最大の湖であるガリラヤ湖のきらめく水面を見渡し、
イエスと弟子たちが歩いた足跡をたどることにしよう。

キリスト教徒には、ガリラヤ湖ほど心に響く場所はないだろう。面積160平方キロのこの淡水湖は、イエスの生涯と強く結びついている。新約聖書によれば、イエスはここでペトロ、アンデレ、ヨハネ、ヤコブの4人の漁師を使徒に選び、5000人に食べ物を与えるなど、数々の奇跡を行った。

2000年の間、この湖はキリスト教徒にとって大切な巡礼地だったが、この湖を「ティベリアス湖」と呼ぶユダヤ人にとっても大切な場所だった。ティベリアスの町は2世紀から中世に至るまで、ラビの教えの中心地であり、3世紀と4世紀に最初のタルムードが編さんされた場所でもある。

1909年には、集団で農業を営んで生活するという、シオニストの最初の共同体（キブツ）が湖岸につくられた。巡礼者が集まれば観光も栄える。現在のガリラヤは、聖地であると同時に、ビーチ・スパ・リゾート、保養地としても人気がある。

イエスの時代と同じように、この地域の主な産業は現在でも漁業だ。夕暮れ時に漁師が網をたぐる様子を静かに眺めていると、数千年前と何も変わらないような不思議な安らぎを感じることができるだろう。

ベストシーズン　夏は猛烈に暑い（38℃くらい）。訪れるのは春と秋が最適。ユダヤ教の安息日（金曜の夕方から土曜の夕方）は避けたい。レストランなど、ほとんどの店が閉まってしまう。

旅のヒント　1日あれば車ですべて回れる。もっと長く滞在する場合、宿泊施設がそろっているのはティベリアスの町。春と秋がベストシーズンだが、急な雨に見舞われることがあるので雨具は必ず持っていこう。宗教的な場所へは、短パン、ミニスカート、ノースリーブなど肌を露出した服装では行かないこと。

ウェブサイト　tokyo.mfa.gov.il（駐日イスラエル国大使館）

アジア

見どころと楽しみ

■ タブハにある「**パンと魚の教会**」を訪れよう。ビザンティン様式のこの教会には、パンと魚のモザイク画がある。近くに山上の垂訓を記念した「**山上の垂訓教会**」がある。

■ イエスが活動拠点としていた**カペナウム**の町には、教会、シナゴーグ、考古学博物館がある。

■ キブツ・ギノサールのイガル・アロン・センターには、1980年代に発掘された**木造の漁船**が展示されている。イエスの時代のものだと考えられている。

■ 現在のミグダル近くにある**マグダラの遺跡**を訪れよう。ここはマグダラのマリアの生地とされる場所だ。

■ 捕れたての**ティラピア**を食べてみよう。地元では、「聖ペテロの魚」という愛称で呼ばれている。

ガリラヤ湖はキリスト教徒とユダヤ教徒にとっての聖地というだけではない。その静けさに引かれて多くの人がここを訪れる。

トルコ
ヒッタイト王の聖所 ヤズルカヤ

露出した巨大な石灰岩から湧き出した聖なる泉は、
古代ヒッタイト王国の王たちが祭事を執り行った聖所だった。

　古代、トルコ中央部の炎熱の乾燥地帯では泉は神の恵みを意味した。ヤズルカヤに湧き出す清らかな水は、湿った土壌に生えた木々や大きな岩に守られ、枯れることがなかった。泉を囲む岩場の大小二つの天然の回廊は神殿となり、紀元前1900年頃には祭事に使われていたと思われる。

　ヤズルカヤは青銅器時代に栄えた近くの町、ハットゥシャの発展につれ、その重要性を増した。紀元前1500年頃につくられたハットゥシャがヒッタイト王国の都として栄えると、ヤズルカヤは王族の聖所となった。岩の表面には、ヒッタイトの神々や、神格化された王たちのレリーフが刻まれた(ヤズルカヤは「文字が刻まれた岩」の意)。王族の葬祭に使われたらしい小さい回廊の壁には、円錐形の帽子をかぶり、剣や鎌を持つ神々の図が彫られている。誕生と死と再生の神、シャルマに抱かれているトゥドハリヤ王(縁なし帽子をかぶっている)を探してみよう。

　大きい回廊では、女神の列が男神の列に向かって進んでいる。これらの図柄は、シャルマの両親、テシュブ(風雨の神)と妻のヘパト(地の女神)だとされる。ヒッタイト最後の王といわれているトゥドハリヤ4世が最も大きく描かれている。

ベストシーズン　春(4月〜6月中旬)がベストだが、4月は湿気が多い。
秋(9月下旬〜10月)もおすすめだ。夏はとても暑く、冬は驚くほど寒い。

旅のヒント　ヤズルカヤとハットゥシャは、ボアズカレの近くで、アンカラから東に200キロ。ほとんどの観光客は、アンカラでツアーに参加する。所要時間は11時間。ヤズルカヤは、ハットゥシャの遺跡から約3キロ。光と影が時間を追って移動するので、多くのツアーが、レリーフのある壁に最も日が当たる正午頃、現地到着するようにスケジュールを組んでいる。

ウェブサイト　www.tourismturkey.jp (トルコ政府観光局)、hattuscha.de (英語、ドイツ語、トルコ語)

アジア

見どころと楽しみ

■ 小さい方の回廊では、頭が人間で身体が4頭のライオンの**「剣神」**が、切っ先を下に向けた剣の上に立っている。ヒッタイトの冥界の神、ネルガルだ。

■ 神、女神、王族を、その**シンボル**を手がかりにして見つけよう。例えば、先が巻いた笏(サルのしっぽに似ている)は王を表し、神々の円錐形の帽子にある「角」の数は序列を表す。神々の多くが、動物で表現されている。王の名前は象形文字で書かれている。

■ 近くに**ハットゥシャ**の遺跡がある。そこはかつて全長6.5キロの壁で囲まれた、ヒッタイトの都だった。

ヒッタイト12神の行列のレリーフ。ヤズルカヤの小さい方の回廊にある。

アララト山の頂が雲に隠れている。山を見渡す平原では羊飼いが群れを追っていた。

トルコ

箱舟伝説が残る アララト山

万年雪と氷河に覆われたアララト山の広々とした頂には、
古代の謎を解く鍵が眠っているかもしれない。

圧倒的な大きさと威容を誇る姿、神秘的な雰囲気――。雪を頂いたトルコの最高峰アララト山は、アナトリア北東部の乾燥した高原地帯に、のしかかるようにそびえる。イランやアルメニアと国境を接するドゥバヤズットの村から見ると、アララト山は地平線いっぱいに広がっている。

標高5137メートルの主峰大アララト山は、氷河、不毛の黒い岩、凍ってひび割れた溶岩に覆われ、人を寄せつけない厳しい雰囲気につつまれている。古代アルメニア人は、この山を氷と炎が一つになる場所として恐れ敬った。「痛みの山」という意味のアララト（トルコ語ではアール・ダア）は、かつては活動の盛んな火山であったのだ。この山が「神々がすむ家」と考えられたとしても不思議ではない。

今日、アララト山は聖書と深く結びついた存在だ。創世記によれば、大洪水が引いた後、ノアの箱舟はこの山の山腹に漂着したという。ノアとその子孫による新たな世界の創造は、ここから始まったのだ。地面の割れ目や頂上付近の氷河の下に、箱舟の残骸を見たという登山者もいるが、確かな証拠は見つかっていない。

ベストシーズン 7月から9月中旬。夏の終わり頃が最高。

旅のヒント アララト山に最も近い空港がワンだ。トルコ航空のフライトがアンカラからワンまで週に数便飛んでいる。ドゥバヤズットとワンには、簡易宿泊所から三つ星ホテルまで、さまざまな宿泊施設がある。個人旅行よりも、ツアーに参加した方が安くて便利で安全だ。アララト山登山を希望する場合、トルコ観光省の正式な許可が必要。個人で許可を取るのは難しいが、登頂ツアーを主催するトレッキング会社はいくつかあるので、それに申し込めば手配してくれる。

ウェブサイト www.tourismturkey.jp（トルコ政府観光局）、www.terra-anatolia.com（英語、フランス語）

見どころと楽しみ

■ 世界遺産に登録されているドゥバヤズットの**イサク・パシャ宮殿**は、廃墟のような雰囲気が漂う遺跡だ。宮殿は見た目よりも新しく、1789年、土地の豪族イサク・パシャによって建てられた。中庭、ハーレム、モスクは、アナトリア、アルメニア、オスマン・トルコ、ヨーロッパの建築様式が入り交じった独特のつくりだ。

■ 塩水湖のワン湖に浮かぶ四つの島には、**アルメニア教会**の遺跡がある。最古の教会は、トルコに征服されるはるか以前、7世紀に建てられたといわれている。島にはワンの町で調達したボートで渡れる。

アジア

伝説の風景 / 謎の巨大遺構 / 信仰の発祥地 / 永遠の史跡 / 日々の祈り / 神が宿る場所 / 巡礼の道 / 儀式と祝祭 / 忘れえぬ人々 / 心を見つめて

聖なる山
トップ10

太古の昔から、多くの宗教では山を崇拝の対象とし、山に登ることは、神聖を汚すことと信じられてきた。

❶ ブラック・ヒルズ（米国サウスダコタ州）

この有名な山地には、五つの国立公園がある。恐ろしく狭いトンネルやらせん状の道路など、カスター州立公園を車で走るのはスリル満点だ。ハーネイ峰（標高2207メートル）から眺めると、スー族が聖地と崇める松林で覆われた丘は、確かに黒く見える。

旅のヒント ラシュモア山に彫られた顔やクレージー・ホースを観光客向けと思っている人もいるが、それらを目にして、感動しない人はいないだろう。
www.uswest.tv/southdakota（アメリカ西部5州政府観光局）

❷ シャスタ山（米国カリフォルニア州）

カスケード山脈にあるシャスタ山の魅力は、独立峰ということだろう。先住民の神話の多くが、ここを万物の創造の地としている。慣れた登山者なら頂上まで登るのは難しくない。氷河に覆われたその美しい頂上は、バニーフラット、シャスタ山バイク周遊道路、モドック火山景勝道からも眺められる。

旅のヒント 登山やハイキングをする場合、5月から8月の間に訪れよう。
www.visitcalifornia.jp（カリフォルニア州観光局）

❸ 富士山（日本 山梨県／静岡県）

神道と仏教の聖地である雪を頂いた富士山は、日本の文化と芸術の象徴だ。標高3776メートルの優雅な姿は、晴れた日には東京からでも見える。7月と8月には、20万人の登山者が頂上を目指す。登ってもいいが、富士箱根伊豆国立公園にある箱根や富士五湖から眺めるのもいい。

旅のヒント 新宿からバスが出ている。登山は登りが5〜8時間、下りが3〜4時間ほどかかる。www.env.go.jp/park（環境省自然環境局）

❹ バリ島のアグン山（インドネシア）

バリの人々にとって世界の中心である標高3140メートルのアグン山は、崇拝と恐れの対象となっている活火山だ。バリ・ヒンドゥー教の総本山であるブサキ寺院は山の中腹にあり、1963年の噴火時にも難を逃れた。5キロの厳しい登山に特別な装備はいらないが、土地のガイドを雇おう。

旅のヒント 4月から10月がベスト。宗教行事のある4月は、登山が制限される。www.visitindonesia.jp（インドネシア共和国文化観光省）

❺ マウアオ山（ニュージーランド）

この小さな古代の火山は、北島北部のプレンティ湾に突き出た半島の先端にあり、シダや木々に覆われている。マオリ族はここを聖地と考え、自然の要塞として大切に利用していた。山腹に村と砦をつくり、1800年代初めまですんでいた。

旅のヒント 周囲徒歩45分。すばらしいパノラマ景色が見られる頂上まで往復2時間かかる。
www.newzealand.com/travel/Japan（ニュージーランド政府観光局）

❻ エベレスト山（ネパール／中国チベット自治区）

チベット人はこの山を宇宙の母なる女神と呼び、ネパール人は空の女神と呼んだ。命がけの登山をせずにこの山の魅力に触れたい人は、チベット自治区のラサか、ネパールのルクラを起点にして、特色のある村々や僧院を歩き、絶景を味わおう。

旅のヒント チベット側のヒマラヤ北斜面にあるロンボク僧院からはエベレストがくっきりと見える。ここからベースキャンプまでは歩いて1日。
welcomenepal.com（ネパール政府観光局）
www.nationalgeographic.com/everest（英語）

❼ カイラス山（中国チベット自治区）

四つの宗教が、この山を地上で最も聖なる場所とみなしている。ヒンドゥー教、仏教、ジャイナ教、ボン教の何千人もの巡礼者が、毎年、ヒマラヤの辺境、タルチェンに集まる。山に足を踏み入れることは冒瀆とされているので、登山のためではない。山麓を歩いて1周する巡礼、コルラをするためだ。難行だが、その見返りは考慮に値する。1回のコルラ（52キロ）で、一生分の罪が消えるというのだ。

旅のヒント この辺境の地は、どこから行くにしても日数がかかる。1回のコルラを1日で行う巡礼者もいるが、ほとんどの人は3日かかる。
www.summitpost.org（英語）

❽ ネボ山（ヨルダン）

風の強い山頂は、預言者モーセが約束の地を見渡し、その後死んだ場所だといわれている。山頂の教会には、古い時代の見事なモザイクがいくつも残されている。晴れた日には、死海やヨルダン川、オリーブ山やベツレヘムの街並みなどが見える。

旅のヒント マダバから約10キロのネボ山へはタクシーで行くか、ツアーに参加しよう。ツアーはたくさんある。
jp.visitjordan.com（ヨルダン政府観光局）

❾ オリンポス山（ギリシャ）

ギリシャの神々のすむ伝説の場所。標高2919メートルの山頂では、おのずと謙虚な気持ちになる。2〜3日かけてゆっくり登ると、約1700種類あるこの山のさまざまな植物をじっくり見ることができる。登った後は、北麓にある聖地ディオンへ行こう。眺めがすばらしく、遺跡がたくさんある。

旅のヒント 登山するなら、カテリニの南に位置する、エーゲ海沿いのリトホロから。www.visitgreece.jp（ギリシャ政府観光局）

❿ キリマンジャロ（タンザニア）

アフリカ大地溝帯にそびえる、頂が平坦なこの火山は、マサイ族の聖地だ。標高5894メートルあり、200キロ離れた地点からでも見える。眺めをじっくり楽しむなら、アルーシャ国立公園から。登るなら、5〜7日のガイド付きツアーを申し込むと良いだろう。登山はきついができないことはない。曲がりくねった登山道は農地、森林、砂漠地帯を抜け、氷に覆われたウフル峰に達する。

旅のヒント 登山するなら、気候が最も穏やかな1月から3月、9月から10月。
www.tanzaniaembassy.or.jp（駐日タンザニア大使館）

次ページ：晴れた日には、均整のとれた富士山の全景が空にくっきり浮かび上がる。神道や仏教では、富士山は神の化身と考えられている。

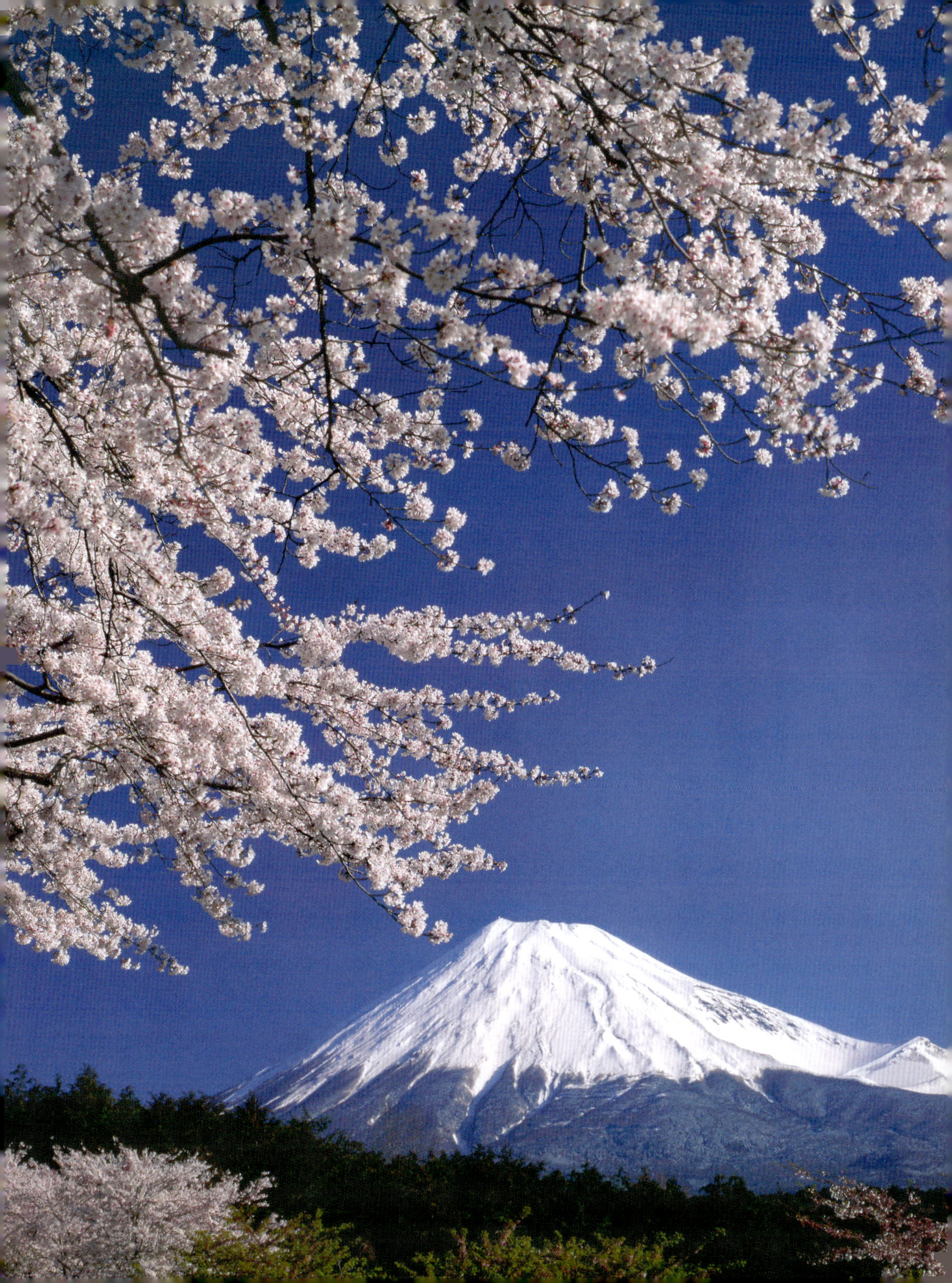

サン・マルタン・デュ・カニグー修道院では、修道士と修道女が共に修行する。

見どころと楽しみ

■ **聖ヨハネの祭り**は真夏の祭典といわれているが、夏至の前夜から2日後の6月23日から24日に開催される。国境の両側に住むカタロニア人が何千人も集まり、数キロ離れても見える大かがり火を囲んで陽気にはしゃぐ。また、小さなかがり火が一帯の村々でたかれる。

■ **サン・マルタン・デュ・カニグー修道院**は1001年に創建され、20世紀に修復された。2月から9月の間、フランス語のガイド付きツアーが週に数回ある。

フランス
カタロニアの心の山 カニグー

ピレネー山脈に位置するカニグー山は、カタロニアの人々が
聖地として崇め、夏至の祭りの舞台となってきた。

ヨーロッパ

　標高2785メートルのカニグー山は、マシフ・ド・カニグー(カニグー山塊)の最高峰だ。スペインとの国境に近い、フランス南部ルシヨン地方のピレネー山脈にそびえている。カタロニア人はキリスト教徒だが、民族古来の伝統もまだ色濃く残る。特に夏至に行われる伝統行事は印象的だ。

　毎年6月に開催される「聖ヨハネの祭り」は、表向きはキリスト教の聖人をしのぶ祭典だが、どう見ても太古の夏至の火祭りとしか思えない。カタロニアの若者たちは一年のうち、観光客が比較的少ない時期を選んでこの山に登り、郷土への愛情を確かめる。頂上に立てられたカルベール(十字架)は、いつも、カタロニアの色である赤と黄色のたくさんの旗やペナントで飾られている。

ベストシーズン　復活祭(4月上旬)から9月の間。冬と春は非常に寒く湿気が多い。聖ヨハネの祭りの期間は混雑するので注意。

旅のヒント　カニグー山はプラードの南約10キロ。頂上へはフランス山岳会が管理している山小屋、シャレ・デ・コルタレから登るのが便利だ。登山道はわかりやすい標識で示されている。丈夫な登山靴、飲料水、浄水剤、帽子、サングラス、日焼け止め、防水加工の上下の服は必ず持っていこう。往復の所要時間は4〜6時間。四輪駆動のタクシーが、プラードやベルネー・レ・バンから山小屋まで利用できる。山小屋には大部屋、簡易なツインルーム、バーを兼ねた小さなレストランがある。近くの湖か、ベルネー郊外のサン・マルタン・キャンプ場でキャンプもできる。

ウェブサイト　jp.franceguide.com(フランス政府観光局)
www.prades-tourisme.fr(フランス語、英語)

英国 北アイルランド
ジャイアンツ・コーズウェー

海へと続いている奇妙な形をした岩々。
ここを歩くと伝説の巨人に会えるような気がする。

　アントリム州北海岸のごつごつした崖、険しい岬、静かな入り江に囲まれたジャイアンツ・コーズウェー（巨人の土手道）は、4万もの玄武岩の柱だ。階段状の石柱群が通路のように海に突き出ている。三方を大西洋に囲まれ、柱から柱に移動すると、大洋の大きな力を感じる。岸の両側には石灰岩の断崖が連なり、開けた急斜面やそびえ立つ黒い玄武岩の石柱群がある。

　コーズウェー近くの崖は、海の浸食により特異な形となり、その特異な形状は「煙突群」「巨人のハープ」「パイプオルガン」「ラクダのこぶ」といった名前を生んだ。

　伝説によると、コーズウェーをつくったのは、巨人フィン・マクール（フィン・マクィル）だ。マクールは、スコットランドの巨人ベナンドナーと闘おうとスコットランドへつながる橋をつくった。ベナンドナーはマクールを探しに来たが、マクールを見て恐ろしくなり、コーズウェーを壊しながら故郷へ逃げたのだ。

　実際には、約6000万年前、岩の亀裂から溶岩があふれ出た。溶岩は冷えるにつれて固まり、垂直に割れてそれぞれが柱の形になったという。これが波に浸食され、カメの甲羅のようなジャイアンツ・コーズウェーとなったのである。

ベストシーズン　コーズウェーには年中いつでも行けるが、夏は混雑する。この場所を独り占めしたい人は、12月か1月の早朝に訪れることだ。
旅のヒント　ブッシュミルズの北3キロに、ジャイアンツ・コーズウェー・ビジターセンターがある。コーズウェーは、ここから800メートルだ。夏はセンターからバスが出ている。雰囲気をじっくり味わうために、少なくとも数時間は滞在したい。岩は滑りやすいので、滑らない靴を履いていこう。レストランはないので、長時間滞在したい人は、食べ物や飲み物を持っていくこと。
ウェブサイト　www.visitbritain.jp（英国政府観光庁）

ヨーロッパ

見どころと楽しみ

■海に沈む夕日を眺めながら、伝説が生まれた時代にタイムスリップしてみよう。

■近くの断崖の一つに登ってみよう。途中、「ジャイアンツ・アイズ」（赤い色をした卵形のくぼ地）が見えるだろう。玄武岩の巨石が崖から落ちた跡だ。

■海鳥を観察しよう。フルマカモメやウミなどを、一年中見ることができる。夏は、オオハシウミガラス、ウミバト、ヨーロッパヒメウなども数多く見られる。

■オールド・ブッシュミルズ・ウィスキー蒸留所の見学に参加して、アイルランドの伝説のヒーローに乾杯しよう。ここは、1608年に免許を取得した伝統ある蒸留所だ。

ジャイアンツ・コーズウェーの奇岩群の間にできた潮だまりに、海に沈む夕日が映っている。

伝説の風景
謎の巨大遺構　信仰の発祥地　永遠の史跡　日々の祈り　神が宿る場所　巡礼の道　儀式と祝祭　忘れえぬ人々　心を見つめて

伝説の風景 | 43

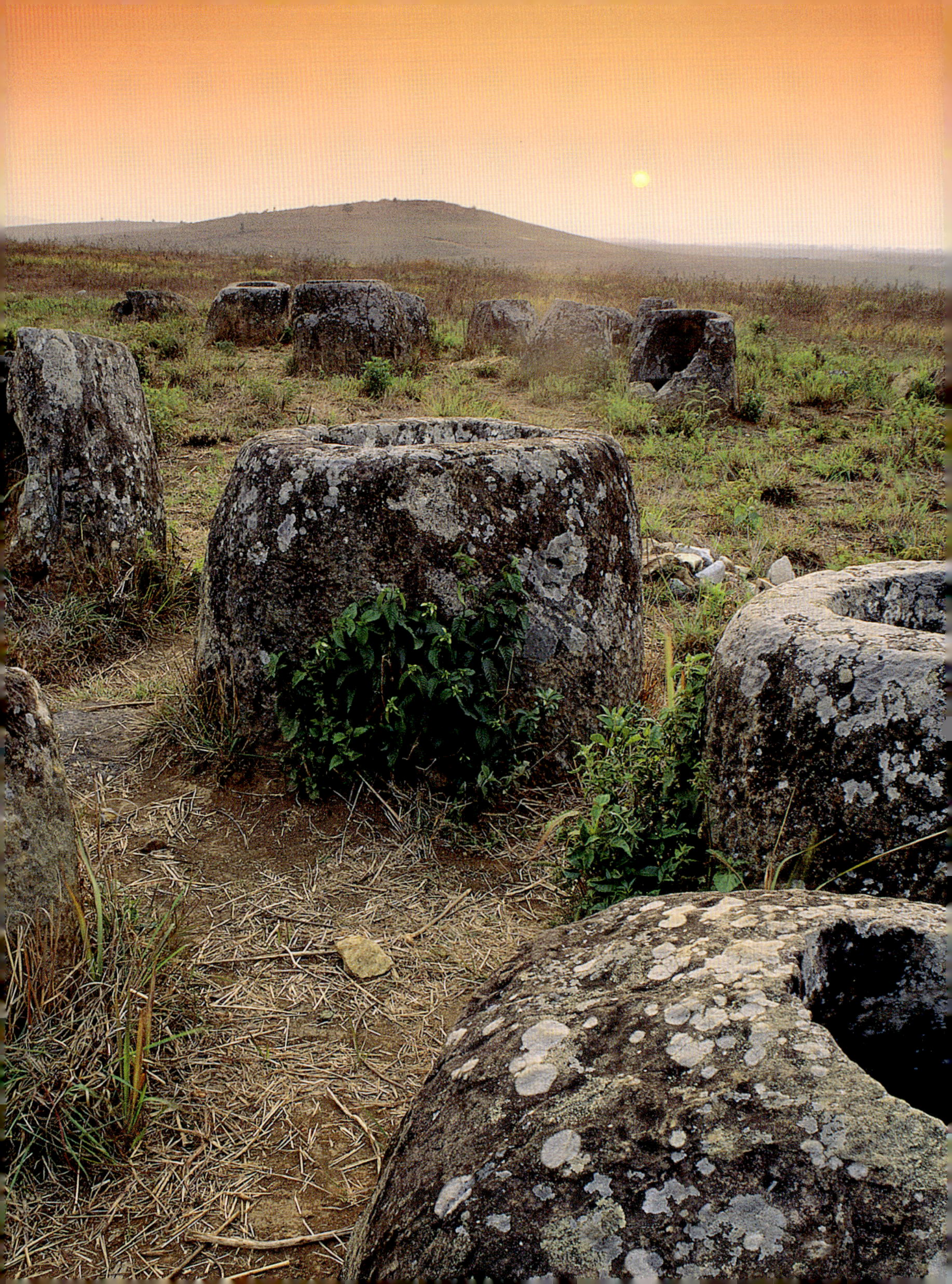

2 謎の巨大遺構

石を環状に配置したストーンサークルや直線状に置いたアリニュマン、地面に描かれた謎の巨大な絵、来世への入り口を示す柱、山腹にうがたれた祭壇や神殿、忘れられた神々の巨大な彫像、岩肌に描かれた聖なる物語——。これらはすべて、不変の真理に触れようとした祖先からのメッセージだ。これらの遺構と向き合えば、おのずと無限の時間と対峙し、語り合うことになるだろう。

この章では、永年人々を魅了し続ける特別な場所を紹介する。英国のストーンヘンジ、メキシコはテオティワカンの太陽と月のピラミッド、美しい女神像を配したアテネのパルテノン神殿など、有名な遺跡もあれば、黒海とカスピ海の間に横たわるカフカス山脈に残る巨石墓、北大西洋の英領アウター・ヘブリディーズ諸島にあるカラニッシュのストーンサークルなど、辺境の地へも旅してみたい。米国ワイオミング州のビッグホーン・メディスン・ホイールといった信仰と儀式が今も生き続けている場所も訪れよう。ペルーにあるナスカの地上絵のように、つくられた目的が謎のままの場所も多い。

左：ラオス北部にある人里離れた平原には、中央をくり抜いた大きな"石壺"がごろごろ転がっている。いつの時代に、何の目的でつくられたのかもわかっておらず、ずっと昔からこの地で野ざらしになっている。

米国ワイオミング州
ビッグホーン・メディスン・ホイール

メディスン・マウンテンの頂上にあるストーンサークルは、
夏至における太陽の位置を正確に示している。

　ワイオミング州ビッグホーン国立保全林の人里離れた山の頂上に、北米大陸で最大規模を誇り、特に重要なメディスン・ホイールがある。メディスン・ホイールは、北米先住民が地面に石を並べてつくった車輪状の図柄で、彼らはこれを天体暦と儀式に使っていた。

　ビッグホーンのメディスン・ホイールまで2.5キロほどの上り坂を歩き切ると、ホイールの素朴な美しさと穏やかさに迎えられ、疲れも忘れてしまう。石を囲む簡素な木の柵には、色とりどりの祈りの布切れや羽根が結び付けられて風に揺れている。ここに立つと、数百年間ここで行われてきた荘厳な儀式の様子が目に浮かぶ。

　ホイールは直径24メートル。中心の石塚から放射状に28本の石の線が延びる。最も長い線の端にも石が積まれ、それは夏至の日の出の位置とぴたりと一致する。

　ホイールは数百年前に先住民がつくったといわれる。シャイアン、クロウ、ショショニ、クリー、ブラックフットなど70以上の部族が、今もこのメディスン・ホイールやメディスン・マウンテン周辺に集まり、伝統と信仰をたたえる儀式を行う。

ベストシーズン　6月中旬から9月中旬まで。6月と7月には野の花が一斉に咲き乱れる。

旅のヒント　バージェス・ジャンクションから山までは車で45分だが、途中景色の良い所もあるし、メディスン・ホイールを眺め、メディスン・マウンテンからの風景を楽しむ時間を入れて、少なくとも半日は見ておこう。現地に飲食施設がないので飲食物は持参すること。前もってバージェス・ジャンクションにあるビッグホーン国立保全林ビジターセンターに問い合わせ、先住民の儀式のスケジュールを確認しておこう。夏は先住民が宗教儀式を行うことが多く、その時期には一般の人は立ち入れないこともある。

ウェブサイト　www.uswest.tv/wyoming（アメリカ西部5州政府観光局）
fs.usda.gov/bighorn（英語）

見どころと楽しみ

■ 春から夏にかけて**野草の花**が咲き、メディスン・ホイール・パッセージ（景勝間道14A号線）沿いの平原は輝きと色彩にあふれる。この道はビッグホーン盆地のヤマヨモギの草原を通り抜ける。メディスン・マウンテンを登り始めると道は曲がりくねり、**壮大な山の景色**が楽しめる。

■ メディスン・ホイールは**時計回り**に歩いて回るのがしきたりだ。見学者は柵の中には入れないが、外側なら歩いてもよいことになっている。

■ レジャーシートとピクニック・ランチを持参し、バージェス・ジャンクションへ戻る途中でひと休みしてはどうだろう。どこまでも広がる風景を楽しみながら、**大空の下でとる食事**は格別だ。

中央の石塚から放射状に丁寧に並べられた石。先住民は今でも、ビッグホーン・メディスン・ホイールで儀式を行っている。

高地の砂漠では、冬は冷え込みが厳しく、キャニオンは雪に覆われることもある。

米国ニューメキシコ州
チャコ・キャニオンの集落跡

**コロンブス到達以前のものとしては北米大陸最大の遺跡で、
独自の文化を築いた先住民の子孫にとって、今も神聖な場所だ。**

ニューメキシコ州北西部のチャコ・キャニオンの乾いた平地に、プエブロ（村）の跡が密集している。建物はD字形に配置され、中には4階建てのものもある。材料には砂岩や泥のほか、遠くの森から運んだ木材も使われている。建築年代は900年から1150年と推定される。

村は、建築プランに従って共同作業で短期間につくられたと考えられている。この手法は、アナサジ族のものだ。アナサジとはナバホ語で「他部族の遠い祖先」を意味する。村で最も目を引くのは、「キバ」と呼ばれる円形のスペース。儀式に使われた場所で、周囲より低い。プエブロとキバの数や規模から判断して、チャコ・キャニオンはアナサジ文化圏の宗教と経済の中心地だったことがうかがえる。

だが、12世紀になって、彼らはチャコ・キャニオンから姿を消し、別の土地へと移っていった。干ばつが長引いて、雨水に頼る農業が壊滅、さらに人口の過密化も一因だったと思われる。現代のプエブロの民であるホピ族と一部のナバホ族は、アナサジ族を祖先と考え、ここを神聖なる祖先の地として崇拝している。

見どころと楽しみ

- キャニオンの中央の広い面積を占めているのが**プエブロ・ボニート**。919年から1085年にかけてつくられた。そこには650の部屋と40の「キバ」があり、800〜1000人が暮らしていたといわれている。

- **ラ・リンコナーダ**はキャニオン最大のキバ。直径19メートル、収容人数約400。プエブロ・ボニートから800メートル離れた地点にある。

- キャニオンに残された**岩の彫刻**や**岩絵**から、アナサジ族は天体の動きを正確にとらえていたことがうかがえる。

- チャコ・キャニオンは人里離れているため、**夜空**が見事だ。毎年約1万4000人が公園内の天体観測所を訪れ、チャコ・ナイトスカイ・プログラムに参加する（4月〜10月開催）。

ベストシーズン チャコ・カルチャー国立歴史公園は、日の出から日没まで通年開園。ビジターセンターの開所時間は8時〜17時（主な祝日を除く）。キャンプ場も年中無休。冬は寒さが厳しく、夏は非常に暑い。春と秋は気温が穏やかだが大雨に見舞われる日が多い。

旅のヒント チャコ・キャニオンを車で往復し、公園内の環状道路をドライブして見どころを回るには1日は欲しい。空港はキャニオンの北120キロのニューメキシコ州ファーミントンにある。アルバカーキは南へ250キロ。北から現地に入るのがおすすめ。国道550号線から案内標識が出ていてわかりやすい。南はハイウェー9号線から入るルートが二つあるが、両方とも未舗装の部分が多く、悪天候では通行できないこともある。どんな天気にも対応できるような服を持っていこう。

ウェブサイト www.uswest.tv/newmexico（アメリカ西部5州政府観光局）
www.nps.gov/chcu（英語）

北米

ケツァルコアトルの神殿を飾る羽毛のあるヘビの彫像。天と地の結合を象徴していると考えられている。

見どころと楽しみ

■ 248の石段を上り、世界で3番目に高いピラミッド、**太陽のピラミッド**の頂上に立とう。遺跡の全景、周辺の景色が眺められる。

■ この遺跡で2番目に大きな建造物、**月のピラミッド**の頂上からは**死者の道**がよく見渡せる。ピラミッドの地下や周辺では発掘作業が進行中で、最近では1998年にも新しい墓が見つかっている。

■ ケツァルコアトルの神殿は**石の彫刻**と**壁画の痕跡**で有名だ。神殿がつくられたときに生けにえにされたと思われる人々の古い墓が、神殿の四隅で発見された。

メキシコ
アステカの聖都 テオティワカン

古代中米の天地創世の物語は、
石のピラミッドに朝日が当たるたびに、現在も繰り返されている。

紀元前100年頃からテオティワカンを建設し始めた人々については、ほぼ何もわかっていない。テオティワカンは、最盛期には南北米大陸最大の人口20万を誇り、メキシコと中米全域がその勢力下にあった。しかし、その繁栄した都市の住民が、紀元700年頃突然消えたことが、謎を深めている。

それから5世紀の後、アステカ人はこの廃墟を自分たちの文化の聖地としてよみがえらせた。テオティワカンの威容に恐れを抱き、この遺跡に自分たちの信仰を当てはめたのだ。ここは太陽と月と人間が創造された場所であり、人間が超自然的な存在に変わる場所であるとした。その名は「人間が神に変わる場所」という意味だ。

南北3キロに延びる石畳の大通り、「死者の道」に沿って大きな建物が並ぶ。ひときわ高くそびえるのが2000年前につくられた太陽のピラミッド。20階建て以上の高さがあり、冷えて固まった溶岩チューブの上につくられている。この都市を最初に建設した人々にとって、そこは母なる大地の子宮を象徴していたのかもしれない。

北米

ベストシーズン メキシコ中央高地の冬は寒さが厳しくなることがある。夏は暑くてひどく乾燥する。テオティワカンを訪ねるのは、快晴で気温が穏やかな春と秋がベスト。

旅のヒント テオティワカンはメキシコ市から北へ車で1時間ほどの所にある。半日もあれば遺跡をざっと見て回れるが、神秘的な光景を見たい人は近くのホテルに最低1泊はして、ピラミッドで日の出を見よう。

ウェブサイト www.visitmexico.com（メキシコ政府観光局）
www.go2mexicocity.com（英語）

メキシコ
巨大石像が守る トゥーラ遺跡

光と闇が出合ったとされるトルテック帝国の都トゥーラ。
遺跡は今も、巨大な戦士の石像によって守られている。

　伝説によれば、光と闇はトルテック帝国の都、トゥーラ（トゥラン）で出会った。そのトルテック帝国の繁栄を受け継いだのがアステカ人である。この遺跡にはアステカ神話の創造神、ケツァルコアトルにまつわる遺物が数多く残る。邪神テスカトリポカの信者によってトゥーラを追われた、トルテックの支配者とケツァルコアトルが強く結び付いていたと考えられているためだ。

　遺跡を守る高さ4.5メートルの戦士像アトランテスは4個の石のブロックでできている。これらの像は善と悪の戦いを表し、後にイダルゴ州の象徴となった。

　トゥーラの都は格子状で、中央には儀式用の広場があり、その周りにはピラミッド型の神殿が建つ。最大のものが「明けの明星」、トラウィスカルパンテクートリの神殿だ。この神はケツァルコアトルの化身ともいわれている。また、「焼けた神殿」の正面は、神官や支配者の像で飾られている。遺跡には球技場もあり、戦士たちはここで競技を行い、その戦いぶりの優劣が彼らの生死を分けたといわれる。

ベストシーズン　気候は年中穏やかで雨も少ない。

旅のヒント　トゥーラはメキシコ市の北西50キロにある。道路も整備されているし、飛行機の便もある。トゥーラ観光はイダルゴ州の州都パチュカ滞在中に組み入れてもいい。パチュカでは聖フランシスコ修道院の遺構を訪ねよう。修道院の建物は現在、イダルゴ文化センターになっている。付属の写真館は100万枚以上の写真を収蔵している。トゥーラは見たいがイダルゴには滞在しないという人は、メキシコ市発の日帰りバスツアーを利用すればいい。アトランテス像の一つは、メキシコ市の国立人類学博物館にも展示されている。

ウェブサイト　www.visitmexico.com（メキシコ政府観光局）

見どころと楽しみ

■ トラウィスカルパンテクートリ神殿の頂上テラスからは、すばらしい景色が眺められる。基部には**ジャガーやワシ、頭蓋骨の彫刻**が並んでいる。

■ 神殿の北側には、ヘビが人間を食べるレリーフのある**ヘビの壁（コアテパントリ）**がある。

■「**チャック・モール**」とは横になった神官像だ。腹の部分がボウル状にくぼんでいて、古代民族トルテックの人々はそこに神への捧げ物を置いたと考えられている。

トラウィスカルパンテクートリ神殿の頂上には、4体の巨大なトルテックの戦士像が立っている。かつては屋根を支えていたのかもしれない。

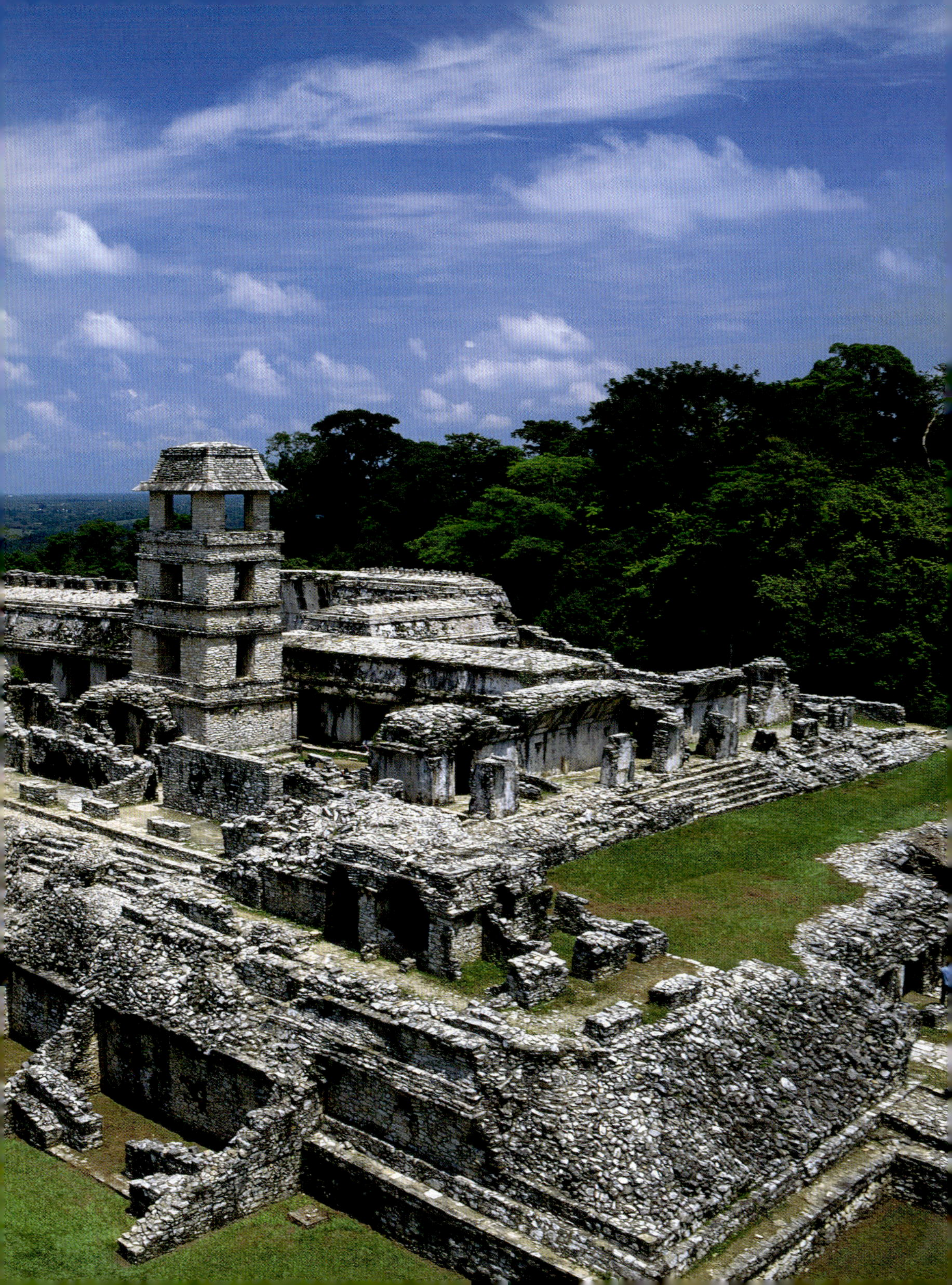

マヤの中心都市 パレンケ

メキシコ

メキシコ南部に広がる熱帯雨林に、
神殿や墓が立ち並ぶマヤ文明の中心都市の廃墟がある。

メキシコにあるマヤ文明の遺跡としては最大規模のパレンケは、湿気を多く含んだ空気とうっそうとした密林に囲まれながら、堂々とそびえている。パレンケが築かれたのは紀元前100年頃のこと。そして、紀元600年頃までには、マヤ文明の一大中心地として繁栄していた。

しかし、その後のマヤ文明の衰退に伴って、この都市の石造建築も、その壁に刻まれたマヤの記録も、1200年以上にわたって、すっかり忘れ去られていた。マヤの歴史を物語る、こうした文字の解読に考古学者たちが着手したのは、ほんの数十年前のことにすぎない。

パレンケにある「碑文の神殿」にはその名の由来となった620もの絵文字が描かれている。これほど謎のメッセージが多く残されている遺跡は、世界的にも珍しい。

7世紀に68年間君臨した王パカルは、この神殿に葬られている。1952年に考古学者たちが、複雑な絵文字の刻まれた石棺を収めた、パカルの墓を発掘したのだ。

パレンケ遺跡には200以上の遺構があり、歩き回るだけで何日間もかかる。主な建物は儀式用の中央広場周辺に集まっている。「太陽の神殿」や「十字の神殿」、らせん階段のある「宮殿」などだ。おびただしい数の墓や埋葬品は、マヤ人の死生観や神々と王の関係、彼らの信仰の一端を今に伝えている。

北米

見どころと楽しみ

■ 碑文の神殿の正面の階段を登ると、遺跡全体が見渡せる。

■ 宮殿の中に入り、部屋や通路でできた迷路を探検しよう。

■ 博物館は遺跡の歴史を解説し、ここの出土品を数多く展示している。

■ 遺跡周辺はハイキングに最適だ。面積1700ヘクタールのパレンケ国立公園は、バードウォッチャーの天国。野鳥のほかに見かけるかもしれないのは、ジャガーやホエザル。たとえ姿は見えなくても、声は聞こえるはずだ。

ベストシーズン 冬（12月～2月）が最も快適。夏は非常に暑く、湿度も高い。
遺跡が見られるのは毎日8時～17時。

旅のヒント 遺跡はチャパス州のパレンケの町から約6.5キロ。町へはメキシコの主な都市から鉄道やバスで行ける。町から遺跡へは地元のバスやタクシーを利用。個人旅行なら、遺跡観光に最低1日は使いたい。宿泊施設はパレンケや145キロ離れたビジャエルモサにある。パッケージツアーに参加する方法もある。非常に蒸し暑い所なので、軽装で。
また、歩きやすい丈夫な靴、日焼け止め、防虫剤、大量の飲料水が必要。

ウェブサイト www.visitmexico.com（メキシコ政府観光局）

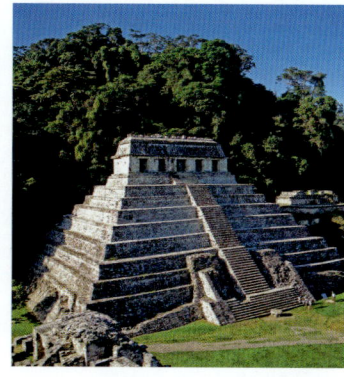

前ページ：宮殿は中央広場の周りに配置された建物の一つ。上左：頭蓋骨をかたどったマヤの彫刻。上右：碑文の神殿の地下深くに7世紀のマヤの王、パカルの玄室がある。玄室はピラミッド頂上にある神殿と石の通路でつながっている。

ティカルで最も高いピラミッドは、密林の林冠を突き抜けてそびえている。左側が、最も高い4号神殿だ。

グアテマラ
ティカルのマヤ神殿

グアテマラのうっそうとした密林で、木々やつるに覆われたピラミッド群。
この壮大な遺構は、失われた文明の記憶をよみがえらせる。

　うっそうとした密林の小道を行くと、突然視界が開け、黒っぽい石でできた巨塔群が目の前にそびえる。ティカルの広場はあたかも建造物の展示場といった感じである。

　「大ジャガーの神殿」(1号神殿)と「仮面の神殿」(2号神殿)が向かい合い、それぞれに急勾配の階段が頂上まで延びる。頂上は石を彫った飾り屋根である。

　ピラミッド内部には王族の墓がある。ティカルにはこうした神殿が6基あり、高さ70メートルに達するものもある。神殿は、10万人を擁する都市の心臓部だった。

　ティカルは中米一帯に栄えたマヤ文明の都市国家群を支配する存在で、政治、軍事、宗教の中心であった。神格化された王、貴族、戦士、神官たちは、神とのきずなを維持しようと血なまぐさい儀式を執り行い、生けにえを捧げた。

　やがてマヤ文明は謎につつまれた滅亡を迎える。ティカルでは、869年に当たる年代が刻まれた石碑を最後に、時が止まってしまった。そして、1000年頃までには、かつての都はうっそうとした密林にすっかり覆われることになるのだ。

見どころと楽しみ

■ 2号神殿の頂上から、神殿や宮殿、行列の道、球技場など全景が見渡せる。

■ ティカルの「失われた世界」のエリアには、階段状の正四角錐型ピラミッドがある。高さ30メートルで、250年頃につくられた。

■ ビジターセンターの博物館にティカルの古い写真が展示してある。19世紀半ばに遺跡が再発見され、考古学調査が始まったばかりの時代、まだ密林に覆われていた姿の写真だ。

■ 遺跡はティカル国立公園にある。公園入り口から約20キロの道が遺跡まで続いている。発掘されたのはこの古代都市のほんの一部で、公園のそのほかの部分は自然保護区にもなっている。

ベストシーズン　12月から2月にかけての乾期がベスト。3月、4月は暑く、7月から9月は雨期で蚊に悩まされるだろう。

旅のヒント　ティカルの主な見どころを見るだけなら、4時間。日帰りもできる。だが、ここは丸2日かけて見る価値はある。遺跡公園の開園時間は6時〜18時まで。15時以降に入園した場合、その入場券で翌日も入れる。最寄りの都市は南西へ30キロのフローレス。公園周辺にはランクの違うホテルが何軒かあり、フローレスにはキャンプ場と多くのホテルがある。公園入り口にあるティカル・ビレッジにはレストランや土産物屋が並んでいる。

ウェブサイト　www.gt.emb-japan.go.jp/mainJA.htm (在グアテマラ日本国大使館)

北米

ボリビア
アンデスの古代都市 ティワナク

標高4000メートル近いアンデス山脈の高地に開かれたこの都市は、
インカ以前に繁栄した文明の中心地、「太陽の都」だった。

広場を囲む古代の壁には、人間の顔の彫刻がいくつも突き出ていて、いつも彼らに見つめられているような気分になる。ティワナクは謎が多い遺跡だ。いったい何のためにつくられたのかも、まだ解明されていない。

紀元前400年頃、古代アンデス人がこの地に定住し、紀元500年頃までには、都市の建設が始まったとみられる。当時、都のすぐ近くまでティティカカ湖が迫っていたが、その後水位が下がったため、湖は現在、20キロ近くも離れている。

遺跡には多くの通路が走っている。また、アカパナとして知られる巨大な階段ピラミッド、神殿、宮殿などは人間の顔をかたどった彫刻などで飾られている。ここはインカ以前には「太陽の都」、あるいは「神々の都」と呼ばれていた。

カラササヤ神殿の入り口にある未完のプエルタ・デル・ソル(太陽の門)には未解読の象形文字が刻まれている。農耕に関する暦だろうと推測されている。また、神殿には人間をかたどった3.6メートルの石柱があちこちに立っている。

南米

見どころと楽しみ

■「太陽の門」は、花崗岩の一枚岩でできている。上部には、凝った複雑な模様が彫ってある。

■遺跡では現在、春分の日(毎年9月22日か23日)に信仰と伝統文化をたたえる祭りが行われる。人々は夜明け前に遺跡に集まり、日の出の最初の光が太陽の門から差し込むのを眺める。

■カラササヤの階段は1個の岩からできている。巨大な砂岩を削って階段にした。

ベストシーズン 5月から9月の乾期に訪れたい。そうでないと毎日雨に降られる。

旅のヒント 遺跡はラ・パスの北72キロ、標高3844メートルにある。ラ・パスから約1時間半。ガイド付きツアーも出ている。高地なので夏でも昼間の気温は20℃までしか上がらないし、夜は冷え込むので寒さを防ぐ服装で。

ウェブサイト www.bo.emb-japan.go.jp/jp(在ボリビア日本国大使館)
www.boliviaweb.com(英語)

ティワナクの半地下神殿の壁には人間の顔の彫刻が並んでいる。

岩に描かれた絵トップ10

人間が生み出した最初のアートは、岩や崖、洞窟の壁に描かれた絵だ。今となっては、その意味はわからないが、神秘的な芸術といえる。

❶ 首長たちの谷（米国モンタナ州）
人里離れた土地にあり、つい最近まで一般には知られていなかったこの絶壁は、別名「ウエザーマン・ドロー」という。1000年前の岩絵が6カ所ほどある。バイソン、クマ、ティピ（円錐形のテント）、盾を持った戦士などが多色で描かれ、クロウ族などの先住民はここを霊的エネルギーの源として崇めている。

旅のヒント　道が悪いため、四輪駆動車でないと無理。岩絵のすべてを見るには往復8キロのきつい行程を歩かなければならない。水をたっぷり持っていくこと。www.bigskyjapan.com（モンタナ州政府駐日代表事務所）

❷ サンフランシスコ山脈の岩絵群（メキシコ）
乾ききったサンフランシスコ山脈の懐に200以上もの岩絵が残されている。ピューマ、ヤギ、クジラ、ペリカン、魚などの野生生物と狩人が、鮮やかな色彩で描かれている。土地の人々は、それらははるか昔に滅びた巨人が描いたと信じていた。絵は1100年から1300年頃に描かれたと思われる。

旅のヒント　バハ・カリフォルニア半島のビスカイノ生物圏保護区内にある。ガイド同伴でのみ見学可。現地までは、歩くかラバに乗っていくしかない。www.visitmexico.com（メキシコ政府観光局）

❸ クエバ・デ・ラス・マノス（アルゼンチン）
「手の洞窟」と呼ばれるこの洞窟には、南北米大陸最古と推定される岩絵がある。古いものは紀元前7370年頃にさかのぼる。アンデス山脈の麓、ピントゥラス川渓谷に位置し、名前の由来となった数百の人間の手形が壁に残っている。これらは壁に手を置き、上から塗料を吹き付けて描いたものだ。

旅のヒント　バハ・カラコレスから幹線道路40号線で簡単に行ける。www.embargentina.or.jp（在日アルゼンチン共和国大使館）

❹ ノーザン・テリトリーのウビル（オーストラリア）
先住民であるアボリジニは世界最古の絵を残した。カカドゥ国立公園にある太古の断崖、ウビルには、不気味な「ワンジナ（天地創造時代の精霊）」が描かれている。また人間や動物の骨や内臓までを描いた、珍しい「X線」画も見られる。

旅のヒント　早朝に行くのがいい。車いすでも行ける場所がある。ja.travelnt.com（ノーザン・テリトリー政府観光局）

❺ ビムベトカ（インド マッディヤ・プラデーシュ州）
インドで最も洞窟壁画が多い場所。中石器時代の狩猟採集民は、この地にふんだんにある水と動物に魅せられ、インドの野生動物、狩りや儀式、出産の様子などを多彩な色で描いた。紀元前6000年から同1000年頃のもの。

旅のヒント　現地へは45キロ離れたボーパールから、タクシーかバスで行ける。www.embassyofindiajapan.org（在日インド大使館）

❻ タヌムの線刻画群（スウェーデン）
氷河に削られて滑らかになった岩の表面は古代のアーティストのキャンバスだった。タヌムにはスカンジナビアの青銅器時代（前1800～前600年）に描かれた線刻画が数多く残っている。船や、おのを振りかざす戦士の姿が岩面に刻まれ、現在は赤の塗料で線を目立たせてある。

旅のヒント　主要な遺跡は舗装道路をはずれて少し歩くだけで行ける。先にタヌムの解説センターに行こう（有料）。www.visitscandinavia.or.jp（スカンジナビア政府観光局）

❼ バルカモニカの線刻画群（イタリア）
イタリア・アルプスの山麓に14万点もの線刻画が残されている。氷で滑らかに削られた岩面に動物、農耕や戦争の場面などが刻まれ、氷河期の終わりからローマ時代にかけての歴史を伝える。

旅のヒント　主な入り口はナドロにある。線刻画までは歩くしかない。道沿いに案内標識があり、体力のレベルごとにルートが分かれている。www.enit.jp（イタリア政府観光局）

❽ ニオー洞窟（フランス）
地下道を1.8キロほど進むと、広い空間に出る。そこに、一般公開されている旧石器時代の見事な洞窟壁画がある。1万4000年前の最後の氷河時代末期のもので、石灰岩の壁にバイソン、ウマ、アイベックス、シカなどが生き生きと描かれている。

旅のヒント　見学には予約が必要。閉所恐怖症の人には向かない。jp.franceguide.com（フランス政府観光局）www.ariege.com/niaux（英語）

❾ タッシリ・ナジェール（アルジェリア）
タッシリ山を訪ね、サハラ砂漠がまだ緑だった頃に描かれた岩絵を見よう。最も古いもの（前9000～前4500年）は、群れなすゾウやキリン、サイ、バッファローを描いている。それより新しいものはウシと牛飼いの絵（前4500～前2500年）。紀元前2000年以降に描かれたものはウマや馬車、それにラクダの姿で、砂漠化が始まっていたことを示している。

旅のヒント　アルジェから空路で行く。あるいは、ガイドを雇い四輪駆動車をチャーターしてサハラ砂漠を行く。アルジェリアの政治状況を確認すること。www.japan-algeria-center.jp（日本・アルジェリアセンター）www.fjexpeditions.com/tassili/frameset/rockart.html（英語）

❿ ツォデイロの丘（ボツワナ）
狩猟採集民のサン族は、ボツワナのカラハリ砂漠にあるツォデイロの丘を祖先の墓地として崇拝している。5000年の長きにわたって、丘の岩肌に動物や祖先の霊、まじないの絵柄などを描いてきた。訪れた人の多くは、そこに祖先の霊魂が漂っているのを感じたという。

旅のヒント　最寄りの舗装道路から四輪駆動車で2時間半走った所にある。マウンから軽飛行機で飛び、近くの草原の臨時滑走路に降りる方法もある。www.botswanaembassy.or.jp/japanese（駐日ボツワナ大使館）

次ページ：スウェーデンのタヌムの線刻画群には船や武装した戦士が多く描かれ、そこからは青銅器時代の生活がうかがえる。赤い塗料は見やすくするために、後から施されたものである。

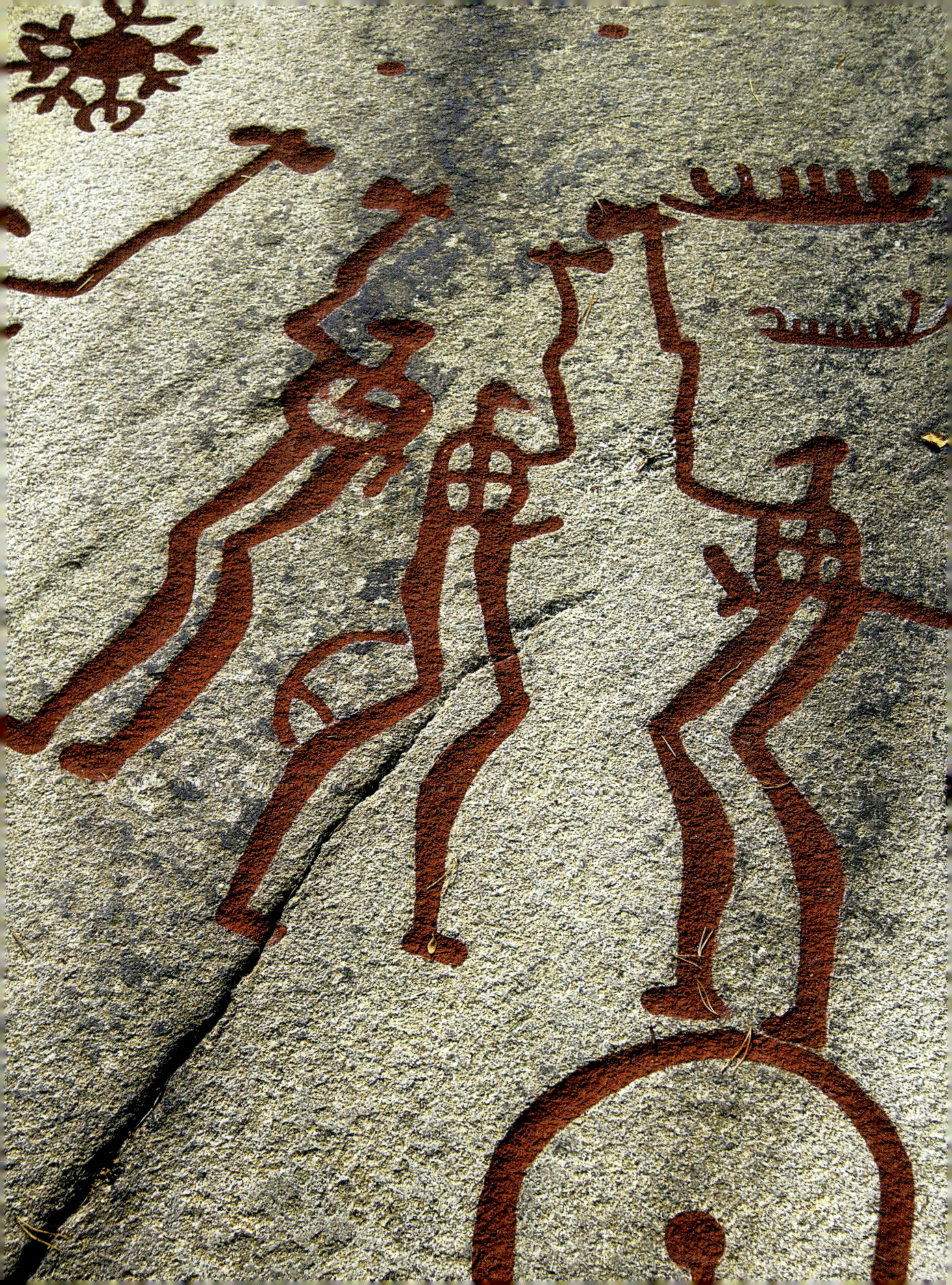

高い山の尾根に築かれた神殿や見張り台は、インカの王族や貴族の住まいでもあった。

ペルー
天空都市 マチュ・ピチュ

偉大なインカ戦士の足跡をたどり、
アンデス山脈の高みにある聖なる都の遺跡を散策しよう。

　日の出とともに太陽の光が一斉にマチュ・ピチュの廃墟に降り注ぐ。「インカの失われた都」といわれるこの遺跡は、ペルー南東部のウルバンバ渓谷を望む標高2350メートルの尾根に鎮座している。

　インカの民は、パチャクテク皇帝のもとで、15世紀にはローマ帝国に匹敵する巨大な帝国を築いていた。だが、その黄金期は100年も続かなかった。スペイン人による征服と内戦で帝国は滅亡し、マチュ・ピチュはついに廃墟となったのである。

　1911年、米国の探検家ハイラム・ビンガムがこの遺跡を発見したときには、すっぽりと密林に覆われていた。神殿や門、宮殿、広間、広場が迷路のように入り組み、ほぼ垂直に切り立つ山の斜面に開かれたテラスにしがみつくように立っている。

見どころと楽しみ

■ 神聖な広場に面した**主神殿**には、精巧な壁、装飾的な壁のくぼみ、神官の部屋などがある。「**三つの窓の神殿**」はアンデスの住民たちの宇宙観と関連がある。

■ **冬至の日**に昇った太陽は、正確に太陽神殿の祭壇の石を照らす。

■ 遺跡の東端に**埋葬のための巨大な一枚岩**がある。死亡したインカの貴族がミイラにされた台だ。

■ 彫刻を施した、**太陽の門**へと続く78段ある階段を上ろう。インカの人々はこの門を使って夏至や冬至、春分、秋分を予測し、農業の時期を知った。

■ **ワイナ・ピチュ**の頂上からは遺跡全体が見渡せる。登るのに1時間はかかる。

南米

ベストシーズン　5月から9月の乾期は気温が高いが、眺望が良い。10月から4月は豪雨に見舞われることもある。

旅のヒント　遺跡を隅々まで見るなら2日は必要。インカ・トレイルをたどるか、そのほかの散策を含めたガイド付きツアーもあるが、歩くことに自信があり、高度に順応していなければならない。丈夫な靴、日よけ帽、日焼け止め、雨具を持っていくこと。別の方法として、クスコから列車でアグアスカリエンテスへ行き、そこからバスに乗って20分で8キロ先の遺跡に着ける。遺跡に向かう前にアグアスカリエンテスで入場券を購入しておくこと。でないと入り口で追い返されるかもしれない。歩いて帰る覚悟がある人は別として、最終バスの時刻を確認しておこう。

ウェブサイト　www.peru-japan.org（ペルー観光情報サイト）・www.machupicchu.org（英語）

ペルー
インカの聖なる谷

ウルバンバ川流域の肥沃な渓谷には
インカ時代の神殿や要塞の遺跡が数多く点在している。

マチュ・ピチュに近いホワイト・マウンテンの麓を、ウルバンバ川が流れる。インカ帝国の首都だったクスコの南にある渓谷には、川沿いに畑が広がる。山の斜面には段々畑が優美な曲線を描き、要塞の遺跡が点在している。この川と渓谷はインカ人には重要な意味があり、神聖な場所であった。

渓谷は標高がクスコより600メートル近く低いために温暖な気候である。それに加えて、縦横に走る川や小川、豊かな土壌といった好条件がそろっていたことから、インカ帝国の穀倉地帯となっていた。

渓谷の南端にあるピサックには、インカ時代の巨大な堀、段々畑、神殿などの遺跡が残っている。遺跡は村の広場から山道を登った所にある。また、北端にあるオリャンタイタンボ村の上には、巨大な要塞の遺跡があり、断崖にへばり付くように段々畑や神殿などがつくられている。オリャンタイタンボはインカ時代の集落の跡にできた村で、当時の古い石組みは、現在でもまだそのまま使われている。

南米

見どころと楽しみ

■オリャンタイタンボの広い**要塞**を散策しよう。太陽の神殿、月の神殿、王女の沐浴場などがある。

■ピサックの村の上にある山頂の要塞に登り、雄大な景色を眺め、インカ時代の精巧な**石組み技術**を観察しよう。ピサックでは日曜日に**手工芸品**の市が立つ。

■チンチェーロには、インカの神殿跡に建てられた小さな**17世紀の教会**がある。クスコ派の絵画や壁画で飾られている。

ベストシーズン 4月か5月、あるいは10月か11月が良いだろう。ハイシーズン(6月~9月)は非常に混雑する。雨期(12月~3月)は避けよう。

旅のヒント 聖なる谷はクスコの北東24キロから始まる。頻繁にバスが走っている。多くの旅行会社がクスコから日帰りのツアーを出しているが、せめて1泊はしたい。宿泊施設はいたって簡素だが、ほとんどは清潔で暖かい。クスコと谷の主な名所をカバーした10日間有効の入場券はクスコで購入できる。夜はかなり冷え込むので防寒着を持っていこう。

ウェブサイト www.peru-japan.org (ペルー観光情報サイト)

オリャンタイタンボの巨大な山の要塞には、神殿や儀式に使われた建物が残っている。

ペルー
ナスカの地上絵

太古の昔、地球上でも特に乾燥した土地で、
焼けつく地面を削って、巨大で幾何学的な絵が描かれた。

　リマの南に広がる乾燥した高原地帯の上空から太陽に焼かれた砂漠を見下ろすと、奇妙な模様が目に入る。全長180メートルのトカゲ、尾を巻いた高さ90メートルのサル、手、シャチ、クモ、木などが、乾いた地面に刻まれている。複雑な線で描かれたこれらの絵は「ナスカの地上絵」と呼ばれ、インカ時代以前、紀元前200年から紀元700年頃に栄えたナスカ人によってつくられた。

　空からだとはっきり確認できる地上絵も、地上ではただでたらめに付けられた道の集まりだ。地表の岩を取り除き、その下の明るい色の土をむき出しにしてできた線である。乾燥し、強風も吹かない気候のため、絵は何百年も風化に耐えてきた。

　つくられた理由については諸説ある。ドイツの数学者マリア・ライヒェが天文暦説を主張する一方、雨ごいや豊作祈願のための神々への捧げ物だとする人もいる。また宇宙人の着陸地点だと主張する人々もいて、その謎が絵の魅力を増している。

　飛行機の窓からナスカの地上絵を見ると、失われた文明の一端を垣間見られる。

ベストシーズン　いつでもよい。ただし12月から3月は気温が高くなる。飛行機代もホテル代も観光シーズン（6月〜9月上旬）には高くなる。

旅のヒント　リマからナスカまではバスで約6時間。ナスカの町からわずかな距離の飛行場まではバスかタクシーを利用。遊覧飛行はできれば朝早めにしよう。午後は風が強くなり、荒れたフライトとなる。飛行時間は30分あまりだが、2〜3日かけてナスカやその周辺を散策するために宿泊する価値はある。移動、宿泊のすべてを含むガイド付きツアーがリマから出ている。

ウェブサイト　www.peru-japan.org（ペルー観光情報サイト）、www.nazcaperu.com（スペイン語）

南米

見どころと楽しみ

■ **ナスカのアントニーニ博物館**には、ナスカの近くにある、インカ時代以前のカワチ遺跡から出土した品々が展示してある。それらの出土品が、地上絵の謎を解明する手がかりになるかもしれないと考えている人もいる。

■ 燃えるような砂漠をドライブして、ナスカから30キロの**チャウチージャ**の墓地へ行こう。古代の人骨やミイラに囲まれて数時間過ごしてみるのも良いだろう。

乾ききった砂漠に描かれた100余りの地上絵の一つ、サル。空から見るとはっきりその姿がわかる。

タプタプアテアの海岸に点在するいくつもの石の祭壇には古い像が残っている。

フランス領ポリネシア

タプタプアテアの祭殿 マラエ

青く透明なサンゴ礁の海辺、ヤシの木に囲まれて、
ポリネシアで最も重要で、最も神秘的な聖地がある。

　南太平洋にあるすべての祭殿の中で最も崇拝されているのが、「タプタプアテアのマラエ」だ。マラエとは、祭祀を行った神殿を指し、このマラエは、ライアテア島の南東の海岸にある渓谷に、1600年頃建てられた。当時、島には支配者のタマトア一族が暮らしており、19世紀初めまでソシエテ諸島を支配していた司祭階級たちも、ここを拠点にしていた。

　祭祀殿跡には広大な石の広場と長方形の祭壇（アフ）があり、その周辺には石の背もたれが並んでいる。神官や首長がそこに座り、生けにえの儀式を見守ったのだ。また、垂直に立てられた巨大な火山岩の石板は、人間を生けにえにするときに使われたらしいことが最近の調査でわかった。

　ライアテア島を出ていく者たちは、タプタプアテアから石の板を切り出し、移住先の島でマラエを建てる際にその板を礎にするのが習わしだった。こうして、ライアテアの祭祀殿跡は、南太平洋の島々から信奉者が巡礼に訪れる聖地となった。

ベストシーズン　フランス領ポリネシアは常夏の熱帯にある。11月から4月にかけての雨期はいくぶんほかの時期より暑く、ときにはサイクロンが通過する。5月から10月にかけての乾期は晴天が続く。

旅のヒント　タプタプアテアのマラエはオポアの近くにある。ウツロアから南に向かう道路が通じている。マラエの見学に1時間、島全体の観光は3日から7日間みておこう。高地での観光は徒歩、馬、四輪駆動車など地元の旅行社がさまざまな手段を用意している。ツアーのほとんどはタプタプアテアのマラエ訪問を旅程に入れている。

ウェブサイト　www.tahiti-tourisme.jp（タヒチ観光局）、www.raiatea.com（英語）

見どころと楽しみ

■ フランス領ポリネシアで唯一船が航行できる川である**ファアロア川**は、島を出る住民が南太平洋に向けて出発した場所に近い。ガイド付きの**カヤック・ツアー**があり、川をさかのぼり、内陸奥深くまで行く。

■ 島の北部にある**テメハニ山**の、雲に覆われた高地は古代ポリネシア人の聖地だ。ここは死後の世界への入り口と信じられている。尾根の道は二つに分かれ、一方は上の天国（雲）へ、もう一方は下の地獄（噴火口）へと続く。

■ ライアテア島の西岸にある古い石造りの**タイヌウのマラエ**は、1897年のテバイトアの戦いがあった場所に近い。この時フランス人が族長テラウポ率いるポリネシア軍を破った。10年に及んだ戦争でこの激戦が後の植民地化を決定づけた。

オーストラリア／オセアニア

伝説の風景
謎の巨大遺構
信仰の発祥地
永遠の史跡
日々の祈り
神が宿る場所
巡礼の道
儀式と祝祭
忘れえぬ人々
心を見つめて

謎の巨大遺構 | 59

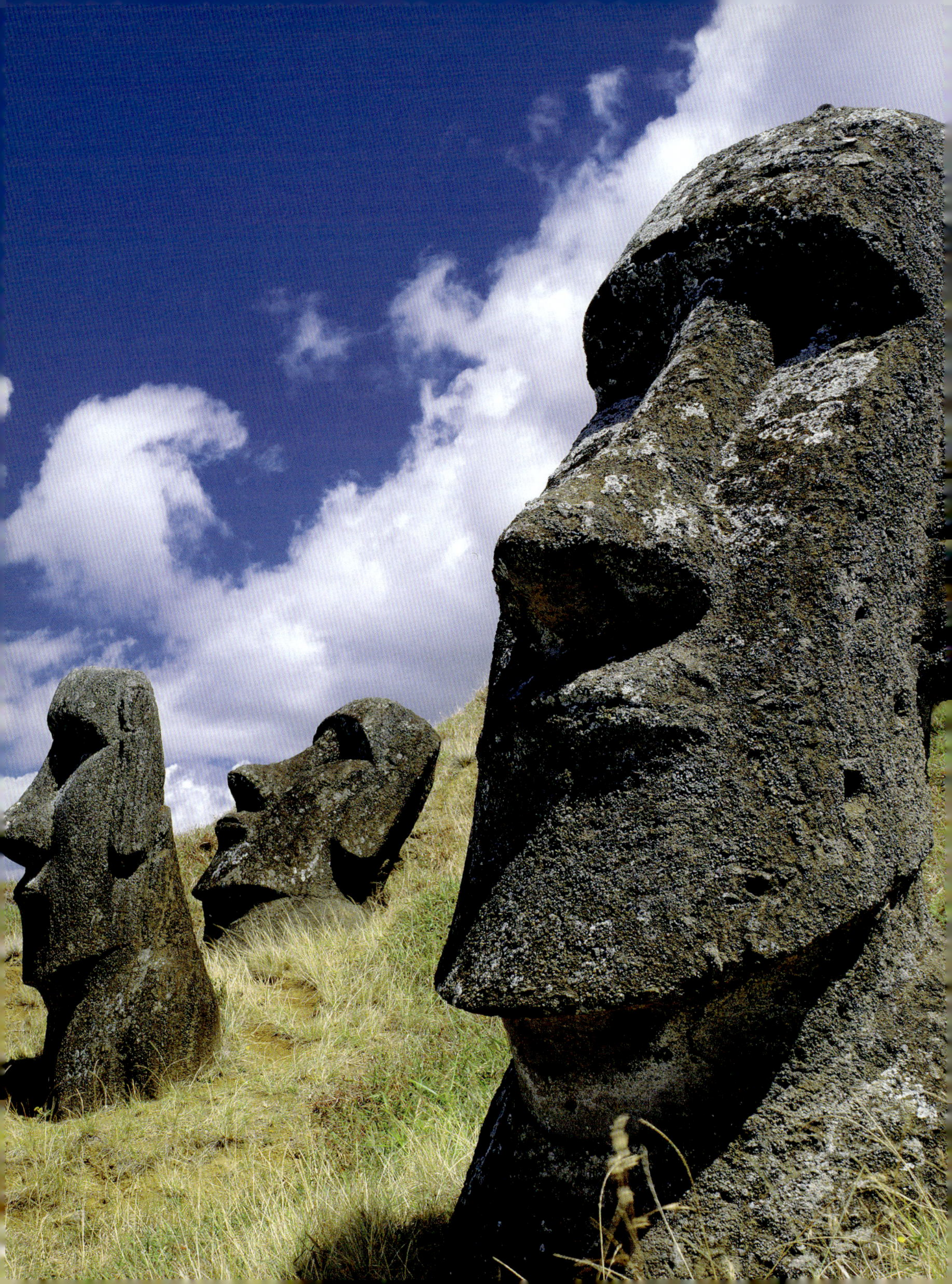

イースター島のモアイ

チリ

人面を模した、数百体にも達する巨大な石像は、南太平洋に浮かぶ絶海の孤島の歴史を静かに見守ってきた。

強　風にさらされるこの火山島に人がすみ始めたのは、318年頃といわれている。100年にわたって繰り広げられた、南太平洋での西から東への移住の最終段階だった。人口が増えると、移住者たちは島の険しい海岸に沿って、1キロ間隔で祖先の神々を祭る祭壇をつくった。平坦なこれらの祭壇(アフ)の上には、モアイと呼ばれる巨大な石像が並べて置かれた。使われた石は島で採れる黒い火山岩だ。

アフには、合わせて288体のモアイ像が直立していたといわれている。最大のものは、高さ10メートル、重さ73トン。最小のものでも高さが109センチあった。ヤシの森の奥深くにあった石切り場から切り出された巨石は、機械を使わず、人力だけで運ばれ、立てられた。住民総出の努力がなし得た偉業といえるだろう。

しかし、1722年のイースターの日曜日にオランダの探検家ヤコブ・ロッゲフェーンがこの島を訪れた時、人口はわずか3000人に減っていた。人口過密、森林伐採、飢饉、内乱などが、絶海の孤島に花開いた文明社会をむしばんでいたのだ。

モアイ像の多くは倒され、貝殻とサンゴでつくられた目は失われていた。感染症や島民の強制連行のため、19世紀後半には人口はさらに減り、島の歴史を知る者は誰もいなくなった。そして後には考古学上、最も不可解な遺構が残ったのだ。

ベストシーズン　通年いつでも。夏(12月~2月)は快適な暖かさで、冬(6月~9月)は涼しいが、寒くはない。強い雨、霧、霧雨は年中あるが、冬が最も雨が少ない。タパティ・ラパヌイ祭では伝統的な音楽と踊り、工芸品、パレードが見られる。毎夏、1月から2月にかけて2週間行われる。

旅のヒント　チリのサンティアゴとタヒチを結ぶ航空便がイースター島を経由する。旅行者用の宿舎や宿は島唯一の村ハンガロアにある。村からモアイ像まではバス、車、バイク、自転車、あるいは馬で行ける。アフ(像のある祭壇)の上を歩くのは神をけがす行為とされている。島を十分に探索するなら2日は欲しい。船を利用する場合は別として、飛行機を利用する場合、スケジュールの都合で、必ず1泊することになる。

ウェブサイト　www.visit-chile.org (英語ほか)、www.easterisland.southpacific.org (英語)

南米

見どころと楽しみ

■ **ラノ・ララクの石切り場**を見に行こう。製作途中で放棄された397もの石像がごろごろしている。その中で最大と思われるのは、長さ22メートル、重さ150トンはありそうな未完の像。

■ 島最大の祭壇である、**アフ・トンガリキ**の素朴な美しさを堪能しよう。15体ものモアイ像が並んでいる。

■ 標高324メートルの**ラノ・カウの噴火口**から海を眺めよう。

■ オロンゴには鳥の頭をした人間の**石刻**がある。これらは鳥人崇拝の跡だ。毎年、選ばれた勇者が競い合って崖を駆け下り、沖に浮かぶ小島モトヌイの入り江まで泳ぎ、その年の最初のセグロアジサシの卵を持ち帰った。

前ページ：モアイ像の主な特徴は、角張った輪郭と長い耳。イースター島の丘の斜面にはこうした大きな人面が直立したり、転がっていたりする。上：南東の海岸近くにあるアフ・トンガリキには15体のモアイ像が並んでいる。島最大の像もここにある。

ラオス

石壺の平原

大昔につくられた石の壺が、ラオス北部の平原に散在している。
いつ、何の目的でつくられたのかは今も謎のままだ。

ラオス北部に広がる寂しい平原の至る所に、壺のように中央がくり抜かれた石が数百個も野ざらしにされている。直立している壺もあれば、横倒しになっているものもある。完全な形をとどめているものから、粉々に砕けて石のかけらになったものまで、保存状態もさまざまだ。

高さは2〜3メートルで、重さは最大で約13トン。誰が何のためにつくったのかは不明だ。最も信じられている説は、骨壺だというものだが、確証はない。彫刻を施した大きな円盤が付いているものもある。石壺のふたかもしれないし、ただの飾りかもしれない。ポーンサワンから数キロ離れた三つの地区で見られる。およそ紀元前500年から紀元500年のもので、この地にすんでいたモン・クメール族がつくったとされるが、彼らのことは何もわからない。石壺が集中している一帯は、塩の商人がベトナムとインド北東部を行き来した街道沿いではないか、という説もある。

ここにたどり着くのは難しい。一帯にはベトナム戦争中、米軍の爆撃でできたクレーターがあちらこちらにあり、多くの不発弾がまだ埋まっている。

ベストシーズン　11月から1月。涼しく、雨も少なく、夏の雨期の後なので緑が美しい。日差しの加減が最高になる、早朝か、午後遅くに訪れたい。

旅のヒント　ラオスの首都ビエンチャンから飛行機でポーンサワンへ行き、石壺の平原を目指そう。3カ所すべて見るのに、ポーンサワンに最低2泊は必要。1区は町から三輪自転車で行ける。2区と3区へは四輪駆動車で行くのが一般的だ。絶対に道路をはずれてはいけない。不発弾が数多くあり、毎年数十名の住民が死傷している。

ウェブサイト　www.lao.jp（ラオス政府観光局）

アジア

見どころと楽しみ

■ポーンサワンの南西15キロにある1区には、最も多くの石壺がある。その数は250以上。最大の壺もここにある。

■2区は、背景が最も美しい。二つの緑の丘の斜面に90個ほどの石壺が散らばっている。

■3区には約150個の壺がある。丘の斜面から周囲の景色が眺められる。

いにしえの巨大な石壺が醸し出す謎めいた雰囲気は、夜明けの光でさらに不思議さを増す。

巨石を組んで精巧につくられたドルメンには、遺骨を中に入れるためと思われる小さな穴が開いている。

ロシア

ジャネ川流域のドルメン

西カフカス地方の美しい森の中には、
青銅器時代につくられた巨石遺構がいくつも残されている。

現代の巡礼者は、群れをなして黒海のロシア側沿岸にあるジャネ川流域のドルメン(巨石墓)に集まる。ある者は秘密の儀式をするために森の小道を進み、この奇妙な巨石の構造物に供物を捧げ、またある者は、ただその傍らにいるだけで心が癒やされ満足する。

ジャネ川周辺にはドルメンが集中する地区が3カ所あり、合計18基が見つかっている。掘り出して再建したものもあり、これらを保護する公園をつくる計画もある。ドルメンは何のためにつくられたのか、ほとんど解明されていない。紀元前3000年から同1800年にかけてつくられたドルメンは、この時代としてはとても精巧に加工されている。形は長方形もあれば円形もある。

興味深いのは正面の石板に開けられた丸い穴だ。穴の上部には、シンプルな飾り模様を彫ってあるものが多い。この穴は中の狭い室への唯一の出入り口で、普段は石の栓で閉じられていた。各ドルメンの前には小ぶりの庭があり、そこで葬儀や埋葬を行った後、遺骨を室の中に入れたと思われる。室は子宮の象徴とも考えられ、ドルメン自体も生と死のサイクルを表す、子孫繁栄の象徴かもしれない。

ベストシーズン 夏は非常に暑くなる。気温は24〜35℃。冬はそれほど寒くはないが雨が多い。

旅のヒント ジャネ川のドルメンは数時間で見て回れる。場所は黒海沿岸から内陸へ5キロ。遺構に最も近い黒海沿岸の保養地ゲレンジクやアナパ、トゥアプセからの日帰りツアーが人気がある。モスクワ便がある最寄りの空港はゲレンジクとクラスノダール。

ウェブサイト www.russia-emb.jp (在日ロシア連邦大使館)

見どころと楽しみ

■ ゲレンジク近くのジャネ川沿いに、長方形のドルメンの両側に円形ドルメンが並んだ、特に**見事な遺構**がある。入り口の丸い穴や壁に囲まれた庭など、この種の構造物の典型的な特徴を備えている。

■ ドルメンがある一帯は、**深い森やうねる丘**など、背景が魅力的でいかにもそれらしい雰囲気をつくり出している。

■ トゥアプセ近くの美しいアシェ渓谷を行く**川の旅**では、洞窟、滝、集落を訪ねる。

ヨーロッパ

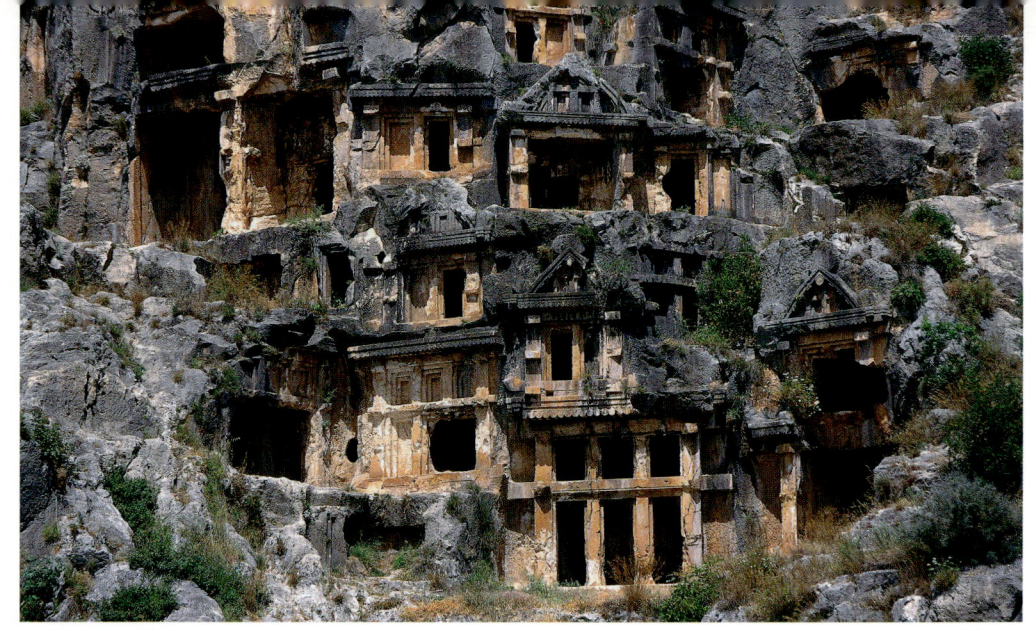

ミラの絶壁には、石の墓が数多くつくられ、まるで集合住宅のようだ。

トルコ
リュキアの石窟墓

古代リュキア人は、地中海に面した切り立った絶壁に、いくつもの穴を掘り、壮大な墓をつくり上げた。

太古の昔、リュキア人は東地中海一帯で恐れられる存在だった。彼らの故郷であるリュキア地方はアナトリア南西部にあり、樹木の多い高い山に囲まれ、無数の入り江のある岩場の岸に守られた天然の要塞だった。

紀元前1500年頃、この地域に40余りの豊かな都市国家が誕生した。都市国家間は友好的だが、外に対しては好戦的で、沿岸部は海賊の根城であった。リュキア人の特異な文化の特徴の一つが、墓づくりへの情熱だ。1000以上の石の墓の多くは、死者が生者のそばにいられるようにと、都市の中につくられた。人々は生前から自分の墓をつくり、大きさや意匠で地位の高さを示した。最大の墓はまさに神殿だ。石灰岩の崖や岩を削り、ファサードや部屋がつくられた。家に似せた墓は、天井のはりまで忠実に再現した精巧なものである。それほど裕福でない人々は「ハトの巣」のような墓をつくった。崖の表面の無数の小さな長方形の穴がそれだ。

リュキア人は多神教だった。古代ギリシャ人を含め、征服されるたびに侵略者の神々も取り入れた。ごく初期に取り入れたのが、母なる神レトとその双子アポロンとアルテミス(父親はゼウス)だが、墓をつくる主な原動力は、先祖崇拝だった。

見どころと楽しみ

■ 最も壮観な**神殿型岩窟墓群**はカウノスの絶壁にある。隣接する都市国家カリアの一部だが、リュキア様式であることは一目瞭然だ。

■ フェティエには紀元前4世紀の**アミンタスの墓**がある。最も美しい神殿型石窟墓の一つ。

■ ミラには最もすばらしい**家屋型墓**(前4世紀)がある。ミラにはサンタクロースの起源となった**聖ニコラス**(4世紀半ば没)がすんでいた。6世紀に建てられた聖ニコラスの墓と教会は数百年間、キリスト教徒の巡礼地となっていた。

■ リュキアの古都、クサントスには一枚岩の**柱の墓**がある。柱の上に玄室が載っているのが見えるだろう。

アジア

ベストシーズン 春(4月中旬〜5月)が最も快適な季節。寒くも暑くもなく、山には残雪があるかもしれない。夏は非常に暑いが、海からの風で暑さは和らぐ。

旅のヒント 主な遺跡はそれぞれ1時間もあれば見て回れるが、そのような場所がこの地方に少なくとも5カ所に散らばっているため、すべてを見るには4〜5日滞在する必要がある。リュキア地方はフェティエ湾とアンタリヤ湾にはさまれた160キロにわたる山岳地帯だ。この地方へはダラマン、アントリヤの両空港から行ける。沿岸部には人気保養地がたくさんある。ダルヤン、カシュ、カルカンなどの保養地からは、古代リュキアの都を訪ねるツアーも出ている。

ウェブサイト www.tourismturkey.jp (トルコ政府観光局)、www.lycianturkey.com (英語)

レバノン
いにしえの聖域 バールベック

高原地帯に位置する広大な遺跡に立つと、
古代の土木技術の高さに驚かされることだろう。

聖域バールベックは、5000年の間、時代ごとにさまざまな神を祭ってきた。紀元前2000年頃のフェニキア時代は、天と地の神バールだった。また、この地は覇権を競う各国が衝突する要衝にあった。

紀元前333年のアレクサンドロス大王に続き、エジプト、アッシリア、バビロニアがこの地を征服した。アレクサンドロス大王に征服されるとギリシャ化され、ヘリオポリス（太陽の都）となった。紀元前63年にはローマ人がバールをローマの神ジュピターに替えた。ヘリオポリスは神託で有名になり、歴代皇帝がそれを聞きに来た。当時、ローマ帝国最大の神殿がここに築かれ、ジュピター＝バールが祭られた。4世紀、ローマがキリスト教国になると、この異教の聖地は見捨てられた。

神殿の基壇には、最低24個の石灰岩の巨石と、トリリトンという3本の巨大な一枚岩の石柱が組み込まれている。重量900トン強のトリリトンはギリシャ・ローマ時代以前のものと推定されるが、どうやって運び、据え付けたかは謎である。

アジア

見どころと楽しみ

■ ジュピター神殿に続く大庭には高さ20メートルもある**列柱**が立っている。ローマ帝国最大の建造物だ。エジプト南部のアスワンで切り出された、バラ色の花崗岩でできている。

■ **バッカス神殿**の遺跡から、当時の建築様式の細部がいろいろ見てとれる。150年頃につくられたこの神殿は、ローマ時代の神殿としては最も保存状態が良い。

■ 石切り場には彫刻が施されたものとしては**世界最大のモノリス**がある。長さ21メートル、幅4.9メートル、高さ4.2メートル。重さは約1100トンだ。

ベストシーズン　春（3月～5月）は快適。レバノンの冬は寒く、夏は不快なほど暑い。だが、7月と8月には、有名なバールベック国際フェスティバルが開催される。遺跡を舞台にして音楽や踊り、劇が上演される。

旅のヒント　バールベックはベイルートから85キロ。肥沃なベッカー渓谷にあり、沿岸から壮大な山の風景を抜けて車でも行ける。遺跡をすべて見るのに2～3時間は必要。ベイルートからガイド付きツアーも出ている。政治情勢が不安定な時はベッカー渓谷への立ち入りが制限または禁止されることがある。

ウェブサイト　www.lebanon-tourism.gov.lb・www.middleeast.com/baalbeck.htm（英語）

ジュピター神殿で唯一残った列柱は、さらに古い時代に建てられた神殿の上に立っている。その基部にはモノリスやトリリトンが組み込まれている。

伝説の風景
謎の巨大遺構
信仰の発祥地
永遠の史跡
日々の祈り
神が宿る場所
巡礼の道
儀式と祝祭
忘れえぬ人々
心を見つめて

謎の巨大遺構 | 65

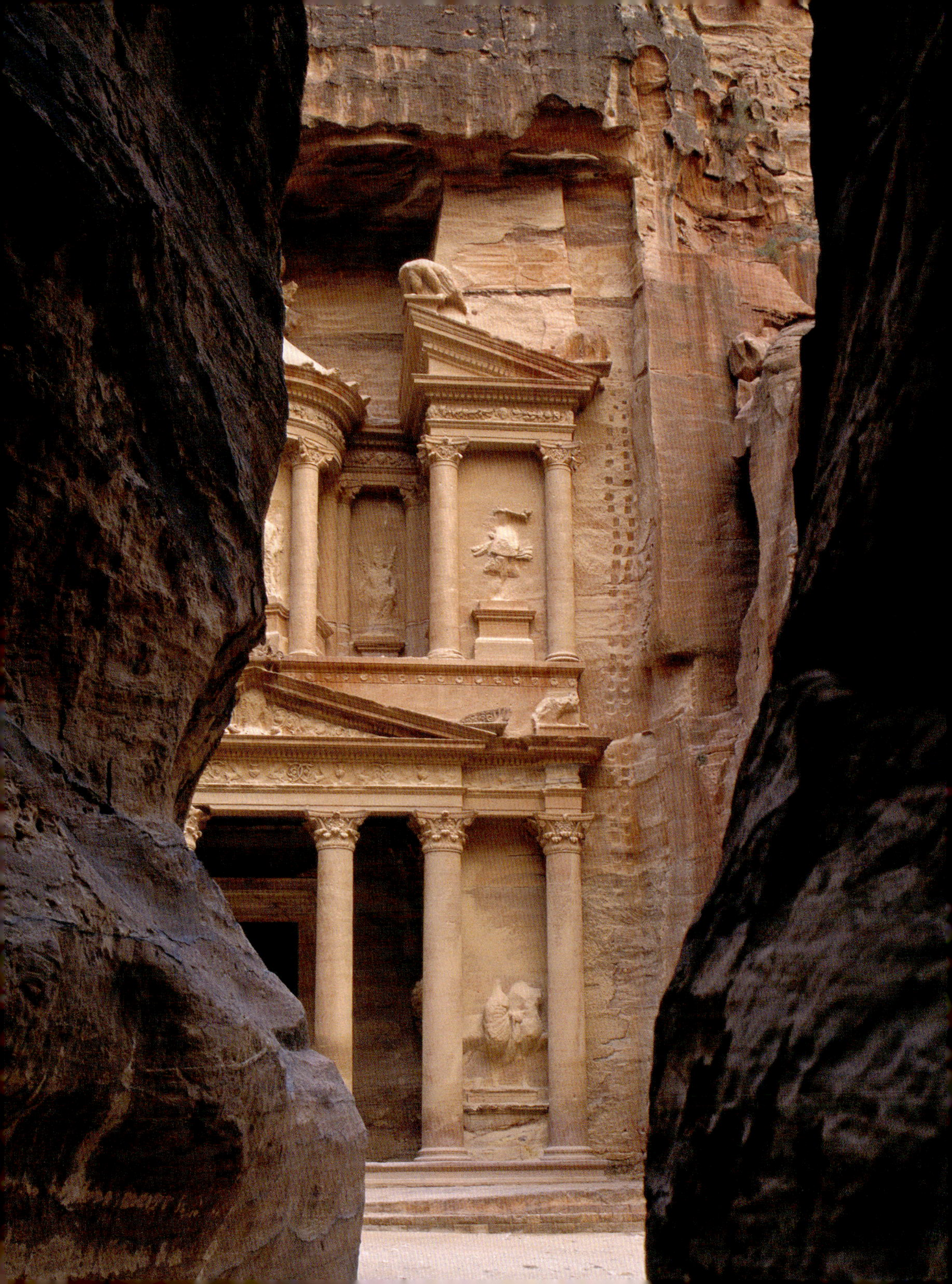

ヨルダン

バラ色の都 ペトラ

ヨルダンの砂漠の中に、古代都市の遺跡がひっそりとたたずむ。
多くの神殿や墳墓がある廃墟の都は、砂岩の丘に阻まれて砂漠からは見えない。

ヨルダンの南、絶壁が両側からせまる峡谷、シクの狭い道をゆっくりと奥へ進んでいくと、突然、砂漠の蜃気楼のように、道の突き当たりにバラ色の砂岩の都ペトラが現れる。峡谷の垂直の崖を彫ってつくられた都だ。

2000年前、この地に定住した遊牧の商人、ナバテア人が建設したペトラは、東方と地中海地方とを結ぶ交易の十字路として栄え、貴重な香辛料や産物がここを経由して運ばれた。しかし、交易ルートが大きく変わると、衰退が始まった。13世紀に廃墟となるまで、この都にはローマ人、キリスト教国となったビザンティン帝国、十字軍がやって来てはしばらくとどまり、やがて去っていった。

シクを抜けると、巨大なエル カズネ（宝物殿）の正面に出る。複層になったピンク色のファサード、その両側には彫刻を施した柱がある。ここから峡谷の曲がりくねった道を進むと、古代都市の遺跡が次々と現れる。装飾が見事な墳墓、宴会場、複雑な彫刻のある列柱道路。角を曲がるたびに堂々たる構造物が現れる。巨大な神殿、エド・ディル（修道院とも呼ばれる）はナバテア の天の神、ドゥシュラを祭っている。

ペトラでは一日ゆっくり過ごしたい。時間とともに移り変わる光の加減で、遺跡の色も変化する。淡いピンク色から濃いバラ色へ、そして、日が沈むころには鮮やかな赤さび色に染まる。

ベストシーズン　春と秋が最適。早朝と夕方の光に照らされた岩の色は壮観だ。

旅のヒント　ペトラはアンマンから南へ260キロほど。道路は整備されているので、アンマンでレンタカーを借りてもいいし、バスやタクシーを利用してもいい。行程は約2時間。この広い遺跡の主な見どころを歩き回るのに2〜3日、じっくりと見るなら1週間が必要。宿泊施設は近くのワディ・ムーサ村にある。歩きやすい靴を履こう。砂漠に行く時は帽子、サングラス、飲料水も欠かせない。

ウェブサイト　jp.visitjordan.com（ヨルダン政府観光局）

アジア

見どころと楽しみ

■ 7000人収容の**円形劇場**も訪れたい。ナバテア人が建設し、後にローマ人が拡張した。急な階段を上る価値はある。上から劇場の全景が見られるし、周りの景色もすばらしい。

■ 見事な彫刻を施したファサードを誇る**王家の墓**を探索してみよう。遺跡の端にある2階建ての宮殿風の墓は峡谷の側面から突き出ている。

■ 巨大な噴水、**ニンフェウム**は水の妖精に捧げられたものだ。これは砂漠の真ん中に給水施設をつくったナバテア人の高度な土木技術を物語っている。

前ページ：シクを抜けて最初に目に飛び込んでくるのが、宝物殿。実際には宝物とは関係なく、これは墓としてつくられた。おそらく神殿としても使われていたのだろう。上左：キリスト教会の床に見られるビザンティン様式のモザイク画。上右：ろうそくの明かりに照らされた宝物殿はドラマチック。

謎の巨大遺構 | 67

ギリシャ
アテナイの誇り パルテノン神殿

古代ギリシャ世界で最も壮大な神殿は、
知恵と技術と絶大な力を現代に伝える記念碑である。

　紀元前5世紀に建てられたパルテノン神殿は、アクロポリスの丘から今もアテネの町を静かに見下ろす。金と象牙を使った豪華なアテナ像を納めるためにつくられ、その壮大なスケール、複雑な彫刻を施した優美な大理石の飾り板など、神殿のあらゆる面に建築上の独創性と技術が発揮された、前例のない建物だった。かつて神殿にあった彫像その他は、今はアテネ各地の博物館に展示されている。

　この神殿が、当時のアテナイの人々にとっていかに重要であったかは、今もはっきりと伝わってくる。堂々たる列柱を見上げると、ライトアップされている夜は特に、アテナ神がどのように愛され、崇拝されていたかが理解できるだろう。

　この神殿は、古代ギリシャ世界の理念と成果のすべてを象徴するものなのだ。その精細な装飾や調和のとれた姿は、城壁の外をうろつく蛮族に対して、都市国家アテナイの偉大さを表明するものだった。

ベストシーズン　春か秋。夏は非常に暑く、冬はとても寒い。

旅のヒント　比較的人が少ない早朝か夕方に訪ねるのがよい。パルテノン神殿までアクロポリスの丘を歩いて登り、そこにある博物館も見学するなら丸1日必要。登りは急なので、歩きやすい丈夫な靴を履いていこう。パルテノン神殿の入場券はアテネのほかの史跡にも有効なので、捨てないように。

ウェブサイト　www.visitgreece.jp（ギリシャ政府観光局）

ヨーロッパ

見どころと楽しみ

■パルテノン神殿の階段から**アテネを眺め**ると、この町がいかに騒がしく、ごみごみしていて、現代的なのかがわかる。

■アクロポリスの丘の麓にある**新アクロポリス博物館**には、パルテノン神殿の宝物がたくさん収蔵されている。オリジナルの大理石の飾り板は、大きな窓を通して、ちょうど背景にパルテノン神殿が見えるように置かれている。

■6体の**女性像柱（カリアテッド）**のレプリカが、パルテノン神殿近くのエレクティオン神殿のポーチを支えている。オリジナルの5体は新アクロポリス博物館にあり、古代アテナイの石工の優れた技術を知ることができる。

聖なるアクロポリスの丘に建てられたパルテノン神殿は、今もアテネを見下ろしている。

アポロン神殿の廃墟は、パルナッソス山の絶好の位置にある。

ギリシャ
神託の地 アポロン神殿

太陽の神アポロンの神託を聞くために、
何世紀にもわたって人々が通った道をたどってみよう。

パルナッソス山の麓にあるデルフォイ(デルフィ)に着いた旅人は、2400年もの間、巡礼者たちが通ってきた道に入る。岩の斜面にある石畳の道を進むと、最初に円形神殿(トロス)があるアテナの聖域を目にすることになる。さらに進むと、デルフォイ遺跡の中心、アポロンの聖域に到達する。

アポロンの聖域を築いた人々は、この建造物こそが世界の中心だと信じていた。つまり、そこは大神ゼウスが「大地のへそ」を見つけようとして放った2羽のワシが出会った地点なのだ。

聖域を通り抜け、聖なる道を進むと、アポロン神殿があり、見事な多角形に築かれた壁が太陽神の聖域を守っている。ピュティアと呼ばれるアポロンに仕える巫女が、信者たちにアポロン神託を授けたのはこの場所だ。

神殿の足元や聖なる道沿いに、大理石と青銅の記念碑が立てられた。その多くは、好ましい神託を授けられた人々が感謝の印に寄進した貴金属で飾られた。

見どころと楽しみ

■ こぢんまりした円形の**アテナの聖域**は、デルフォイのシンボル的な存在だ。すぐ近くに**カスタリアの泉**がある。ピュティアや神官、アポロンの神殿を訪ねてきた巡礼者は、身を清めるために、まずここで沐浴することになっていた。

■ デルフォイの遺跡で最も完全な建物が**アテナイの宝物庫**だ。侵略者ペルシャとの戦いでピュティアの助言がアテナイを勝利に導いたとして、アテナイからの供物を収めるために紀元前489年に建てられた。

■ 5000人収容の**円形劇場**は、ギリシャのほかの円形劇場と比べて保存状態が特に良い。紀元前6世紀のデルフォイで行われた競技会には、音楽や詩のコンテスト、運動競技、戦車レースなどがあり、オリンピアのそれに匹敵する内容だった。

ヨーロッパ

ベストシーズン 遺跡へは年中いつでも入れるが、快適なのは夏の終わりと秋の初め。その頃なら暖かいが、暑すぎることはない。遺跡は平日は午後半ばで閉じられる。祝日も閉まる時がある。

旅のヒント デルフォイはアテネから北西へ145キロで、公共交通網が整っている。また、多くのツアーがここを旅程に入れている。遺跡を歩き回るのは数時間で足りるが、熱心な人は丸1日は欲しいと思うだろう。入場券売り場で地図が手に入る。考古学博物館には保存状態の良い品々が展示されていて、見学の価値がある。

ウェブサイト www.visitgreece.jp (ギリシャ政府観光局)、odysseus.culture.gr (ギリシャ語、英語)

ジュガンティーヤ神殿の広間は、大地の女神へ捧げる生けにえの儀式に使われたと思われる。

マルタ
ジュガンティーヤ神殿

地中海のマルタ諸島の一つ、ゴゾ島に残された太古の神殿や
洞窟の跡を見て、先史時代の世界に足を踏み入れてみよう。

　ゴゾ島の北東部、シャーラの村近くの高原に、新石器時代につくられた巨大な二つの神殿がそびえている。「巨人のもの」という意味の、ジュガンティーヤ神殿と呼ばれるこれらの神殿は、サンゴ質の石灰岩を切り出した岩でつくられている。特徴的な神殿の形は、大きな乳房と尻をもつ多産の女性を表すと考えられ、豊作を祈願する場だったという説を裏付けている。

　この遺跡には世界最古の自立構造物がある。それは紀元前3600年から同3200年にかけてつくられた巨石遺構だ。6メートル近い巨石や、1個の重さが45トンという巨岩もあることから、神殿は巨人がつくったという伝説が生まれた。巨人女性のサンスーナが赤ん坊を腕に抱き、島の南岸から巨岩を頭に載せて運んだそうだ。

ベストシーズン　4月から6月、9月と10月が最も快適。その時期なら、真夏より暑さが厳しくない。秋は強い南風、シロッコが吹くこともある。

旅のヒント　ゴゾ島はマルタ諸島の一つで、マルタ共和国に属する。マルタ島からフェリーで行ける。ジュガンティーヤへは陸路で簡単に行ける。ビクトリアからシャーラまではバス便があるが、本数はあまり多くない。特に夜は少なくなる。神殿を見て回るのに最低2～3時間、シャーラの村も散策するならさらに2時間は欲しい。ジュガンティーヤとシャーラにあるタ・コーラ風車博物館の共通券は、同日有効で割安になっている。

ウェブサイト　www.visitmalta.com（マルタ観光局）
www.xaghra.com（マルタ語、英語）

見どころと楽しみ

■遺跡の近くにある**シャーラ村**で中世の集落を散策しよう。古い教会がいくつもあり、300年前につくられたタ・コーラの風車の中に民族博物館がある。

■シャーラの北東の崖には、ラムラ湾を望む**アラバスターの洞窟**がある。そのうちの一つが「カリプソの洞窟」。ホメロスの詩によれば、美しい海の妖精、カリプソはオデュッセイアを7年間そこに閉じ込めていたという。

■シャーラから約5キロにある島最大の町ビクトリア（地元の人はラバトと呼ぶ）にある**考古学博物館**を訪ねよう。1827年のジュガンティーヤの最初の発掘で出土した女性の胸像など、見事な出土品が展示してある。

ヨーロッパ

マルタ
マルタ島の巨石神殿群

太古の神殿の遺跡群は、再建された部分もあるが、
石器時代の職人の技と創造力を現代に伝えている。

新　石器時代の神殿跡、ハジャー・イムとイムナイドラは、マルタ島南部の海岸にある。外壁や部屋を形成する不規則な形の石灰岩の塊は、継ぎ目なく組まれており、太古の高度な土木技術を今に伝えている。

　紀元前3600年から同3200年にかけてつくられたハジャー・イム神殿には、中央の通路沿いに円形の部屋が六つ並ぶ。ここは祈りの場所だった。巨岩の一つは重さが36トンあり、巨石神殿に使われた1個の石材としては世界最大である。

　そこから500メートルほど離れた所に、イムナイドラの三つの神殿跡がある。石の壁や柱には奇妙ならせん模様が彫刻されている。これらの神殿の目的は不明だが、建物の配置から、天体観測や冬至や夏至などを祝うために使われたらしい。

　さらに、19世紀半ばの発掘調査によって、謎が増えた。生けにえを捧げた祭壇や豊満な女性を表現した土偶が見つかったのだ。また、ハジャー・イムでは「マルタのビーナス」と呼ばれる女性像も出土した。ここで豊作を祈願した証拠である。

ベストシーズン　4月から6月。夏は非常に暑く、冬は雨が多い。秋は強い南風、シロッコが吹く日が多い。

旅のヒント　遺跡はレンディの町に近く、年中入れるが、クリスマス、新年は閉まる。春分、秋分、冬至、夏至は日の出に門が開くので、それに合わせて訪問するのもおすすめ。早めに行って、イムナイドラの下方の神殿から奥の部屋へと太陽の光が差し込み、祭壇の石を照らすのを見よう。両方の神殿を見て回るのに3〜4時間は必要。歩きやすい靴を履いていこう。青の洞窟への船のツアーはレンディの南東、ウイド・イズ・ズリーから出る。

ウェブサイト　www.visitmalta.com（マルタ観光局）

ヨーロッパ

見どころと楽しみ

■広間、通路、部屋など、これをつくった新石器時代の人々の**正確な土木技術**や**複雑な石工技術**を観察しよう。

■船で**青の洞窟**へ行こう。波に削られてできた洞窟で、岩に含まれた豊富なミネラル分の多彩な色が太陽に照らされて輝く。

■バレッタにある国立考古学博物館は、**マルタのビーナス**をはじめ多くの像や、神殿から出土した祭壇などを展示している。

ハジャー・イム神殿の曲線を描く壁は、巨大な岩でつくられている。

謎の巨大遺構 | 71

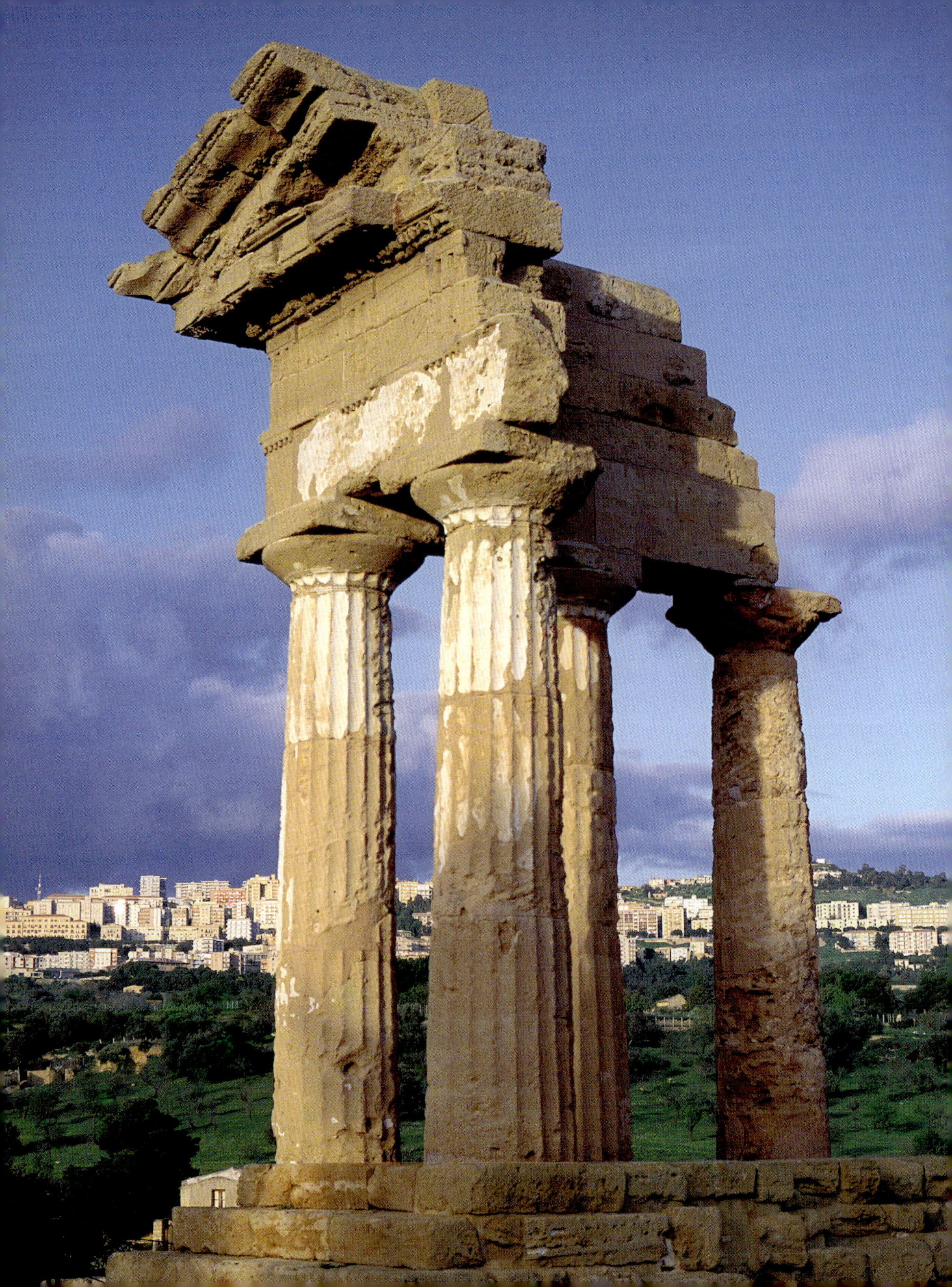

イタリア

シチリア 神殿の谷

シチリア島に残る、地中海世界で最も保存状態の良い遺跡。
強大な力を誇った古代ギリシャの栄光の日々に思いをはせよう。

　古代ローマ帝国が台頭する数百年前、海洋国家ギリシャは東地中海一帯を手中に収め、対岸の南イタリアやシチリア島に植民都市を築いていた。シチリア島の南西沿岸の町、アグリジェント（当時はアクラガス）には、透明な青い海を見下ろす丘の上に神殿の遺跡がそびえ、威容を誇っている。

　丘の稜線に沿って並ぶ神殿は、すべて東向きに建てられ、それぞれが祭る神の像に日の出の光が当たるように設計されている。ゼウス、ヘラクレス、デメテルといった名前は、今では単なる伝説に過ぎない。しかし、これら神々の名を冠した神殿が醸し出す静寂の中に一歩足を踏み入れると、神々が熱心な信奉者たちに及ぼした絶大な力が、今でも至る所に存在しているのがわかる。

　この遺跡に残る建造物を見れば、高度な建築技術とギリシャの石工の献身的な仕事ぶりがよくわかる。紀元前6世紀から同5世紀にかけて、彼らは見事なドーリア式の柱をつくり、絶大なる力をもつ彼らの神々を表す巨大な像をつくったのだ。

　また、この遺跡には迷路のように入り組んだ地下墓所、カタコンベも残っていて、初期キリスト教との関連がうかがえる。19世紀と20世紀の初めに考古学者が行った修復作業のおかげで、遺跡はかなり復元された。いにしえの祈りの声が、今も辺りにこだましているように思えてくるだろう。

ヨーロッパ

ベストシーズン　春と秋がベスト。この時期なら暖かく、しかも暑すぎない。

旅のヒント　アグリジェントはシチリア島のほかの大きな町と、道路や鉄道で結ばれている。バスや車で遺跡まで行ける。個人旅行の場合、入場券売り場でガイドツアーを申し込める。低木の茂みを歩くので、履き慣れた靴は必須。できればくるぶしまで保護する靴がいい。神殿を見て回るのは半日あれば十分だが、博物館もゆっくり見るなら丸1日は欲しい。博物館はたいてい午後は閉まるので、午前中に行こう。

ウェブサイト　www.enit.jp（イタリア政府観光局）
www.valleyofthetemples.com（英語、イタリア語ほか）

見どころと楽しみ

■**コンコルディア神殿**は、地中海地域で最も保存状態の良いギリシャ神殿の一つ。西暦597年にキリスト教の教会に転用されたことが幸いした。岩をくり抜いたカタコンベが近くにある。

■**ヘラ神殿**は、大部分が原型をとどめていて、ここからは地中海が一望できる。

■紀元前480年のヒメラの戦いの勝利を記念して建てられた**ゼウス神殿**は、世界最大のドーリア式神殿だったという。

■**考古学博物館**は、ギリシャ時代の遺跡から出土した遺物とともに、2世紀頃のローマ時代の遺物も展示している。

■一日の散策を終えた夕暮れ時、**ライトアップされた遺跡**を眺めてみよう。息をのむ美しさだ。

前ページ：紀元前5世紀に建てられたディオスクロイ神殿の遺跡が、夕日を浴びて昔日の姿をしのばせる。
上：紀元前430年頃に建てられたコンコルディア神殿は、美しく均整のとれた、世界で最も保存状態の良いドーリア式建築の一つだ。

パエストゥムにある三つの神殿のうち、壮大なアポロン神殿が建設当時の姿を最も良くとどめている。

イタリア
パエストゥムの神殿群

**オリンポスの神々をたたえる壮大な神殿が建てられた
イタリアのアマルフィ海岸で、古代ギリシャの栄光にひたろう。**

ナポリの南にある古代都市、パエストゥム近くで、何世紀も忘れ去られていた三つのギリシャ神殿が発見されたのは19世紀。海を見下ろす丘に建てられていることや、巨大な円柱や複雑な石組みを多用した見事な建造物から、古代ギリシャ人の神々への献身がうかがえる。

三つの神殿の中で最も古いヘラの神殿は、その起源を紀元前6世紀にまでさかのぼる。最初に建てられたのが豊穣の女神に捧げた神殿であるということは、この遺跡の周りの土地が、ギリシャ人の入植地だったことを意味している。

その近くにあるアポロン神殿は、ポセイドン神殿、またはヘラ第2神殿とする説もある。紀元前450年頃のもので、最も美しく、当時の姿を良くとどめている。

三つ目のアテナ神殿は、ほかの二つの神殿とは広場を隔てた場所にある。この神殿はセレスを祭ったとも考えられているが、詳細は不明である。ただ、床には中世の墓が三つはめ込まれており、キリスト教の教会としても使われていたようだ。

見どころと楽しみ

■ **博物館**には、遺跡から出土した遺物が数多く展示してある。最も目を引くのが、墓のフレスコ画だ。特に「**飛び込み男の墓**」と呼ばれる石棺に描かれたものは必見だ。これらは、唯一現存している古代ギリシャ時代の墓のフレスコ画だ。

■ 広場の周りにある**ローマ時代の家屋や公共施設**の土台を見て回ろう。

■ 10キロ離れた**アグロポリ**に1泊し、日没時、人気のない廃墟を歩こう。

ヨーロッパ

ベストシーズン 年中開いているが、春か秋が良い。暑すぎないし、寒すぎることもない。博物館は月曜休みのことがある。

旅のヒント パエストゥムはナポリの南84キロのセレ川流域にあり、電車やバスで行ける。神殿を見て回るには最低半日、博物館も見るなら丸1日必要。できれば1泊して午前中に博物館に行き、午後遅くに遺跡を散策するのが良い。その方が少しは涼しい。神殿と博物館の共通入場券は、別々に買うより割安になっている。暑い日に行くなら、飲料水と日よけ帽を用意し、真昼に歩き回るのは避けよう。

ウェブサイト www.enit.jp（イタリア政府観光局）、www.paestum.de（英語、イタリア語ほか）

ドイツ
エクステルンシュタイネの奇岩

ドイツ北西部に広がる古い森にそびえる奇岩群と礼拝堂は、
先史時代から崇拝と巡礼の地だった。

ドイツ北西部のノルトライン・ウェストファーレン州にある広い古代の樹林地帯、トイトブルクの奥深くに、巨大な石灰岩の柱が5本並ぶ。エクステルンシュタイネ（卵の丘の石）と呼ばれるこれらの岩柱は、まさに自然の驚異である。古代、この土地の人々が、そこに超自然の力を感じたのは当然だろう。

サクソン人はこの奇岩を聖なる「イルミンスール（生命の木）」として崇拝したという。ゲルマンの英雄と呼ばれたケルスキ族の族長、アルミニウス（ヘルマン）は紀元9年、ローマ軍に大勝した際、ここで生けにえを捧げ、神に感謝したという。

772年以降、フランク王国のカール大帝がゲルマン諸部族を制圧し、この地方のキリスト教化を推し進めると、エクステルンシュタイネにはキリスト教の隠遁修道士がすみ着くようになった。彼らは岩の洞穴に暮らし、その中に階段や墓を彫った。

一番高い岩のてっぺん近くには礼拝堂があり、そこの丸窓からは、夏至の日、真正面に日の出が見える。ここにはキリスト教と異教の伝統が混在している。

ベストシーズン 季節に関係なく楽しめる。周辺の森は秋が特に美しい。冬は岩に雪が積もり、神秘的というよりも、険しく見える。異教の祭りが、バルプルギスの夜（4月30日と5月1日）と、夏至（6月21日）に開催される。

旅のヒント エクステルンシュタイネは、デトモルトの南12キロにある、ホルツハウゼン・エクステルンシュタイネ村に近く、幹線道路B1号線とB239号線をはずれた地点に案内板がある。近くに駐車場もある。バスと鉄道の最寄り駅は、エクステルンシュタイネから西2キロのホルン・バート・マインベルク。岩を見て回るのに2時間。ヘルマンスベクの道を歩いて、デトモルトにある19世紀のアルミニウスの巨像を見るなら、さらに時間がかかる。

ウェブサイト www.visit-germany.jp（ドイツ観光局）、www.nrw-tourism.com（英語）

ヨーロッパ

見どころと楽しみ

■ 二つの岩に渡された**鉄の橋**を渡ると、一番高い岩（38.8メートル）の頂上付近につくられた礼拝堂に行ける。

■ 岩の中につくられた階段を上って、**展望台**に行ってみよう。そこから広々とした森が一望できる。

■ 一つの岩の下部に、十字架から降ろされるキリストを描いた**12世紀のレリーフ**がある。十字架の近くに、曲がった木のようなシンボルが彫られている。イルミンスールがキリストにお辞儀をしているところだといわれている。

エクステルンシュタイネの奇岩には、通路や墓が数多くつくられている。最も高い岩（右端）の頂上近くにある礼拝堂は天文台を兼ねていたと思われる。

英国スコットランド
カラニッシュの巨石群

ヨーロッパの北西の端にあるルイス島には、
4000年以上も前から驚くべき巨石群がそびえている。

幻 の太古の民は、どうしてスコットランド西岸沖に浮かぶ島にこんな巨石遺構をつくったのか？ 島の外から訪ねてきた者は、ただあれこれ想像するしかない。

カラニッシュの中心には、高さ4.75メートルの一枚岩を取り囲むように13個の巨石が立っている。そのサークルから放射状に延びる石の列や通路は、上から見ると、ケルト十字のようだ。サークルの中心にある埋葬用の小部屋の石塚または墓には、焦げた人間の骨片がいくつか残っていた。

だが、それらはストーンサークルの時代より少し新しい。石は地元の片麻岩で、おそらく数キロ離れた山で採石されたものだろう。1個の石を運ぶのに、20人は必要だったと思われる。

ストーンサークルは荒野につくられたのではない。最近の調査で、一帯が耕作地だったことがわかった。現在、住居や農場の跡が徐々に明らかになっている。

ベストシーズン　ルイス島は涼しく、天気が変わりやすいが、5月から9月は日照時間が長く、雨の日も少ない。

旅のヒント　ルイス島へは、スコットランド本土のアラプールからフェリーで2時間半、あるいは飛行機でも行ける。カラニッシュのストーンサークルやほかの遺構を訪れるのに少なくとも1泊はしたい。情報が充実しているカラニッシュのビジターセンターは日曜は閉所しているが、遺構へは年中行ける。アウター・ヘブリディーズ諸島では、地名は今ではゲール語表示になり、以前一般的だった英語のつづり「Callanish」よりも、ゲール語の「Calanais」が好んで使われるようになってきている。

ウェブサイト　www.visitbritain.jp（英国政府観光庁）、www.isle-of-lewis.com（英語）

ヨーロッパ

見どころと楽しみ

■ 周辺には、小さな遺構、「カラニッシュⅡ」と「カラニッシュⅢ」がある。メインのストーンサークルよりも人が少ない。特に「**カラニッシュⅢ**」は神秘的な雰囲気に満ちている。

■ カラニッシュから幹線道路A858号線沿いに北へ数キロ行くと、崖の上につくられた鉄器時代の石の円形塔、**キャロウエイのブロッホ**がある。塔を見学できるし、すばらしい海の眺めが楽しめる。ビジターセンターにはブロッホの内部が再現されている。

カラニッシュの巨石群は天体の配列をいくつか表していて、太陽や月、惑星の動きを観察するのに使われたと思われる。

サークルを囲むように馬蹄形に並べられた巨石は、太陽の動きを追うための観測施設だったとも考えられている。

英国 イングランド

ストーンヘンジ

ヨーロッパで最も神聖視されている遺構の一つは、
その歴史を謎に包んだまま、神秘的な魅力を漂わせている。

紀元前3000年から同1600年にかけて段階的につくられたストーンヘンジが祭事の場であったことは間違いないが、それが何の儀式だったのか詳細は不明である。太陽信仰の神殿か、特大の天体暦の一部なのか。人々はなぜそんな莫大な労力と長い時間をかけてこれをつくったのか。

疑問は尽きないが、一つだけはっきりしていることがある。石の配列が、日の出や季節の移り変わりと一致し、これをつくった人々が数学と天文学の高度な知識をもっていたことだ。これはどの時代につくられたものにも当てはまる。最も古いのは、外側の堀と土塁。最後の段階でつくられたのは、馬蹄形と中央の円である。

ストーンヘンジの目的と用途はいまだにわからないし、長い年月の間に変化したかもしれないが、ここは人々の生活の中心だった。現代のドルイド僧は、今でもこの神聖な場所に集まり、冬至と夏至を祝う。その日は、サーセン石のすき間から太陽の光が真っすぐに差し込んでくる。北東の堀の外側にあるヒールストーンは、ちょうど夏至の朝日が当たるように立ち、サークルの中心に長い影を落とす。

ベストシーズン ストーンヘンジは年中見られる。夏至の日の出の時が特にすばらしいが、信者と見物人の数もすごい。

旅のヒント ストーンヘンジは南側を走る幹線道路A303号線と、北側を走るA344号線の交差点にあり、車やバスで簡単に行ける。最寄りの町ソールズベリーとエームズベリーから、ストーンヘンジを訪れたり、付近の田園風景を散策したりするのに格好の拠点になる。
ストーンヘンジを見るのに2時間はみておこう。通常の開園時間中、見学者は中心のサークルへは入れない。閉場後のストーンサークル入場許可証はイングリッシュ・ヘリテージが発行している。

ウェブサイト www.visitbritain.jp（英国政府観光庁）、www.stonehenge.co.uk（英語）

見どころと楽しみ

■ ストーンサークルの真ん中に、**馬蹄形に並べられたブルーストーン**がある。ウェールズのプレセリ山地で採れる石で、ぬれると青色に変わる。

■ 遺跡の外周にある**オーブリーホール**に詰まっていた灰白色の軟らかい石灰岩の中から、火葬された人骨が発掘された。

■ エームズベリーから往復14キロほどの**遊歩道**を歩こう。草原や森を通り、先史時代の遺構や青銅器時代の埋葬塚、ウッドヘンジ、ストーンヘンジが見られる。

ヨーロッパ

巨大な聖像
トップ10

太古の昔から、巨大な像は人々の想像をかき立て、
魂を揺り動かす不思議な力を秘めていた。

❶ ラ・ベンタ公園のオルメカ人頭像（メキシコ）

タバスコ州にあるラ・ベンタ公園の木々に覆われた「考古学の道」を進むと、メキシコ最古級の遺構がある。マヤ以前の古代文明の民、オルメカ人がつくった、これらの巨大な人間の頭部は、絶対的な支配者を表しているといわれている。巨石人頭像は、公園から130キロ離れたラ・ベンタで見つかった時と同じ順に並べられている。最大のものは高さ2.4メートル、重さ22トン。

旅のヒント　ラ・ベンタはタバスコ州にある。日が落ちてから公園を訪ねると、音と光の見事なショーが見られる。
www.visitmexico.com（メキシコ政府観光局）

❷ パネシージョのマリア像（エクアドル）

キトの町を見下ろすパネシージョの丘に、高さ45メートルを誇る、翼のあるアルミ製のマリア像がそびえている。丘の形が、小さなロールパンに似ていることから、スペイン人が「パネシージョ」と名付けた。インカの時代から聖地とされてきた丘は、標高3000メートルで、頂上に登ると、すばらしい眺望が開ける。巨大なマリア像は、地球の上に立ち、足でヘビを踏んでいる。勇気を出して、台座のバルコニーに上がってみよう。

旅のヒント　最高の眺めを楽しむには、雲が出る前の早朝に行こう。頂上までタクシーで行き、見終わるまで待っていてもらう。30分もあれば十分だ。
www.ecuador-embassy.or.jp（在日エクアドル大使館）
www.in-quito.com（英語、スペイン語ほか）

❸ 救世主キリスト像（ブラジル）

長年、リオデジャネイロのシンボルとなっている救世主キリストの像は両腕を広げて、来る者すべてを迎え入れているようだ。標高914メートルのコルコバード山の頂上に立つ、高さ38メートルのアールデコ調の像は、鉄筋コンクリート製で重さは635トンある。像の足元にある礼拝堂は150人を収容できる。ここは、以前ローマカトリック教会の聖域とされていた。

旅のヒント　究極の体験は、コルコバード登山列車に乗り、チジュッカ国立公園全林を抜ける20分の旅。畏敬の念が自然と起こるだろう。像のパーツを頂上へ運んだのもこの登山鉄道だ。
www.brasemb.or.jp（駐日ブラジル大使館）

❹ 東大寺の盧舎那仏像（日本 奈良県）

巨大な青銅製の仏像は、世界最大の木造建築といわれる東大寺大仏殿に鎮座している。大仏の建造にはのべ260万人がかかわったといわれている。完成は752年。今日、東大寺とその静かな周辺は華厳宗の総本山となっている。

旅のヒント　東大寺のある奈良公園は奈良市の東部にある。
www.todaiji.or.jp（東大寺）

❺ 高徳院の阿弥陀如来像（日本 神奈川県）

鎌倉の大仏は、もとは木造の大仏殿の中にあったとされるが、津波で倒壊した後は、500年以上も雨露にさらされながら座している。高さ約13メートルで、緑の森を背景にしたその美しいたたずまいは、日本のシンボルの一つといえる。

旅のヒント　大仏は最寄り駅である江ノ島電鉄長谷駅から徒歩数分。入場料とは別に20円を払えば、内部を見学できる。
www.kotoku-in.jp（高徳院）

❻ 楽山大仏（中国 四川省）

高さ71メートルの世界最大の仏像。凌雲山の崖に彫られた笑顔の大仏は、中国で最初に仏教が浸透した峨眉山の方向を向いている。大仏は3本の川が合流する地点にあり、川の氾濫を抑えることを願ってつくられた。大仏の大きな足の甲に上がることもできるし、片方の耳まで上って、間近に見ることもできる。

旅のヒント　大仏は楽山市の東部にある。現地へは船で行くのが良い。そうすれば、最初に全体を眺められるので、その大きさに圧倒されるだろう。
www.cnta.jp（中国国家観光局）

❼ シュラバナベラゴラのゴーマテーシュワラ像（インド）

花崗岩の彫像は、ジャイナ教の聖人、ゴーマテーシュワラに捧げるためにつくられた。瞑想のために自分の王国を放棄したという聖人だ。僧侶たちは12年に1度、この像にミルクやはちみつ、豆腐に似た乳製品、米、砂糖、アーモンド、サフラン、デーツ、バナナを浴びせる儀式を行う。次は2018年の予定。

旅のヒント　シュラバナベラゴラはチャンナラヤパトゥナから13キロで、二つの町の間をバスが走っている。www.embassyofindiajapan.org（在日インド大使館）、shravanabelagola.net（英語）

❽ アウカナ仏像（スリランカ）

アウカナとは「太陽を食べる」を意味する。今日でも、朝日が少しずつ仏像を照らし出す明け方、僧侶たちは花を集め、5世紀につくられた高さ15メートルの仏像に供える。普段でもここを訪ねる人は数えるほどしかいない。

旅のヒント　仏像はアヌラーダプラの南東50キロにある。訪問するときは控えめな服装で。
www.lankaembassy.jp/index_ja.htm（駐日スリランカ大使館）

❾ 大スフィンクス（エジプト）

ギザのピラミッド群のかたわらに鎮座する、巨石でつくられたスフィンクスは、頭は神で体はライオン。全長56.4メートル、高さ20メートル。人類史上最大の石像といわれている。

旅のヒント　ギザはカイロ郊外から数キロ。一般公開は毎日7時～17時半。
www.egypt.or.jp（エジプト大使館エジプト学・観光局）

❿ サグラド・コラソン教会のキリスト像（スペイン）

この壮大な教会は、青銅製の巨大なキリスト像をいただき、標高575メートルのティビダボ山の山頂に建っている。教会の上まで登ると、バルセロナの町や周辺の海岸線が一望できる。

旅のヒント　ブルー・トラムで登山列車の麓の駅へ。そこからティビダボ登山列車に乗り、山頂の教会まで行ける。
www.spain.info/JP/TourSpain（スペイン政府観光局）

次ページ：鎌倉の大仏（阿弥陀如来像）は高徳院の境内にある。青銅製で、1252年に鋳造された。

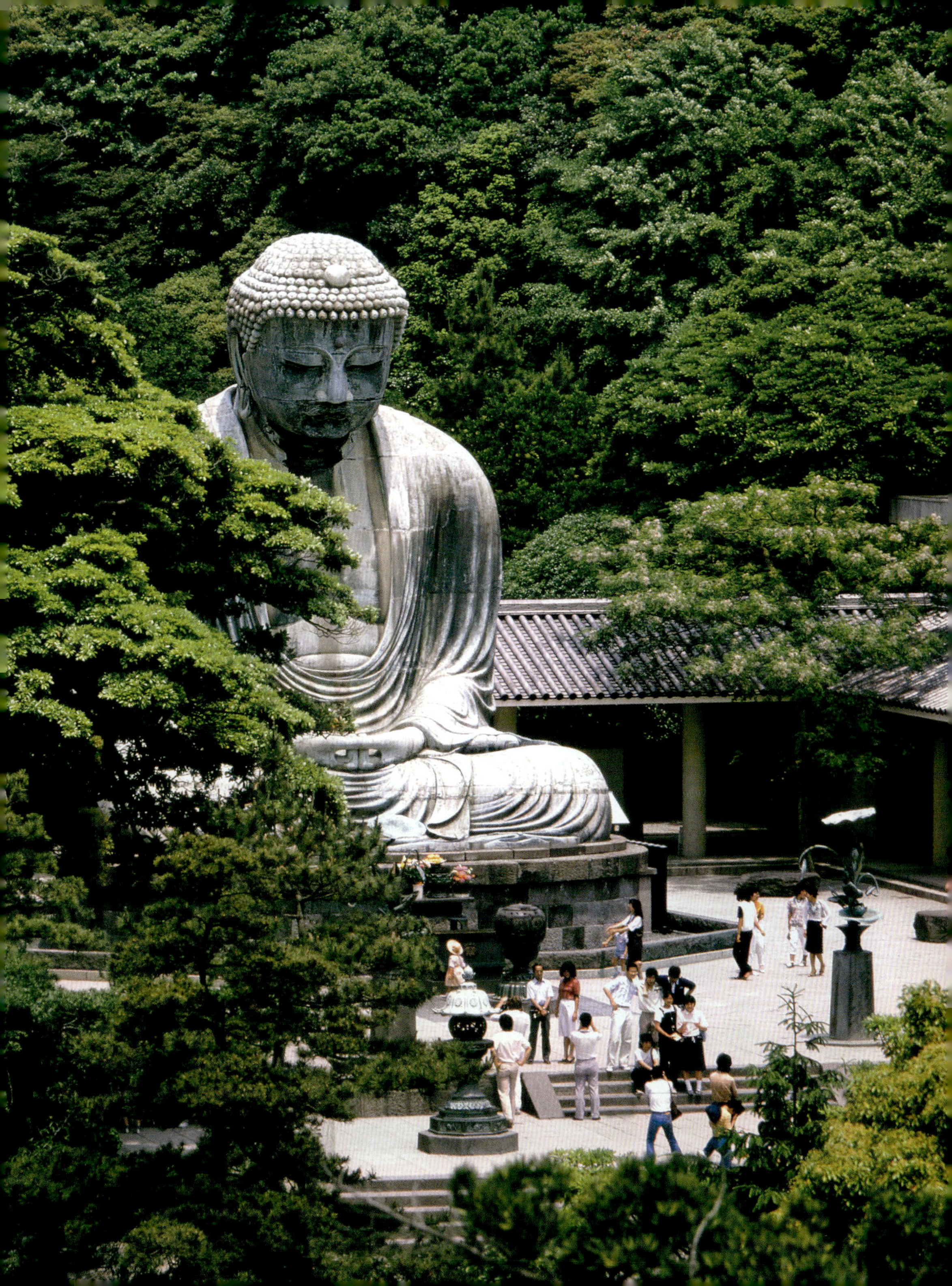

フランス
カルナックの巨石群

ケルト族がすんでいたブルターニュ半島沿岸部で、
5000年の歴史を誇る石づくりの「軍団」が霧の中から現れる。

ヨーロッパに数ある巨石遺構の中で、石の絶対量と配置の正確さでカルナックに匹敵するものはない。その様子は、ブルターニュの荒野を3000個の石が3キロの距離を行進しているようだ。大西洋沿岸の海に洗われた光の中で、それらの石は独り歩きを始め、数千年の間に風雨に削られて奇怪な形になった。ずきんをかぶった人、森の動物、突き出た石の矢尻、戦士などが列をなしている。

ブルターニュの伝承は、これらの石はキリスト紀元の初期、この地の聖人を襲った異教の軍団の成れの果てだとする。聖人が魔法で敵を石に変えたというのだ。

だが、学者たちは、石の年代がそれよりはるかに古いことを解明した。巨大なローラーを使って遠くから運ばれてきたであろうこれらの石は、紀元前4000年代にいくつかの段階に分けて、ここに据えられたと思われる。その目的は明らかではない。共同体の祈りの場、神への捧げ物、死者を追悼する場の印かもしれないし、収穫や祝祭日、新年を記した暦のようなものだったのかもしれない。

ベストシーズン カルナックにはビーチがあり、行楽地として人気がある。7月と8月は、石を守るために立ち入りが制限される遺構もある。10月から4月上旬が最も雰囲気を味わえる時期。

旅のヒント 少なくとも3日は必要。考古学に興味があるなら1週間でも足りないかもしれない。車と詳細な地図が必須。主な遺構は案内板が出ていて、駐車場もある。歩きやすい靴を履いていこう。特に見応えのある遺構や人の少ない遺構へは森や悪路を徒歩で行かなければならない。ドルメンの内部は薄暗いので懐中電灯を持っていこう。概要を知りたければ、最初にカルナックの先史時代博物館へ行くと良いだろう。

ウェブサイト jp.franceguide.com（フランス政府観光局）
www.ot-carnac.fr（フランス語、英語）

見どころと楽しみ

■周辺には、独立した**ストーンサークル**や**ドルメン**が数多くある。室があるこれらの墓の残骸には、死後の世界への入り口のように口が開いているものや、巨大な亀の形、生けにえの祭壇のようなものもある。

■**プチ・メネックの森**を貫く、迷路のような小道を散策してみよう。コケに覆われた小ぶりの配石遺構があり、石化した森の動物が地面から顔を出しているように見えるものもある。

カルナックには、狭い通路のある墓がたくさんある。ガブリニ島にある墳墓は、模様を彫り込んだ石で覆われている。

アルメンドレスの環状列石の中にある立石は、6000年前から同じ場所に立っている。

見どころと楽しみ

■ 紀元前5000年から同4000年頃の、**アルメンドレスのメンヒル**として有名な、孤立して立っている石は、主要な遺構から1キロほどの所にある。途中、田園風景が見渡せ、夏は野の花に囲まれる。

■ アルメンドレスの環状列石がある周囲の風景も魅力的だ。**地衣類に覆われた巨石**が、コルクの林に囲まれた東向きの緩やかな斜面に立っているのだ。

■ 環状列石からは、南欧の**田園風景**や**歴史の町エボラ**が見渡せる。

■ 近くのエボラにも立ち寄ろう。ローマ時代の**ディアナ神殿**は100年か200年頃のもの。16世紀の骨の礼拝堂は、壁と天井が約5000体分の人間の頭蓋骨や骨で覆われている。

ポルトガル

アルメンドレスの環状列石

このストーンサークルを訪れる観光客は多くないが、
太古の石に囲まれていると、超自然的な力を感じる。

ポルトガル中央部のアルメンドレスには、約95の巨石遺構がある。重なり合う二つの輪のように丸い巨石を密に並べたこの遺構が一般的になったのは、1960年代半ばである。英国のストーンヘンジは天体観測に使われたという新説が出現し、世界各地のストーンサークルが注目されたためだ。

アルメンドレスに最初のストーンサークルがつくられたのは、紀元前4000年頃。当時は東の地平線と日の出の方角に面して開口部がある馬蹄形だったと思われる。時代が下ると、その形は長方形になった。石の配列は天体観測と関係していると考える研究者もいる。特に長円の端に立つ一対の立石(メンヒル)を結ぶ線は、春分と秋分の日の、日の出と日の入りの方角を指しているからだ。

だが、多くの石の役割はいまだに解明されていない。この謎解きの鍵として、研究者たちは石に刻まれた円、線、渦巻きなどの浮き彫りに注目している。

ヨーロッパ

ベストシーズン アルメンドレスの環状列石へは年中行ける。春(4月~5月上旬)は特にすばらしい。気候は穏やかで、丘の斜面は野の花で埋め尽くされる。7月が最も暑い。

旅のヒント 遺跡はグアダルーペの村に近く、エボラから5キロ、リスボンから東へ153キロ。無料で公開されている。遺跡は私有地であるが、幹線道路や未舗装の道路沿いに遺跡までの案内標識が出ている。アルメンドレスを旅程に入れているバスツアーもある。ツアーに参加しなくても、車や自転車で遺構まで行ける。

ウェブサイト　www.visitportugal.com(ポルトガル政府観光局)
www.crookscape.org/textjan2005/text_eng.html (英語)

スーダン
メロエの古代ピラミッド

乾ききった砂の大地に、先端がへし折られた柱や王族の墳墓が残っている。ここには隆盛を極めた古代の都があった。

砂漠の熱風が、地表を覆う砂を吹き飛ばし、スーダン北部のクシュ王国のピラミッドに続く足跡を消しにかかる。紀元前300年から紀元300年頃につくられた急勾配の形の石造建築は、歴代の王族の墳墓の名残で、その数は200以上。ここメロエが古代王国の首都として、重要だったことがわかる。

土地の豊かなナイル河畔からわずか5キロしか離れていない、過去の繁栄をしのばせるこの廃墟には、ピラミッドもあるが、今では細かい砂に埋もれかけている。

それぞれのピラミッドには太い柱で飾られた入り口がある。玄室の巨大な石に刻まれたフレスコ画やヒエログリフは、金色の砂に半ば隠されている。文字は未解読だが、フレスコ画には、神々やそのほかの不滅の存在の物語が描かれ、各ピラミッドに埋葬されている王族の来歴を伝えている。

石の壁で囲まれた広大な都市そのものが、王族たちが暮らしていた王宮の跡だ。そこには小さな神殿や、ニンファエウム(ローマ浴場)の跡も見られる。

ベストシーズン 1年で最も涼しい11月から2月。5月と6月は避けよう。最高平均気温が50℃近くで、おまけに砂嵐にも見舞われる。

旅のヒント メロエはハルツームから北へ車で3時間。鉄道で行くなら、シェンディ近くのカブシヤ駅から北東6キロ強の所にある。駅から遺跡まではタクシーかバスを利用。ピラミッドを見て回り、古都の遺跡を散策するのに最低1日は欲しい。遺跡に隣接するバグラウィヤ村に簡素な宿泊施設がある。1泊するなら、食料、飲料水、寝袋は持参すること。脱水症状に気をつけ、砂漠の太陽から身を守ろう。遺跡では、守衛から適当な入場料を請求されるかもしれない。ラクダに乗るなら代金を交渉すること。写真撮影は許可が必要になるだろう。出かける前に、旅行代理店や土地の観光業者に聞いて確かめておこう。

ウェブサイト www.sudanembassy.jp(駐日スーダン大使館)

アフリカ

見どころと楽しみ

■ピラミッドを巡る**ラクダ・ツアー**がおすすめ。

■場所によっては、石板に彫られた古代の文字**ヒエログリフ**に触れられる。指でなぞってみよう。

■**王妃アマニシャケートの墓**を探そう。1834年、王妃のピラミッドの上部で黄金の装飾品が見つかったことから、一部破壊されている。

■ピラミッドから3キロのメロエ・テント村に1泊して、**砂漠の夜**を体験しよう。

■アメン神に捧げられた**神殿跡**を見にいこう。線路とナイル川の間にある。

エジプト出身のクシュ王国の人々は、古い慣習を守り、死者を埋葬するピラミッドをこの地でもつくり続けた。

ワッシュの石はセネガルとガンビアにあるほかの巨石遺構と同じく、鉄の道具を巧みに使って採石され、加工されている。

ガンビア／セネガル
セネガンビアの環状列石

ガンビア川沿いに広がる平原は、
世界で最もストーンサークルが集中している場所だ。

西アフリカのセネガルとガンビアにまたがる長さ100キロ、幅350キロの地域には、ラテライト（砂岩の一種）の石柱が、風雨にさらされつつ無名の王族らの埋葬塚を守るように立っている。この辺りには、墳墓や埋葬塚とともに、1000以上のストーンサークルが主に4カ所に分かれて残っている。セネガル側のシン・ンガイエンとワーナー、ガンビア側のワッシュとケールバッチだ。

それぞれのサークルには10〜20個の石が使われているが、その形状はさまざまだ。石の配列には諸説ある。例えば、大きな石と小さな石が並んでいるのは親子で埋葬されているからだとか、V字形の配置は2人の近縁者が相次いで死亡し、共に埋葬されたのではないかとか……。

しかし、最近の調査で、全部の遺体が完全な形で埋葬されてはおらず、別人の骨を加えて、儀礼的な埋葬を行っていたことが判明した。墳墓や埋葬塚からは土器も発見された。死者が無事に来世へ行けるように、遺体とともに埋めたらしい。

見どころと楽しみ

■ セネガルのシン・ンガイエンに近いジャルンベルには、この地域でストーンサークルが最も集中している。1000個もの石が52のサークルをつくっている。

■ ワッシュ博物館では、ストーンサークル形成の歴史やその文化を知ることができる。セネガンビアの環状列石は世界遺産に登録されている。

■ 最大の石は、ケールバッチ近くのンジャイ・クンダにある。石は丘の急斜面を降ろされて運ばれてきた。

■ ガンビア川のジャンジャン・ブレーにあるロッジ、バード・サファリ・キャンプは、野鳥観察に最適の場所。

ベストシーズン 乾期（10月中旬〜4月）。

旅のヒント ワッシュはガンビア川沿いのジャンジャン・ブレー（ジョージタウン）から北西へ20キロ。川の北岸からワゴン車の乗り合いタクシーで行ける。ケールバッチはニャンガ・バンタン近くの北岸にある。ケールバッチとセネガル側のサークルを見にいくなら四輪駆動車を借りる必要がある。ダカールの南東約180キロにあるシン・ンガイエン近くの、カオラック地区にある。道路事情にもよるが、すべてのサークル群を見て回るのに7日間が必要。道路はひどい状態なので、できるだけ川を航行して移動しよう。ガンビア川流域はマラリア流行地なので、マラリア予防薬を飲むこと。

ウェブサイト www.visitthegambia.gm、www.gambia.co.uk（英語）

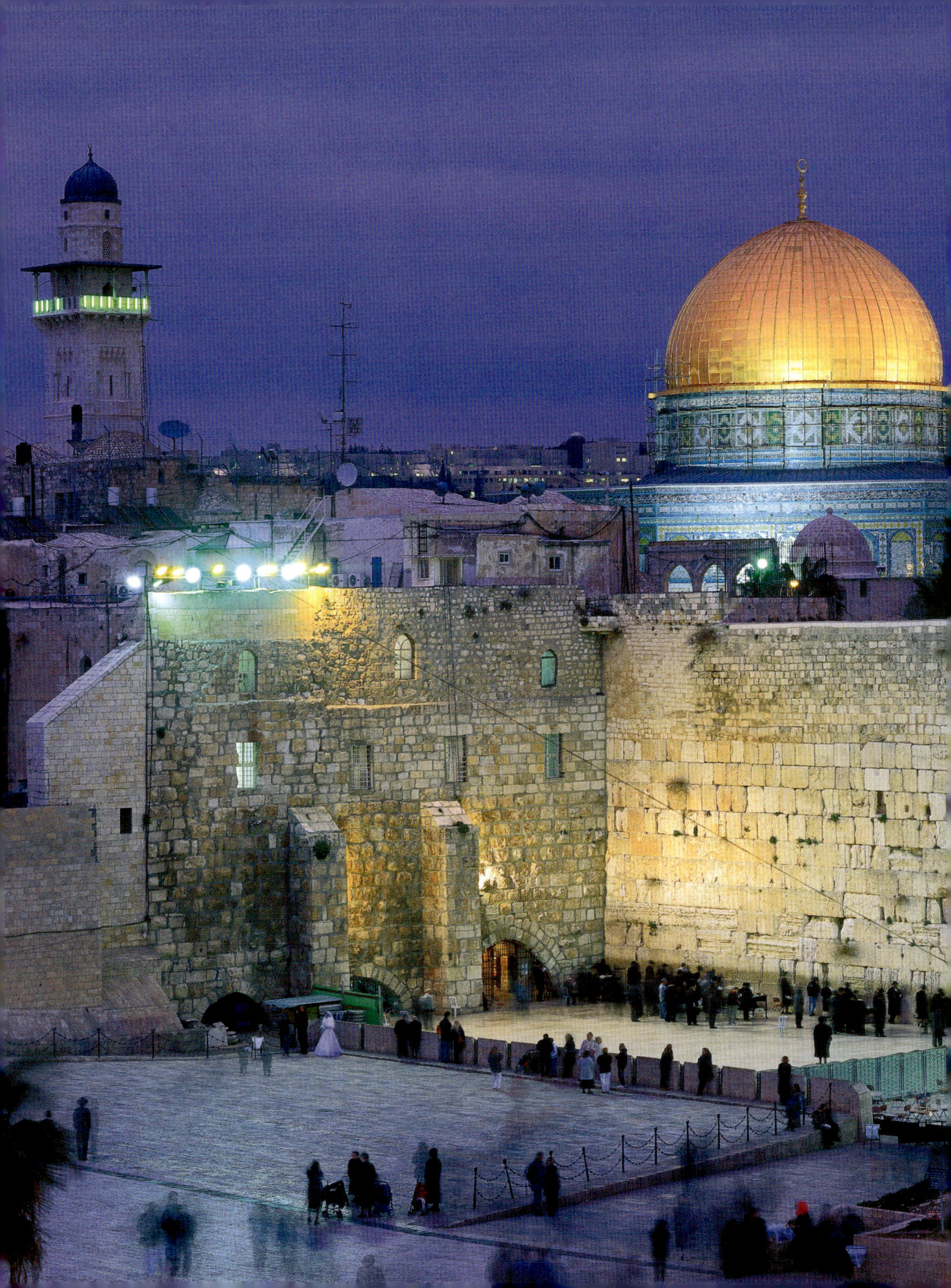

3 信仰の発祥地

世界中のあらゆる宗教には、信者たちが聖地と崇める場所がある。開祖が生まれた場所や埋葬されている場所、啓示を受けたり、探究の旅の途中に立ち寄った場所、聖なる文書や像がつくられたり、あるいは保管されている場所などである。

そうした聖地の多くはまた、その宗教を信じるか信じないかにかかわらず、訪れる者の心にも特別な感情を抱かせる。

例えば、中国の曲阜（きょくふ）は、孔子が中国文明の礎となる儒教を説いた地であると同時に、そこには彼の子孫が今でも暮らしている。トルコのイスタンブールの聖ソフィア大聖堂は、1500年の輝かしい歴史を誇り、ギリシャ正教会とビザンティン文化の最高傑作である。エジプトのシナイ山のように、ユダヤ教徒にもキリスト教徒にも同様に深い意味をもつ場所もある。一方、米国ニューヨーク州のクモラの丘は、モルモン教の創始者、ジョセフ・スミスが天使に出会った場所とされ、毎年夏には10万人もの人々が集まり、野外劇を楽しむ。

左：エルサレム旧市街が夕暮れに染まると、嘆きの壁（西壁）が照明により浮かび上がる。後方に輝くのは、神殿の丘に立つ美しい岩のドーム。ここはユダヤ教徒、イスラム教徒、キリスト教徒にとっての聖地である。

米国ニューヨーク州

クモラの丘

米国東部の静かな田園地帯の中で、モルモン教が
誕生するきっかけとなった、幻視や奇跡の物語をたどろう。

ニューヨーク州西部。パルマイラ近郊に広がる起伏のなだらかな農地に抱かれるように、小さな丘がある。ここクモラの丘は牧歌的な雰囲気に包まれ、ここでキリストを信じる新しい信仰が誕生したとは思えない。

　毎年夏になると、ここに10万人以上の人が集まり、壮大な野外劇に見入る。一般にモルモン教と呼ばれている「末日聖徒イエス・キリスト教会」の創設につながる、奇跡の数々を再現する野外劇だ。信者と観光客は一緒に、クモラの丘の頂上に続く道をたどる。丘の頂には、天使になったと信じられているモルモン教の預言者、モロナイの記念像がある。モルモン教の教えによると、創始者ジョセフ・スミスが若い頃、天使モロナイに教えと知識を授けられて、福音の刻まれた金版を掘り出したのが、この場所なのだ。スミスはそれを翻訳し、経典『モルモン書』を著した。

　近くには森の開拓地があり、今日「聖なる森」として知られている。1820年、14歳のスミスが、最初の幻視を得たといわれている場所だ。信じる人も信じない人も、この場所を支配する深い静けさを感じ取ることはできるだろう。

ベストシーズン　いつでも歓迎されるが、クモラの丘野外劇が行われる7月中旬がベスト。
旅のヒント　クモラの丘野外劇は無料だが、多くの観客で混雑する。座席数は限られている。早い者勝ちなので、劇が始まるかなり前に行こう。野外劇の期間中は、必ず宿を予約すること。そのほかの時期も予約はしておいた方がいい。農村地帯には宿泊施設が非常に少ないからだ。クモラの丘ビジターセンターでは、近辺の史跡を記した地図を売っている。また映像や展示品もあり、この地の歴史を学べる。パルマイラの名所を見て回るには、少なくとも1日は欲しい。
ウェブサイト　www.hillcumorah.org（英語）

北米

見どころと楽しみ

■ **クモラの丘野外劇**のオープニングでは、豪華な衣装を着た出演者が観客の間を通り、ステージに上がる。その興奮をじっくり味わいたい。

■ 1830年に最初の『モルモン書』が印刷された**グランディン印刷所**を訪れてみるのも良いだろう。

■ ジョセフ・スミスが『モルモン書』を書いたという簡素な**丸太小屋**（6×9メートル）が復元され、近くのウォータールーのホイットマー農場にある。

『モルモン書』の歴史を描くクモラの丘野外劇では、毎年、600人が出演する。

比叡山に点在する、延暦寺の数多い建物の一つ、法華等持院の東塔。

日本 滋賀県

比叡山延暦寺

天台宗の法灯は、京都の北東にそびえる比叡山で1200年間の長きにわたり燃え続けている。

京都とその東側に広がる琵琶湖との間に、標高848メートルの比叡山がそびえる。ここは霊山であり、自然に恵まれた安らぎの場だ。唐で修行し、天台宗の開祖となった最澄が、この地に僧坊をつくったのは804年のこと。山頂から東に広がる2000ヘクタールを超す寺域には、仏塔、寺院、中庭が点在するこれらの寺院では灯明を絶やさず、鐘をつき、香をたき、読経するという儀式が、いにしえの時代から毎日行われてきた。

延暦寺の山内は東塔、西塔、横川の3地区に分かれている。東塔は最もにぎわっている地区で、根本中堂をはじめ、多くの建物がここに集まっている。根本中堂は延暦寺内で最も重要な建物で、最澄が最初に建てた僧坊の跡地に建つ。

西塔は、東塔からは離れた場所にあり、歩いて20分ほど。そこには、最澄の墓である御廟がある。横川はさらに離れた場所にあり、小さな塔や堂がいくつもある。

見どころと楽しみ

- **根本中堂**の床は一段低くなっていて、その暗がりの中に座ると、中央の祭壇が浮いて見える。祭壇の法灯は、1200年の間燃え続けているという。

- 東塔地区の**山王堂**には、千手観音が安置されている。

- 東塔地区の**国宝殿**には、仏像、仏書、仏画など、すばらしい仏教芸術の数々が収蔵されている。

- 西塔地区の**転法輪堂(釈迦堂)**は、延暦寺の中で最古の建物だ。もともとは別の場所にあったが、1596年、現在の場所に移築された。

アジア

ベストシーズン 一年中開放されている。冬は雪が積もる。霧が多いので、景色が見えないこともある。
旅のヒント 建物や自然の美は、1日あれば見ることができる。比叡山の山頂までは、ケーブルカーやロープウェーで行ける。ルートは二つある。京都から電車で行き、叡山ケーブルカーとロープウェーを利用するか、琵琶湖側の坂本からケーブルカーで10分ほど上るかだ。どちらも、日中であれば、定期的に運行されている。頂上へはバスも通じているが、時間がかかる。
ウェブサイト www.hieizan.or.jp（比叡山延暦寺）

信仰の発祥地 | 87

聖なる文書
トップ10

彩色画で飾られ、美しく仕上げられた書物は、いにしえの人々が抱いていた信仰の強さや美への情熱を物語っている。

❶ アンヌ・ド・ブルターニュの祈祷書（米国ニューヨーク市）

この祈祷書は、ブルターニュ出身のフランス王妃アンヌが、ひとり息子に読み方を教えようとつくらせたものだ。だが、その息子は3歳で亡くなってしまう。挿絵は、1492年から95年に、トゥールのジャン・ポワイエが描いた。ページの縁にはアンヌの名前を表すANEという文字や、アンヌの守護聖人であるアッシジのフランチェスコを表す縄（コルデリエ）が描かれている。

旅のヒント　ニューヨークのモルガン・ライブラリー所蔵。
www.themorgan.org（英語）

❷ ナニーの巻物（米国ニューヨーク市）

古代エジプト人と共に墓に埋葬された絵巻物を総称して『死者の書』という。ニューヨークにあるこの巻物は、紀元前1040年から同945年頃、儀式の歌姫、ナニーのためにつくられたものだ。そこには、オシリスがつかさどる、審判の間の典型的な場面が描かれている。また、ナニーの心臓が、真実の女神マートのはかりに載せられている光景が描かれている。

旅のヒント　ニューヨークのメトロポリタン美術館所蔵。
www.metmuseum.org（英語）

❸ グーテンベルク聖書（米国テキサス州）

1454年から55年につくられたグーテンベルク聖書は、活版印刷技術を用いて刷られた初めての本格的な書物だ。現在残っている48冊は、それぞれの買い手の好みに合わせて装丁されている。テキサス州オースティンにあるこの聖書には、多くのページに14世紀の注釈がある。また、40以上の頭文字装飾があり、ブドウや雄牛の頭の透かしが入っている。

旅のヒント　テキサス大学オースティン校ハリー・ランサム人文科学研究センター所蔵。www.hrc.utexas.edu（英語）

❹ ウスマーンのコーラン（ウズベキスタン タシケント）

世界最古のコーランは、第3代カリフのウスマーン・イブン・アッファーンによって、651年にメディナでまとめられた。この原典写本は、シカ革に書かれている。ウスマーンは、私蔵のコーランを読んでいる最中に暗殺された。ページに残る黒いしみは、彼の血だといわれている。

旅のヒント　タシケントのテルヤシャヤフ・モスク（ハスト・イマーム・モスク）の図書館所蔵。
www.uz.emb-japan.go.jp/jp（在ウズベキスタン日本国大使館）

❺ オストロミール福音書（ロシア サンクトペテルブルク）

1056年から57年につくられたオストロミール福音書は、年代のはっきりしている最古の東スラブ語の聖書だ。上質な皮紙に祝祭日に関する記述があり、金箔や使徒の華麗な絵で飾られている。ノブゴロド修道院から持ち去られた後、85年間行方不明だったが、1805年、エカテリーナ2世の所持品として世に出てきた。

旅のヒント　サンクトペテルブルクのロシア国立図書館所蔵。
www.russia-emb.jp（在日ロシア連邦大使館）
www.nlr.ru/eng（英語）

❻ サラエボ・ハガダー（ボスニア・ヘルツェゴビナ）

スペインのバルセロナで1350年につくられた世界最古のセファルディ（スペインやポルトガルに移住したユダヤ人）のハガダー（過越の晩餐の式次第、タルムードの一部）。数世紀にわたってヨーロッパ大陸を転々とし、幾多の戦乱を生き延びた。細密画は、金箔や銅粉、宝石のような鉱石からつくられた顔料で描かれ、色彩が生き生きとしている。

旅のヒント　サラエボ中部、ボスニア・ヘルツェゴビナ国立博物館所蔵。
www.zemaljskimuzej.ba（英語ほか）

❼ 死海文書（イスラエル エルサレム）

1947年、羊飼いの少年が発見した洞窟から900巻以上の巻物の断片が見つかった。ヘブライ語の方言やアラム語で書かれ、現存する最古の聖書の断片のほか、数多くの写本が含まれていた。

旅のヒント　エルサレムにあるイスラエル博物館の死海写本館で見ることができる。www.english.imjnet.org.il（英語）

❽ 金剛経（英国ロンドン）

1907年、シルクロード沿いの敦煌の洞窟で発見された仏教の経典『金剛経』は、西暦で868年5月11日に相当する日付があり、世界最古の日付の入った印刷物だ。巻紙に木版で印刷されている。

旅のヒント　ロンドンの大英図書館所蔵。
www.visitbritain.jp（英国観光庁）　www.bl.uk（英語）

❾ ラットレル詩篇（英国ロンドン）

14世紀のこの旧約聖書の詩篇には、200ページ以上にわたって中世の日常生活が絵で詳述されている。すきを使った耕作、テーブルでの修道士たちの会食、くしで髪をとかす女性、まな板の上で動物の肉をたたき切っている料理人。どれも遊び心のあるユーモアが感じられる。日常に喜びを見いだすことで神をたたえている。

旅のヒント　ロンドンの大英図書館所蔵。www.bl.uk（英語）

❿ ケルズの書（アイルランド ダブリン）

8世紀後半、アイルランドの修道士たちが『ケルズの書』をつくった時、書物やキリスト教はまだなじみの薄い存在だった。この装飾写本は、強烈な色彩、さまざまな文化の装飾的なモチーフをすき間なく密に絡み合わせてあり、修道士たちが新しい宗教に興奮し、宝石のような書物をつくろうとしたことがうかがえる。

旅のヒント　ダブリンのトリニティー・カレッジ図書館所蔵。
www.discoverireland.jp（アイルランド政府観光局）

次ページ：悪魔がイエスを誘惑し、聖なる建物から追い出そうとしている場面。鮮やかな色彩や詳細な描写によって、『ケルズの書』は印象深く魅力的な作品に仕上がっている。

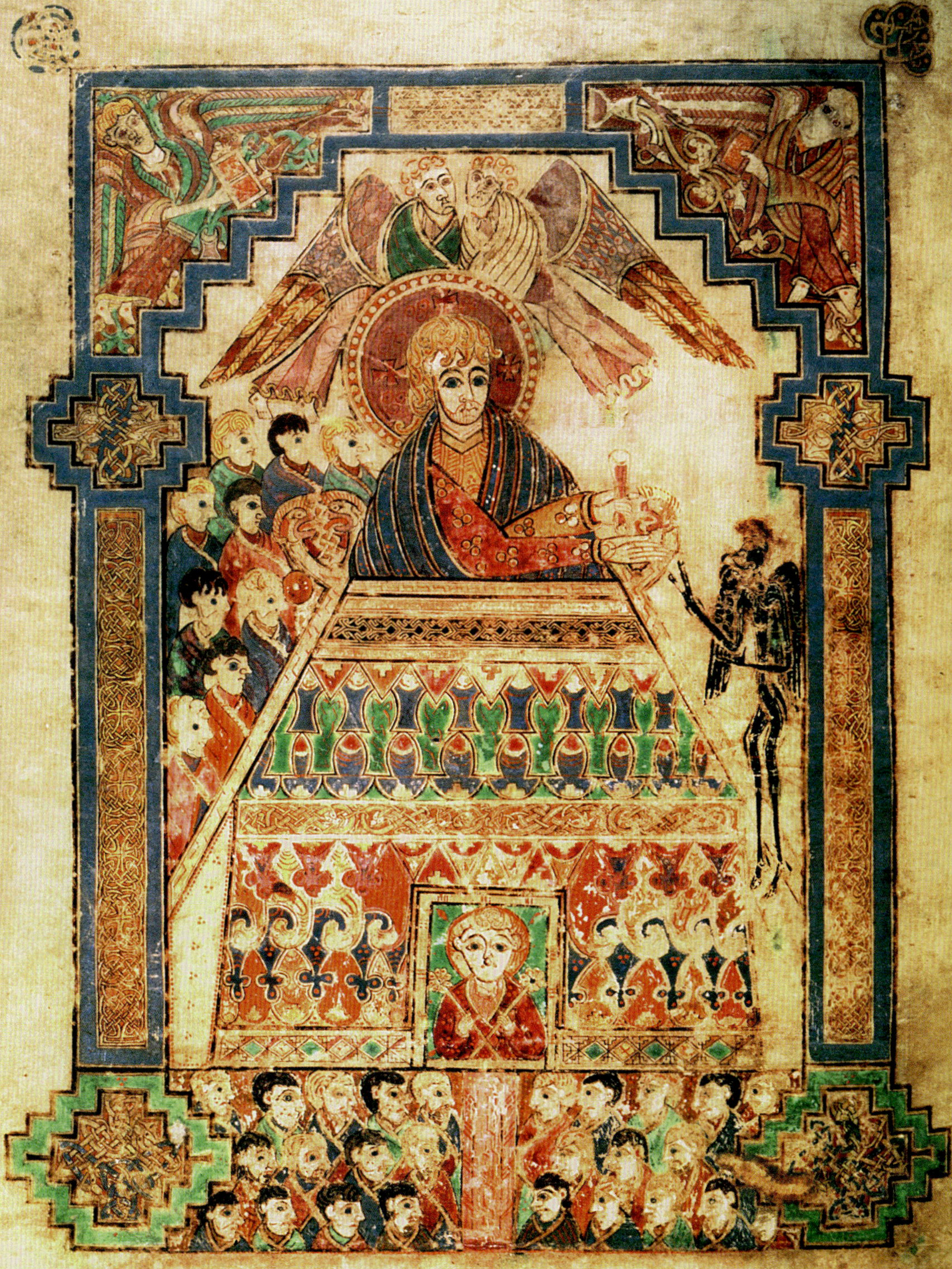

中国 山東省

孔子のふるさと 曲阜(きょくふ)

孔子が生まれ、暮らし、埋葬されたこの地を、今でも多くの中国人が訪れ、偉大なる思想家の徳と学問的な業績を称賛している。

中国で二番目に大きな宮殿建築は、曲阜にある（最大は北京の紫禁城）。曲阜の南側正門は、胸壁に銃眼のある仰聖門(ぎょうせいもん)。かつては皇帝だけが通れたこの門を入ると、中庭があり、背中に石柱を載せたカメのような贔屓(ひいき)という石像がある。中庭を抜けると、そこが孔子を祭る壮大な霊廟、孔廟だ。

水が枯れた堀には大理石の太鼓橋がいくつもかかり、黄金色の瓦でふかれた大きく弧を描く屋根が、深紅色の堂々たる建物を覆っている。孔子が講義を行ったという場所に建てられた杏壇(きょうだん)の裏には、大成殿がある。二重の壇の上に建つこの建物は、本殿にふさわしく、目のさめるような色彩を放っている。

東側には、1038年建造という歴史を感じさせる古びた孔府の建物群がある。窓からは、家具、凝った装飾の間仕切り、大時計などが見える。

北に20分歩くと孔子一族の墓所、孔林がある。林の木陰の中に無数の墓碑や石碑、石像が散在している。生けにえを捧げるために使われた建物と比べると、孔子やその息子や孫の質素な埋葬塚が小さく見える。

アジア

見どころと楽しみ

■ 1018年に建てられた3層構造の奎文閣は、壮大な建物だ。3層の軒は、装飾を兼ねた複雑な細工のはりと腕木で支えられている。

■ 大成殿の柱は、皇帝が暮らすどの宮殿の柱よりもすばらしいとされていた。そのため、皇帝が訪れる際は、黄色の絹で柱を覆って見えないようにしたという。

■ 曲阜のレストランでは、孔子の子孫で11世紀以降の歴代当主が食べていたとされる豪華なコース料理を味わえる。

ベストシーズン 雨が少なく暖かい4月、5月、9月、10月。7月と8月は、湿気が多く暑い。1月はとても寒い。

旅のヒント 曲阜は北京から約480キロ。北京と上海を結ぶ鉄道の途中にある。16キロ離れた兗州からは、バスやタクシーなどでも行け、交通の便がいい。曲阜での宿は、予約するよりも現地に着いてから見つけた方が安くあがる。曲阜の観光には少なくとも1日は必要だ。5月1日からの数日間と10月の第1週は祝日になるので、訪れるのは避けた方が良いだろう。

ウェブサイト www.cnta.jp（中国国家観光局）

孔子像が祭ってある大成殿は、孔子をたたえる儀式に使われた。

マトゥラーを流れるヤムナー川を船で行くと、川岸に並ぶ色とりどりの寺院や霊廟のすばらしい眺めが楽しめる。

インド
クリシュナ・ジャンマブーミ

ヒンドゥー教で最も華やかで派手な神の1人であるクリシュナは、インド北部の古都マトゥラーで誕生した。

クリシュナは、5000年以上前に、北インドを流れるヤムナー川のほとりのマトゥラーに生まれた。ヒンドゥー神話によると、クリシュナの両親はマトゥラーの王で、クリシュナの叔父のカッサによって投獄されていた。牢で生まれたクリシュナはひそかに連れ出され、近くのブリンダーバンで、ゴーピーと呼ばれる牛飼いの乙女たちに育てられた。

マトゥラーとブリンダーバンには、この伝説にまつわる寺院や霊廟が多い。最も有名なのが、「クリシュナの生誕地」という意味の、クリシュナ・ジャンマブーミ（別名、スリ・クリシュナ・ジャンマスタン）だ。クリシュナの生まれた牢があった場所を中心に、多くの寺院や霊廟、庭園がある。

1660年代、ムガール帝国のアウラングゼーブ帝は、もともとここにあったヒンドゥー教のクリシュナ寺院の一部を壊し、その跡にカトラ・マスジッド（モスク）を建てた。新しいクリシュナ・ジャンマブーミは、このモスクの隣に建っている。

見どころと楽しみ

- **ケサバ・デオ寺院**が、牢獄のあった場所だ。クリシュナはここで生まれたといわれている。参拝する信者が列をなしていて、非常に厳しい雰囲気。
- **寺院の門**は、警備員が両側を固めている。アーチの上には、二輪馬車に乗ったクリシュナの彩色された像がある。
- **キーター寺院**は、鮮やかな壁画で飾られている。クリシュナがアルジュナ王子に『マハーバーラタ』の一部、バガバッド・ギーター（神の歌）を説いて聞かせている場面が描かれている。

ベストシーズン 10月から3月。冬は寒くて霧が多く、夏は非常に暑い。7月から9月はモンスーンの雨が降る。クリシュナ生誕祭、ジャンマーシュタミは8月から9月、ホーリー祭は2月から3月にある。

旅のヒント マトゥラーは、北インド中央のウッタル・プラデーシュ州にある。最寄り空港は、64キロ南東のアーグラだ。北145キロにデリーがある。マトゥラーまでの道路状況は良い。マトゥラーの主要鉄道駅は、中心部にある。ブリンダーバンはマトゥラーから北に16キロ。クリシュナ・ジャンマブーミ（毎日5時〜12時、16時〜21時）には、数時間は滞在したい。入り口での荷物検査やセキュリティー・チェックなどで、長く待たされることがあるので、我慢しよう。カメラや携帯電話は寺院内には持ち込めない。

ウェブサイト www.embassyofindiajapan.org（在日インド大使館）

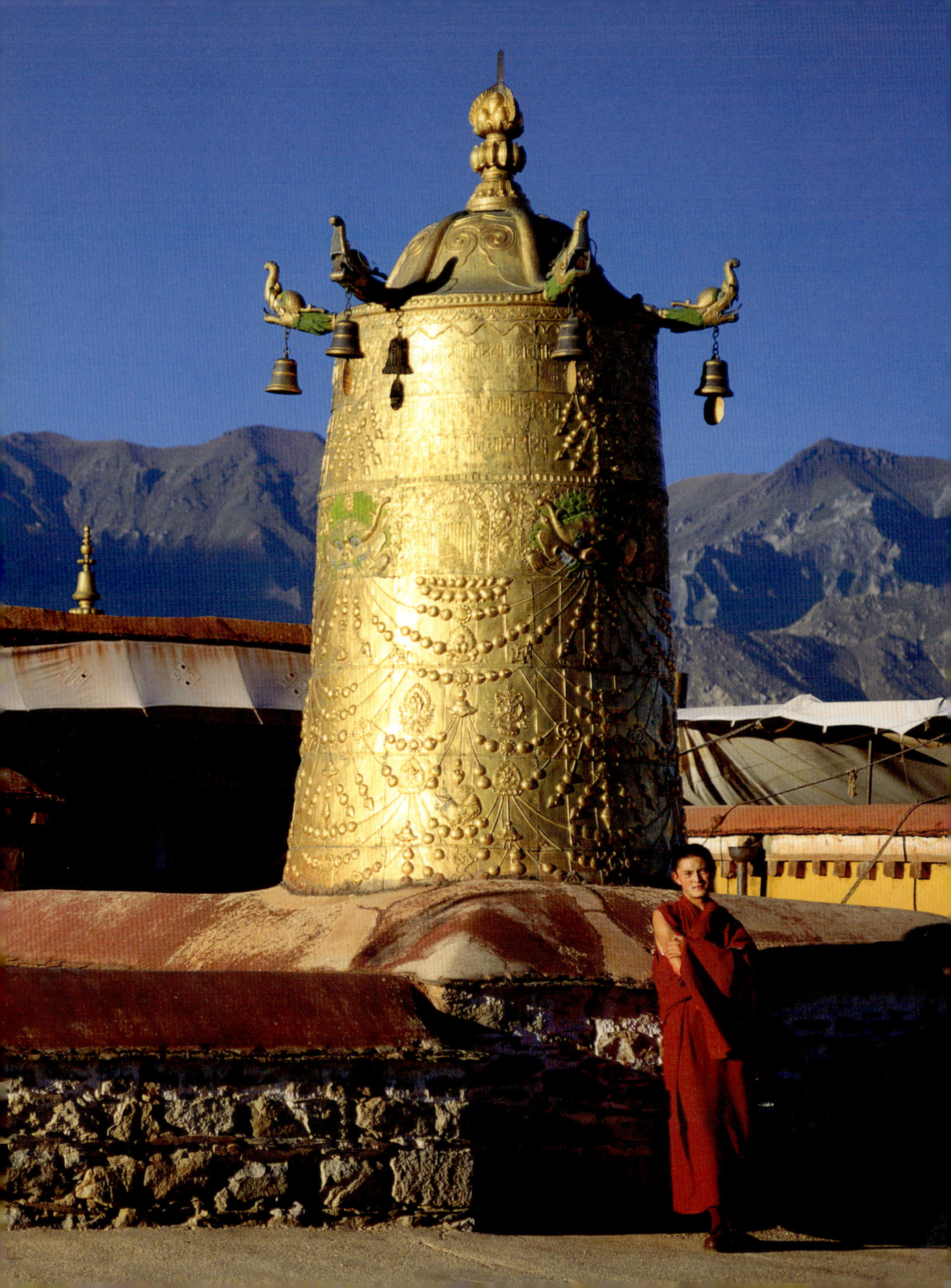

中国チベット自治区

ジョカン寺（大昭寺）

チベット仏教で最も神聖なこの寺院には、ほかでは見られない尊い仏像が安置されている。

チベット仏教の魂ともいえるジョカン寺には、毎日数百人もの巡礼者が訪れる。チベット自治区の中心地、ラサの旧市街にあるこの寺院を目指して、多くの人が何百キロも離れた土地から徒歩でやって来る。中には、五体投地を行いながら寺を目指す巡礼者もいる。

ジョカン寺はもともと、7世紀にソンツェン・ガンポ王が、その妃たちが中国から持参金代わりに持ってきた数多くの仏像を安置するために建てた寺だ。その後、寺院は、創建時より大きくなり、やがては4階建ての堂々とした建造物になった。

入り口では、大勢の信者が体を地面に投げ出して祈る五体投地をしている。何世紀にもわたって、数知れぬ巡礼者が繰り返してきたため、敷石は滑らかになっている。カルマを清めるためにマニ車を回しながら、聖堂を時計回りに歩いて回っている信者に交じって、赤の僧衣を身につけたラマ僧もいる。

薄暗い寺院の内部は、ヤクのバターで灯すランプの明かりが揺らめき、柔らかな黄色の光が、華麗な絵で埋め尽くされた壁や彫刻された柱、深紅の布を照らし、仏像の慈悲深い顔や憤怒の表情などを浮かび上がらせる。心を込めて祈りを唱える信者の声が、眠りを誘う単調なラマ僧の読経と一つになる。それとは全く対照的に、経に合わせて鳴らされるチベットシンバルやラッパの音は、実ににぎやかだ。

ベストシーズン　4月から10月の間がよい。12月から2月は冬で、寒さが厳しいので避けたい。

旅のヒント　寺院へは信者なら8時から入れるが、信者でない観光客は正午まで入れない。中国のビザとチベット入域許可証が必要なので、旅行代理店に手配してもらおう。政情不安なため、暴動が起こると、チベットへ入るルートは閉鎖される。ラサは標高3660メートルの地点にあるので、高山病を予防するために、到着後数日はゆっくり休み、たっぷり水分を取ること。

ウェブサイト　www.cnta.jp（中国国家観光局）、www.visittibet.com（英語）

見どころと楽しみ

■ 寺院の1階にある**仏像**は見逃さないようにしたい。宝石がちりばめられた金箔の仏像は12歳のブッダを表したもので、文成公主がソンツェン・ガンポに嫁ぐ時に持参した。

■ **寺院の屋根**を見学しよう。2頭の黄金のシカを両脇に置く法輪があり、ダライ・ラマが住んでいたポタラ宮やチベットの山々などが遠くに望め、どこよりもすばらしい眺めを楽しめる。

■ **寺院の周囲のバルコル（八角街）**を歩いてみよう。巡礼者が歩く**聖なる道**は市場にもなっていて、ヤクのバター、トルコ石や琥珀の装飾品を売る店が並んでいる。

前ページ：寺院の屋上には、四つの見事な鐘楼がある。**上左**：この寺のブッダ像は、チベット仏教で最も崇拝されている。**上右**：屋根は金箔を張った青銅板でふいてあり、随所に仏像や竜頭の彫刻が飾られている。

ブッダ生誕の地を示す聖園では、色とりどりの祈祷旗が菩提樹の下ではためいている。

ネパール
ブッダの生地 ルンビニ

ブッダが生まれたルンビニは、仏教で最も重要な聖地の一つで、世界中から信者たちが集まる巡礼地でもある。

ルンビニは、ネパール南部、インドとの国境に近いヒマラヤの麓にある。ゴータマ・ブッダの生誕地とされるこの地は、緑の園や澄んだ池の伝説とともに昔からよく知られていた。

史跡として整備されているルンビニの聖園地区の真ん中にマーヤ聖堂がある。現在の聖堂は、紀元前3世紀に建てられた聖堂の基礎を覆うようにつくられ、その内部には、紀元前563年頃にブッダが生まれた正確な場所を示す石がある。マーヤ聖堂のそばには、古い仏塔に囲まれたプスカルニという池がある。ブッダの母、マーヤはこの蓮池で沐浴し、その後、無憂樹(むゆうじゅ)の下で出産したと伝えられている。

木の近くには、仏教を信奉したアショーカ王が、紀元前3世紀に建てた石柱があり、ブッダに関する碑文などが表面に刻まれている。

現在、ルンビニの寺院地区は、世界の仏教の中心地として急速に発展している。多くの国々が、さまざまな様式の僧院、寺院、堂塔を建てた。静かな環境の中、色とりどりのフレスコ画やさまざまな仏像を見ることができる。

ベストシーズン 10月から3月が良い。暑い時期(4月～7月)とモンスーン(7月～9月)の季節は避けよう。
旅のヒント ルンビニは、カトマンズから行くには、バスや車で約6時間かかる。ネパール入国にはビザが必要だ。ニュー・ルンビニ・ビレッジには、旅館、レストランなどの観光施設がある。南部を含めて散発的に争乱が起こるため、渡航自粛の勧告が時々出される。旅行前に最新情報をチェックしよう。
ウェブサイト welcomenepal.com (ネパール政府観光局)

見どころと楽しみ
■ **マーヤ聖堂**は、優雅な仏塔のような建物だ。ブッダの生母の浅浮き彫りの像が安置されている。

■ **寺院地区**では、金色と白色に輝く**ミャンマー寺**や、黄金の仏像や美しい庭園のある**中国の中華寺**を訪れよう。

■ 平和を求める世界の人々を一つにするために建てられた、**日本の平和の仏塔**で瞑想しよう。

アジア

パキスタン

シクの聖地 ナンカナ・サヒーブ

シク教を開いた、グル・ナーナクの生誕地には、
開祖をたたえて建てられた、優雅な寺院が数多く残っている。

円屋根、アーチ、淡い琥珀色の色彩、芝生の庭、池。グルドワラ・ジャナム・アスタンは、シク教の最も神聖な場所に建つ寺院である。ここは、シク教の開祖、グル・ナーナク生誕の地だ。

1469年に生まれたナーナクは、その青少年時代をナンカナ・サヒーブで過ごした。ここには大小9カ所のグルドワラ（祈りの場、シク教寺院）がある。それぞれがナーナクゆかりの地に建てられており、世界中のシク教徒が参拝に訪れる。

グルドワラ・モール・ジ・サヒーブが建っているのは、タルウィンディの支配者だったライ・ブラール・バティが、眠っている少年の顔に鎌首をもたげたコブラが日陰をつくっている場面に出くわした場所。その少年がナーナクだ。ライ・ブラールはその光景を見て、少年は神だと確信したという。

インドと分離した1947年以降、ナンカナ・サヒーブはイスラム教の町になり、シク教徒の家は30軒を残すだけになった。だが、毎年2万5000人のシク教徒がここにやって来て祈りを捧げている。グル・ナーナクの生誕祭などは、特ににぎわう。

ベストシーズン 気候は10月から3月が一番快適だが、グルドワラが活気づくのは、シク教の三大祭の時だ。バイサキ祭（4月）、19世紀の初頭にこの地方を支配したシク・マハラジャ・ランジット・シン（パンジャブの獅子）の命日祭（6月）、グル・ナーナクの生誕祭（11月）。

旅のヒント ナンカナ・サヒーブは、ラホールの西77キロにある。交通と鉄道の便はいい。出発前に旅行制限がないかチェックしよう。グルドワラを訪れる人は、ほとんどがシク教徒だが、どの宗教の人にも開放されている。すべてのグルドワラを見て回るには、少なくとも1日必要。

ウェブサイト www.tourism.gov.pk、www.sikhtourism.com/pakistan-gurudwara.htm（英語）

アジア

見どころと楽しみ

- **グルドワラ・ジャナム・アスタン**には、グル・ナーナクの生家を模した聖堂がある。

- **グルドワラ・キアラ・サヒーブ**は、少年だったナーナクが神がかりのトランス状態になった時に、牛が勝手に入り込み、荒らした畑の場所に建っているという。伝説によると、彼が一目見るだけで、牛が荒らした畑は元通りになった。

グル・ナーナクの生誕を祝う祭りに集まったシク教徒が、開祖に祈りを捧げる。

信仰の発祥地 | 95

ロシア

トローイツェ・セルギエフ修道院

誰からも愛されている聖人セルギエフが創設した、
きらびやかで要塞のような大修道院。ここはロシア正教会の故郷だ。

セルギエフ・ポサドの街を、修道院を目指して歩くと、トローイツェ・セルギエフ修道院（至聖三者セルギー大修道院）が、おとぎ話の大きな宝石箱のように、目の前に現れる。美しい白壁の向こうに、きらきら光る黄金色とサファイアブルーの円屋根がそびえている。

ここは巡礼地でもあり、ロシア正教会の信者が多数訪れる。大修道院は、1345年に貴族出身の修道僧、聖セルギエフ（セルギー）が、至聖三者（三位一体）に捧げるために建てたもので、当初は小さな木造の聖堂に過ぎなかった。聖セルギエフを慕ってたくさんの修道僧が集まったため、彼は共同生活の決まりをつくった。それが現在まで続く修道院生活の基本になった。

セルギエフが没した後、1408年にタタール人の攻撃で木造の聖堂が破壊された。その後、後継者の聖ニーコンがここに黄金ドームの石造建築である至聖三者大聖堂を建てた。聖セルギエフの遺骸は、ここに再び埋葬され、その後多くの聖堂が新たに建てられた。青いドームが特徴であるウスペンスキー大聖堂もその一つだ。

ベストシーズン 年間を通して、修道院は8時～18時に開いている。週末になると、各聖堂は大勢の信徒で非常に混雑するので、観光客の立ち入りを制限することが多い。冬（11月～3月）の気温は、マイナス10℃ほどだ。

旅のヒント 13ある聖堂のうち5カ所をはじめ、多くの建物が一般公開されている。ほとんどの旅行者は、74キロ南西にあるモスクワから、日帰りでセルギエフ・ポサドを訪問する。列車は約30分間隔で、モスクワのヤロスラブリ駅から出ている。セルギエフ・ポサドの駅から修道院までは、徒歩10分ほどで到着する。モスクワまでの道路は良い。聖堂に入る際、女性はスカーフで頭を覆うこと。

ウェブサイト www.russia-emb.jp（在日ロシア連邦大使館）、www.stsl.ru/languages/en（英語）

ヨーロッパ

見どころと楽しみ

■ 修道院の**至聖三者大聖堂**には、中世に活躍したロシアの最も偉大な聖像画家、アンドレイ・ルブリョフの作品がある。

■ 青い丸屋根が特徴的な**ウスペンスキー大聖堂**の内部は、1684年に描かれたフレスコ画で壮麗に飾られている。

■ **井戸の礼拝堂**は、聖セルギエフの聖なる泉を覆うように建てられた。その水（19世紀の天蓋の下に泉がある）は、病を治す効果があると信じられている。

■ **聖セルギエフの食堂**や**総主教館**は、17世紀のバロック様式で建てられている。この時代の修道院は、豪華なつくりになっている。

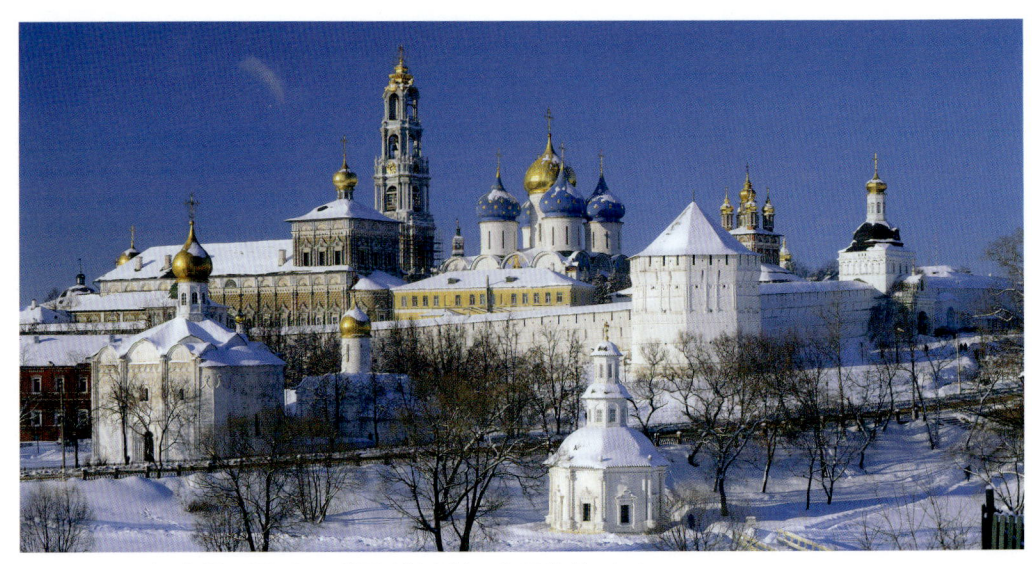

トローイツェ・セルギエフ修道院の城壁の中には、外観も内装も豪華な、13もの聖堂が建っている。

聖エチミアジンの大聖堂を訪れると、アルメニア王、聖トゥルダト（左）と「啓蒙者」聖グレゴリウス（右）の彫像が、出迎えてくれる。

アルメニア
聖エチミアジン大聖堂

カフカス山脈に抱かれた、現存する世界最古級の聖堂には、キリスト教が広がり始めた頃の遺物が残されている。

　アルメニア使徒教会の総本山、聖エチミアジン大聖堂の入り口は、重厚だが簡素で、内部の豪華さとは非常に対照的だ。建物自体は、アルメニアのほかの教会と変わらないが、ここには特別な歴史や宝物がある。
　アルメニア教会の守護聖人である、「啓蒙者」聖グレゴリウスは、夢の中で教会を建てるようイエスから告げられた。その時、イエスが語りかけた場所に建っているのが、この大聖堂なのだ。最初の聖堂は4世紀に建てられたが、5世紀から7世紀にかけて大建造物へと建て替えられ、それが今日まで残っている。正門の入り口に立ち、精巧な石の彫刻をじっくり見てみたい。聖堂の天井は、18世紀の壁画が覆っている。描かれた天使の視線は、訪れる人をずっと追っているように思える。
　祭壇の右側には広大な宝物館があり、目もくらむような工芸品や、聖遺物が展示されている。キリストがはりつけになった十字架の断片や、キリストが頭に載せたイバラの冠の小片もある。アルメニア教会は、これらを本物と認めている。

見どころと楽しみ
- 聖堂周辺に散らばっているたくさんの**ハチュカル（十字架石）**は、アルメニアの歴史で起きた重大事件を物語っている。
- 雪を頂いた**カフカス山脈**の眺めがすばらしい。ノアの箱舟が、洪水の後に漂着したと伝えられているアララト山も見える。
- エチミアジンにある7世紀の**聖リピシメ教会**には、聖リピシメの墓がある。彼女は、異教徒だったアルメニア王、トゥルダトに殺された。トゥルダトは、その後、聖グレゴリウスの導きでキリスト教に改宗した。

アジア

ベストシーズン　大聖堂は、4月上旬から10月下旬の間、月曜を除く7時半〜20時に開いている。

旅のヒント　聖エチミアジンには観光案内所がない。ここを訪問するツアーに参加することをおすすめする。ガイド付きツアーが、約20キロ離れたアルメニアの首都、エレバンから定期的に出ている。移動時間を除いて、聖エチミアジンをゆっくりと見学するには、半日は必要だ。訪問者は、日曜の11時（特別行事は10時）に、大聖堂で行われる本礼拝に参加することができる。礼拝は約2時間。座席がないので立ったままだ。女性は頭を覆うこと。大聖堂の宝物館は礼拝中は見学できない。

ウェブサイト　www.armenianchurch.org（英語、アルメニア語ほか）、www.armeniainfo.am（英語）

心を打つ響き
トップ10

世界の聖地では、賛美歌の合唱をはじめ、リズミカルな太鼓の音や読経の厳かな声が響く。聞く者の心を開き、魂を揺さぶる。

❶ ゴスペル聖歌隊（米国ニューヨーク市）

毎週日曜日、米国で最も有名なゴスペル聖歌隊の歌声を、タイムズ・スクエアで楽しめる。思わず手をたたき、足でリズムを取りたくなるだろう。チケット代にはゴスペル・ショーのほかバイキング形式のブランチも含まれる。

旅のヒント　B・B・キング・ブルース・クラブで毎週日曜日にゴスペル・ブランチがある。開場は12時半。
www.harlemgospelchoir.com、www.bbkingblues.com（英語）

❷ 太鼓の音（日本）

日本では1000年以上の昔から、厄ばらいの儀式や出陣の折に、また、祭りでも太鼓を打ち鳴らしてきた。太鼓には神が宿っていると信じられ、宗教的な儀式で使われた。太鼓の音は、寺社や祭りには欠かせない。

旅のヒント　京都の八坂神社では、7月の祇園祭の折に、数多くの太鼓を打ち鳴らす。
web.kyoto-inet.or.jp/org/yasaka（京都八坂神社）

❸ 修道士の聖歌隊（ウクライナ）

荘厳で美しい聖歌隊の歌声が、キエフ・ペチェールスカヤ大修道院の黄金のドームから空へと舞い上がる。教会、博物館、洞窟寺院が集まったこの大修道院は、1000年近い歴史を誇る。名高い聖歌隊は長年、信徒も旅行者も魅了してきた。

旅のヒント　修道院は一般公開されている。キエフの町の中心から路面電車ですぐ。www.mfa.gov.ua/japan/jpn（在日ウクライナ大使館）
www.ua.emb-japan.go.jp（在ウクライナ日本国大使館）

❹ ドン・コサック合唱団（ドイツ）

ドン・コサック合唱団は、戦争の惨害からも美が生まれることを証明してくれている。捕虜として収容されていたロシア人が、1921年に合唱団をつくった。最初は民謡、オペラ、宗教歌を楽器の演奏なしで歌っていた。戦後もドン・コサック合唱団は活動を続け、今日に至っている。

旅のヒント　現在ドイツを拠点に活動する、ドン・コサック合唱団＆ワーニャ・リプカは、捕虜になったメンバーが結成した。
www.don-kosaken-solisten.de（ドイツ語、英語ほか）

❺ バッハ音楽祭（ドイツ）

ヨハン・セバスチャン・バッハは、1750年に亡くなるまで、27年間ライプチヒに住み、聖トーマス教会の音楽監督として活動した。毎年6月には、バッハの音楽をたたえて、コンサートや文化イベントがライプチヒで催されている。

旅のヒント　世界各国のトップクラスの音楽家が、街中を舞台にして演奏する。要予約。www.visit-germany.jp（ドイツ観光局）
www.ltm-leipzig.de（ライプチヒ観光局）

❻ ウィーン少年合唱団（オーストリア）

オーストリアが誇る作曲家ブルックナー、ハイドン、モーツァルト、シューベルトの名を冠した4グループに分かれて活動している。天使の歌声とセーラー服で有名な合唱団は世界を回り、毎年50万人の観客を前にして約300回のコンサートを開いている。

旅のヒント　合唱団の4グループは、ヨーロッパ、アジア、オーストラリア、アメリカを回っている。ウィーンでは定期的にコンサートを開いている。
www.austria.info（オーストリア政府観光局）
www.wsk.at（ドイツ語、英語）

❼ 聖ワンドリーユ修道院の聖歌隊（フランス）

聖ワンドリーユ修道院のベネディクト派修道士の聖歌隊は、グレゴリオ聖歌で有名だ。毎日、朝のミサの開始を告げるベルが鳴ると、修道士は礼拝堂に集まり、聖歌を歌う。教会を見学に来た人もミサに参加することができる。改築のため、2010年クリスマスまで閉鎖中。

旅のヒント　修道院では宿泊客を歓迎し、敷地内に宿泊施設を備えている。要予約。www.st-wandrille.com（フランス語、英語）

❽ サント・ドミンゴ・デ・シロス修道院の聖歌隊（スペイン）

サント・ドミンゴ・デ・シロス修道院のベネディクト派修道士が、1994年に『Chant』というグレゴリオ聖歌のアルバムを発売すると、世界各地でブームとなり、爆発的な売り上げを記録。聖歌隊は2枚目のアルバムを発売した。グレゴリオ聖歌は今もミサで歌われている。スペイン北部にあるこの修道院は、ロマネスク建築の傑作でもある。

旅のヒント　聖歌隊は1日6回、日曜日や祝日は7回、ミサでグレゴリオ聖歌を歌う。www.spain.info/JP/TourSpain（スペイン政府観光局）
www.angelrecords.com（英語）

❾ ケンブリッジ大学キングス・カレッジ聖歌隊（英国）

キングス・カレッジの年に一度の最大のイベントは、クリスマスに歌うクリスマスキャロルだ。BBCは、クリスマス前夜、全世界に向けて生放送をし、この歌声がクリスマスの始まりを知らせる。聖歌隊が「我が家」と呼んでいる礼拝堂は、宝石のようにきらびやかで、建設には100年以上費やし、完成したのは1547年だ。

旅のヒント　タベの祈りの歌は、月曜日から土曜日の17時半に歌われる。クリスマスキャロルは、クリスマス・イブの15時に始まる。ただし、朝の9時から並ばないと入れないだろう。
www.visitbritain.jp（英国政府観光庁）、www.kings.cam.ac.uk（英語）

❿ フェズ祭（モロッコ）

毎年6月の1週間、古い城壁に囲まれたフェズは、聖なる音楽の祭り（世界宗教音楽祭）で、町の歴史をたたえる。スーフィーの音楽家、サーミのフォークソング歌手、ケルト人、ツアレグ人、ベルベル人が、世界各地からやって来て、木の下や宮殿の中庭など、モロッコの空の下で互いの違いを越えて一つになる。

旅のヒント　フェズの新市街にある多くのホテルが、音楽祭の会場まで往復のシャトルバスを出している。
www.morocco-emba.jp（駐日モロッコ王国大使館）
www.fesfestival.com（フランス語、英語）

次ページ：京都の八坂神社。伝統装束を身につけた奏者が伝統的な太鼓をたたく。

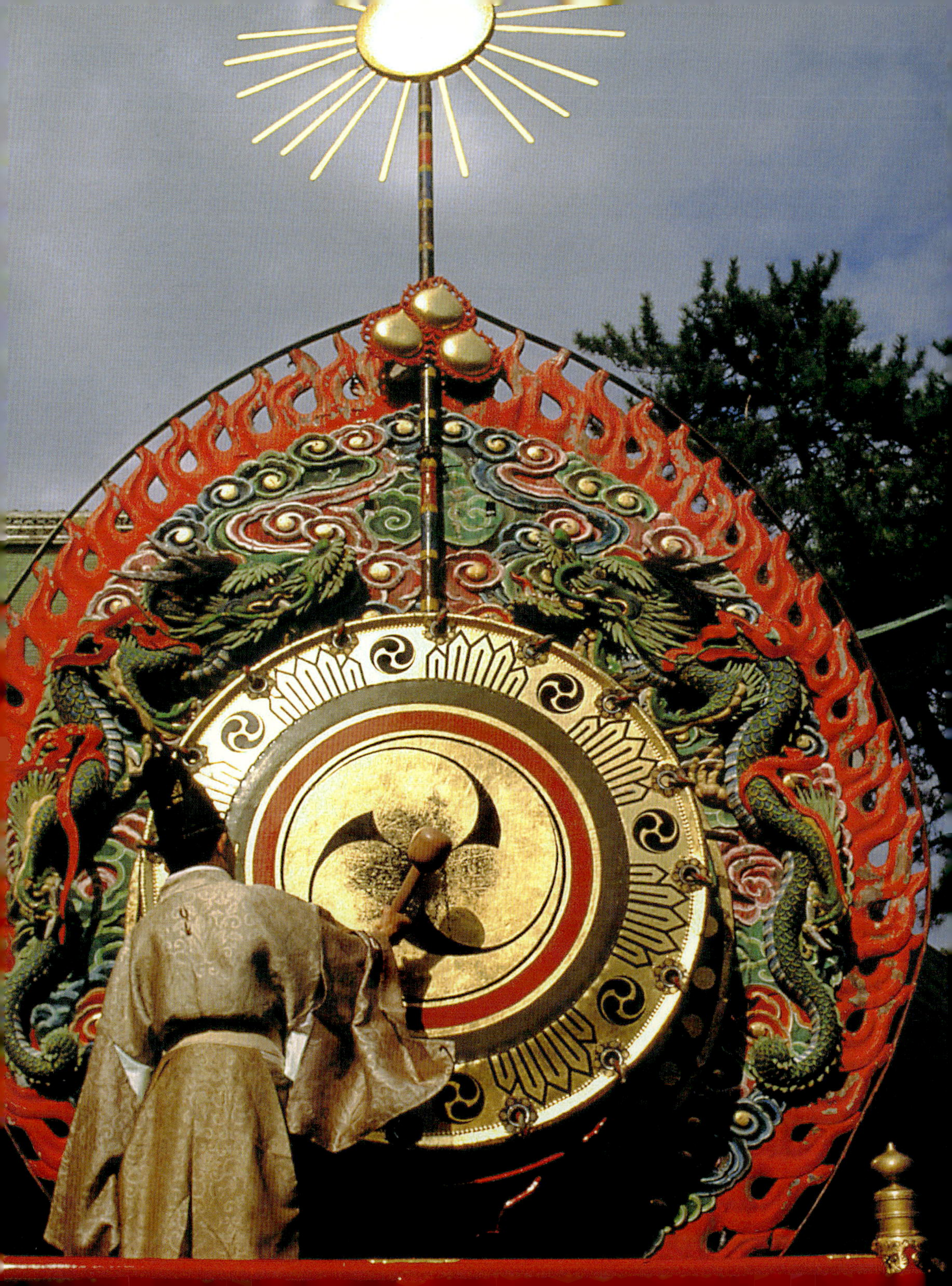

黄金の円屋根を頂くバブ廟は、階段状になった庭園に囲まれている。

見どころと楽しみ

■ カルメル山頂の**パノラマ道路**からは、廟の建物とテラス式庭園、その向こうの地中海まで一望できる。

■ 廟の壁には、「**参堂の書**」と呼ばれる祈祷文が掲げられている。廟を訪れたバハイ教徒が利用している。

■ ベン・グリオン大通り沿いに、美しい家が建ち並ぶ**旧ドイツ人街**がある。ルター派教会の分派であるテンプル・ソサエティーのメンバーが建てたものだ。彼らは、1868年にイスラエルに移住を開始し、農業を中心にした共同体をつくった。

イスラエル
宝石の輝き バブ廟

バハイ教で最も神聖な場所の一つであるこの廟は、
カルメル山の山腹で宝石のように輝いている。

アジア

金色の円屋根をもつ美しいバブ廟は、地中海に面したハイファの町のシンボルだ。だが、車の往来が激しいベン・グリオン大通りから眺めるのは、安全上問題がある。ただ、バブ廟の眺めは、ここからがベストであることは確かだ。日が暮れて、廟がライトアップされると、最高の眺めになる。

バブ廟は、バハイ教の神の使者、バブの遺骸を納めるために20世紀初頭に建てられた。廟は石づくりで、1万2000枚の金色のタイルで覆ったドームを2層の列柱が支える。高さ40メートルの廟は、上下ともに9壇ずつのテラス式庭園の中心に建つ。

庭園を歩きながらカルメル山の斜面を1キロほど上っていくと、イェフェ・ノブ通りに出る。そこからは、廟のあるテラス式庭園が一望できる。庭園は斜面を下りながら、ハイファの街を貫き、さらに地中海に面した海岸まで続いている。

ベストシーズン　通年。バブ廟は、バハイ教の祝祭日を除き、毎日午前中に開放されている。テラス式庭園は、水曜日を除き、午前と午後に開放される。

旅のヒント　入りロは、ハイファのシオニスト通りにある。入場無料。テラス式庭園は、ガイド付きツアーでの見学が許される。要予約。ガイド付きツアーでは廟の見学は含まれない。控え目な服装で行くこと。短パン、ノースリーブなど、肌を露出するものは禁止。テラス式庭園ツアーは、1キロの斜面を歩くことになる。そのほかの方法として、レンタカーかタクシーで、まずベン・グリオン大通りから廟を眺め、その後、庭園の上側を走るイェフェ・ノブ通り（パノラマ道路）へ向かえば、カルメル山の山頂からの眺めを楽しめる。

ウェブサイト　tokyo.mfa.gov.il（駐日イスラエル国大使館）　www.ganbahai.org.il/en（英語）

ヨルダン川西岸地区
イエス・キリスト生誕の洞窟

キリスト教徒にとって最も重要な場所の一つが、
ベツレヘムの生誕教会の地下にひっそりとある。

馬小屋として使われていたその洞窟は現在、メンジャー広場に面したベツレヘム最古の教会の地下にある。2000年以上も前にイエスが生まれたとされるこの洞窟を、マリアやヨセフ、東方の三博士が、今もし訪れたとしても、まったく見覚えがないというに違いない。

「謙遜のドア」と呼ばれている小さな石の入り口から入ると、中は奥行きのある教会となっている。イエスの生まれた洞窟へは、正面祭壇の脇にあるアーチ型の入り口から狭い階段を下りていく。洞窟の右側には、美しい布がかけられた生誕の祭壇がある。祭壇下の床には銀の星がはめ込まれていて、イエス生誕の場所を示している。洞窟の左側には、生まれたイエスを入れた馬ぐさおけの場所を示した祭壇がある。かつてはただの洞窟だった場所を、数世紀かけ、敬虔な信者たちがつくり変えた。干し草と泥の床は、今は石と大理石が敷かれている。

洞窟は様変わりしたが、信仰や信心は変わらない。ここを訪れる人は物静かだ。ヨセフ、マリア、キリストをたたえようと、人々はろうそくに火を灯す。

ベストシーズン 洞窟は年中公開されている。12月24日には隣接の聖カテリナ教会でミサが行われるので、混雑する。ギリシャ正教やアルメニア正教では1月7日がクリスマスに当たる。イスラエルのホームページをチェックして、治安状況を確認しよう。

旅のヒント ベツレヘムへはエルサレムから車で10分程度で到着する。洞窟や近辺の教会を見学するには、半日ほどの時間が必要だ。入場は無料。さまざまな礼拝が毎日行われている。イスラエルでは、教会をはじめ、神聖な場所を訪れる際は控え目な服装で。メンジャー広場には、平和センターや観光案内所があり、近くの観光スポットの情報も手に入れることができる。

ウェブサイト tokyo.mfa.gov.il（駐日イスラエル国大使館）、www.goisrael.com（英語ほか）

アジア

見どころと楽しみ

■ 生誕教会の脇には、50本の石柱が並んでいる。この場所からは、4世紀に聖ヘレナが建てた**最初の教会**のタイルが発掘されている。聖ヘレナは、キリスト教に改宗した最初のローマ皇帝、コンスタンティヌス帝の母親だ。

■ クリスマス・イブには、多くの人がメンジャー広場に集まり、ろうそくを灯して**賛美歌**を歌う。

■ 教会の西側にある**スーク（市場）**には、宗教に関する品々、民芸品など、土産物を売る店が並んでいる。

洞窟にある生誕の祭壇。中央にある銀色の星は、イエスが生まれたとされる場所を示している。

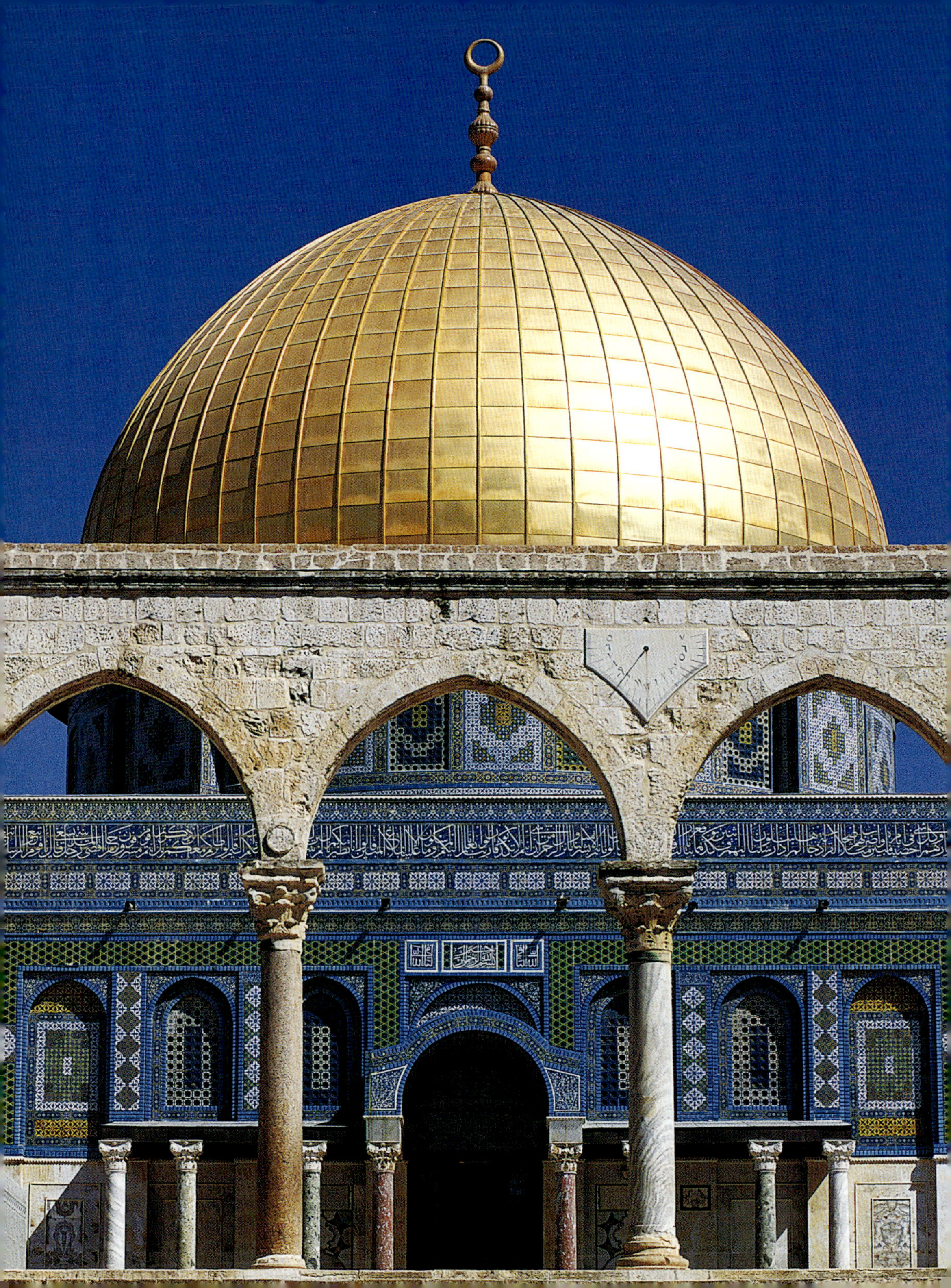

イスラエル
神殿の丘

ユダヤ教、キリスト教、イスラム教の信者にとって
聖なるこの丘は、長く複雑な歴史の舞台となってきた。

　神殿の丘はエルサレム旧市街の中心に位置し、長い歴史をもつこの街を見下ろしている。その静かなたたずまいは、活気に満ちた周辺の街並みとは対照的だ。「モリヤの丘」とも呼ばれ、イスラム教徒が「高貴な聖域」と呼ぶこの丘は、ユダヤ教、キリスト教、イスラム教の聖地だ。その中心の岩は、アブラハムが息子のイサクを生けにえに捧げようとした場所だという。またここは、ソロモン王が十戒が刻まれた石板を収めた「契約の箱」を安置するために建てた第一神殿のあった場所だ。

　ソロモンの神殿は、紀元前600年以前に破壊された。さらに、紀元前515年に建てられた第二神殿は、ローマ皇帝ティトゥスによって破壊された。第一神殿と第二神殿の正確な場所についてはまだ結論がでていない。だがソロモン神殿の奥深く、黄金の天使像をのせた「契約の箱」を納めた「至聖所」があったのは、岩のドーム近くにある石板のドームだという説もある。

　イスラム教徒は、神殿の丘をムハンマドが天に昇った場所だと信じている。638年、イスラム勢力がエルサレムを支配し、後にカリフは岩のドームを建設した。金色の屋根は、街のシンボルとなった。このイスラム寺院の中に、アブラハムゆかりの岩があり、南側にある尖塔を備えたアルアクサ・モスクは1035年に完成した。

ベストシーズン　キリスト教、イスラム教、ユダヤ教の祝日を除いて、いつでも見学できる。イスラム教徒でない人は、日中の礼拝中、敷地内には入れるが、岩のドームやアルアクサ・モスクには入れない。

旅のヒント　神殿の丘の周辺を、時間をかけて散策しよう。服装は地味なものであること。短パン、ノースリーブなど、肌の露出した服装は侮辱とみなされる。神殿の丘へ行くためのゲートが10カ所ある。訪れる前に、治安状況を確認しよう。

ウェブサイト　tokyo.mfa.gov.il（駐日イスラエル国大使館）
www.goisrael.com（英語ほか）

アジア

見どころと楽しみ

■岩のドームの中心にある**聖なる岩**の周囲を歩いてみよう。ドーム内部は、ビザンティン様式の美しいモザイク画で鮮やかに飾られている。

■岩の下にある洞窟、**魂の井戸**では、来世へと流れる楽園の川の音に交じって、死者の声が聞こえるといわれている。

■入場券売り場のそばに、**イスラム博物館**がある。貴重なコーランやイスラム教の工芸品が展示されている。

■**城壁を歩くツアー**に参加すると、エルサレム旧市街と、第二神殿の遺物、嘆きの壁の全景を眺められる。

前ページ：黄金に覆われた岩のドームは、現存する世界最古のイスラム建築。明るい色彩の精巧なモザイクやアラビア文字が、陽光に照らされて輝いている。**上**：静寂に包まれた優雅なアルアクサ・モスクの内部。美しい彫刻が施された列柱で仕切られた身廊がいくつもある。

イスラムの巡礼者がヒラーの洞窟の入り口に続々とやって来る。

見どころと楽しみ

- ジャバル・アンヌールの頂上でひと休みして、聖都メッカを囲む**砂漠の風景**を眺めよう。ムハンマドの時代とあまり変わらない眺めだ。

- 洞窟の前に座り、**石に囲まれた空間**の心地よさを感じてみよう。見えるのは、雲一つない空だけだ。

- ほかの巡礼者が洞窟を出るまで待とう。1人きりになれば、それまで感じたことのない**敬虔な気持ち**になれる。

サウジアラビア
ヒラーの洞窟

預言者ムハンマドが神の言葉を最初に聞いたのが、
メッカ近郊にある、この小さな洞窟だといわれている。

　大巡礼ともいわれるハッジ(メッカ巡礼)では、巡礼者はヒラーの洞窟を訪れる必要はない。だが、イスラム教徒にとって、ここは大切な場所だ。
　イスラム教の開祖ムハンマドは、ラマダン(断食月)の間、この山の頂上の洞窟にこもっていた。イスラム教の教えでは、610年のある晩、大天使ジブリール(ガブリエル)が洞窟のムハンマドの元を訪れ、アラーの言葉の最初の5節を伝え、その伝えられた言葉がコーランになったという。
　巡礼者はジャバル・アンヌール(光の山)の頂上へと登るが、頂上には洞窟は見当たらない。目指す洞窟は頂上から約20メートル下った場所にあるからだ。
　ほぼ垂直の崖の道を下りていくと、小さな岩だながあり、そこに多くの巨石に囲まれ、色とりどりの手書きの碑文で飾られた一角がある。それが洞窟だ。奥行き3.7メートル、幅1.5メートルの小さな洞窟に入ると、謙虚な気持ちになれるはずだ。

アジア

ベストシーズン　イスラム教徒はハッジの途中でヒラーの洞窟を訪ねても良いが、この時期はとても混雑する。あるいは、小巡礼(ウムラ)の途中でも良い。

旅のヒント　メッカの北東10キロのジャバル・アンヌールに登れるのは、イスラム教徒に限られている。洞窟へ通じる山道入り口までは、タクシーで行くのが良いだろう。登りは長くて急だが、急ぐ必要はないので時間をかけてゆっくり登ろう。登る際は、丈夫で足に合った靴を履くこと。頂上から洞窟への道はわかりにくいので、誰かについていくか、誰かに聞くこと。メッカは、夏は焼けるように暑い。気候に合った軽い服装で。ただし肌の露出は避け、頭部は覆うこと。

ウェブサイト　www.saudiembassy.or.jp (駐日サウジアラビア大使館)

エチオピア
キリスト教国の古都 アクスム

強大な王国の都だったこの古代都市には、
エチオピアで最も重要なキリスト教の教会がある。

紀元前200年から紀元700年まで、アクスムは、紅海からアラビア半島の中心にまで至る広い範囲を支配した、強大なアクスム王国の都であった。

しかし、現在のアクスムの通りを昼下がりに歩くのは、エチオピア正教の聖職者たちと、巡礼者たちの行列だけだ。行列は、赤やオレンジ色のパラソルをかざし、ケベロ（ドラム）や鐘のリズミカルなビートを鳴り響かせて進んでいく。

彼らは16世紀にできたマリアム・シオン教会（シオンの聖マリア教会）に向かう。教会の隣には、王国がキリスト教に改宗した4世紀に建てられた教会の基礎が残る。

現在の教会に隣接する「石板の聖堂」には、本物の「契約の箱」があるとされているが、これまで外部の人間に公開されたことは一度もない。この聖遺物を見張っているのは、たった1人の修道士だけだ。

16世紀の教会の隣には、1964年にエチオピア皇帝ハイレ・セラシエが建てた新しい聖マリア教会がある。この教会は古い教会とは違い、女性も入ることができる。

ベストシーズン 1月19日のティムケット祭に行こう。洗礼者ヨハネによるキリストの洗礼を祝う祭りだ。11月下旬のマリアム・シオン祭もおすすめ。6月から9月は豪雨に見舞われ、交通の便が悪くなる。

旅のヒント アクスム周辺の遺跡の入場券は、郵便局隣のツーリスト・オフィスで購入できる。料金にはガイド料も含まれているが、チップは必要で、事前に交渉しておくと安心だ。すべてを見学するには2～4時間かかる。墓には照明設備がないので、懐中電灯を持っていこう。アクスムは、エチオピアでは、キリスト教徒とイスラム教徒にとって最も神聖な場所だ。控え目な服装で行こう。

ウェブサイト www.ethiopia-emb.or.jp（駐日エチオピア大使館）

見どころと楽しみ

■16世紀の聖マリア教会と現在の教会には、**色彩豊かな壁画**がある。

■**教会博物館**には、エチオピアの歴代皇帝がかぶった、美しい**銀の王冠**が展示されている。これらの展示品を見ていると、アクスム王国の職人の技術がいかに高かったかがわかる。

■アクスムの中央広場近くにある公園には、アクスム王の墓を守っている花崗岩の**オベリスク**がいくつも立っている。

■アクスム郊外のデブレ・カティン山に、**アバ・パンタレオン修道院**がある。6世紀に建てられたこの教会は、現存するエチオピア最古の教会の一つだ。

要塞のような16世紀の聖マリア教会は、4世紀の教会に代わって建てられた。

エジプト
十戒の舞台 シナイ山

旧約聖書に登場する伝説的な預言者、モーセの足跡をたどり、
標高2000メートルを超す山に登ろう。

アフリカ

　荒涼とした大地が広がる、エジプト領のシナイ半島は、モーセとイスラエルの民が約束の地を目指して40年間にわたってさまよい歩いた場所だ。
　出エジプト記によれば、流浪の民イスラエル人が法を守らなくなると、モーセは標高2285メートルのシナイ山に登り、神に嘆願し、十戒を持ち帰った。
　最近は、頂上の小さな礼拝堂（一般公開されていない）やモスクを目指してシナイ山に登る人が多いが、この山の静けさと安らぎをただ楽しむために登る人もいる。
　眼下の焼け焦げたような大地に昇る朝日を見ようと、涼しい夜に登る人もいる。ラクダに乗って登る人や、体力に自信のない人は、緩やかなシケット・エル・バシャイト（ラクダの道）を登る。道にはラクダの"落とし物"が落ちているので注意しよう。
　健脚家の旅行者は、岩を削ってつくられた険しい3750段の階段シケット・サイドナ・ムーサ（ざんげの階段）を登るのも良いだろう。途中、雄大な眺めを楽しめる。下山する時は、ほとんどの人がこのルートをたどる。

ベストシーズン　通年可能。最も多くの観光客が訪れるのは、比較的涼しい冬。
旅のヒント　シナイ半島のビーチ・リゾートから車で約2時間。麓から頂上までの登山は、ラクダの道を行くと約2時間から3時間かかる。だが、ざんげの階段を行くと1時間以内で着ける。登山用の水は持参しよう。飲料水は途中でも売られているが、値段が高い。昼の気温は高いが、夜になると気温が氷点下になるので、寒暖の差を考えた服装を用意しよう。
ウェブサイト　www.egypt.or.jp（エジプト大使館エジプト学・観光局）

見どころと楽しみ

■シナイ山の麓にある**聖カタリナ修道院**には、世界最古に数えられる礼拝堂がある。551年につくられたものだ。

■山頂のすぐ下方にある、「**エリヤの窪地**」には休憩所がある。日陰で涼しく、疲れをとることができる。

■朝日を見るなら寝袋を持っていき、頂上近くで岩に囲まれた平坦な場所を探し、**日の出**まで寝て待とう。

シナイ山山頂にある20世紀につくられた三位一体礼拝堂。モーセが十戒を授かるまでこもっていた洞穴を囲むように建てられているといわれている。

アラビア文字で装飾された円盤は、19世紀に取り付けられた。

見どころと楽しみ

- サウス・ギャラリーにある14世紀につくられた**ディーシス（請願図）のモザイク画**は有名。イエス、洗礼者ヨハネ、聖母マリアが、最後の審判で人類を救うように訴えている。

- 身廊西側の中央口は、皇帝とその従者だけのための**皇帝の門**だ。その上には、**キリスト・パントクラトール**（全能の神キリスト）のモザイク画がある。

- 建物外の南東側には、**スルタンの霊廟**が三つある。右側にあるのがムラト3世の霊廟だ。1599年に埋葬されたこのスルタンは、生前、103人の子どもをもうけた。

トルコ
聖ソフィア大聖堂

信仰心を見事に表現したこの大聖堂は、見る者を圧倒する。
建設者たちの類いまれな才能と大胆な創造力が伝わってくる。

ビザンティン帝国の豊かさと、技術水準を表すのが、イスタンブールにある壮大な聖ソフィア大聖堂（アヤソフィア）だ。皇帝ユスティニアヌス1世の命により、537年に建立された大聖堂は、何世紀にもわたりギリシャ正教会の総本山だった。現存するビザンティン建築の最高傑作でもある。

壁や柱は大理石で美しく飾られ、金箔が光る精巧なモザイクが、薄暗い内部に輝く。アーチや半ドームを目で追うと、自然と中央の巨大な黄金ドームを見上げている。周囲の40もの窓から差す光で、ドームが浮いているように見えるため、ビザンティンの人々は、ドームは天から黄金の鎖でつるされていると信じていたという。

1453年、オスマン・トルコがコンスタンチノープルを征服すると、この大聖堂はモスクとして使われ、モザイク画にはしっくいが上塗りされた。1934年に建物が博物館になると、しっくいははがされ、往時の輝きを取り戻した。後陣の半ドーム天井には、聖母子像のモザイク画があり、聖母マリアが見学者たちを見下ろしている。

アジア

ベストシーズン　季節に関係なく、訪れることができる。夏は混雑するので、早い時間に訪れる方が良い。

旅のヒント　聖ソフィア大聖堂は、イスタンブール旧市街のスルタン・アフメト広場にある。火曜日から日曜日までの9時〜17時に開館（夏はそれより長く開館している）。サウス・ギャラリーは、早く閉まる。

ウェブサイト　www.tourismturkey.jp（トルコ政府観光局）

信仰の発祥地 | 107

聖なるモザイク画トップ10

色石、小石、ガラス片、金箔……。
材料は違っても、祈りの場所を飾るモザイク画は人に感銘を与えるためにつくられた。

❶ セントルイス大聖堂（米国ミズーリ州）

この壮大なカトリック教会の大聖堂は、天井から床までモザイク画で飾られている。その中で最も新しいものは、1988年に制作されている。聖書に登場する数々の物語が、幾何学模様で描かれ、人々に注目されようと競い合っているかのようだ。規模としては、世界屈指といって良い。

旅のヒント　大聖堂はセントルイスの中心、リンデル大通りにある。
cathedralstl.org（英語）

❷ カーリエ博物館（トルコ イスタンブール）

もともとは、コーラ修道院救世主聖堂（コーラとは「田舎」の意）だったこの博物館のモザイク画は、1320年頃に描かれた。併設されている礼拝堂には、フレスコ画のほかに、イスタンブールで最も多くのビザンティン芸術が残っている。モザイク画の見事な表現力は、無数のガラスの小片を使って生み出されている。

旅のヒント　博物館は、旧市街西のエディルネカプ地区にある。
www.tourismturkey.jp（トルコ政府観光局）

❸ 地図の教会（ヨルダン マダバ）

エルサレムや聖地が描かれた6世紀のモザイク地図が、とうの昔に廃れたビザンティン様式の教会の床にあった。現存するエルサレムの地図としては、世界最古のものだ。現在その場所には、聖ジョージ教会が建っている。200万個以上の小さな石片で、街や地形が詳細に描かれている。

旅のヒント　マダバはアンマンから南へ、キングス・ハイウェーを車で20分走った町。jp.visitjordan.com（ヨルダン政府観光局）

❹ ベト・アルファ・シナゴーグ（イスラエル キブツ・ヘフチバ）

色鮮やかなモザイクの床に、黄道十二星座や、アブラハムがイサクを生けにえに捧げる場面など、22種類の石で描かれている。保存状態は良く、イスラエルに現存するモザイク画の傑作の一つといえる。5世紀に建てられたシナゴーグで、現在まで残っているのは、モザイクの床だけだ。

旅のヒント　キブツ・ヘフチバは、イスラエル北東、幹線道路669号線沿いにある。tokyo.mfa.gov.il（駐日イスラエル国大使館）

❺ エウフラシウス聖堂（クロアチア ポレチ）

古い聖堂の後陣に、「光輪の中のキリスト」「受胎告知」など、光り輝く6世紀のモザイク画がある。50以上の色ガラスの小片とともに、金箔や大理石を使い、一片ずつ表面に凹凸ができるように砕いて、光の屈折による色の変化を最大限に引き出している。

旅のヒント　最寄りの空港はプーラにある。ポレチには、ザグレブからバスでも行けるし、ベネチアからフェリーも出ている。
croatia.hr（クロアチア政府観光局）

❻ オシオス・ルカス修道院（ギリシャ スティリ）

ヘリコン山の中腹にあるギリシャ正教の修道院の主聖堂には、イエスの生涯のさまざまな場面を描いた、11世紀のモザイク画がある。中でも飛び抜けてすばらしいのが、中央ドームの「キリスト・パントクラトール（全能の神キリスト）」だ。キリストは、天国の縁から見下ろしているかのようだ。

旅のヒント　最寄りの街はスティリ。修道院へはアテネから日帰りで行ける。デルフォイへのバスツアーには、修道院訪問が含まれているものもある。
www.visitgreece.jp（ギリシャ政府観光局）

❼ サンタ・マリア・マッジョーレ大聖堂（イタリア ローマ）

聖母マリアをたたえるローマ最大の大聖堂。その身廊両側の壁面上部は、5世紀のモザイク画で埋め尽くされている。古代ローマのモザイク技術を受け継ぐそれらのモザイク画は、旧約聖書の場面を表す。聖書の一連の場面をこれほど大規模に描いたものとしてはローマ最古である。

旅のヒント　大聖堂はサンタ・マリア・マッジョーレ広場にある。開館は毎日7時から19時まで。www.enit.jp（イタリア政府観光局）

❽ ガッラ・プラキディア廟（イタリア ラベンナ）

430年頃に、ローマ帝国最後の皇帝の妹の墓として建てられた廟には、ラベンナ最古のモザイク画がある。壁は、明るい青、緑、金、赤で、聖書の場面が描かれ、天井は、紺碧の空に黄金の星が輝くモザイク画で覆われている。

旅のヒント　イタリア東部のラベンナへは、ローマやミラノから車でも列車でも行ける。www.enit.jp（イタリア政府観光局）

❾ パラティーナ礼拝堂（イタリア パレルモ）

12世紀のアラブ・ノルマン様式の宮殿に、この小さな礼拝堂がある。アラブ、ノルマン、ビザンティン、シチリアの建築様式が混合し、聖書の場面を描いたモザイク画とともに、アラブ人やノルマン人の生活を描いたモザイク画がある。それらすべてが、明るい色と写実的な様式で描かれている。

旅のヒント　礼拝堂は、パレルモ広場のノルマン宮殿にある。
www.enit.jp（イタリア政府観光局）

❿ ヴァンス大聖堂（フランス）

洗礼室の壁に、マルク・シャガール作のモザイク画がある。「葦の中のモーゼ」または「ナイル川から救われるモーゼ」というこの作品は、川面に陽光が反射し、木々や花々に囲まれる中、ファラオの娘がモーゼを拾い上げる場面が描かれている。

旅のヒント　大聖堂の開館は、毎日10時～18時。www.provencebeyond.com/villages/vence-provence-france.html（英語）

次ページ：イタリア・パレルモのパラティーナ礼拝堂。「キリスト・パントクラトール（全能の神キリスト）」が、丸天井からじっと見つめている。金箔を下地にしたモザイク画で覆われている。

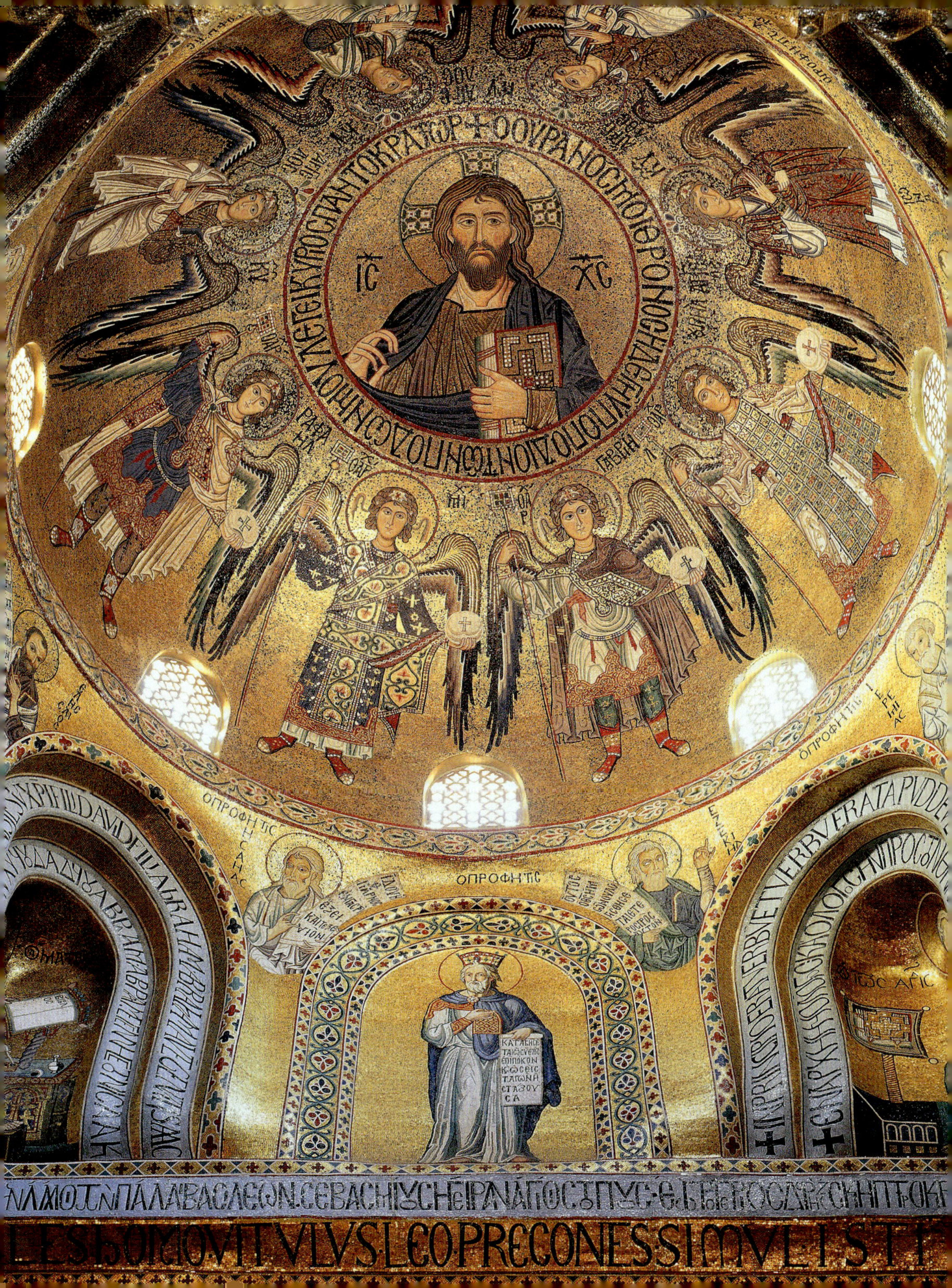
IC XC
ΟΠΡΟΦΗΤΗC

ギリシャ
修道士たちが暮らす アトス山

穏やかな陽光が降り注ぎ、キラキラと輝くエーゲ海の岸辺に、
静かな隠遁生活を体験できる場所がある。

ギリシャの北部、人里離れた半島を目指し、フェリーはエーゲ海の潮風を受けながら進む。遠くにアトス山が姿を現すが、その山頂は霧にかすんで見えない。半島は自治を認められた修道院共同体、アトス自治修道院共和国であり、ギリシャ正教の修道院が合計20カ所、領域全体に点在している。

963年に最初の修道院が創建されてから、修道士は山中で労働と祈りの生活をずっと送ってきた。修道院には男性巡礼者を歓迎する長年の伝統があり（女人禁制）、泉の水、ギリシャ・コーヒー、「ルクミ」というグミのようなお菓子、ブランデーなどを振る舞い、温かくもてなしてきた。

毎朝3時には木づちの容赦ない音が鳴り響き、一日の始まりを告げる。人影が薄暗い廊下を静かに移動し、共同浴場で水のシャワーを浴び、服装を整えて礼拝堂に急ぐ。聖画の聖人が見守る中で、聖歌隊が聖歌を詠唱する。太陽が昇ると、堂内にはステンドグラスから光が差し込み、まばゆいばかりの色で満たされていくのだ。

ベストシーズン 訪問はいつでも歓迎されるが、気候が穏やかで花が咲く春が理想的だ。

旅のヒント アトス山のダフニ港行きのフェリーが、毎朝9時45分にウラノポリスから出ている。夏期のみイエリソスからもフェリーが出る。アトス山訪問は、男性に限られている。女性は周辺を船で遊覧できる。アトス山訪問には入山許可証が必要。正教徒であれば、テッサロニキの巡礼者事務所に連絡をする。正教徒でない人は、アテネの外務省宗教課か、テッサロニキにあるマケドニア・トラキア省で許可証を発行してもらう。訪問者の人数が厳しく制限されているので、早くから準備をしよう。滞在許可は3泊まで。修道院に電話をして、訪問をあらかじめ伝えよう。通常1泊2食は無料。献金は歓迎されている。

ウェブサイト www.visitgreece.jp（ギリシャ政府観光局）
www.macedonian-heritage.gr（英語）

ヨーロッパ

見どころと楽しみ

■ メギスティ・ラブラ、バドペディ、イビロンのような**大きな修道院**は、聖画、壁画、彩飾写本など、貴重な品々の宝庫だ。

■ **バドペディ修道院**には、11世紀の「受胎告知」と「玉座のキリスト」などの精巧な**モザイク画**がある。

■ 奇跡を行うとされる**聖画像**をじっくり眺めよう。カリエスのプロタトン聖堂の「アキオン・エスティ」、イビロン修道院の「門番」、メギスティ・ラブラ修道院の「クゼリス」の三つの聖母像が特に名高い。

■ **手つかずの森や丘**を歩こう。色とりどりの野の花が咲いている。山道からはエーゲ海が一望できる。

アトス山の修道院のいくつかは、このエスフィグメヌ修道院のように、エーゲ海の波打ち際にある。

ビッテンベルク城教会の地味な塔が、辺りを見下ろすようにそびえている。

ドイツ
ビッテンベルク城教会

宗教改革の立て役者ルターの足跡をたどろうと、
数百年前から多くの人がドイツの小さな町を訪れるようになった。

　ビッテンベルクの中世の街並みの中心にある、諸聖人の教会、通称「城教会」。渋い色をした大きな青銅製のドアには、上から下までマルチン・ルターの「95箇条の意見書」が、ラテン語で刻まれている。

　1517年、ルターは、罪を許す「免罪符」を売るローマ・カトリック教会を批判し、当時木製だった教会の扉に意見書を釘で打ちつけた。これが宗教改革の始まりだ。

　当時の扉や教会は、18世紀の中頃にフランスがこの街を攻撃した際、修復できないほど破壊された。現在、訪問者を迎えるのは、その後新たに取り付けられた扉だ。

　扉の上には、キリストの十字架像を挟んで、聖書を持つルターと、ルターの同志フィリップ・メランヒトンの像があり、ここを通る人すべてを見つめている。祭壇の脇にルターの簡素な墓があり、宗教改革の立て役者をしのび、人々が足を止める。

　19世紀終わりに再建された教会には、ステンドグラスをはじめ、外壁を支えるために空中に架けられた飛び梁、尖塔といったゴシック様式の特徴がみられ、精巧な木彫、宗教改革指導者たちの肖像画が色を添えている。教会を建て、ルターの友人でもあったザクセン選帝侯フリードリヒ賢侯の珍しい遺品も、多く集められている。

ベストシーズン　訪問は通年可能。最も穏やかなのは、4月から10月の時期だ。
旅のヒント　ビッテンベルクは、ベルリンの南西100キロほど。道路や鉄道の便は良い。教会やルターゆかりの場所を訪問するには、少なくとも半日は必要だ。旧市街に宿泊して、中世の雰囲気を味わうのも楽しい。観光案内所に行くと、ガイド付きツアーが申し込める。
ウェブサイト　www.visit-germany.jp（ドイツ観光局）、www.wittenberg.de（ドイツ語、英語）

見どころと楽しみ
■ 教会には、ドイツのルネサンス画家、ルーカス・クラナッハ（息子）が描いた、ルターや宗教改革指導者の肖像画などがある。

■ 教会の塔に上ると、周辺に広がる田園風景が一望できる。

■ ルターハウスでは、ルターが使った机、説教壇、彼の著作の初版本を見ることができる。ルターハウスは、アウグスティノ会の修道院だったが、その後、ルターの家族が暮らすようになった。

ヨーロッパ

伝説の風景　謎の巨大遺構　**信仰の発祥地**　永遠の史跡　日々の祈り　神が宿る場所　巡礼の道　儀式と祝祭　忘れえぬ人々　心を見つめて

信仰の発祥地 | 111

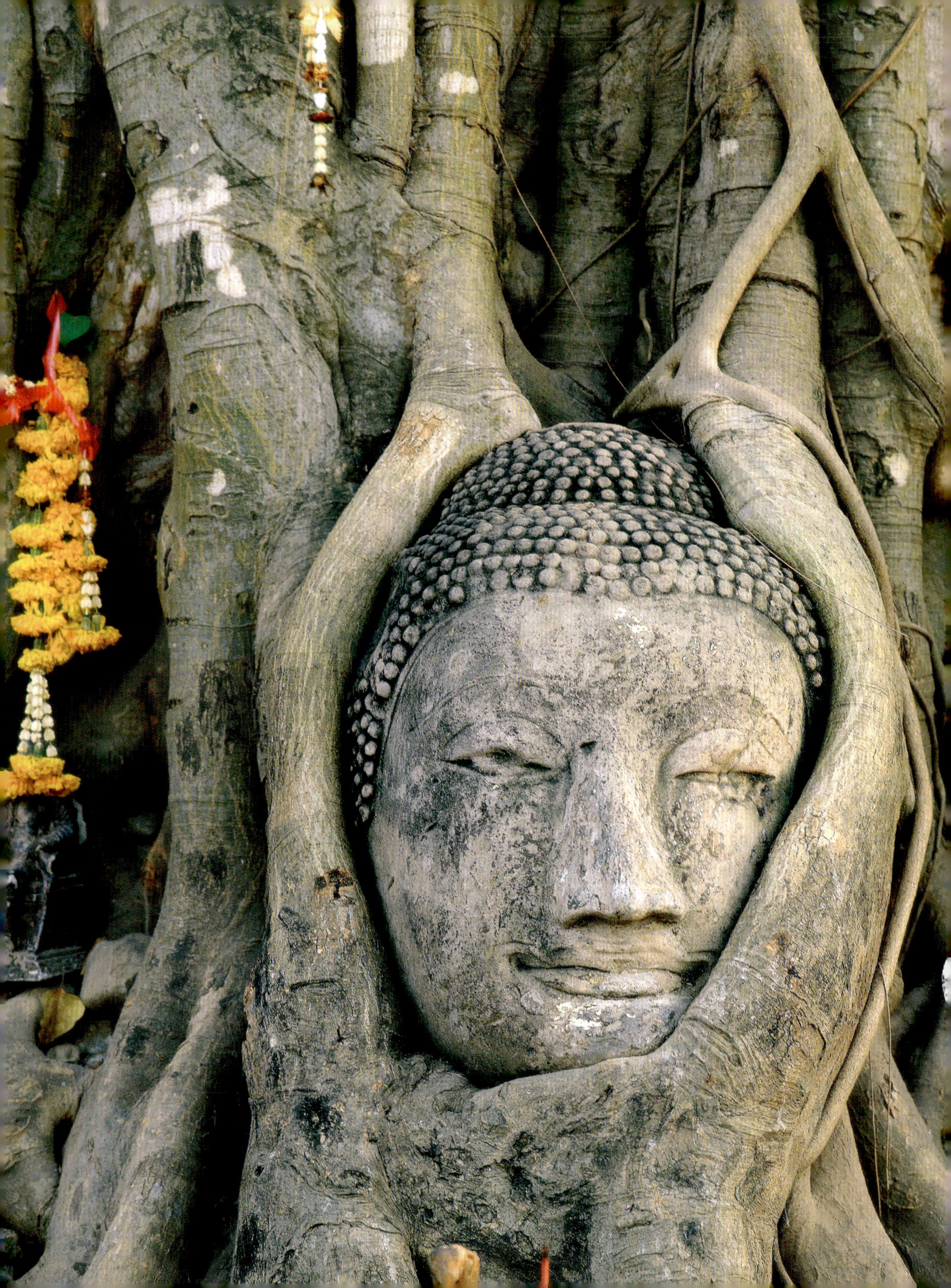

4 永遠の史跡

この章で紹介する遺跡の多くは、長い歳月を経て、まさに廃墟と化している。あるものは戦争によって、あるものは風雨によって著しく傷ついている。それでも、今もなお、遺跡は目を見張るほどの迫力があり、私たちに感銘を与える。

12世紀に造営されたカンボジアのアンコール・ワットの精巧な建造物は、洋の東西を問わず、世界第一級の驚異といえる。インド中部のカジュラホに残る、10世紀のヒンドゥー教寺院の外壁は、彫刻家たちが美しく彫り上げた、男女のなまめかしい像で飾られている。古代サンスクリット語による性愛の教典『カーマスートラ』の教えを伝える彫刻は、世俗的なものと神聖なものとを見事に融合させている。

一方、ヨーロッパにも、壮大なアーチは残っているが屋根のない英国のリーヴォー大修道院の廃墟や、フランス・ブルゴーニュ地方に残るクリュニー修道院がある。いずれも、中世キリスト教にかけた信仰や願いの強さをしのばせる、壮大な建造物だ。

左：タイ・アユタヤのワット・マハタートにある切断された仏像の頭部。木の根にすっぽりと包まれている。その痛ましい姿とは対照的な穏やかな表情が、神秘的な雰囲気を醸し出している。

カンボジア
アンコール・ワット

古代クメール王朝の霊廟であるアンコール・ワットは、驚異的な建築群だ。また、ここは、仏教徒とヒンドゥー教徒の巡礼地となっている。

アジア

周囲に巡らされた堀を越え、アンコール・ワットに向かって石畳の道を進むと、緻密な彫刻のある砂岩の塔が目に入ってくる。

ヒンドゥー教のビシュヌ神を祭るアンコール・ワットは、クメール人の王朝、アンコール朝のスーリヤバルマン2世によって、12世紀に建てられた。後に仏教徒に占領され、僧院と寺院（ワット）として栄えた。三重に巡らされた壁の中に一段高く、ヒンドゥー教の聖山、メルー（須弥山）を象徴する堂がある。彫刻を施した門を順に通り抜けると、幅の狭い階段が現れる。それを上ると、堂の入り口だ。

第一回廊の壁は、ヒンドゥー神話の場面や、スーリヤバルマン2世の生涯が、レリーフで描かれている。中央塔（プラサート）の下には、その王が埋葬されている。

アンコール・ワットは、アンコール朝の首都につくられた壮大な建造物だ。遺跡は数百年間密林に埋もれていたが、1860年に再発見された。しかし、インドシナ半島の動乱で一部は破壊され、現在修復中である。

ベストシーズン 1月から4月までは一年で最も暑く、6月から9月は最も雨が多い。10月から12月が最も快適だ。日中の気温は年間を通じて、26～32℃と暑い。

旅のヒント アンコール・ワットだけなら半日で見学できるが、ほかの遺跡も見るなら2～3日必要だ。アンコール・ワットとそのほかの遺跡を含む入場パスは多種類あり、当日のみ有効から、2日間、3日間、7日間有効のものまである。1990年代からシエムリアップが観光の拠点になり、さまざまなクラスのホテルがある。複数の航空会社が、バンコク、チェンマイ、シンガポール、クアラルンプールなどからシエムリアップへの直行便を飛ばしている。

ウェブサイト www.angkorholiday.org（カンボジア政府観光局）
www.angkornationalmuseum.com（英語）

見どころと楽しみ

■ 門には300の**踊るアプサラ（天界の精）**の像が彫られている。一つとして同じものはない。

■ 第一回廊の内側壁面の**レリーフ**には、ヒンドゥー神話の叙事詩『マハーバーラタ』の「クルクシェットラの戦い」、37の天国と32の地獄、ビシュヌ神を中心とした「阿修羅と神々の乳海攪拌」がある。

■ 近くの**タ・プローム寺院**は、ほとんどがカボック（パンヤノキ）の根に覆われている。いかに熱帯雨林が寺院を覆い尽くすかを示すために、修復されず、そのままにされている。

■ シエムリアップにある**アンコール国立博物館**には、クメール文明の栄光を伝えるさまざまな遺物が展示されている。

広大な方形の寺院は3段になっている。寺院の中心の堂には巨大な塔がそびえ、四隅には小さな塔が配されている。

仏教僧が、ワット・シーチュムにある、スコータイ歴史公園で最大の仏像の前で祈りを捧げている。

タイ
静かな古都 スコータイ遺跡

**古代の寺院や彫刻が施された碑、優雅な仏像など、
さまざまな遺跡がタイの古都を彩っている。**

タイ北部の中心にあるムアン・カオ・スコータイ（スコータイ旧市街）の魅力は、王族の壮麗な遺跡群だけではない。広々とした緑の草原、豊かに茂った木々、ハスの花の浮かぶ池など、その舞台も魅力に満ちている。

1238年、タイ民族はスコータイ（「幸福の夜明け」の意）に、初の統一王朝を開き、約200年の間、ここは王朝の文化の中心だった。城壁や堀で守られたこの都には当時40の寺院があった。現在は、王宮遺跡を中心に歴史公園になっている。

この緑に包まれた楽園には、水路や人工の池があり、21のワット（寺院）が点在している。中でも最大で壮観なのが、堀を巡らしたワット・マハタートだ。堀の内側には200以上のパゴダ（仏塔）と10のビハーラ（遊行聖の僧院）が僧院）がある。

また、歴史公園内の至る所にあるプラーン（トウモロコシ形の仏塔）やチェディ（釣り鐘形の仏塔）は、スコータイに特徴的なスタイルで飾られている。

遺跡には、クメールやスリランカの影響がはっきり見られる。人工池の小島にある遺跡はその典型だ。公園の城壁の外にある70もの小さな遺跡も訪ねてみたい。

見どころと楽しみ

■ **ワット・トラパン・グーン** は、**トラパン・グーン（銀の池）**に浮かぶ小島にあり、周囲の遺跡が見渡せる。

■ 公園の北にある**ワット・シーチュム**には、**高さ15メートルの座した仏像がある**。スコータイで最大だ。

■ 公園の西側にある**ワット・サバーン・ヒン**は丘の上にあり、頂上には**立仏像**がそびえている。急坂を5分歩いて登り切ると、高さ12メートルの仏像が迎えてくれる。

■ 日帰りで**シー・サッチャナーライ歴史公園**まで足を延ばそう。サトウキビ畑やタバコ畑を眺めながら目的地へ向かい、崩れかけた壮大な建築物を目にすれば、来て良かったと思うだろう。

ベストシーズン 早朝や夕方はバスツアーの団体が少ない。涼しいし静かだ。遺跡のすべてを見学するには、2日はかかる。

旅のヒント 歴史公園の開園時間は、毎日6時～18時。公園の外にゲストハウスがいくつかあるが、より快適な宿泊施設はスコータイ新市街やピサヌローク（最寄りの鉄道駅がある町）にある。どちらもそう離れてはいない。公園へ行くには、路線バス、サムロー（三輪タクシー）、トゥクトゥク（オート三輪）、車など、さまざまな手段がある。公園の門の外にはレンタサイクルの店がたくさんある。公園の詳しい地図もここで手に入る。入り口でたくさんの飲料水を買っておこう。

ウェブサイト www.thailandtravel.or.jp（タイ国政府観光庁）

アジア

伝説の風景　謎の巨大遺構　信仰の発祥地　**永遠の史跡**　日々の祈り　神が宿る場所　巡礼の道　儀式と祝祭　忘れえぬ人々　心を見つめて

永遠の史跡 | 115

ワット・ヤイ・チャイ・モンコンの小道にずらりと並ぶ仏像。

タイ
華やかな旧王都 アユタヤ

400年以上にわたって王朝の都だったアユタヤには、
寺院、僧院、仏像が数多く残り、往時をしのばせる。

　タイ王朝が全盛期を迎えた15世紀、アユタヤは、三つの宮殿と400の寺院を有する壮大な首都だった。チャオプラヤー川、ロプリー川、パーサック川に囲まれた幅4キロの島である都の中心部には、現在、近代的なビルとにぎやかな通り、優美な遺跡群が同居している。

　アユタヤには、サフラン色の袈裟をまとったブッダの涅槃像や座像、架空の鳥や聖なるゾウの彫像、釣り鐘形の仏塔（チェディ）が残り、スコータイの仏教文化とヒンドゥー教の影響を受けたクメール文化が融合している。最古の寺院の一つ、ワット・マハタートでは、崩れかけた巨大なチェディを首のない仏像が取り囲んでいる。

　また、中心部の西にあるワット・チャイ・ワッタナラームは、「アユタヤのアンコール・ワット」と呼ばれていた。比較的保存状態が良いものや、最近復元されたものもあり、約300年前の姿を今に伝えてくれる。

ベストシーズン　11月から3月。気温は快適で、雨が少なく空は青い。

旅のヒント　アユタヤはバンコクの北64キロにあり、鉄道で行ける。アユタヤはバンコク以外の主要都市とも鉄道で結ばれている。バンコクからバスで行くのは時間がかかる。バンコクからチャオプラヤー川をクルーズしてアユタヤを訪れることもできる。アユタヤの地形は平坦なので、レンタサイクルで遺跡を回るのが便利で快適。ガイドを雇って、アユタヤの遺跡にまつわる歴史の話を聞くのも良いだろう。

ウェブサイト　www.thailandtravel.or.jp（タイ国政府観光庁）

見どころと楽しみ

■ ワット・マハタートに行き、木の根に包まれた**仏像の頭部を見よう**（112-113ページ）。

■ **ワット・ヤイ・チャイ・モンコン**には、高さ80メートルのパゴダの遺跡がある。アユタヤで最大級のパゴダだ。

■ 古都の夜を散歩しよう。**ライトアップされた遺跡**は息をのむほど幻想的だ。

■ 10月と11月、アユタヤは**ロイ・クラトン（灯籠流し）**の光に彩られる。バナナの葉でつくった灯籠が川に流され、派手な色の二輪馬車の行進や打ち上げ花火などのイベントがある。

アジア

中国 甘粛省

敦煌莫高窟
(とんこうばっこうくつ)

シルクロードの要衝として栄えたオアシス都市の近郊に
数千の仏像や壁画が納められた古い石窟群が残っている。

　西暦366年、タクラマカン砂漠のはずれを1人の仏僧が旅をしていた。鳴沙山麓にさしかかった時、まぶしい光に包まれた無数の仏が現れた。そして仏僧は山肌に洞窟を掘り始めたという。その後1000年間、多くの仏僧がこの地にやって来ては洞窟にこもり、彫刻や壁画で内部を飾った。旅の安全を願う旅行者たちも洞窟を飾った。こうして、3000近くの石窟ができたのである。

　ここにはさまざまな洞窟がある。精巧に彫られた仏像のある洞窟、商人たちや使節団が砂漠を横切ってシルクロードを旅する様子を描いた洞窟などだ。初期の洞窟の壁画には、中央アジアの細身の人物が描かれていたが、次第に肉付きのよい中国人風の姿に変わっていく。この点から、シルクロードを往来する人々は、交易品だけでなく、文化や生活様式も東から西へ、西から東へと運んだことがうかがえる。

　洞窟には、内部に入るための石の階段があった。その後、階段は崩れ、今では多くの洞窟がロープなしでは入れない。長い年月の間に、洞窟内部は風化し、砂に埋まった。現存する492の洞窟のうち、約30が一般公開されている。

ベストシーズン 4月から6月上旬。または9月から10月上旬。冬は空気の汚れが最悪の状態になり、砂漠の気温は氷点下になる。夏は非常に暑い。

旅のヒント 石窟は敦煌の南東24キロにある。見学には1日かかる。最も見応えがある重要な石窟は、特別料金を徴収される。敦煌には石窟へ向かう小型バスがたくさん待機しているが、当日それに乗って満席になるまで出発を待つよりは、出発時間が決まっているバスを予約した方が良い。多くの洞窟は中が暗いので懐中電灯を持っていこう。

ウェブサイト www.cnta.jp（中国国家観光局）

見どころと楽しみ

■5世紀後半にできた第101窟には、**西洋風の仏像**がある。

■第323窟には、紀元前138年に外交官だった**張騫（ちょうけん）**がタクラマカン砂漠に出発する様子を描いた壁画がある。

■唐代（7〜10世紀）の第96窟には、高さ34メートルもある、巨大な**仏像**がある。その裳裾には宮廷衣装である竜の図柄がある。

■第220窟の装飾は洗練された唐代の様式で、宮廷絵画の影響が見られる。描かれているのは、**ブッダの生涯**を題材にした説話だ。

最も古い洞窟には、塑像の仏像を中心にして、壁に小さな仏がびっしり描かれている。

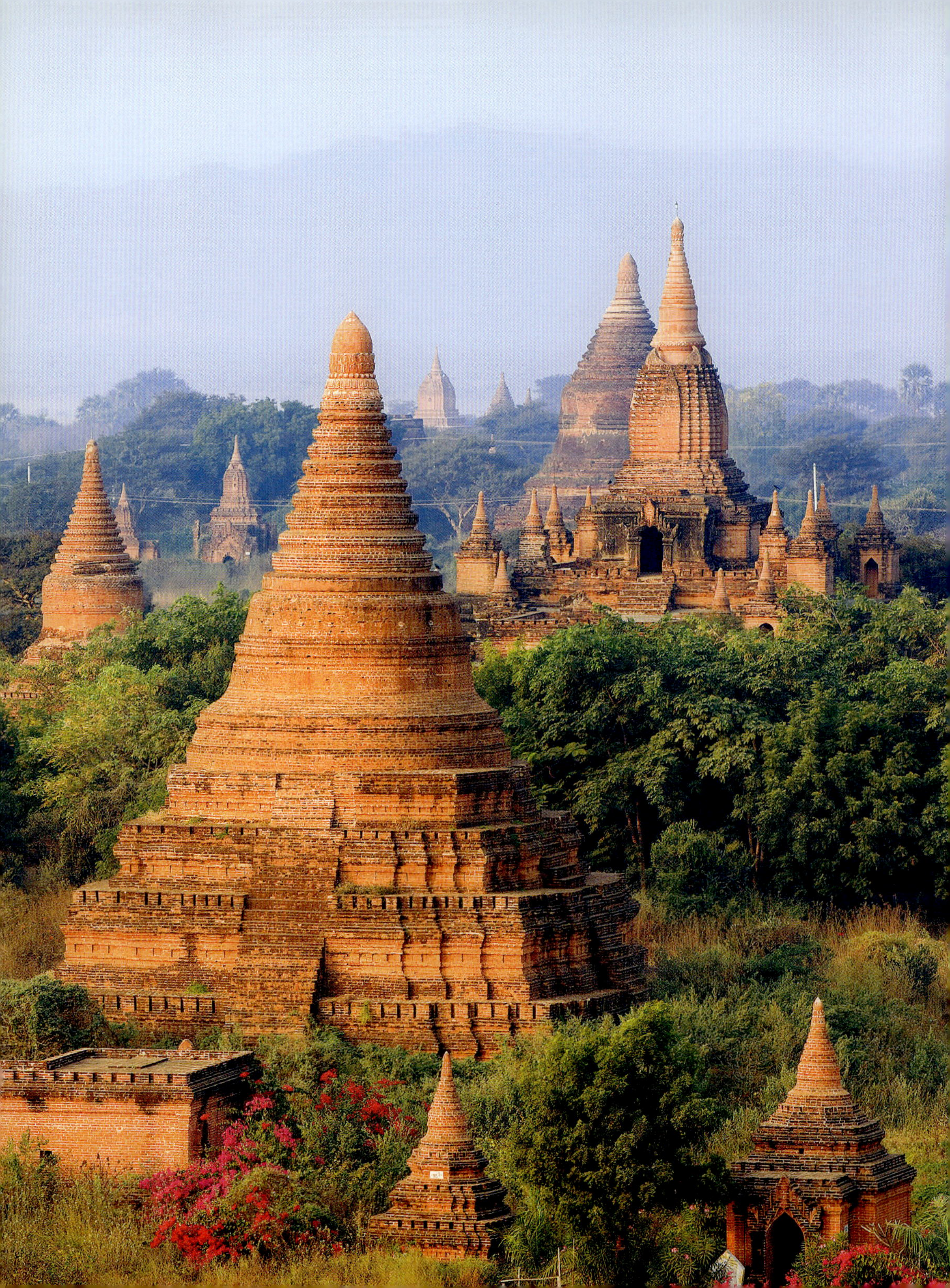

2000を超す仏教遺跡が残る パガン

ミャンマー

イラワジ川中流域に広がる平野に、赤レンガを積み上げた
11〜13世紀の寺院群が幻のようにそびえている。

緑豊かなイラワジ(エーヤワディー)川中流域にある平野には、2000以上の寺院やパゴダが点在している。ミャンマーの古都パガン(現在のバガン)の近くにある、こうした神聖な建造物の多くは、1057年から1287年、ビルマ人最初の王朝、パガン王朝の首都がここに置かれていた頃に建立されたものだ。

当時のパガンは上座部仏教が盛んで、南アジア全域から僧侶や信者が集まった。今では多くの寺院ががれきと化したが、残った寺院は入念に修復された。そのような寺院では、黄金の仏像に捧げられた線香から煙がくゆっている。

パガンの数多い寺院の中で最も優美なのが、黄金に輝く仏舎利塔のあるシュエジーゴン・パゴダだ。このパゴダは、11世紀後半、スリランカのキャンディにある仏歯の複製を安置するために建てられた。現在、この寺院はパガンで最も重要な仏教信仰の場であり、赤茶色の袈裟を着た大勢の僧侶がいる。

最も手の込んだ装飾が施されているのがアーナンダ寺院。その入り組んだ回廊には仏像がずらりと並んでいる。

パガンの有名な大寺院には、大勢の観光客や巡礼者が常に訪れるが、あまり有名でない遺跡に立ち寄る人は少ない。築後1000年以上たっても神聖さを失わない寺院で、瞑想したり、祈りの時を過ごす人の姿が見られるだろう。

ベストシーズン 10月から3月が比較的涼しい。パガンには数々の宗教祭がある。1月か2月のアーナンダ寺院の祭り、10月に3日間行われるタディンジュ祭、9月か10月のマヌーハ・パゴダ祭りなどだ。

旅のヒント 飛行機でヤンゴン(ラングーン)から1時間、マンダレーから20分。毎日運航されている。豪華汽船(オリエントエクスプレス運航のロード・ツー・マンダレー号)で、マンダレーとパガンをクルーズできる。主な寺院を見学するだけでも、少なくとも2〜3日はかかる。遺跡群全部を見ようとすれば、1週間はかかる。遺跡を見て回るのは、自転車が便利だ。レンタサイクルの店は、ホテルなどに多数ある。なお、民主化運動の活動家は、軍事政権が実権を握っている間は、ミャンマーを旅行しないよう要請している。

ウェブサイト www.myanmar-tourism.com/Jintro.html (ミャンマー観光促進部)
www.ancientbagan.com (英語)

見どころと楽しみ

- 複層構造の**ダビィニュ寺院**は高さが61メートル以上あり、遺跡群で最も高い。街全体を眺めたり、パガン平原に昇る朝日や沈む夕日を見たりするのに最適。

- **アーナンダ寺院**には、1100年頃に建立された黄金のパゴダがある。建物内には、高さ9メートルのブッダの黄金の立像が4体ある。

- **シュエジーゴン・パゴダ**の宝物の中には、ブッダの前世物語を題材にした絵、チャンスイッター王の魔法の馬、37体の黄金のナツ神(土着の精霊)がある。

- **パガン博物館**には、かつてパガンの寺院にあった遺物の数々が展示されている。屋上庭園からは、はるかかなたまで一望できる。

前ページ:見渡す限り遠くまで点在するパガンの寺院群。塔は木々よりも高くそびえている。上左:巨大な石仏に植物が供えられている。上右:シュエジーゴン・パゴダの釣り鐘形の仏舎利塔(左)には、ブッダにまつわる遺物が納められている。

バングラデシュ
ソーマプラ大僧院

大僧院の完璧な形や豪華な装飾は、何世代にもわたって
多くの僧侶に感銘を与えてきた。

　バングラデシュ北東部のパハルプールにあるソーマプラ大僧院は、7世紀に建てられ、その後400年にわたり、各地から多くの僧侶が集まる場所だった。完璧なまでに均整がとれたこの建築は、長い間地中に半ば埋もれていたが、1923年から1934年にかけて発見され、その後発掘が進んだ。

　廃墟となってはいるものの、この場所には神秘的な雰囲気が漂う。かつては中央のストゥーパを囲む177の小さな僧院に、数百人もの僧侶が寝起きし、学び、祈っていた。今でも、夕刻にこの地を訪れると、僧侶たちの読経が聞こえる気がする。

　ほかの仏教の聖地と同様に、このソーマプラ大僧院も、さまざまな装飾が施されている。楽士、ヘビ遣い、動物、人物などを描いた素焼きが寺院の外壁を飾り、7世紀初頭の人々の暮らしぶりを伝えている。

　この大僧院独特の様式は、インド亜大陸の仏教建築に限らず、遠くミャンマーやジャワ島、カンボジアの仏教建築にまで影響を与えたといわれている。

ベストシーズン　冬(10月～3月中旬)は快適な気候だ。モンスーンの時期には荒れるパドマ川も、この時期なら航行可能だ。

旅のヒント　パハルプールは、ラジシャヒ県ナオガオン地区にある村。最寄りの鉄道駅は、クルナとパルボティプールの間のジャマルガンジ駅だ。駅からパハルプールまでは5キロ。道路は舗装されているが狭い。サイドプールの空港からジョイプルハットを経由して行くこともできる。道路は舗装されている。このエリアを十分に見て回るには2日は滞在したい。服装は地味であること。ショートパンツなどは避けたい。廃墟ではない寺院では靴を脱ぐこと。冬でも日射しが強いので、日焼け止めや帽子は持っていこう。

ウェブサイト　bdembassy.tripod.com (駐日バングラデシュ大使館)、travel.discoverybangladesh.com (英語)

アジア

見どころと楽しみ

■ **レンガの壁**の美しさには目を見張る。何世紀たっても変わらぬ美しさだ。

■ 均整がとれた**彫像**は美しく、その姿勢や服装には仏教、ヒンドゥー教、キリスト教の影響が見られる。

■ **博物館**は小さいが、仏像やビシュヌ神の彫像など、この地を代表する品々を展示している。

■ ラジシャヒの**バレンドラ博物館**を訪れよう。素焼きの飾り板、男神像、女神像、陶器、硬貨、碑文、飾りレンガなど、古美術品が展示されている。

中央にそびえる、草の生えたストゥーパの頂から、均整がとれた遺跡を見ることができる。

官能的な彫刻が、カンダーリヤ・マハーデーバ寺院の外壁を埋め尽くしている。インド芸術の傑作だ。

見どころと楽しみ

- マタンゲーシュワラ寺院には、シバ神の生殖能力を象徴した、高さ2.4メートルの**リンガ（男根像）**が立っている。

- カンダーリヤ・マハーデーバ寺院の北面と南面の外壁には、**官能的な彫刻**がびっしりと施されている。

- 東群にあるジャイナ教のパルシュバナタ寺院には、**日常生活**を描いたレリーフがあり、人間の仕草の一つひとつをこと細かく表現している。

- 夕暮れ時、砂岩でできた寺院は、濃い赤色に染まり、影の中から今にも彫刻が抜け出してくるかのように見える。

インド
カジュラホのヒンドゥー教寺院群

インド中部の静かな村にある「愛の寺院」。壁を覆う
その官能的な彫刻をひと目見ようと、世界各地から多くの人が訪れる。

　青空を背景に、褐色や黄金色に輝く寺院がそびえ建つ。広大な境内では、朝から晩まで祈りの声が絶えず響いている。インド中部にあるカジュラホのヒンドゥー教寺院群は、9世紀から13世紀に権力を誇ったチャンデーラ王朝が建立した。敬虔なヒンドゥー教徒は、この王朝を月の神の子孫だと信じており、シバ神とパールバティ女神がここで結ばれたという伝説も残っている。

　多くの彫像で飾られた寺院は、950年からの100年間に80以上つくられたが、現在残っているのは22のみ。寺院の壁を覆う精巧なレリーフには、宮廷生活を描いたものや、古代サンスクリット語の性愛の教典『カーマスートラ』にある、アクロバチックなポーズで絡み合う官能的な男と女の姿を描いたものもある。

　寺院群は西、東、南の三つに分かれている。西群には、シバ神を祀ったカジュラホ最大のカンダーリヤ・マハーデーバ寺院や、カーリー女神を祀ったカジュラホ最古のチャウンサト・ヨギニー寺院など、特に有名な寺院が集まっている。

ベストシーズン　冬はほかの季節より涼しく雨も少ない。2月下旬から3月の上旬に、シバ神とパールバティ女神の婚礼を祝う祭りが1週間行われる。

旅のヒント　カジュラホに行くには、デリー、アグラ、バラナシから航空便を利用するのが便利だ。最寄りの鉄道駅はジャーンシーかサトナ。そこからカジュラホまでは、車で3～4時間だ。寺院群は21平方キロもあるので、彫刻をじっくり見ようとすれば、1日はかかる。土地のガイドを雇えば、建築物についての知識は深まる。見て回るにはかなり歩かなければならないので、履き慣れた靴を履き、帽子を被り、日焼け止めと飲料水をたっぷり持っていこう。

ウェブサイト　www.embassyofindiajapan.org（在日インド大使館）

インド
アショーカ王ゆかりの サンチー

丘の上にある保存状態の良い遺跡群は、
インドの仏教建築がたどった独特の歴史を伝えている。

太陰暦4月か5月の満月の夜、世界各地から何百人もの仏教徒がサンチーに集まる。ブッダの生誕、悟り、パリニルバーナ（入滅）を祝うブッダ・プルニマ（ブッダ生誕祭）のためだ。

丘の上には50以上の僧院跡、石柱、ストゥーパが点在する。瞑想を誘う静かな雰囲気が、仏教を守護した古代マウリヤ朝のアショーカ王をこの地に導いたのだろう。アショーカ王は、紀元前261年のカリンガの激戦の直後、平和を求めてこの地に仏教徒の集落を建てるように命じた。王が建てたストゥーパは八つだったが、その後も多くのストゥーパが建てられた。最後のストゥーパは、12世紀のものだ。

ストゥーパは当初、死者の灰を埋葬する塚として使われた。ここにあるストゥーパだけで、インドの仏教建築の変遷をたどれる。最大のものは、アショーカ王が建てた、高さ13メートル、直径31メートルの大塔（第1ストゥーパ）。石とレンガでできた堅固なドームだ。大塔の周囲は柵で囲まれ、四つのトラーナ（門）が、東西南北に建つ。各トラーナには、ブッダの生涯を時代ごとに描いた彫刻がある。

ベストシーズン 10月から3月。11月にはサンチーで、チェティヤギリ・ビハーラ祭が行われる。

旅のヒント サンチーは、インド中部、マディア・プラデシュ州ボパールの北45キロにある。ボパールは、道路、鉄道、空路で、インドの主要都市と結ばれている。
遺跡までは歩いて丘を登る。歩くのに適した靴を履いて、飲料水を持っていこう。
博物館の開館時間は、金曜を除く毎日10時〜17時。遺跡見学には半日かかる。
博物館の入り口で遺跡のガイドブックや地図を売っている。

ウェブサイト www.embassyofindiajapan.org（在日インド大使館）
www.tourism-of-india.com、www.incredibleindia.org（英語）

アジア

見どころと楽しみ

■ 最初の**大塔**は、紀元前3世紀に焼いた泥レンガでつくられた。戦争で破壊されたため、紀元前2世紀に建て替えられた。それが今日にまで残る大塔だ。

■ **托鉢の大鉢**は、一つの岩を彫ってつくられている。かつては修行僧へ配る穀物を入れるために使われた。

■ 遺跡入り口にある**考古学博物館**には、アショーカ王の石柱の柱頭を飾っていた獅子の石像4体など、サンチーから出土した遺物が展示されている。

サンチーの大塔。インド最古の石造建築物の一つだ。

ハンピ最古のビルパークシャ寺院の塔が、巨石の間から見える。

インド
繁栄を極めた王都 ハンピ

**何百年も人の手が加えられていない奇妙な光景に、
失われた文明の手がかりを見つけよう。**

　インド中央部に横たわるデカン高原の荒れ地に、巨大な岩がごろごろしている場所がある。そして、この巨大な岩に隠れるように、いくつもの寺院や宮殿の廃墟が点在しているのだ。

　ハンピは200年の間、ビジャヤナガル王国の豊かな首都として栄え、王は贅を尽くした壮大な宮殿を構えていた。しかし、16世紀にその繁栄は終わる。ムガール人(インドのイスラム教徒)連合勢力に侵略され、王は都を捨てて逃げた。

　遺棄された都は、風化の一途をたどる。ハンピの建物は、地元産の石でできていたため、廃墟と化すと、周囲の風景に溶け込んだ。だが、崩れずに残ったものや、見事な彫刻が施されたヒンドゥー教寺院やジャイナ教寺院は、現在も異彩を放つ。

　ハンピで最もきらびやかな建物が、15世紀に建造されたビッタラ寺院だ。外壁は王の軍隊や踊り子の彫像で覆われ、内部には柱の並ぶ壮麗な大広間がある。また、ビルパークシャ寺院には、塔の門、大広間、柱の並んだ回廊、寺院がある。

見どころと楽しみ

■ ビッタラ寺院のマハー・マンタパ(大広間)には、音楽を奏でる**56本の柱**があり、たたくとさまざまな音が出る。本堂の外には、彫刻を施した**石づくりの山車型寺院**がある。

■ ビルパークシャ寺院の入り口の塔には、南面に**官能的な石膏像**がある。**ランガ・マンタパ(野外パビリオン)**に並ぶ柱は、ライオンに似た伝説の怪獣をかたどっている。怪獣には戦士が乗っている。

■ マタンガ山の南、王宮地区にある**ラーマチャンドラ寺院**には、すばらしい彫刻壁や、王族のゾウを飼っていた特大のゾウ舎がある。

ベストシーズン　10月から3月。4月と5月は酷暑。5月下旬から10月上旬にかけてはモンスーンの雨が降る。それに伴い湿度が非常に高くなるので、快適な観光は望めない。

旅のヒント　最寄りの鉄道駅は、13キロ東のホスペットにある。そこからはバスやタクシーを利用する。ホスペットへは、バンガロールから夜行列車が出ている。少なくとも3日か4日滞在しよう。そうすれば、田舎のゆっくりしたペースに慣れてくつろげるし、遺跡をすべて回れる。ハンピ・バザールには簡素だが快適な宿泊施設がある。

ウェブサイト　www.embassyofindiajapan.org (在日インド大使館)
www.hampi.in、www.hampionline.com (英語)

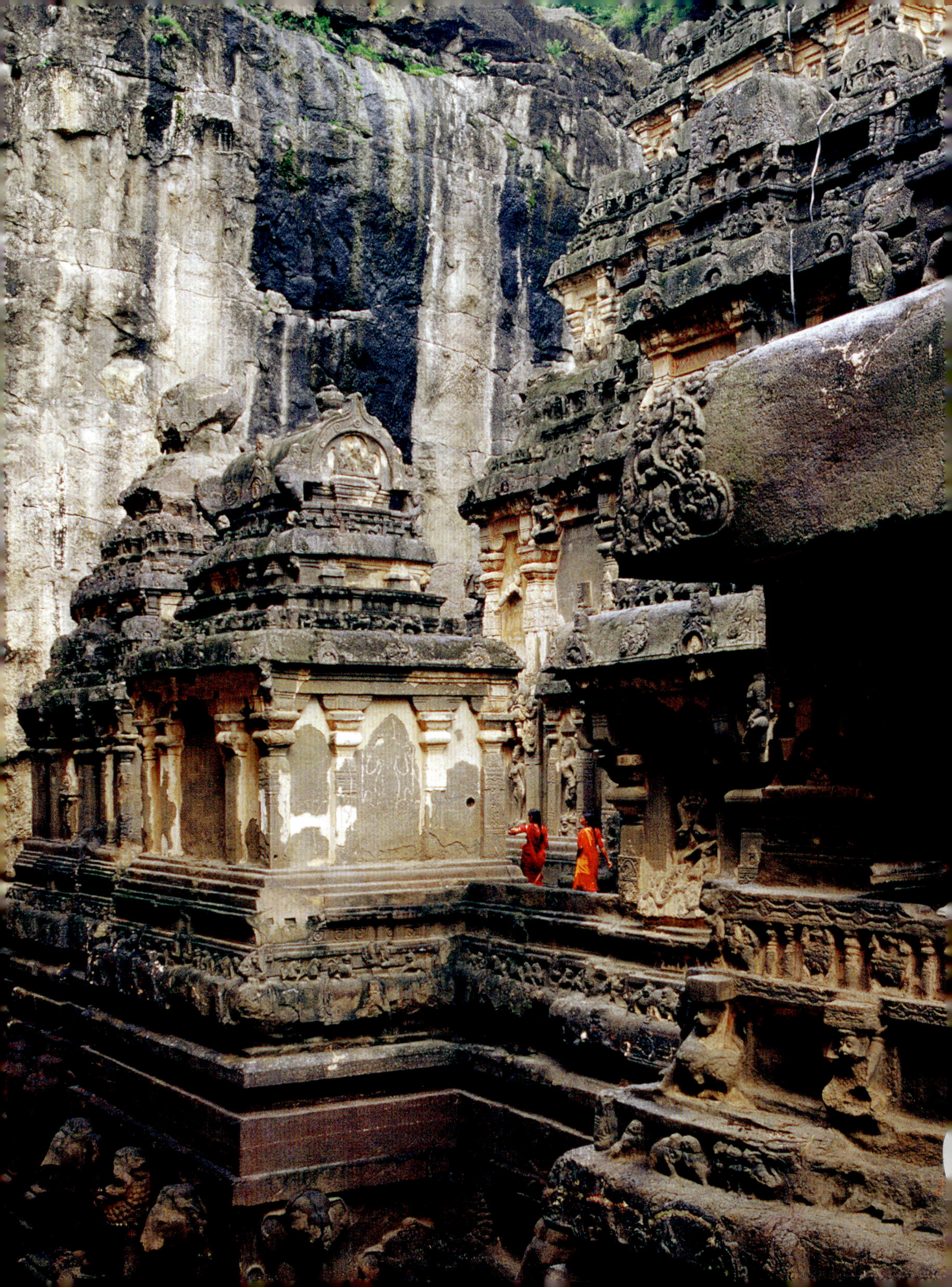

インド

アジャンタとエローラの石窟寺院群

インド中部に広がる緑の丘には、祈りと瞑想に生きた人々の創造性を示す遺産が残っている。

小さな川が、インド中部に位置するアジャンタの静かな谷を流れている。偶然ここにたどり着いた人は、まさか世界最高の芸術がすぐそばに眠っているとは思わないだろう。

絶壁の奥には、僧院（ビハーラ）や祠堂（チャイティヤ）を備えた寺院がある。それらは、紀元前2世紀から紀元5世紀に、仏僧たちが岩肌を掘って築いたものだ。

寺院の暗い内部に入ると、豪華で繊細な装飾の数々に目を見張る。泥しっくいで塗られた壁は、ブッダの生涯を描いた絵で埋め尽くされている。鮮やかだが微妙な色遣いがすばらしい。アジャンタの30カ所の石窟寺院群は、数百年間、密林の中に見捨てられていたが、1819年に再び発見された。

石窟寺院はここだけではない。1時間ほど車を走らせたシャラナドリ台地のエローラに、同じように崖を掘ってつくられた石窟寺院が34カ所ある。こちらは、6世紀から9世紀にかけて、仏教、ヒンドゥー教、ジャイナ教のインド三大宗教の敬虔な信者たちがつくったものだ。

奥行き50メートル、高さ30メートルの巨大なカイラーサ寺院は、岩山を「彫刻」してつくられた世界最大の一枚岩の構造物だ。この寺院を掘り出すのに取り除いた岩石は20万トン、完成までには約100年の歳月を要したといわれている。

ベストシーズン　モンスーンの時期が終わる10月から11月。12月から3月も快適だが、3月末には耐え難い暑さになる。

旅のヒント　ムンバイの北東約300キロにあるアウランガバードは、ムンバイとの間に定期航空便や鉄道の便があり、アジャンタ（車で2時間）やエローラ（車で40分）の観光拠点に良いだろう。これら3都市を結ぶ観光バスは定期的に走っている。タクシーを1日か2日チャーターすれば、もっと自由に観光できる。アウランガバードからツアーに参加するのもおすすめ。エローラの石窟群は、陽光が中庭を照らす午後に観光するのがベストだ。どちらの遺跡も見学には少なくとも1日必要。暗い石窟もあるので、懐中電灯を持っていこう。

ウェブサイト　www.embassyofindiajapan.org（在日インド大使館）
ajantacaves.com（英語）、www.incredibleindia.org（英語）

アジア

見どころと楽しみ

■ アジャンタにある、5世紀のビハーラ窟（第1窟）には、ブッダが悟りに至るまでに行ったさまざまな慈悲の行為を描いた**壁画**が残っている。

■ アジャンタのチャイティヤ窟（第19窟）は、見事なつくりの**仏殿**だ。

■ エローラの**ビシュバカルマ窟**（第10窟）には、陽光がいっぱいに差し込む午後に訪れよう。この祠堂には、高さ4.4メートルの仏像など、すばらしい彫刻がある。

■ エローラの**カイラーサ寺院**（第16窟）の外側には、柱や壁龕（へきがん）、聖なるゾウなどの彫像が彫られている。内部は複層構造で、堂がいくつもある。

前ページ：エローラの堂々たるカイラーサ寺院（第16窟）は、岩山を彫刻してつくられている。**上左**：アジャンタに残る菩薩の壁画。**上右**：アジャンタの第19窟。祠堂、柱、彫像はすべて、岩を彫ってつくられている。

聖なる洞窟
トップ10

人里離れた洞窟は、聖堂や寺院、墓所として、世界各地のあらゆる宗教の物語に登場する。

❶ アクトゥン・トゥニチル・ムクナル（ベリーズ）

神話では、地下世界への旅は決して楽なものではない。中米ベリーズのアクトゥン・トゥニチル・ムクナル（石の墓の洞窟）を訪れれば、自分が神話の登場人物になった気分になるだろう。

生けにえを捧げる場所でもあるマヤの洞窟に行くには、山を登り、川を渡り、水中を潜る。約1.5キロ下りると、「クリスタルの乙女」と呼ばれる女性の骸骨が横たわる場所に着く。骸骨は長い年月の間に洞窟内の鉱物に覆われ、光っている。

洞窟にはこのほか、マヤの陶器の破片がある。陶片の多くには丸い穴が開いているが、これは精霊が出て行けるように開けられた「キル・ホール」というものだ。

旅のヒント　洞窟に行くには、それなりの体力が必要で、ベリーズ考古学協会が認定したガイド同伴でなければならない。
www.belize.jp（ベリーズ国政府観光局）、www.mayabelize.ca（英語）

❷ エレファンタ石窟寺院群（インド ムンバイ）

5世紀に丘の斜面につくられたエレファンタ石窟群の寺院には、身をくねらせたヒンドゥーの神々の彫像がある。恍惚とした表情をした神々は、古代インドの楽器の調べに耳を傾けているように見える。手が何本もある宇宙の舞踏王、ナタラジャ・シバのしなやかな曲線や、シバ神の創造、維持、破壊の三つの顔（トリムルティ）を表した三面像は、十数世紀たった今でも表情が豊かだ。

旅のヒント　石窟は、ムンバイ港の沖合、サルのすむガーラープリー島（別名エレファンタ島）にある。インド門から定期的に出ている船で1時間（モンスーンの季節を除く）。www.embassyofindiajapan.org（在日インド大使館）

❸ 龍門石窟群（中国 河南省）

河南省洛陽の郊外にあるこの石窟は、伊水の両岸にそびえる龍門山と香山の岩肌に彫られている。ここには、2345の洞窟と仏を安置したくぼみ、2800の碑文、43の仏塔があり、仏教彫刻の宝庫だ。最古の洞窟は、493年、北魏の時代につくられた。

旅のヒント　河南省にある洞窟へは、洛陽の鉄道駅からバスで行ける。洞窟の中には入れないが、奥行きが浅いために外からでも彫刻が見える。山肌には階段や通路が渡されていて、風景がさまざまな角度から楽しめる。www.cnta.jp（中国国家観光局）

❹ ダンブッラの石窟寺院（スリランカ）

五つの天然洞窟を利用したこの寺院は、紀元前1世紀にワラガムバーフ王の命でつくられ、以後2000年以上にわたって、巡礼地となっている。洞窟内には、金箔を使った壁画や彫刻などがあるため、黄金寺院とも呼ばれている。天井の壁画は、天然の凹凸のある岩肌に直接描いてある。

旅のヒント　ダンブッラは、シギリヤから約18キロ。キャンディへ向かう幹線道路沿いにある。www.lankaembassy.jp/index_ja.htm（駐日スリランカ大使館）、www.srilankatourism.org（英語）

❺ コリキア洞窟（ギリシャ）

パルナッソス山にあるこの大きな洞窟には、古代ギリシャ時代、パン（牧神）とニンフ（精霊）が祭られていた。入り口近くの岩は、祭壇として使われていたと思われる。

旅のヒント　洞窟はアラコバの近くにある。懐中電灯を持っていこう。
www.visitgreece.jp（ギリシャ政府観光局）
www.travel-to-arachova.com（英語）

❻ ミノア人の洞窟群（ギリシャ クレタ島）

クレタ島には3000以上の洞窟がある。多くが紀元前2600年から同1100年の青銅器時代に栄えたミノア文明の女神信仰や、ギリシャ神話に関係している。ディクティ洞窟はレアがゼウスを生んだ場所、イデ洞窟はレアがゼウスの父クロノスからゼウスを隠した場所だといわれている。

旅のヒント　ディクティ洞窟はプシフロの南にある。イデ洞窟はアノギアの南19キロにある。www.visitgreece.jp（ギリシャ政府観光局）
www.crete.tournet.gr（英語）

❼ 聖パウロの洞窟（マルタ）

西暦60年、囚人として聖パウロをローマに護送中だった船が難破した。マルタ島に漂着した聖パウロは、小さな洞窟に隠れ住んだ。使徒行伝28章には、聖パウロが島の住民から神と見られるようになったいきさつが記されている。

旅のヒント　洞窟は、ラバトの聖パウロ教会に隣接している、聖ププリウス礼拝堂の下にある。www.visitmalta.com（マルタ観光局）

❽ サン・ミケーレ・アルカンジェロ聖堂（イタリア）

キリスト教の言い伝えでは、490年、大天使聖ミカエル（サン・ミケーレ）がモンテ・サンタンジェロにあるこの洞窟に現れて、シポントの司教に「岩が大きく開く場所では、人間の罪は赦される」と告げたという。大天使ミカエルは、その位置を示すために、祭壇と、赤い布、石に自身の足跡を残していったといわれている。

旅のヒント　聖堂を訪れるほとんどの人が、近くのサン・ジョバンニ・ロトンドの町に宿泊する。www.enit.jp（イタリア政府観光局）
www.santuariosanmichele.it（イタリア語ほか）

❾ フォン・ド・ゴーム洞窟（フランス ドルドーニュ県）

フランス南西部のドルドーニュ県にある天然洞窟の壁に、バイソン、ウマ、マンモスなどの動物が描かれている。1万5000年前の壁画だが、色は今でも鮮明で、生き生きとしている。これらが描かれた目的は、狩猟や月の暦に関係していると考えられている。

旅のヒント　洞窟は、サルラ近くのレ・ゼイジー・ド・タヤック郊外にある。事前予約が必要。jp.franceguide.com（フランス政府観光局）

❿ ソフ・オマール洞窟（エチオピア）

12世紀にアッラーがソフ・オマール師に、この鍾乳洞を教えたと伝えられている。師とその弟子たちは、この鍾乳洞をモスクとして利用した。今でも現地の人に集会所として利用されている。

旅のヒント　洞窟はバレマウンテン国立公園内にある。懐中電灯と地図を持っていこう。www.ethiopia-emb.or.jp（駐日エチオピア大使館）

次ページ：ムンバイの沖に浮かぶ、ガーラープリー島のエレファンタ石窟寺院で、岩に彫られた大きな神像を見つめる女性。ヒンドゥー教徒は、5世紀からこの洞窟を利用している。

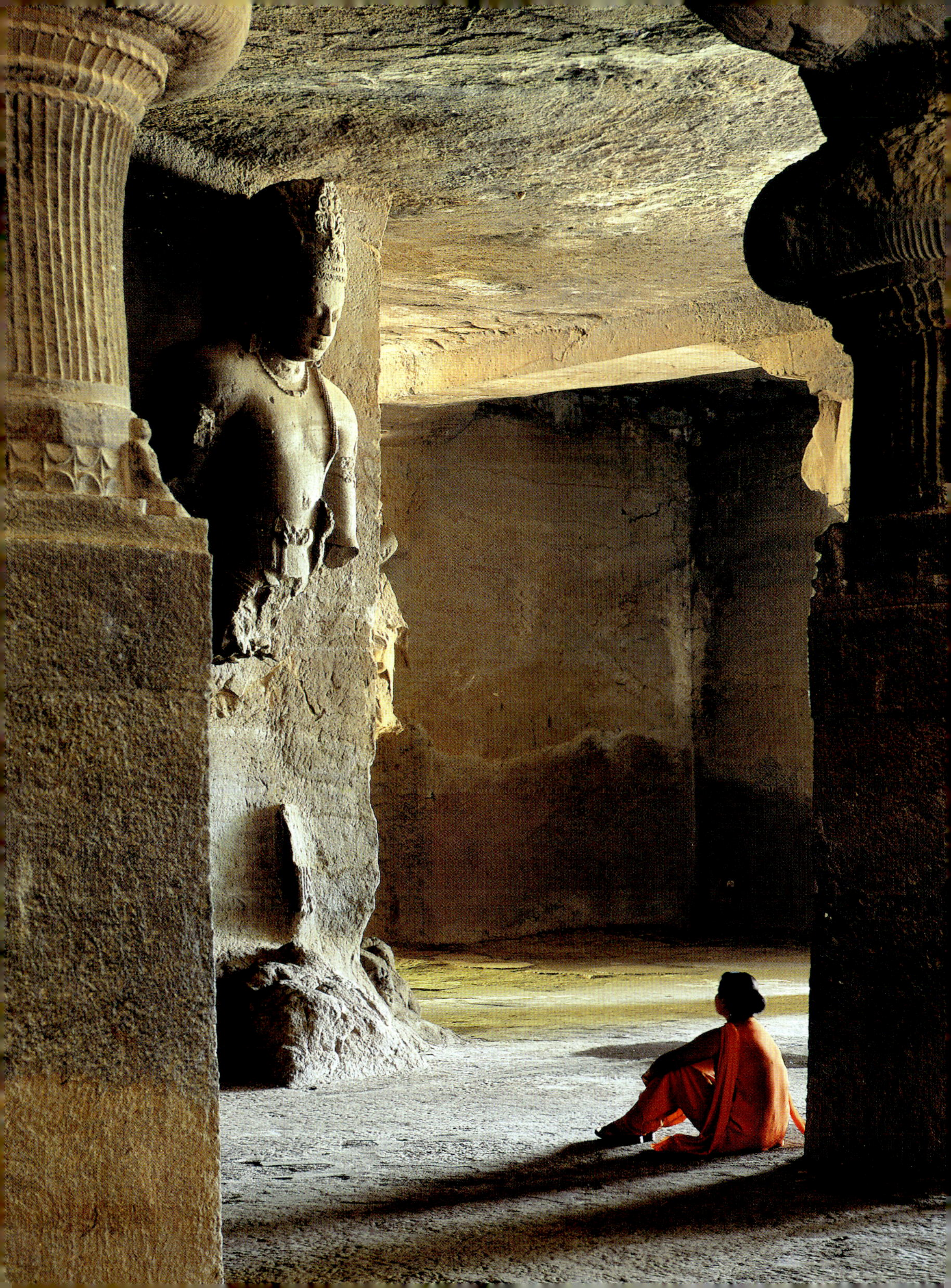

ガル・ビハーラにある、高さ7メートルの巨大なブッダの立像。

スリランカ
偉大な王の都 ポロンナルワ

11世紀、スリランカに君臨したウィジャヤバーフ王の偉業が、
壮麗だった王都の遺跡からしのばれる。

　ウィジャヤバーフ1世が、スリランカからインドのチョーラ王朝の勢力を一掃し、島を統一したのは11世紀のこと。この偉大な王は、新しい国の門出にポロンナルワを都に定めた。

　そこには王宮や庭園をはじめ、アジア全域から集まる仏教徒のために多くの寺院がつくられた。最も重要なのが、仏歯寺だ。歴代のスリランカ王は何世紀にもわたり、王権の正統な継承者の印として、仏歯を守ってきた。

　ウィジャヤバーフ王の権勢を示すかのように、寺院や仏塔はレリーフや壁画、彫像で飾られた。しかし、ポロンナルワの繁栄は200年で終わった。破壊などで一挙に崩壊したのではなく、この都は人々に見捨てられ、次第に廃れた。だが、岩山の大仏像や仏殿ランカティラカなどの高度な技術は、人々に今も感銘を与える。

ベストシーズン　スリランカは熱帯性気候の暑い国だ。10月から2月は、比較的空気が乾燥していて涼しい。

旅のヒント　コロンボから夜行列車に乗り、216キロ行ったカドゥルウェラ駅で降りる。そこからポロンナルワまではバスかタクシーですぐ行ける。じっくり見て回るには、2日か3日かかるが、最低でも1日は滞在したい。洗練されたホテルがたくさんあり、どのホテルもポロンナルワまでの日帰りツアーをアレンジしてくれる。まず、古代都市の詳細な縮小模型がある博物館やビジターセンターを訪れてみよう。

ウェブサイト　www.lankaembassy.jp/index_ja.htm（駐日スリランカ大使館）

見どころと楽しみ

■ **ガル・ビハーラ**の巨大な花崗岩の岩壁に、4体の仏像が彫られている。瞑想中の座像、小さな洞穴の中にある座像、立像、涅槃像である。

■ **ランカティラカ**は、中世ヨーロッパの大聖堂に似ている。長い「身廊」の両側には石壁がそびえ、正面の「祭壇」には高さ18メートルの仏像がある。仏像の首はなく、内壁は彩色壁画で飾られている。

■ **ワタダーゲ**と呼ばれる円形の仏塔跡には、四方に大きな入り口がある。かなり朽ちている中央ダーガバ（釣り鐘形の仏塔）まで歩き、そこに鎮座する**4体の仏座像**を見よう。

■ 高さ55メートルの**ランコトゥ・ビハーラ**は、かつては、アラハナ・ピリベーナという仏教学校の中心だった。

アジア

トルコ
アクダマル島の聖十字架教会

トルコ東部のワン湖に浮かぶ小島に、アルメニア文化の遺跡が残っている。
石を積み上げてつくった祈りの芸術品でもある。

十字架の形をしたこのアルメニア教会は、決して大きな建物ではない。奥行きは15メートル程度だが、人々を驚かすのはその立地である。

トルコ東部のワン湖に浮かぶアクダマル島。その小島に建つ教会は、自然を征服しようとした人間の野望を表しているともいえる。だが、島に上陸する頃には、誰もが自然に対して謙虚な気持ちになるだろう。

島まではボートで20分ほどだが、高い山々に囲まれた、トルコ最大の広大な塩湖の青くまばゆい湖面を行けば、大旅行でもしているような気分に浸れる。

教会がある小さなアクダマル島は、今は静かな雰囲気の場所だが、1100年前は、ガギク1世が統治するアルメニア王国の中心だった。ガギク1世は、915年から921年という短期間でこの島を要塞化し、宮殿、修道院、教会を建てた。

薄い朱色の砂岩でできた教会の壁は修復され、往時の輝きを取り戻している。外壁は美しいレリーフで覆われ、動物や聖書の登場人物が描かれている。

ベストシーズン 春の終わり頃は、木々の葉が茂り、島は緑に包まれる。
だが、寒冷な高地にあるので、訪れるのは夏や初秋が最高だ。

旅のヒント アクダマル島の聖十字架教会は、現在、博物館となっていて、建物の歴史を伝える展示をしている。島へのボートは、ワン湖南東のゲワシュから出ている。最少人数は通常10人。この地の観光拠点としては、44キロ離れたワンの町がベストだ。ボート乗り場の反対側にあるキャンプ場からの湖の眺めがすばらしい。島の見学は1日で十分だが、ワン湖周辺の主な観光地を見ようとすれば、少なくとも3日、風景を味わい尽くすには1週間が必要だ。

ウェブサイト www.tourismturkey.jp（トルコ政府観光局）
www.sacred-destinations.com/turkey/akdamar-armenian-church（英語）

アジア

見どころと楽しみ

■ 教会の**外壁にあるレリーフ**の意味を読み取ろう。南面の壁には、クジラに飲み込まれたヨナが描かれている。西面の壁には、この教会を建てたガギク1世が、教会のミニチュアをキリストに渡している場面が描かれている。

■ 桟橋近くの**遊泳場**で泳ごう。小さくて岩だらけだが、標高1670メートルにあるこの湖は、非常に塩分濃度が高いので身体が浮きやすい。

■ 島の最高地点まで登ると、すばらしい風景が一望できる。湖の向こうに、雪に覆われた**アンチ・タウルス山脈**の峰々が見える。

山に囲まれた広大なワン湖に浮かぶ島に、小さな宝石のような聖十字架教会が建っている。

トルコ
カッパドキアの岩窟教会群

入り組んだ谷に隠れるようにして、
岩をくり抜いてつくられた古代教会の遺跡がある。

　　奇妙な景観が見る者の心を奪う、トルコ中央部アナトリア地方に位置するカッパドキア。巨大な奇岩には、出入り口や窓の穴がいくつも開き、足元には小さな家が集まっている。その間に、初期キリスト教徒の集団がつくった岩窟教会が点在しているのだ。

　暗い内部へ入ると、岩をくり抜いてつくった空間にドーム、後陣、柱、半円筒ボールト、祭壇など、教会の体裁が整えられている。はしごを使って入る教会もある。内壁の大部分は、異様なほど鮮やかな壁画で覆われている。5世紀の幾何学模様から、新約聖書の物語を描いた10世紀や11世紀のフレスコ画まで、さまざまだ。

　岩窟教会は、4世紀にカエサリア（現カイセリ）の主教だった大バシレイオスの本拠、ギョレメ周辺に集中している。ビザンティン時代には修道院が多数開かれた。

　地元の人々は、ドームの形から「リンゴの教会」、聖ゲオルギウスのドラゴン退治のフレスコ画にちなんで「ヘビの教会」など、独自の名前をつけている。

ベストシーズン　春から秋。冬は非常に寒く、雪も積もる。ギョレメ野外博物館やゼルベ野外博物館は、年中無休。

旅のヒント　ギョレメは、ネブシェヒル、アバノス、ユルギュップの近くにある。カイセリから南へ車で1時間。カイセリにはイスタンブールから定期航空便が毎日出ているし、ホテルの選択肢も広がる。岩窟を客室にし、土地の特色を生かした装飾の小規模な高級ホテルもある。公共交通機関はよく整備されていて、主要な場所へは小型バスで行ける。何百もの教会があるので、少なくとも2〜3日は必要だ。じっくり見て回るなら、もっと長く滞在したい。

ウェブサイト　www.tourismturkey.jp（トルコ政府観光局）
www.goturkey.com（英語ほか）

アジア

見どころと楽しみ

■ギョレメのバックル教会には、それぞれ時代が異なる四つの岩室がある。**新聖堂（ニュー・チャーチ）**という岩室は、壁沿いに華麗なアーチやアーケードがつくられている。また、明るい青や金色の地に聖書の物語が描かれた壁画もある。

■ギョレメ近くのチャウシンにある**ピジョン・ハウス（鳩の家）**は、岩の塔の中につくられた珍しい教会の一つ。チャウシンにある5世紀の**洗礼者聖ヨハネ教会**は、カッパドキア最古のキリスト教会といわれている。

■その他、教会が集まっている場所としては、**ゼルベ**、ギョレメの南の**ウフララ渓谷**や**ソアンル渓谷**がある。

11世紀のギョレメの「暗闇の教会」には、自然光がほとんど入らないので、壁画の鮮明な色が失われていない。

廃墟となった要塞が、マサダの丘のてっぺんに建ち、ユダ砂漠や死海を見下ろしている。

イスラエル
ユダヤの悲劇を知る マサダ要塞跡

ユダ砂漠を一望できる丘にある古代の要塞遺跡は、
ユダヤ人による抵抗の歴史を物語る存在となった。

死海を見下ろすマサダの丘は、天然の要塞である。紀元前1世紀、ローマの強力な後ろ盾をえて、ユダヤを治めていたヘロデ大王は、ここに豪華な要塞兼離宮を建造した。西暦70年、ローマに対してユダヤ人が蜂起した。そのさなか、ユダヤ人の反乱軍はこの丘を占拠し、要塞に立てこもった。

72年、ローマ軍は要塞を包囲して攻撃を開始する。最終決戦日の前夜、ユダヤの反乱軍は負けて奴隷になるよりは死を選び、食料庫に火を放って集団自決した。

その後5世紀には、廃墟であったこの場所に、ビザンティンの修道士の一団が隠遁生活を送った。彼らは頂上付近の洞窟で生活し、小さな教会堂を建てた。

ローマ時代の宮殿や倉庫、浴場などの遺跡から、ヘロデ大王とその客人の贅沢な暮らしがわかる。ユダヤ反乱軍の奮戦を伝えるものには、ヘロデ大王の馬屋跡に建てられたシナゴーグの残骸、反乱軍の住居、ローマ軍の包囲攻撃の工事の跡などがある。丘からは、ローマ軍の野営地、立てこもる反乱軍を逃がさないための城塞、そして、要塞の城壁を砕くための巨大なつちを載せていた傾斜台の跡も望める。

見どころと楽しみ
- 死海やヨルダン渓谷の眺めだけでも訪れる価値がある。
- ローマ浴場では、当時の床下式の加熱システムや、湯を沸かして水蒸気をつくる炉などを見学できる。
- 断崖の端に、ヘロデ大王の豪華な3層の離宮が復元されている。フレスコ画は断片だが当時のものだ。
- 保存状態の良いモザイクが、ビザンティン教会の床に残っている。
- マサダ博物館には、マサダの歴史に関するものや、ここから出土した珍しいコイン、陶器の破片、織物などが展示されている。

アジア

ベストシーズン マサダの丘はマサダ国立公園の中にある。ヨム・キプールの2日間を除いて一年中オープンしている。ヨム・キプールは、9月下旬か10月上旬にある贖罪日のこと。

旅のヒント マサダはエルサレムの南約100キロにある。国道90号線で東側から行くとビジターセンターがあり、そこから丘までケーブルカーが出ている。約20分。古くからの道(スネーク・ルート)を登ると、個人差があるが、約45〜60分で頂上に到着する。3199号線で西側から行くと、頂上までは歩いて15〜20分だ。飲料水と重ね着できる服を持っていこう。頂上は風が強い。

ウェブサイト tokyo.mfa.gov.il(駐日イスラエル国大使館)
www.bibleplaces.com/masada.htm(英語)/ www.jewishvirtuallibrary.org(英語)

サタニフの共同墓地にある、緻密な装飾を施した墓石。中には16世紀のものもある。その多くに動物の模様が彫られている。

ウクライナ
サタニフのシナゴーグ跡

**廃墟となった要塞シナゴーグは、
侵略者を駆逐したかつての戦いを現代に伝えている。**

西ウクライナの小さな町、サタニフのはずれにある質素な家々や道を見下ろすように、堂々としたシナゴーグの廃墟がそびえている。穴だらけの石壁をツタが覆い、屋根は崩れ、壁の銃眼からは若木が伸びている。

ヨーロッパ東部には要塞の役目をもったシナゴーグが現在も数多く残っている。16世紀から17世紀に建てられたサタニフのシナゴーグは、そうした要塞シナゴーグの典型といえる。これらは、町やそこに住むユダヤ人を守るために建てられた。

今は廃墟のこのシナゴーグは、アーチのある背の高い窓に板が打ちつけられ、奥行きのある聖所には何もなく、その上のアーチ形天井は今にも落ちてきそうだ。

だが、東側の壁には、往時の美しさをしのばせるものがある。バロック様式の石棺や、装飾のための壁のくぼみ、そして、優美な柱などである。

柱の間には、ところどころはげた明るい青の地に、有翼の怪獣グリフォンが描かれている。その上には、2頭の巻き尾の獅子が後ろ脚で立っている。獅子は、勝ち誇ったように十戒の彫刻板の上に王冠を掲げ、笑みを浮かべているようだ。

見どころと楽しみ

■ 廃墟となったシナゴーグに入ってみよう。少なくとも戸口に立って、破壊された棺の残骸を見よう。かつてはシナゴーグの内部を飾っていた、**彩色と彫刻を施した貴重な装飾品**だ。

■ ユダヤ人の**共同墓地**は1550年代のものだが、今は誰も訪れない。謎の「**3羽の野ウサギ**」のある三つの石を探そう。耳でつながった野ウサギは、輪になって互いを追いかけている。

ヨーロッパ

ベストシーズン シナゴーグと共同墓地は野ざらしなので、天候の良い時期を選びたい。夏が理想的だが、春や秋でも快適だ。

旅のヒント サタニフは、リビウやチェルニフツィから車で数時間。道路はあまり良くないので、観光には1日見ておこう。ウクライナ語を話せて、キリル文字で書かれた道路標識を読むことができる土地のドライバーかガイドを雇おう。

ウェブサイト www.ua.emb-japan.go.jp（在ウクライナ日本国大使館）
www.inlviv.info（英語、ドイツ語ほか）、travel-2-ukraine.com、judaica.spb.ru/artcl/a6/archsyn_e.shtml（英語）

イタリア
サン・ガルガーノ修道院

トスカーナ地方のメルセ川流域にある中世の修道院。
ゴシック様式のアーチが天に届くようにそびえている。

森や山を背にして、陽光降り注ぐ広々とした平野に廃墟がぽつんと建つ。サン・ガルガーノ修道院は、絵はがきのような風景の中にあるのだ。

修道院は、シエナの南西約30キロに位置する。1185年に聖人に列せられたガルガーノ・ギドッティをたたえるために、彼の隠遁所跡に建てられたモンテ・シエーピの礼拝堂から下りた場所だ。1218年から、山上の礼拝堂を訪れる修道士や巡礼者を宿泊させるため、フランスのシトー会修道士たちが建立を始めた。修道院は身廊と二つの側廊があり、ラテン十字架の形に似ている。

大きく高い窓や優美な尖塔アーチなど、純粋なフランス・ゴシック様式の特徴が顕著だが、イタリアではこの様式はあまり受け入れられなかった。

修道院は、かつては隆盛を極めたが、1348年のペストの流行以降、宗教施設としての地位を失った。16世紀には建物が崩れ始める。1550年に屋根が崩れ、その200年後には鐘楼も壊れた。現在、正面（ファサード）や壁が復元されている。

ベストシーズン 春と夏の晴れた日は、一面の緑と青空と壮大な廃墟のコントラストが楽しめる絶好の時期だ。7月と8月には、キジアーナ音楽院が主催するコンサートが開かれる。

旅のヒント 1時間は必要だ。修道院は常に公開されているが、礼拝堂は午前中だけ。シエナから修道院までバスが出ている。シエナから車で南西に約1時間。モンティチアーノの郊外だ。礼拝堂の私道の端に小さなカフェがあり、軽食がとれる。タオルを持っていって、ペトリオーロの温泉に入ろう。シエナとグロッセトの中間にあり、高速道路223号線で20分だ。

ウェブサイト www.enit.jp（イタリア政府観光局）、www.sangalgano.info（イタリア語、英語ほか）

ヨーロッパ

見どころと楽しみ

■ ぽっかり開いた修道院の窓から、山上の**礼拝堂**が見える。

■ 入り口左に**回廊の壁**がわずかに残っている。修道士たちが日に一度会話を許された庭を取り囲む壁の一部だ。

■ 周囲の草地は**ピクニック**に最高だ。

■ モンテ・シエーピの礼拝堂には、本物の「**岩に刺さった剣**」が保存されている。伝説では、ガルガーノは俗世界との決別を示すために剣を岩に突き刺したといわれる。保存されている剣がその時のものだという。隣接する教会には、アンブロージオ・ロレンツェッティの**フレスコ画**がある。

サン・ガルガーノ修道院の身廊は、うっとりするほど美しい。このゴシック様式の傑作といわれる修道院で、残っているのはこれだけだ。

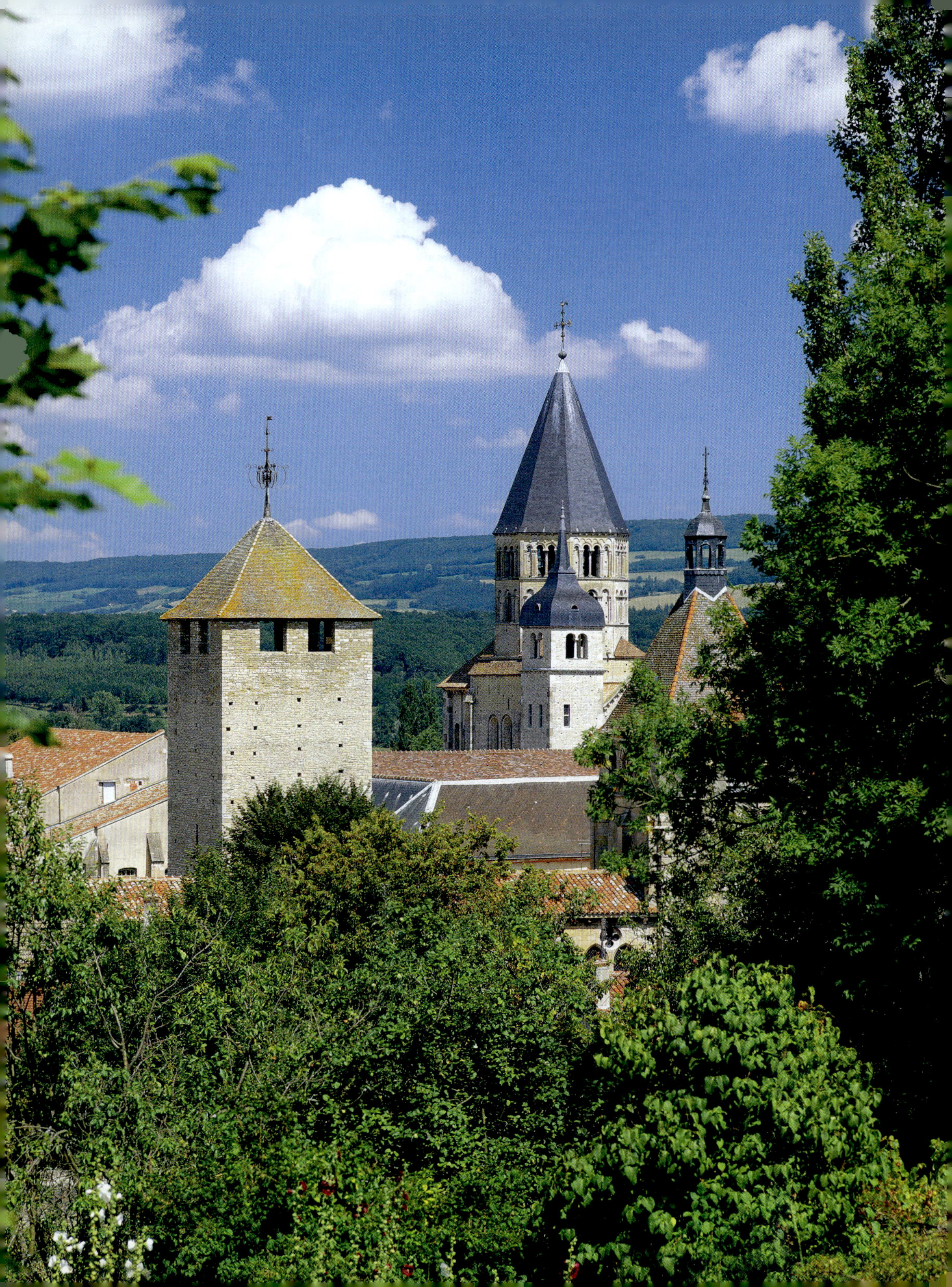

フランス
クリュニー修道院

ブルゴーニュ地方に残る中世の大修道院の遺構は、ロマネスク建築の最高傑作がここにあったことを物語っている。

黄土色の砂岩でできた通路が、南翼廊の跡へと続いている。かつて、キリスト教世界で最も壮大だったとされる教会の南翼廊だ。さらに通路を進むと、大きな鐘楼がある。クリュニー修道院で往時の姿を残しているのは、翼廊の壁とこの鐘楼だけだ。

アキテーヌ公ギヨーム1世が910年に設立したクリュニー会の修道士たちは、ここで永遠の祈りに身を捧げた。クリュニー修道院を頂点とするこの修道会は、12世紀から14世紀にかけて一大会派として、キリスト教世界でローマに次ぐ勢力を誇っていた。修道院の遺構（修道院は3回建て替えられており、現在の建物はクリュニーⅢ、または第3聖堂と呼ばれる）や、空っぽの小麦粉倉庫の跡を見れば、失われた建物がどれほどの規模だったのか容易に想像がつくだろう。

要塞化された修道院には当初攻守のための塔がいくつかあった。その一つを利用した「チーズの塔」では、修道士がこの地方特産のエポワスチーズをつくっていた。塔はめまいがするほど高く、眼下にはブルゴーニュの丘陵地帯が広がっている。

何世紀もの間、修道院は拡大の一途をたどった。修道院長の新しい館は、15世紀と16世紀に建てられ、僧院は18世紀に再建された。クリュニー修道院の美や富や権力は、恐れと憧れの対象であった。しかし、1790年にフランス革命の革命家たちによって、修道院は閉鎖。その後、建物は破壊され、外観だけが残った。

ベストシーズン　季節を問わず、快適な訪問ができる。冬でも気候は温暖だ。
旅のヒント　最寄りの町ボーヌへは、パリからTGVで簡単に行ける。ボーヌからクリュニーまでは、列車が定期的に出ている。周辺を探索するなら、車が必要だ。修道院に1日、有名なワイナリー巡りなど、周辺の観光に2日か3日かかる。
ウェブサイト　jp.franceguide.com（フランス政府観光局）
cluny.monuments-nationaux.fr（フランス語、英語）

見どころと楽しみ

■ 修道院の小麦粉倉庫の**天井枠**は、栗の木で美しく精巧につくられている。現在、建物には聖歌隊席にあった彫刻が施された**柱頭**が保管されている。

■ クリュニーの**オシェル博物館**の展示品は、中世の町や修道院の歴史を伝える。修道院図書館の蔵書も所蔵されている。

■ 修道院の裏には、**ブルゴーニュ国立種馬飼育場**がある。フランスのトップクラスの競走馬がここで飼育されている。

■ 毎年11月、世界で最も有名な**ワインのチャリティ・オークション**がオスピス・ド・ボーヌで開かれる。ここでの落札価格は、その年のブルゴーニュ・ワインの価格に影響を与えるので、毎年注目される。

前ページ：修道士たちが特産のチーズをつくっていたチーズの塔（左側）、八角形をした鐘楼、それに小さな時計塔が緑豊かなブルゴーニュ地方にそびえる。上左：現在の回廊は、18世紀に再建された修道院の一部だ。上右：中世の修道院の遺構には、特徴的な石の彫刻が残っている。

カタリ派最後の拠点だった場所に建てられたフランス軍の城は、今では廃墟と化している。

フランス
異端派の拠点 モンセギュール

南フランスにある険しい岩山の頂はかつて、
絶大な権力を誇るカトリック教会に反旗を翻したカタリ派の拠点だった。

　キリスト教異端の一派、カトリック教会と対立を続けていたカタリ派の抵抗が最終的に鎮圧されたのは、1244年3月のことだった。これにより、ローマ教皇とフランス王を長年悩ませ続けてきた問題に終止符が打たれた。

　南仏のラングドック・ルーション地方にあるモンセギュール城は、カタリ派の本拠地であり、最後の拠点でもあった。高さ1200メートルの岩だらけの山の上に建てられた城には、多い時で500～600人がすんでいた。周囲の山々や谷が一望できる切り立った崖の上にあり、難攻不落に思える。事実、この要塞は、1243年にフランス軍が包囲攻撃を開始した後、10カ月間も持ちこたえた。カタリ派の信者は、信仰を捨てるか、生きたまま焼かれるかという厳しい選択を迫られた。そして、1244年3月のある朝、城は陥落し、200人の男女が火刑に処せられた。

　現在、カタリ派が立てこもった場所には何も残っていない。城壁の外に、住居の基礎がいくつかあるだけだ。今ある城（モンセギュールⅢと呼ばれる）は、フランス軍がカタリ派の要塞跡に建てたものだ。厚く頑丈な城壁は岩山から"生えている"ようにも見え、荒涼とした風景の中で太陽の直射にさらされている。

見どころと楽しみ

■ 麓には**石碑**がある。カタリ派の人々が火刑に処せられた場所だ。

■ 頂上の手前に、「**塔の岩**」と呼ばれる階段状の場所がある。そこには、フランス軍が城壁に向けて投石機で投げた石が、今も転がっている。

■ 頂上のすぐ下には、**住居跡**がいくつかある。カタリ派の家族は砦に逃げ込むまでここに住んでいた。

■ モンセギュール村の小さな**考古学博物館**には、新石器時代の遺跡から出土した道具が展示されている。

ヨーロッパ

ベストシーズン　4月から5月、または9月から10月が適している。夏の猛暑の時期は避けたい。
旅のヒント　ピレネーの東、アリエージュ県に位置するモンセギュールは、ラブラネの南19キロにある。最寄りの大きな町は、ラブラネの西にあるフォアだ。モンセギュールの村から頂上までは、歩いて30～45分。道は険しい。ガイド付きツアーがあり、7月と8月は毎日、5月、6月、9月は週末と休日のみ。
ウェブサイト　jp.franceguide.com（フランス政府観光局）、www.montsegur.fr（フランス語）

英国イングランド
リーヴォー大修道院

中世で最も荘厳だった修道院が、現在では廃墟となって、
小さな谷にひっそりとたたずんでいる。

今から800年以上も前、リーヴォーの大修道院長は、次のように書き残している。「あらゆる場所が平穏で、あらゆる場所が静かだ。俗世の騒々しさからは驚くほど自由だ」と。ヨークシャーの森にたたずむ、この趣のある石づくりの廃墟は、往時と同様に、今日でも安らいだ空間である。

1132年、イングランド北部では最初に建てられたシトー会派のリーヴォー大修道院は、ヨーロッパで最も裕福で、権勢を誇る修道院の一つだった。最盛期には、150人の修道士が暮らし、雑務を行う平修道士と呼ばれる人も500人いた。修道士たちは祈るだけでなく、ヒツジを飼って羊毛を輸出する事業で成功を収めた。

だが、1538年、ヘンリー8世が修道院の解散を命じる。修道院は閉鎖され、引き継いだラトランド伯爵は、その解体に着手した。現在、建物は半分も残っていないが、修道院の礼拝堂部分の保存状態は良い。また、建物には「フライングバットレス」という、外側に取り付けられた梁が残っている。また、ほかの建物の基礎部や壁も残っているので、往時の規模を想像することは容易だ。

ヨーロッパ

見どころと楽しみ

■展示室の「**神と人間の業績**」では、リーヴォー大修道院の農業、工業、霊性、商業についての推移を対話型ディスプレーで見せてくれる。

■リーヴォー大修道院の周囲は、ハイキングやサイクリングのコースになっている。足に自信のある人は、**クリーブランド・ウェイ・ナショナル・トレイル**を通って、約5キロ離れたヘルムズリー城まで歩くのも良いだろう。

ベストシーズン　年間を通じて、訪れることができる。

旅のヒント　建物跡を見学するのに1時間、展示室はそれ以上かかると考えておこう。リーヴォー大修道院は、ヘルムズリーの北約5キロにあり、車だと国道B1257号線から間道を通って行く。駐車場もある。ヘルムズリーからバスが、夏は毎日、冬は2日ごとに出ている。開館時間は季節によって変わる。

ウェブサイト　www.visitbritain.jp（英国政府観光庁）、www.english-heritage.org.uk（英語）

3階建ての壮大な礼拝堂をもつリーヴォー大修道院跡は、ライ川の流れる人里離れた森の中にたたずんでいる。

永遠の史跡 | 137

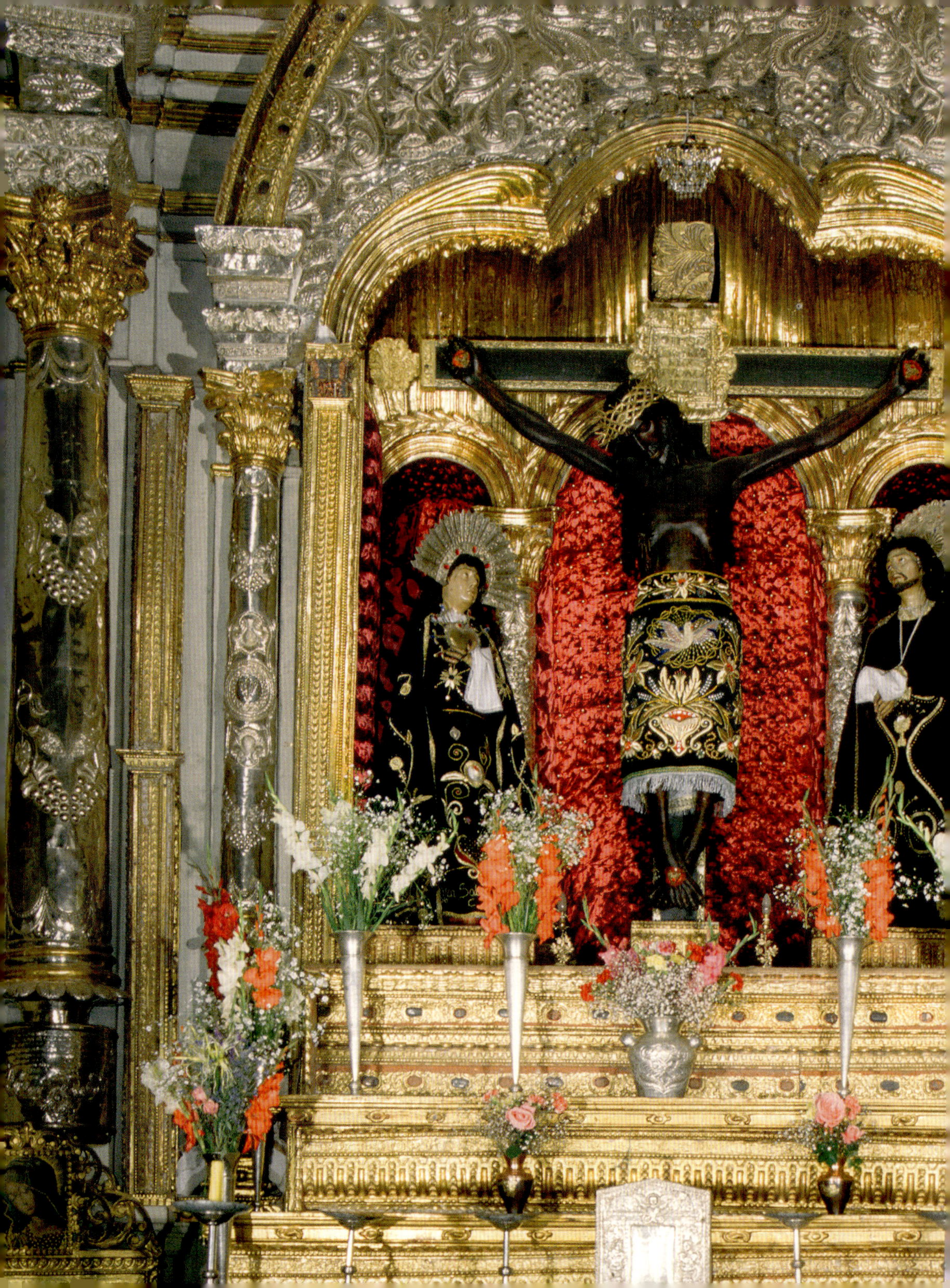

5 日々の祈り

祈りを捧げる教会や寺院には、壮大なものもあれば、質素なものもある。しかし、こうした聖堂は単なる建物ではなく、レンガや木材、ガラス、石などを使って表現された伝統と信仰の証しといえるだろう。

トルコ・イスタンブールの壮麗なスルタン・アフメト・モスク、京都にある金閣、米国ニューイングランド地方の素朴な教会など、祈りを捧げる場所はさまざまだ。この章で紹介する教会や寺院は、観光客を温かく迎え入れてくれるが、信者にとって、そこは単なる観光名所や博物館ではないことを忘れないようにしたい。

その中には、感動的なエピソードが残る歴史的な場所もある。例えば、プラハの旧新シナゴーグは、中世からユダヤ人が祈りを捧げてきた場所であり、小さな建物に大きな悲しみを抱えてきた。1500年の歴史を誇る中国の懸空寺は、精巧につくられ、垂直の壁面に張り付くようにして建っている。

大胆な近代建築もある。米国カリフォルニア州南部のクリスタル・カテドラルは、12階建てのビルに相当する高さがあり、世界最大のガラスの建造物の一つだ。

左：ペルーのクスコ大聖堂にある立派な銀の祭壇の上には、キリスト受難の十字架像が掲げられている。すすで真っ黒になったキリストは、地元では「地震の神」と呼ばれ、復活祭のパレードで街に担ぎ出される。

トウロ・シナゴーグは、コロニアル様式と、イベリア半島出身のユダヤ人の伝統が見事に調和している。

米国ロードアイランド州

トウロ・シナゴーグ

18世紀に建てられたすばらしいシナゴーグは、ユダヤ人のみならず、多様な宗教を信じるすべての米国人の、信仰の自由を象徴している。

ロードアイランド州ニューポートにあるトウロ・シナゴーグは、現存する米国最古のユダヤ教礼拝所だ。1790年、初代大統領ジョージ・ワシントンは、このシナゴーグの信徒あてに、新国家は信教の自由を保障するとの手紙を送った。以後、ここは、信教の自由の象徴になった。

屋内は白で統一され、高い円柱や廊下を備え、随所に精細な木彫りが施されている。この建物は、無償で設計をした建築家、ピーター・ハリソンの傑作といえる。

信仰の自由を求めてこの地に逃れてきた、セファルディと呼ばれるイベリア半島出身のユダヤ人たちは、1658年、信徒協会を設立した。そして1762年、アイザック・トウロにより、祈りの場としてシナゴーグが築かれた。その後シナゴーグは廃れ、一時、英国軍の病院や住民の集会場となったこともある。19世紀後半に東欧から多くのユダヤ人がニューポートに移住してくると、ここは再び祈りの場となった。

見どころと楽しみ

- セファルディが信じる正統派ユダヤ教では、男性と女性は別々に礼拝する。女性用の2階席は、12本の**イオニア式円柱**で支えられている。そして、ドーム天井を支えているのは、**コリント式円柱**だ。

- 大きな**真鍮（しんちゅう）製**のシャンデリアが五つ、天井から下がっている。

- **聖櫃（せいひつ）**の前で祈る信者が、東のエルサレムの方に向くよう、シナゴーグは通りに対して斜めに建っている。

- シナゴーグには、トウロの信徒協会にあてた**ジョージ・ワシントンの手紙**が展示されている。手紙には次のような文面がある。「幸いなるかな、合衆国政府は頑迷に対して制裁を科さず、迫害に対しても手を貸さない。義務はただ一つ、合衆国政府の庇護の下に暮らす人々は、いかなる時も善良なる市民として国を支えるということだけだ」

北米

ベストシーズン シナゴーグは通年開放されるが、土曜は礼拝時間以外は閉まる。見学ツアーの日程は、季節によって変わる。8月には、ジョージ・ワシントンの手紙が朗読される。

旅のヒント シナゴーグのガイド付きツアーは30分。アメリカの国立公園パスがあれば無料。最終ツアーは、14時半から。礼拝は毎週金曜夜と土曜、ユダヤ人の休日に行われる。女性は2階席に座る。服装は控え目にし、短パンやノースリーブは不可。トウロ・シナゴーグ国立史跡には、ユダヤ人の共同墓地、植民地時代のユダヤ人指導者の記念公園もある。

ウェブサイト www.tourosynagogue.org（英語）

米国テキサス州

コンセプシオン教会

カトリック教会の布教活動の拠点であり、スペイン帝国の前線基地だった教会。
ここを訪れると、キリスト教が広がり始めた時代に戻ったような気になる。

正式名であるヌエストラ・セニョーラ・デ・ラ・プリシマ・コンセプシオン・デ・アクーニャ教会は、「無原罪の御宿り聖母マリア教会」を意味する。至福に満ちたたたずまいで、光と色に圧倒される。18世紀半ばの美しいフレスコ画で飾られた屋内には、強烈な陽光が差し込み、劇的な効果を見せている。石造の教会としては、米国最古級で、外壁を飾っていた絵の跡がかすかに見える。

頭上のボールトやドームの石の重みを感じる聖堂内で、わずかなすき間から入り込む光の筋を見ていると、漂うちりに昔の匂いが混じっているように思える。

テキサス州サン・アントニオにスペイン人が建てた五つの教会は、すべて現存するが、最も保存状態が良いのが、1755年建設のコンセプシオンだ。これらの教会は、先住民をカトリックに改宗させ、スペインの忠実な国民にするための活動拠点として建てられたが、フランスの侵略を防ぎ、境界を守る砦としての役目も兼ねていた。

五つの教会はすべて、現地で切り出した石で建てられているが、コンセプシオンは、完成度、宗教色、美しさにおいて傑出している。

ベストシーズン 夏は暑く、乾燥するので避けたい。4月に10日間の祝祭があり、野外劇やパレードが町中で催される。カトリックの日曜礼拝や祝祭には誰でも参加できる。

旅のヒント コンセプシオンと、1時間の徒歩圏内にある三つの教会は、ミッションズ国立歴史公園になっている。感謝祭、12月25日、1月1日を除き、開園は毎日9時～17時。最も南にあるエスパダ教会は、5番目に建てられた教会で、北のサンフアン・カピストラーノ教会から徒歩1時間。五つの教会はサイクリングロードで結ばれている。

ウェブサイト traveltex.co.jp（テキサス州政府観光局）、www.nps.gov/saan（英語）

見どころと楽しみ

■ ドームを支える壁には、四つの小窓があり、それぞれ東西南北を向いている。南の窓は**日時計**を兼ねている。冬至には、日光が北側の礼拝堂の祭壇に差し込む。

■ **聖母の被昇天祭**（8月15日）の間、夕方になると、ドーム中央にある西側の小さな円形天窓から日差しが差し込む。夕方6時半頃、一筋の光が、ドーム真下にある通路のまん中を照らし出す。

■ 司祭の住居の天井には、すばらしい**フレスコ画**がある。筒形ボールトの真ん中の部分は、神の目を表しているとされる。

1870年代の鉄道開通以来、観光客がコンセプシオン教会を訪れるようになった。20世紀初頭から、保存の取り組みが始まった。

ニューイングランドの歴史ある教会トップ10

米国東部のニューイングランド地方には、歴史的に重要な教会が数多く残っている。

❶ 第一キリスト教会（コネティカット州ファーミントン）

1772年に建てられたこの教会は、美しい塔のある優雅な八角形の鐘楼で有名だ。現在の教会堂は3代目の建物だ。

旅のヒント 近くのヒル・ステッド博物館で美術品の数々を見よう。
www.ctfreedomtrail.ct.gov/site/1stchurch.html（英語）
www.firstchurch1652.org、www.hillstead.org（英語）

❷ 第一教会（コネティカット州ウィンザー）

第一教会の信徒は、1635年にウィンザーに定住し、1794年に現在の教会堂を建てた。コネティカット州では、最古の会衆派の教会だ。隣接のパリサイド共同墓地の墓石は、町の歴史を伝える。

旅のヒント 1765年に建てられた、ドクター・ヘゼカイア・チェフィーの家を訪れてみよう。開館は、4月から10月。
www.firstchurchinwindsor.org、www.windsorcc.org（英語）

❸ 第一バプテスト教会（ロードアイランド州プロビデンス）

このバプテスト教会は、英国のジョージ王朝様式とニューイングランドのミーティング・ハウス（集会場）の様式がうまく調和されている。完成は1775年。1200人を収容できる広さがあり、当時ニューイングランドで最大の建築物だった。ボストン茶会事件で仕事にあぶれていた大工や造船工が建設にあたった。

旅のヒント 丘の上のブラウン大学まで行こう。キャンパスには美しい建物が多くある。
www.fbcia.org、www.pwcvb.com、www.ppsri.org（英語）

❹ バーンステーブル会衆派西教区教会（マサチューセッツ州バーンステーブル）

現在の教会堂は、1719年に建てられた。現在も使われている会衆派の教会としては世界最古だ。完成してから4年後に鐘楼が増築され、てっぺんに金めっきの風見鶏が取り付けられた。鐘楼はニューイングランド最古のものの一つ。

旅のヒント 全長13キロのサンディ・ネック・ビーチで、多様な生物を観察しよう。
www.westparish.org、www.town.barnstable.ma.us（英語）

❺ オールド・ノース教会（マサチューセッツ州ボストン）

1723年に建てられたオールド・ノース教会は、現存するボストン最古の教会だ。正式名称はクライスト・チャーチといい、米国独立戦争で非常に重要な役割を果たした。1775年4月18日、教会の寺男ロバート・ニューマンが、オールド・ノース教会の塔にランタンを2個つるしてポール・リビアに合図を送った。それを見てリビアは走り出し、英国軍の動きを仲間に伝えた。

旅のヒント 町の博物館を訪ねるか、ボストン・フリーダム・トレイルのツアーに参加すれば、独立戦争の歴史について深く学べる。
www.oldnorth.com、www.bostonhistory.org
www.thefreedomtrail.org（英語）

❻ 船乗りの礼拝堂（マサチューセッツ州ニューベッドフォード）

1832年、寄港する船乗りたちの、魂の救済の場所として建てられた船乗りの礼拝堂は、メルビルの『白鯨』に登場する捕鯨船乗組員の教会のモデルだ。メルビルは、1840年にこの教会を訪れた。彼が座った会衆席には、飾り板で印がつけられている。作品の中にある船首の形をした説教壇は、メルビルの想像の産物だが、その通りの説教壇が1961年につくられた。海で命を落とした水夫や捕鯨船員を悼む壁の慰霊碑は、特に感動的。

旅のヒント 通りを隔てた向かい側には捕鯨博物館もある。
www.whalingmuseum.org
www.rixsan.com/nbvisit（英語）

❼ ミーティング・ハウス（ニューハンプシャー州グリーンフィールド）

ニューイングランド地方の教会は、初期移民の集会所も兼ねていた。1795年の建設以来ずっと使われているこのグリーンフィールドのミーティング・ハウスは、現役の建物としては、ニューハンプシャー州最古だ。現在は同州の歴史的建造物に登録されている。

旅のヒント 冬に行けば、近くのスキー場でスキーも楽しめる。
www.greenfield-nh.gov
www.nhstateparks.com/greenfield.html（英語）

❽ ストウ・コミュニティー教会（バーモント州ストウ）

ストウは、映画「サウンド・オブ・ミュージック」で不朽の名声を得たオーストリアのトラップ一家がかつて住んでいた町だ。教会は1万2000ドルかけて1863年に完成した。1920年にストウの会衆派、メソジスト派、万人救済派、バプテスト派の各信者がここに集まり、それ以来、無宗派の教会になった。

旅のヒント 冬に訪れ、ストウ・マウンテン・リゾートでスキーを楽しもう。
www.stowechurch.org、www.gostowe.com（英語）

❾ セント・ポール聖公会教会（バーモント州ウェルズ）

1751年、ウェルズ（英国サマーセットのウェルズから命名）に最初の移民が定住した。この教会は、当時町に建てられた三つの教会の一つで、1834年、バーモント州初の司教、ジョン・ヘンリー・ホプキンスが設計をした。彼は祭壇も彫刻した。

旅のヒント ウェルズでは、8月のカーニバルなど、夏は週末にさまざまなイベントがある。www.dioceseofvermont.org（英語）

❿ 第一会衆派教会（バーモント州ウッドストック）

1806年から08年にかけて建てられたこの優美な教会は、ニューイングランドの神髄ともいえる小さな町、ウッドストックにある。その建設は、祈りの場のない町にはすめないという弁護士のチャールズ・マーシュの熱心な運動で実現した。1934年、ローランス・ロックフェラーは、メアリー・ビリングズ・フレンチとここで結婚式を挙げた。それ以来、町も教会も美しく保存され、ロックフェラーの支援を惜しみなく受けている。

旅のヒント 9月下旬の家具・木工フェスティバルに合わせて訪れたい。
www.fccw.net、www.woodstockvt.com
www.nps.gov/mabi、www.vermontwoodfestival.org（英語）

次ページ：バーモント州ウェルズのセント・ポール聖公会教会。すっきりした輪郭と2段に重なった塔が、秋色に変わった樹木の中にくっきりと映える。

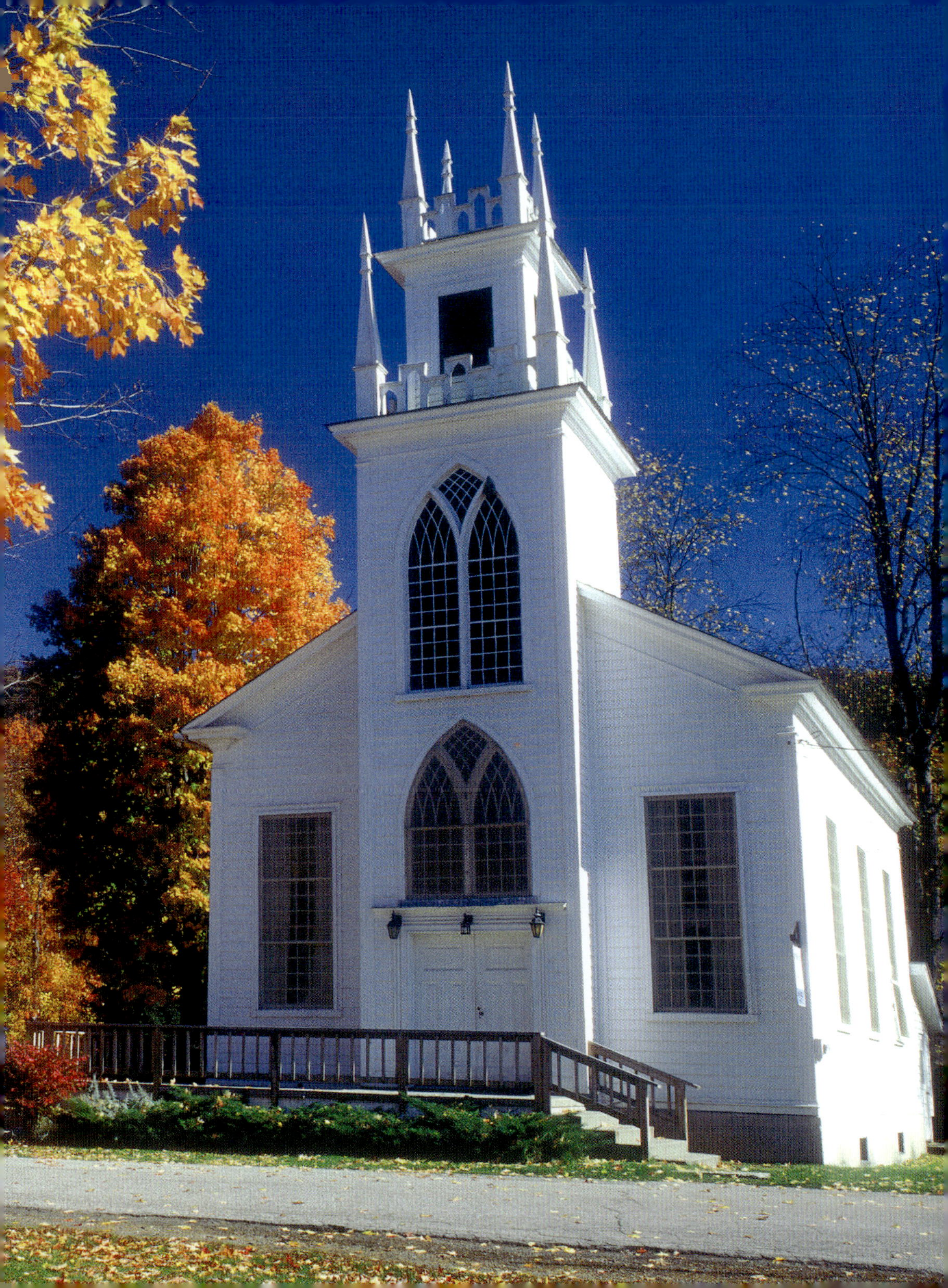

この教会の日曜礼拝は「アワー・オブ・パワー」と呼ばれ、有名人も出演する。4カ国語に同時通訳され、全世界にテレビ放映されている。

米国カリフォルニア州

クリスタル・カテドラル

超近代的なこのガラスの塔は、単に奇抜な建築物ではない。
テレビを通じて全世界へ伝道する拠点でもあるのだ。

　南カリフォルニアのガーデン・グローブ市にあるクリスタル・カテドラル。12階建てのビルほどの高さで、周りの殺風景なビル群から突き出したガラスのくさびのようだ。キリストに捧げられたこの近未来的な建物は、上空からは、間近にあるディズニーランドの「城」よりも輝いて見える。

　クリスタル・カテドラルとはいうものの、クリスタルでできているわけではない。1万枚以上の銀色のガラス板を、クモの巣状の白い鋼鉄の格子にシリコンで張り付けてあるのだ。長さ126メートル、幅63メートルあり、世界最大のガラス構造物の一つだが、カテドラルといいながら、ここに司教はいない。

　高さ27メートルの扉2枚が説教壇の後ろでスライドする様子はスペクタクル映画のようだ。1980年、建築家フィリップ・ジョンソンがこの建物を完成させ、ロバート・H・シュラーの生涯の夢を実現させた。シュラーは古いドライブイン・シアターの跡地に建てた地味な建物で説教を始めた。

　創立者の息子ロバート・A・シュラー師が司会を務める週に1度の「アワー・オブ・パワー」の礼拝は、約2000万人が視聴する。

ベストシーズン　いつ訪れても良い。クリスマスと復活祭には特別な演奏会がある。

旅のヒント　見学は1時間から1時間半で十分だろう。解説パネルを読みながらなら、2時間は必要。細部は見落としがちだ。大理石のメアリー・フード礼拝堂には必ず寄ろう。そこは24時間の祈りの場で、「わたしの家はすべての人の祈りの家と呼ばれる」と書かれている。建物の周りの石の道には、聖書から引用した言葉や名前が刻まれている。メモリアル・ガーデンでベンチに座って瞑想しよう。無料のガイド付きツアーが、月曜から土曜は9時〜15時半、日曜は礼拝後にある。団体見学も可能。

ウェブサイト　www.crystalcathedral.org（英語）

見どころと楽しみ

■ 毎年恒例の**ミュージカル**は華やかで、何千人もの人を魅了している。「クリスマスの栄光」では、天使が空を飛び、本物のラクダが登場する。「復活祭の栄光」でも、大がかりな仕掛けが見られる。

■ 1990年に完成した輝く鐘楼「**クリーン・タワー**」は、ステンレス製の角柱を束ねてできている。52個の鐘からできたカリヨンがついている。

■ 聖堂の**パイプオルガン**は、大きさでは世界5指に入る。多層構造のオルガンは、スペイン産大理石でつくられた内陣に備え付けられている。

■ 後方の会衆は、礼拝中に**巨大スクリーン**で説教者を見ることができる。

■ 敷地内には「十戒を掲げるモーセ」や「良き羊飼いキリスト」など、聖書から題材を取った**等身大の青銅の像**がある。

北米

コロンビア
地下に掘られた 塩の教会

シパキラ岩塩鉱山に建てられた壮大な地下教会では、
1万人もの人々が同時に祈りを捧げることができる。

緩やかならせん状のトンネルをたどって巨大な地下教会に下りていくと、外界の音や色彩は、消えていく。まるであの世へ行くようだ。

暗灰色の塩の壁には、イエスの受難をしのぶ「十字架の道行きの留」が14カ所彫られ、小さな礼拝所になっている。塩の教会の壮大な大広間には、身廊、説教壇、祭壇があり、岩塩の壁をくり抜いた巨大な十字架が全体を見下ろす。

ボゴタの北西50キロにあるこの岩塩鉱山は、2000年の歴史があり、現在も採掘が続いている。この塩の教会の建設は、1991年に始まった。現地の鉱夫や彫刻家たちが携わり、完成までにほぼ5年かかった。毎週日曜日には、3000人以上の信者がここに集まってきて礼拝をしている。

ベストシーズン 一年中開放されている。気候は温暖で快適で、安定している。12月から2月が最も乾燥している。4月と5月、10月と11月は雨が多い。

旅のヒント 外で待たされることがある。屋根がないので傘を持って行こう。週末は地元の観光客で非常に混雑する。静かでゆっくりできる平日に行こう。雰囲気と光の効果を味わうために、内部で懐中電灯をつけるのはやめた方がいい。三脚の使用は禁止。シパキラにも宿泊施設はあるが、ほとんどの人がボゴタに滞在し、日帰りでシパキラを訪れている。ボゴタからシパキラへは、バスが多く出ている。シパキラの町から塩の教会まではバスがある。週末や祝日には移動楽団を乗せた蒸気機関車がシパキラまで走る。ボゴタのサバナ駅であらかじめ切符を買っておこう。

ウェブサイト www.colombiaembassy.org/ja/（在日コロンビア大使館）

南米

見どころと楽しみ

■ 教会の大広間へ行く前に、途中の小さな空間にも目を配ろう。岩塩の壁にすばらしい彫刻が彫られている。

■ その昔、製塩が行われていた部屋がそのまま、岩塩鉱山の歴史を伝える**博物館**になっている。

■ **礼拝中**に訪れてみよう。信徒でいっぱいになった教会最大の大広間は、やわらかなろうそくの明かりに照らされ、祈りの声に満ちているはずだ。

「十字架の道行きの留」を表す14の小さな礼拝所の一つで、鉱夫が祈祷台にひざまずいて祈っている。

クスコの中心部には、大聖堂をはじめ、スペイン植民地時代のすばらしい建築が並んでいる。

ペルー
クスコ大聖堂

この大聖堂は、その芸術性においても伝説においても、
元宗主国スペインとインカそれぞれの伝統が融合したものだ。

　クスコの大聖堂は、南北米大陸に建てられたスペイン風コロニアル建築の傑作だ。この建物の真の美しさは、その細部のすばらしさにある。そこには、スペインとインカの文化が驚くほど見事に融合している。

　大扉には精霊信仰のピューマの頭部の彫刻が施されているし、身廊の上に掲げられているマルコス・サパタ作の「最後の晩餐」の料理には、地元の食材であるクイ（テンジクネズミ）も含まれている。インカの要素が取り入れられた例といえる。

　大聖堂は1560年に建設が始まり、完成には100年以上かかった。大聖堂は、インカ皇帝ビラコチャの宮殿跡に建ち、石材のほとんどはインカ時代の建物から調達したため、次のような伝説が生まれた。インカの王子が巨大な鐘楼の一つに閉じ込められており、いずれ鐘楼が壊れ、インカの人々を率いて栄光を取り戻すと。

ベストシーズン　アンデス山脈にあるクスコは典型的な高山気候で、乾燥している。晴れた日が多く、夜は驚くほど冷える。気温は−7〜21℃だ。

旅のヒント　大聖堂をざっと見るだけでも、最低1時間。身廊、礼拝堂、境内をじっくり見るなら半日は必要。礼拝堂では、毎日ミサが行われている。クリスマスや聖週間も良いが、最大のイベントは、復活祭の日曜日から60日目のキリスト聖体祭だ。クスコ中の教区教会から担ぎ出された聖人と聖女の像15体が聖なるパレードを行う。パレードは、広場を回り、大聖堂に入り、夜通し祈りが捧げられる。

ウェブサイト　www.peru-japan.org（ペルー観光情報サイト）

見どころと楽しみ

■ 14本の大きな柱で支えられた身廊には、きらびやかな**純銀の祭壇**と10の**付属礼拝堂**がある。礼拝堂では今もミサが執り行われている。

■ **トリウンフォ礼拝堂**の絵には、クスコに壊滅的被害をもたらした1650年の地震の様子が描かれている。「**地震の神**」の**礼拝堂**にある、黄金と宝石に覆われた十字架像は、カテドラルを奇跡的に救ったといわれている。

■ 大聖堂の向かいにある、イエズス会が建てた**ラ・コンパーニャ・デ・ヘスス教会**は、スペイン・バロック建築の傑作だ。

■ 近くにある**サンタ・カタリナ修道院**は、インカの太陽の乙女の神殿跡に建てられている。インカ文明と植民地文化が融合した好例といえる。

■ 旧司教館だった**宗教芸術博物館**は、大聖堂の広場から1ブロック東にある。ここには、植民地時代のカトリックの芸術品が展示されている。

■ クスコはペルーの主な観光地への出発地だ。インカ都市**マチュ・ピチュ**は、70キロほど北西にある。クスコから列車で行くと、車窓の風景がすばらしい。

南米

日本 京都府

鹿苑寺金閣

静寂さを絵に描いたような金閣は、
日本人が思い描く極楽浄土をこの世に表現したものだ。

優美な曲線を描く屋根を頂く3層の楼閣は、2層と3層の壁や軒のすべてに金箔が張られている。そのために、金閣寺という名で親しまれているが、正式名称は鹿苑寺金閣という。

光り輝くこの寺院は、京都北部、鏡湖池のほとりにあり、美しい庭園に囲まれ、極楽浄土を地上に表したものといわれる。室町建築を代表する金閣の1階と2階には、仏像や仏画が納められ、3階は唐風の禅宗仏殿づくりの仏間になっている。

金閣は、1950年に若い僧の放火で創建以来の建物は焼失したが、1955年に再建された。現在の建物は、室町幕府第三代将軍足利義満が、1397年に隠居用の邸宅として建てたものを復元した。義満は、民衆が飢饉や地震や疫病などで苦しんでいた際にも、ここで贅沢な暮らしをしていたという。

1408年に義満が死ぬと、嫡男の四代将軍義持は、金閣を臨済宗の禅寺につくり替えた。金閣は今日、ブッダの遺物を安置する舎利殿として、多くの人を魅了している。

ベストシーズン 通年で公開されているが、季節ごとに違った風情がある。春の晴れた日や夏は、金閣は青空に輝き、池の水面にその姿を映す。秋は庭が紅葉で燃えるようだ。冬の金閣は、雪をかぶって静かにたたずんでいる。開館は毎日9時～17時。人込みを避けるために、朝早く訪れたい。

旅のヒント 金閣と庭園を見るのに2時間かかる。茶所に寄って、一服する時間も考えておこう。京都駅からバスが出ている。地下鉄だと烏丸線に乗り、北大路駅で降りる。そこからはバスですぐだ。タクシーを利用しても良いだろう。

ウェブサイト www.shokoku-ji.or.jp/kinkakuji（北山鹿苑寺金閣寺）

見どころと楽しみ

■ 金閣の屋根の頂には、吉祥の象徴である伝説上の鳥、**鳳凰**が飾られている。

■ 庭には高さ2.3メートルの**竜門滝**があり、滝つぼには鯉の形をした岩がある。鯉は滝を登ると竜になるといわれ、ここでは斜めに立つ岩が竜を表している。

■ 安民沢を過ぎて、くねった急な坂を上ると、3畳の**茶室、夕佳亭**だ。そこから夕暮れの景色を楽しもう。床の間の南天床柱は有名だ。南天の木は成長がとても遅いので、このくらいの太さになるには、長い年月がかかる。

晴れた日、鏡湖池には庭園を背にした金閣が映り、金色に輝く。

中国 北京

皇帝が祈りを捧げた 天壇

天壇は、明代建築の最高傑作といわれている。
瑠璃瓦（るりがわら）の屋根を頂く円形の建物は、天と地を結んでいるかのようだ。

　中国では円形は天を表し、方形は地を表す。そのため、天を祭る場所である天壇を囲む広大な外壁は、天と地を結ぶという、天壇の役割を象徴しているかのように、北側が半円形で、南側が方形になっている。

　天壇は、石板を敷いた中軸線に、円形や方形の豪華な建物や祭壇が並んでいる。完成したのは、皇帝のすまいである紫禁城と同じく、1420年のことだ。

　完璧な円形をしている祈年殿（きねんでん）は、北京の歴史建造物の中で、最も美しいものだろう。建物は、青、緑、黄色に塗られている。円形の赤い格子戸があり、3層の屋根は天の中心を表す紺色の瑠璃瓦でふかれ、頂には宝頂（ほうちょう）が載っている。

　その南側にある3層の円形の祭壇、圜丘壇（かんきゅうだん）こそが天壇の最も重要な場所だ。天壇では1912年まで、歴代皇帝が五穀豊穣を祈る大がかりな祭礼を行っていた。

　潔斎（けっさい）、祈願、生けにえという三つの祭祀の最後には、子ウシを焼いた。中国の皇帝は天子と考えられており、権力の源である天を崇めることは重要であった。

ベストシーズン　北京では集合住宅のほとんどが石炭を燃やすボイラーで暖房しているので、冬は大気汚染がひどい。9月下旬か10月上旬は、風が煤煙を吹き飛ばしてくれる。4月もいいが、黄砂が舞うこともある。

旅のヒント　地下鉄5号線で天壇東門へ。そこから入ると、反対側の西門から出ることになる。そこからさらに10分西に歩くと、あまり人が行かない先農壇がある。午前6時には、すでに住民が太極拳、凧あげ、京劇などをしているのを見かける。その時間なら天壇公園が開いてすぐに入場でき、団体客が来る前なので、皇穹宇で回音を試すこともできるし、圜丘壇の荘厳な雰囲気を味わうこともできる。建物の中には展示物もある。皇帝が祭祀の前に潔斎をした斎宮を含め、天壇公園の見学には2〜3時間はかかる。

ウェブサイト　www.cnta.jp（中国国家観光局）、ja.tiantanpark.com（天壇公園）

アジア

見どころと楽しみ

■ 圜丘壇の真ん中に立って、皇帝がしたように、天壇全体と北京の街並みを眺めてみよう。

■ 祈年殿は、28本の巨大な柱で支えられている。柱はそれぞれ1本の木の幹からつくられている。

■ 皇穹宇（こうきゅうう）の回音壁（かいおんへい）を試してみよう。手をたたいたり、ささやいたりすると、その音が円形の壁の反響で増幅される。

■ さまざまな建物のある天壇では、大勢の地元住民が、京劇、二胡、凧あげなど、**伝統芸能**を楽しんでいる。武道や雑伎の練習をしている人もいる。

木造の祈年殿には、1本の釘も使われていない。

148 | 世界の聖地

絶壁に張りついているかのような懸空寺。数多くの支柱は構造上はあまり重要ではない。

中国 山西省
崖に張りつく 懸空寺

絶壁から突き出し、宙に浮いたような寺院が並ぶ光景は、
重力に抵抗しているかのようで、訪れる人を驚かせてきた。

規模は小さいが1500年の歴史を誇るこの寺院は、中国でもとりわけ霊的で風光明媚な場所に建つ天空の城といえる。その名も懸空寺だ。

崖には壊れそうな建物が並び、各楼閣の間を絶壁に張りついた階段や通路が結ぶ。細い柱が建物を支えているように見えるが、これらは飾りで、構造的にはほぼ必要ない。楼閣は、崖に深く差し込まれた片持ちばりの上に載っている。

ここは道教、仏教、儒教が同居している。線香の煙が漂う40の祠堂には、三つの宗教が祭られている。複数の宗教が一つの寺院を共有しているのは珍しい。

祠堂に祭られている仏像の中には、顔をなでると幸福になるといわれるものがある。多くの人々がなでるので、顔は摩耗している。仏教を祭った別の祠堂には、土と木でつくられた狭間飾りがあり、宙を飛ぶ像が彫られている。宙に浮く懸空寺の外観にぴったりだ。道教の祠堂の一つには、見事な竜の浮き彫りがある。

この寺院は、眼下の川の氾濫の被害を避けるために崖の中腹につくられた。現在、川にダムができ、寺院からの眺めは以前ほど絶景ではない。だが、絶壁にへばりつく懸空寺の光景を眺めるだけでも、訪れる価値はある。

ベストシーズン 年中可。だが、冬(11月~3月)は非常に寒い。

旅のヒント 北京から西の大同まで、往復夜行列車を使えば日帰り可能だ。が、3日は滞在して、近くの観光地も見学することをおすすめる。大同には歴史的に古い寺院がいくつかある。近くの雲崗には中国屈指の石窟寺院がある。また、さほど遠くない場所に、中国最古の木造仏塔(応県木塔)がある。懸空寺は大同の南東65キロにあり、公共交通機関を利用できるが、バスを乗り継ぐ必要があり、どちらも値段交渉をしなければならない。中国国際旅行社(CITS)が、便利な懸空寺の日帰りツアーを主催している。このツアーには雲崗も含まれている。チケットは鉄道駅にあるオフィスで購入できる。

ウェブサイト www.cnta.jp (中国国家観光局)

見どころと楽しみ

■ 崖から張り出した所はぎしぎしときしみ、板のすき間からは真下が見え、目がくらむだろう。宗教施設にはちがいないが、**サーカスの綱渡り**のような場所でもある。

■ ほかに中国のどこを訪れたとしても、この驚異的な崖の風景こそ、最も**インパクトの強い写真**になるのは間違いない。ここの写真は、家族や友人を驚かせるだろう。

■ 老子、孔子、ブッダが並んで立つ珍しい像をはじめ、40の小さな楼閣と壁のくぼみには、**色彩豊かな像が安置されている**。

アジア

水永

文武廟

台湾

孔子と2人の武人を祭る 文武廟(ぶんぶびょう)

道教や儒教の信者が、竜や鳳凰、神像に見守られながら、祈りを捧げる。
そして線香に火をつけ、願いを清めて天に届ける。

幸 運が訪れることを祈ってつるされた無数の風鈴の音が、蒸し暑い午後の風に乗って、日月潭(にちげったん)の穏やかな青色の湖面を渡り、周囲の山々の霞の中へ消えていく。

文武廟は、木々がうっそうと茂る山の中腹に建っている。黄色の瓦屋根が層をなして連なり、廟の屋根の上には魔よけの竜が飾られている。

道教と儒教の聖地である文武廟は、儒教の祖である孔子とともに、関羽(かんう)(160年頃〜219年)と岳飛(がくひ)(1103〜1142年)も祭る。関羽は『三国志』に登場する英雄であり、蜀(しょく)の劉備(りゅうび)を支えた。また、岳飛は南宋の武将で、北から攻め込む金を何度も退けた。中国の武人で神と崇められるのは、この2人だけだ。

文武廟の天井は、金箔を張った小さな神像で覆われている。廟内では、占いに使う小さな木片が床に落ちる音が響き、その後すぐ、自分の運勢を確かめようと急ぐ足音が聞こえる。一方、大成殿(たいせいでん)には学生たちが群がり、孔子像の前で学問の成就を願う。入り口を守る一対の鳳凰の真剣なまなざしに見つめられながら、人々は線香を捧げ、紙幣に見立てた紙片を燃やす。

文武廟は、1938年に中国宮殿様式で建てられた。ダム建設で湖の水位が上がり、もともとあった二つの廟が水没する危機に陥ったためだ。そこで、これらを一つに合わせて、現在の文武廟が建てられることになった。

ベストシーズン 気候が最も快適なのは、10月から1月。台風シーズンは、6月から9月だ。平日は比較的混まない。24時間開放されているが、20時を過ぎると脇の入り口以外は閉鎖される。9月には道教の収穫祭(新年)、湖での花火大会のほか、朝霧埠頭から湖を泳いで渡る遠泳大会があり、誰でも参加できる。

旅のヒント 文武廟の見学は1時間か2時間で足りるが、日月潭でボートに乗る時間を取っておこう。湖には埠頭が4カ所ある。レンタサイクルで湖岸を探索するのもおすすめ。

ウェブサイト www.go-taiwan.net(台湾観光協会)
www.sunmoonlake.gov.tw(台湾交通部観光局日月潭国家風景区管理所)

アジア

見どころと楽しみ

■ **青竜偃月刀(せきりゅうえんげつとう)** を見よう。この刀は、竜の血が固まってできた関羽の武器だといわれている。

■ **大成殿** へ上がる手前に、水と戯れる色鮮やかな九頭の竜の彫刻がある。竜は**金色の知恵の玉**を囲んでいる。道教では、竜は力、知恵、幸運の象徴だ。竜は一般的に知恵の泉を表す竜玉と戯れる姿で描かれている。

■ **武聖殿(ぶせいでん)** には**おみくじの自動販売機**がある。ミニチュアの寺院の扉から機械仕掛けのみこが、運勢の書かれた小さな巻き物を持って出てくる。

■ ボートで文武廟に行くなら、桟橋から文武廟までは**年梯(ねんてい)歩道**と呼ばれる、1年の日数にあたる366段(閏年)の階段を上る。毎月1日の段は踊り場になっており、いすが置いてあるので休憩できる。階段の両側には金属の手すりがあり、参拝者が願いを込めて自分の誕生日の段にかけた**祈福風鈴**が並んでいる。階段には二十四節気も記されている。

前ページ:文武廟の前殿(文廟)。上左:展望台からは文武廟の黄色の瓦屋根と青い日月潭が見える。上右:孔子を祭った大成殿入り口では、色鮮やかな九頭の竜が金色の知恵の玉を守っている。

伝説の風景 謎の巨大遺構 信仰の発祥地 永遠の史跡 **日々の祈り** 神が宿る場所 巡礼の道 儀式と祝祭 忘れえぬ人々 心を見つめて

日々の祈り | 151

中国　香港

萬佛寺
まんぶつじ

非常に風変わりなこの寺院には、さまざまな仏像が安置されているが、
その大きさや容姿、ポーズは尋常ではない。

アジア

新界の沙田は、高層マンションがぎっしりと並ぶベッドタウンだ。その山の上に、香港で最も有名な寺院がある。そこへ行くには、麓から431段の階段を上らなければならない。だが、その苦労は報われる。

　まず、階段の両側に並ぶ奇妙な仏像に度肝を抜かれるだろう。その多くは、底抜けに明るく、笑いを誘う。境内には、全部で1万3000体の仏像がある。大きい仏像もあれば小さい仏像もあり、二つとして同じものはない。建物は新しく、1949年に月溪法師（げっけい）が着工し、1957年に完成した。

　月溪法師は、北京で哲学を教えていたが、すべてを捨てて俗世と縁を絶った。中国各地を歩き回った末、香港西部にある沙田の緑茂る山の上に落ち着いた。

　萬佛寺で最も高くそびえているのが、朱色に黄色の縁取りがある六角九重の仏塔だ。塔の中にはらせん階段があり、最上階からは、周囲の渓谷が一望できる。

　塔のそばには、数ある奇妙な仏像群の中でも突出して異様な像がある。アンバランスなほど大きな青色の獅子に乗った金色の文殊菩薩像だ（もんじゅぼさつ）。本殿の四面の壁には小さい仏像がぎっしりと並ぶ。各仏像は、悟りの境地に達した覚者を表している。

ベストシーズン　香港には四季がある。夏は蒸し暑く、冬は意外と寒いし、しばしば強い風が吹く。春と秋は晴れて暖かく、歩くには絶好の季節だ。4月の清明節、旧暦正月15日の元宵節に訪れるのも良い。

旅のヒント　香港の中心からスタートして、沙田とその周辺を見て回るには半日必要だ。萬佛寺へは九龍駅から列車で沙田駅まで行き、そこから歩く。タクシーやバスを利用してもいい。タクシーで行く場合、グランド・セントラル・プラザのショッピングモールで降ろしてもらう。通りを渡ると、萬佛寺への最初の案内板がある。

ウェブサイト　www.discoverhongkong.com（香港政府観光局）、www.10kbuddhas.org（中国語）

見どころと楽しみ

■ 多くの仏像とともに、本殿には**月溪法師のミイラ**が安置されている。1965年に法師が死んでから、信者は法師の全身に金箔を張った。赤色の絹の法衣を身にまとい、座禅を組んだ法師は、ガラスの中に安置されている。

■ 中央広場を囲むように、悟りを開いたブッダの弟子を表す18体の等身大の**阿羅漢（あらかん）像**がある。阿羅漢は、悟った後も涅槃に入らずに衆生済度に尽くした。中国南部では、阿羅漢は非常に人気がある。

■ ブッダの生誕を祝う**潅仏（かんぶつ）祭**では、僧侶が仏像を洗う儀式を行う。僧侶は麺もふるまう。この祭りは、旧暦4月8日（通常5月になる）に行われる。

香港で最も有名で風変わりな寺院へ続く431段の階段には、金色に塗られた等身大の仏像が両側に並ぶ。

ワット・プラ・ケオ寺院の黄金色の塔が、バンコクの空にそびえている。

タイ
ワット・プラ・ケオ

小さな仏像を安置するため、バンコクに建てられた寺院は、
鮮やかな色彩と光であふれ、まばゆく輝いている。

エメラルド仏として知られるヒスイ製の仏像は、わずか76センチと小さい。この仏像は、9層の黄金の天蓋に守られて、ワット・プラ・ケオ（エメラルド寺院）の壮麗な本堂を見下ろしている。その足元で拝む人の群れに加わると、この仏像がタイの魂なのだと実感できる。年3回、国王がここを訪れ、仏像の黄金の法衣を季節に合わせて替える。この寺院の境内に足を踏み入れただけで、幻想的な色彩と光の洪水に圧倒され、立ちすくむだろう。

仏塔、堂、鐘楼、何重にも折り重なり縁が反り返った屋根。顔が青色の魔よけのヤック、半人半鳥の聖鳥キンナラが、訪問者をじっと見つめている。辺りには、供え物の花や線香の芳香が満ちている。

寺院は王宮の敷地内にあり、タイで最も神聖な場所だ。1400年代に発見された小さなエメラルド仏は、戦争のたびに最大の戦利品として幾度も国境を越え、18世紀に再びタイの地に戻った。チャクリ王（ラーマ1世）は、仏像のために寺院を建て、これがこの新しい王都の最大で最古の寺院となった。

ベストシーズン 気候が最も快適なのは冬だ。寺院は特別行事を除いて、毎日8時〜16時に開いている。4月6日のチャクリ王朝記念日に行くと、歴代国王の等身大の像を安置しているプラサート・プラ・テッピドンが公開される。

旅のヒント ワット・プラ・ケオをはじめとする主な観光地は、川の近くにある。川の近くのホテルに泊まると移動に便利だ。ワット・プラ・ケオへはボートに乗り、ターチャンの桟橋で降りる。桟橋から寺院までは歩いてすぐだ。王宮や寺院を訪ねる時は節度ある服装を心がけよう。本堂では仏像から少し離れた所で、床に静かに座ろう。堂内は写真撮影禁止で、この決まりは厳格に守られている。人込みを避けるために、朝早く出かけよう。

ウェブサイト www.thailandtravel.or.jp（タイ国政府観光庁）
www.bangkoktourist.com（タイ語、英語ほか）

見どころと楽しみ

■ 本堂に入ったら、まず、絶えず聞こえる静かな**祈りの声**に耳を澄まそう。それから上の段に上って、敷地内を見渡そう。本堂の壁にはブッダの生涯が描かれている。回廊を飾る壁画にも、ヒンドゥーの叙事詩『ラーマーヤナ』を脚色したタイ版**『ラーマキエン』**の場面が描かれている。

■ 入り口の近くに**行者の像**がある。ヨガを始めたといわれている、ヒンドゥー教の無名の行者をかたどったものだ。

■ **聖なる白象の彫像やアンコール・ワットの模型**を探そう。アンコール・ワットの模型は、1851年から1868年までタイを治めたモンクット王（ラーマ4世）がつくらせたものだ。カンボジアは長くタイの属国だった。国民に過去の栄光を思い出させようとしたのだ。

アジア

インド
マハーバリプラムの海岸寺院

長い歳月にわたって堆積したシルトの下から、最近になってドラビダ建築の傑作が姿を現した。

ベンガル湾を望む、タミル・ナードゥ州のマハーバリプラムで、2004年12月、奇跡ともいえる出来事が起きた。津波が海岸に押し寄せて砂をえぐり、その下から何世紀も前の彫像が出てきたのだ。

ゾウの頭、空駆けるウマ、飛びかかるライオンなど、高さ1.8メートルものこうした像は、精巧に彫られていた。地元の漁師によると、潮が引いた時、失われた町の廃墟と七つのパゴダが現れたという。伝説に残るパゴダだ。

マハーバリプラムは、まさに伝説の町だ。7世紀、パッラバ朝により築かれ、王たちはドラビダ様式の建築技術を編み出した。だが、精巧なつくりのヒンドゥー教寺院や彫り込まれた石のピラミッドなど、その町はあまりにも壮大だったので、神が嫉妬し洪水を起こし、町のほとんどが洪水にのみ込まれたという。

マハーバリプラムには遺跡が約40ある。「クリシュナのバターボール」と呼ばれる巨大な丸石や、ヒンドゥーの叙事詩『マハーバーラタ』の英雄から名を取った「アルジュナの苦行」などだ。これは、野外にある世界最大の浅浮き彫りの一つだ。

ベストシーズン 最適なのは、冬(11月〜3月)だ。主な遺跡を見学するには半日かかる。12月から2月に、「アルジュナの苦行」をバックに行われる有名なダンスフェスティバルがある。

旅のヒント ポンディシェリ、カーンチプラム、チェンガルパットゥ、チェンナイから毎日バスが出ている。チェンナイからタクシーで行くと約90分だ。水着を持っていって海水浴を楽しもう。地元の職人が教える石造彫刻の体験教室もある。

ウェブサイト www.embassyofindiajapan.org(在日インド大使館)
www.mahabalipuram.co.in、asi.nic.in/asi_monu_whs_mahabalipuram.asp(英語)

見どころと楽しみ

■ 伝説の七つのパゴダが実在したことを示す決定的証拠はまだ発見されていない。もしそれらが史実であるなら、**海岸寺院**は伝えられているような神の怒りを生き延びたといえる。南インドで最も古い石造寺院だといわれている。

■ 7世紀中頃の**パンチャ・ラタ**(五つの山車)は、5台の馬車の形をした寺院だ。それぞれ1個のピンク色の花崗岩を彫ってつくられている。

■ 長さ29メートル、高さ13メートルの一枚岩に150もの像が彫られた「**アルジュナの苦行**」は、「ガンガーの降下」とも呼ばれている。天女、ゾウ、サル、そのほかの動物が、ヨガの苦行をする叙事詩『マハーバーラタ』の英雄アルジュナを見守っている。

天女たちが、実物大の象の上を舞っている。ヒンドゥー教のドラビダ建築には、仏教の影響が見られ、精巧な石の彫刻がふんだんに使われている。

ミーナークシ寺院には、花崗岩の塔門が12もある。極彩色の神々や架空の動物の像で飾られている。

インド
ミーナークシ寺院

混沌としているが楽しげにも見えるヒンドゥー教のこの寺院は、
祈りを捧げる聖なる場所であり、商売が盛んな場所でもある。

マドゥライは、遅くとも550年頃から栄える寺院の町だ。この町では、神話、歴史、商業がうまく融合している。

ギリシャ、ローマ、イスラム、英国の文化の影響を受けてはいるが、ヒンドゥー文化とタミル文化が濃厚に保たれ、ミーナークシ（シバ神の妻パールバティ女神）寺院は、マドゥライの人々の心のよりどころとなっている。寺院の敷地（6ヘクタール）内には城壁のような壁や、装飾された高い塔がある。入り口近くにつくられた清めの池の回廊には、タミルの伝説を題材にした興味深い壁画がある。伝説では、遠い昔、タミルのサンガム（古典文学）の定期的な集まりで、詩人たちは詩の評価を受けるため、自分の作品を池に投げ入れた。すると、良い作品だけが浮き、つまらない作品は底に沈んだという。

寺院の周りには、小さな寺院や祠堂が並んでいる。境内は、結婚式から物品販売、手相占いまで、俗世のさまざまな営みが見られ、実ににぎやかな雰囲気だ。

ベストシーズン　12月から2月の冬が最も快適。

旅のヒント　ミーナークシ寺院を歩くだけで3時間、マドゥライ全体を観光するなら1〜2日が必要。マドゥライは飛行機、鉄道、道路などの便がいい。国内4大主要都市を結ぶ鉄道と4車線の高速道路でチェンナイ（旧マドラス）と結ばれている。バンガロール、チェンナイ、ムンバイからは航空便もある。腕や足の露出は避けよう。混雑を避けるため、早朝か夕方遅くに行こう。ヒンドゥー教徒でなければ入れない場所もある。

ウェブサイト　www.embassyofindiajapan.org（在日インド大使館）
www.maduraimeenakshi.org（英語）

見どころと楽しみ

■ 化粧しっくいで仕上げた見事な彫刻のうち、広い**千柱堂**にあるものは特に見逃せない。そこを歩くと、一つひとつの柱が精巧に彫刻され、同じものがないことに気づくだろう。柱をそっとたたいてみよう。さまざまな音がする。

■ ミーナークシ寺院から1キロも行かない場所に、**カジマール・ペリヤ・パーリバーサル（大モスク）**というマドゥライ唯一の歴史あるモスクがある。12世紀後半、パーンディヤ王朝時代に建てられた。

■ マドゥライは、ジャスミン貿易でも有名だ。町の近くにあるコダイカナルの丘陵地にある**ジャスミン農園**を訪れてみよう。収穫間近の白い花のつぼみがほのかな香りを漂わせている。ジャスミンの花は、つぼみが開く直前に摘まなければならない。収穫はだいたい早朝に行われる。

■ マドゥライの**花の朝市**の狭い通路では、2000人以上の農夫が色とりどりの花や香草を売っている。

■ マドゥライから8キロの所にある、**ティルパランクンドラム寺院**は、丘の中腹にあり、岩を削ってつくられている。

アジア

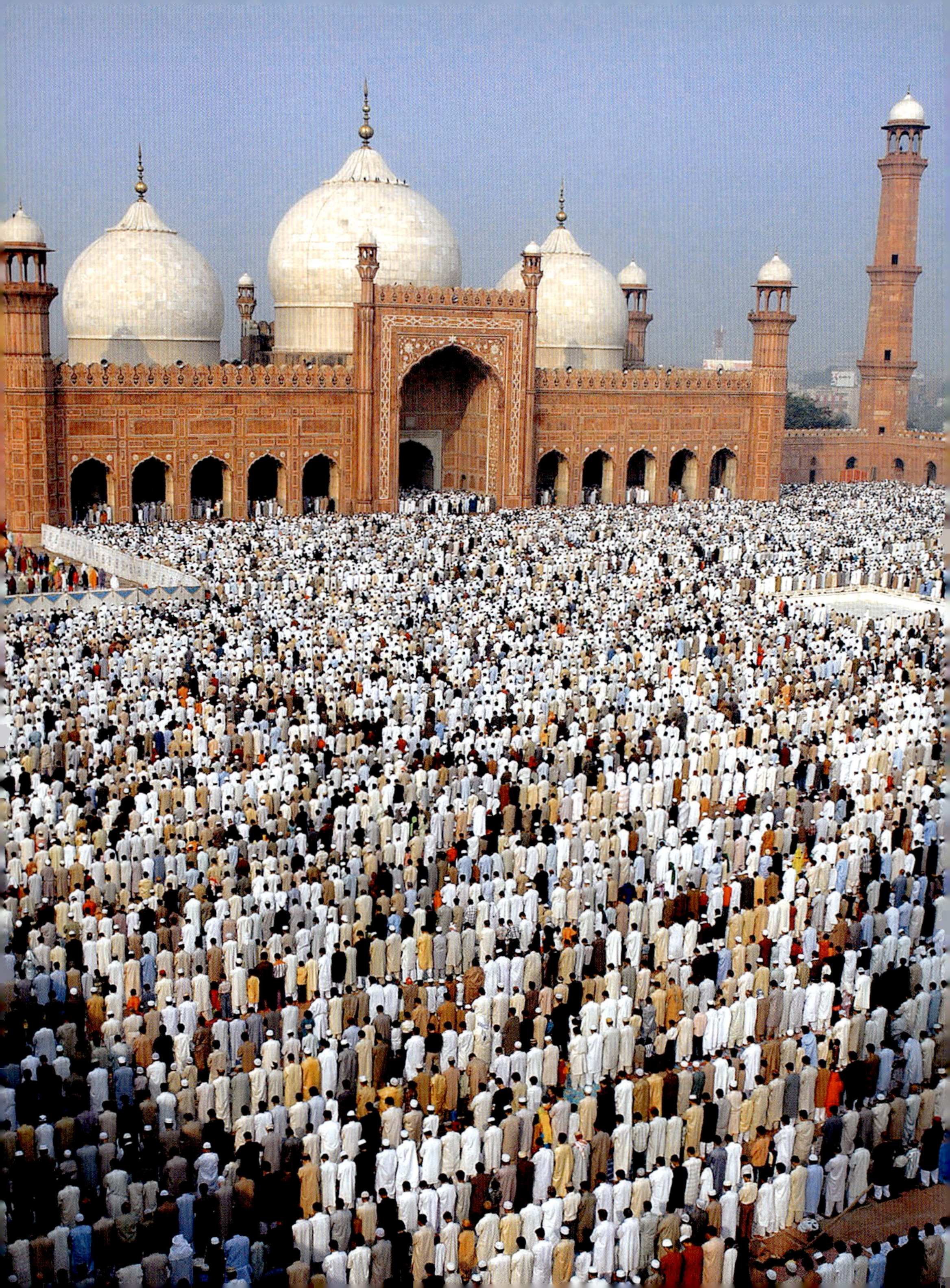

パキスタン

バードシャーヒー・モスク

パキスタン第二の都市ラホールで、静かで広大な場所といえばここだろう。
ムガール建築とイスラム教を広く伝える重要な役割を果たしている。

ラホールは人口が過密で、手入れすべき場所が多い。だがその中心には、心を込めて手入れされ、静寂と安らぎに満ちた場所があり、イスラム教の最もすばらしい光景に出会える。

旧市街に堂々とそびえる、赤砂岩のバードシャーヒー・モスク（皇帝のモスク）は、1671年、ムガール帝国最後の皇帝アウラングゼーブによって建てられた。モスクとしては世界最大級の建造物であり、皇帝の偉業の成果でもある。

花模様のフレスコ画で飾られた大きな門をくぐり、中に入る。ほぼ正方形の中庭の第一印象は、何よりも広さだ。縦162メートル、横161メートルのモスクは6万人を収容でき、野外で礼拝するモスクとしては世界最大だ。

中庭の四隅には高さ54メートルの八角形のミナレット（尖塔）がそびえ、中央には、大理石でつくられた四角形の泉がある。西の端の、大理石ドームを三つ載せた門を抜けると、七つの礼拝所がある。多くのイスラム建築と同じように、このモスクも、真昼の厳しい日差しを少しでも和らげるように、表面の色彩はよく考えられている。花模様のデザインには多彩な色が使われているが、全体的には、赤砂岩の暖色に代表されるように、繊細で調和がとれた印象である。

だが、バードシャーヒー・モスク最大の驚きは、この建物がたった2年と半年で完成したということだろう。

ベストシーズン 10月から3月の冬が最適。夏（5月～7月）は非常に暑い。7月から9月はモンスーンの雨が暑さを多少和らげる。できれば涼しい午前中に訪れたい。再び夕方に訪れ、ライトアップされてピンク色に輝くドームを見よう。

旅のヒント モスクを見るのに1～2時間、ラホールの町の観光には、2日はかかる。ラホールは見どころが多く、パキスタンの大都市の中では最も魅力的だ。ほかの都市とも飛行機や鉄道の便がいい。夏は、モスクの床が焼きつくように熱いので、靴下を履こう。モスクに入る際は靴を脱ぐ。ポーターに頼み、靴の番をさせる。控え目な服装で行くこと。ラホールは比較的のんびりしていて人々は親切だ。安全だが、行く前に渡航情報をチェックしよう。

ウェブサイト www.tdcp.gop.pk、www.tourism.gov.pk（英語）

見どころと楽しみ

■ 一般公開されていないが、正門の上の部屋には、預言者ムハンマド、彼の娘のファーティマ、その夫のアリの**遺物**が安置されている。

■ ミナレットに上って、バードシャーヒー・モスクの**壮大な眺め**を楽しもう。モスクの向かいにあるイクバル公園の高さ60メートルの**ミナーレ・パキスタン**もおすすめ。パキスタン国家の独立の礎となった1940年の「ラホール決議」を記念し、1960年から68年に建設されたもの。

■ バードシャーヒー・モスクの反対側にあり、同じ時期に建てられた**ラホール城塞**は、ムガール帝国が残した重要な歴史的建造物だ。

■ ラホール城塞の北西の角にある**シシュ・マハル（鏡の間）**には、象眼細工が残っている。**ナウ・ラカ**は、1631年にシャー・ジャハーンが宮廷の女たちのために建てたもので、城塞の中で最も保存状態が良い。ナウ・ラカの名前の由来は、ナウ（9）ラカ（10万）という数字。建設費用が当時90万ルピー（現在の100億円相当）だったためだ。

■ ラホールの北東5キロには、散歩をしたり、ピクニックをしたり、ただのんびりしたりできる**シャルマール庭園**がある。この庭園は、シャー・ジャハーンが家族のためにつくったものだ。ほかには、バードシャーヒー・モスクとラホール城塞の間に、**ハズリ・バーグ**というすばらしい庭園がある。かつてはここにムガール帝国の閲兵場と、モスクを訪れる人の宿（キャラバンサライ）があった。

前ページ：断食月の終わりを祝う伝統的なイードの祈りをするイスラム教徒。多くの人を収容できるバードシャーヒー・モスクは、絶好の場所だ。上左：バードシャーヒー・モスクの回廊は、ラホールの強烈な夏の暑さを和らげてくれる。上右：夜、ライトアップされたモスクは、ラホール旧市街の空に堂々たる威容を現す。

日の出を迎え、シュエダゴン・パゴダは、まばゆい黄金色に輝く。

見どころと楽しみ

■イングランド銀行の金保有量よりも多くの**純金**が、高さ110メートルのパゴダを覆っているといわれている。塔の頂には、5000個を超える**ダイヤモンド**や、2000個を超る**ルビー**や**サファイヤ**などの宝石が使われている。

■3月の満月の日に行われる**タバウン祭**は、訪れるのに絶好の時期だ。僧侶へのお布施の儀式があり、信者は寺院の維持と発展を願って供え物をする。僧侶はこの祭りのために、寺院を飾る。夜、ろうそくの明かりに照らされた寺院は特に華麗だ。

■シュエダゴン・パゴダの八角形の広い基礎部分は、大理石でできている。4カ所ある入り口付近の**大理石**は、参拝者に踏まれてすり減り、へこんでいる。

■涼しい早朝にパゴダを訪れよう。神秘的な雰囲気が味わえる。

ミャンマー
黄金のシュエダゴン・パゴダ

金で覆われ、頂に宝石をちりばめた黄金ドームが、
ヤンゴンの町にそびえている。

　巨大な黄金のシュエダゴン・パゴダは、アジアで最も壮観な仏教寺院の一つであり、最も目を見張る名所の一つでもある。その美しさ、大きさ、形状とも圧倒的である。

　成立年代は確定されていないものの、伝説によると、このパゴダの歴史は、ブッダが生きていた約2500年前に始まる。考古学者は、せいぜい1000年前に創建されたとみているが、いずれにせよ長い歴史に彩られていることに変わりない。

　シュエダゴン・パゴダは、ミャンマーの仏教徒たちの暮らしと密接なつながりをもつ。朝早くから夜遅くまで、パゴダには多くの人々が出入りする。2007年の政府による僧侶の弾圧で、数は減ったが、僧侶や巡礼者の流れが途絶えることはなく、シュエダゴン・パゴダの周りを歩いたり、敷地内の多くの寺院や祠堂で祈ったりと、寺院には相変わらず多くの人が訪れている。

アジア

ベストシーズン　空気が乾燥していて涼しい11月から2月が最適だ。3月から5月は非常に暑い。6月から10月は耐え難いほど湿度が高く、よく豪雨に見舞われる。

旅のヒント　見学には3時間は必要だ。寺院は4時（外国人は6時）〜22時まで開いている。ヤンゴンに数日滞在し、時間帯を変えて何度も訪れ、パゴダの色の変化をじっくり観察したい。民主化運動家は、旅行者の金が独裁政権を潤しているとして、外国人にミャンマーを旅行しないように訴えている。寺院へは控え目な服装で行こう。

ウェブサイト　www.myanmar-tourism.com/Jintro.html（ミャンマー観光促進部）
www.shwedagonpagoda.com、www.shwedagon.org（英語）

ロシア

キジ島の木造教会群

この小さな島には、ロシア屈指の壮麗な木造教会群が残る。
先住民だったカレリア人が育んだ建築様式を現代に伝えている。

　ロシアのオネガ湖に浮かぶ小さなキジ島に、ドームが重なり合った二つの木造教会と八角形の鐘楼が、寄り添うように建っている。

　ポゴストと呼ばれる囲いの内側にあるこの建物は、18世紀にカレリア人が建てた。彼らの優れた建築技術がうかがえる。

　1714年に完成した高さ37メートルのプレオブラジェンスカヤ教会（救世主顕栄聖堂）は、木造教会群の中でも傑作だ。ピラミッド状にするため、三つ重ねられた八面体は上に行くほど小さい。建築には鉄の釘は1本も使われていない。ハトの尾の形のほぞで組んだり、木釘を使ったりしている。半円の尖塔屋根（ボーチカ）は装飾性と機能性を兼ね備え、22のドームを支えている。

　もう一つの長方形の教会は、ポクローフスカヤ教会（生神女庇護聖堂）だ。プレオブラジェンスカヤ教会が広すぎて、冬に暖房が行き渡らないため、1764年、冬の教会として建てられた。建築様式を調和させるため、この教会は、「四角形の上に八面体を載せる」様式を取り入れ、その上に九つのドームが載っている。

ベストシーズン　キジ歴史建造物保全地区は、5月から10月中旬まで、毎日9時〜20時に開館している。見学には3時間は必要だが、水中翼船に乗ってキジ島に渡ることを考えると、丸1日必要。

旅のヒント　水中翼船は予約しておこう。ペトロザボーツクからキジ島までは75分かかる。新年の週には、ヘリコプターで島に行くこともでき、さまざまなツアーや催しがある。カレリア料理の試食、地元のゲーム、ロシアの新年の儀式なども体験できる。キジ島は冬は極寒の地だ。定住人口は50人ほどだが、夏には多くの観光客が訪れる。

ウェブサイト　www.russia-emb.jp（在日ロシア連邦大使館）、www.kizhi.karelia.ru（ロシア語、英語）

ヨーロッパ

見どころと楽しみ

■ポクローフスカヤ教会の**イコノスタス**（イコンの衝立）は、当時のままに見事に修復され、教会の内部は華々しい雰囲気になった。聖所と身廊を分けているこの衝立には、キジ島やザオネジエ群島のほかの島から集められた17世紀から19世紀のすばらしいイコンが飾られている。

■キジ島の国立歴史・建築・民族野外博物館では、ほかで見られない**貴重な民族建築**を見学しよう。カレリア人の家、農家の建物、ロシア最古の木造教会など、ロシアにあるカレリア人の建物が、すべてここに集められている。

18世紀に建てられたキジ島の木造教会群は、当時の大工の創造性や技術力が並はずれていたことを物語っている。

日々の祈り｜159

ロシア
ウスペンスキー大聖堂

モスクワのクレムリンで最も古く、最も重要なこの教会は、何世紀にもわたって、
ロシア正教とロシアという国の中心的役割を担ってきた。

クレムリンの聖堂広場に面したウスペンスキー大聖堂の内装の豪華さは、石灰岩の簡素な外観からは想像できない。五つのドームをもつこの大聖堂は、イタリア人建築家アリストティレ・フィオラバンティの設計で、何世紀にもわたって帝政ロシアを代表する教会だった。

大きな柱や主ドームの内壁など、面という面が金地のフレスコ画で覆われている。祭壇と身廊を隔てる高さ16メートルのイコノスタスにも、イコンがいくつも飾られている。何層ものイコノスタスに飾られたイコンは物語になっているが、絵のテーマは主に、聖書の逸話、聖人の日、祝祭日など、この聖堂が祭る聖母マリアの被昇天に関係するものだ。聖像画家ディオニシウスの作品をじっくり鑑賞しよう。

壮大な大聖堂は、戴冠式、皇族の結婚式、総主教や大司教の葬儀の舞台となってきた。飾り立てた棺のある聖職者たちの廟は芸術作品といっていい。16世紀の総主教の石造の座席や、天蓋付きのモノマーフの玉座も芸術性が高い。モノマーフの木製の玉座は、ロシア初のツァーリ(皇帝)、イワン雷帝の祈祷用である。

ベストシーズン　ウスペンスキー大聖堂を含め、クレムリンは木曜を除く毎日10時～17時に公開されている。公式行事のために閉鎖されることがある。

旅のヒント　大聖堂だけの見学なら2～3時間。武器庫(宝物博物館)など、クレムリンのほかの建物も見るなら、余分に2～3時間、できれば丸1日かけたい。クレムリンの敷地に入るチケットと、大聖堂や博物館に入るチケットは別。西側広場のアレクサンドロフ庭園に、大きなチケット売場がある。ツアーでなく個人で訪れる場合は、英語の音声ガイド機が借りられる。聖堂内での写真撮影は禁止。

ウェブサイト　www.russia-emb.jp（在日ロシア連邦大使館）、www.kreml.ru（ロシア語、英語ほか）

ヨーロッパ

見どころと楽しみ

■1479年に聖堂が再建された時の「**聖母被昇天**」のフレスコ画と、12世紀初めの「**聖ゲオルギウス**」のイコンは、ウスペンスキー大聖堂の中で最も大切にされている美術品だ。

■天井を見上げ、12個の**壮麗なシャンデリア**をじっくり鑑賞しよう。このうち、46本の腕木がある銀製のシャンデリア「**収穫**」は、1812年にナポレオン・ボナパルトが大聖堂から持ち去った銀を、のちに奪い返してつくられた。

■時間をたっぷりとって、**クレムリン**のほかの建物も見学しよう。15世紀から17世紀の聖堂をはじめ、聖堂の鐘楼としてつくられた16世紀のイワン雷帝の鐘楼、ロシアの国宝が収められている武器庫など、見るべきものはたくさんある。

ウスペンスキー大聖堂内部は、宗教を題材にしたすばらしいフレスコ画で覆われている。ロシア一流の建築家や芸術家を魅了してきた。

14世紀に建てられたと思われる聖ゲオルギウス教会。もともとは個人の礼拝所だった。

ギリシャ
聖ゲオルギウス教会

**修復作業が進められている廃墟の町ミストラは、
町全体がビザンティン建築や文化の博物館といえる。**

ミストラという名前には、神聖なミステリーという響きがある。ギリシャのペロポネソス半島、ラコニアの肥沃な高台にあるこの町には、ギリシャ正教会の教会や聖堂が数多く建っている。

廃墟もあれば、復元されたものもあるが、それらは迷路のような小道に並んでいる。このビザンティンの町は、13世紀初め、アカイア公国（モレア公国）を守る城塞都市の一つとして建設された。14世紀の中頃から、ミストラには芸術家、学者、神学者が集まった。1460年までオスマン・トルコの支配に抵抗したビザンティン帝国の軍人貴族もこの町に逃げてきて、ミストラは繁栄したが、200年ほど前に放棄され廃墟となった。現在、この町には、ギリシャ正教旧暦派修道院の尼僧だけがすむ。

ミストラ黄金時代の典型的な建物は、1953年に修復された聖ゲオルギウス教会だ。この教会は最初、個人の礼拝堂だった。アーチ形の屋根や装飾的な石積みなどに、後期ビザンティン様式の特色が現れる。建物内部には何もないが、小さな聖ゲオルギウスの新しいイコンの前には、ろうそくが常に灯る。ギリシャの英雄で聖人でもある聖ゲオルギウスは、白馬を駆り、有翼の黒ヘビを倒す姿で描かれている。

見どころと楽しみ

■1428年に建てられた**パンタナッサ修道院**は、この町で最も新しい教会だ。現在は、心優しい尼僧の小さな修道院になっている。比較的保存状態の良いフレスコ画には「エルサレム入城」や「ラザロの復活」などがある。

■かつては裕福だった13世紀の**ヴロントヒオン修道院**は、いくつものドームをもつ聖堂が並ぶ歴史建造物だ。

■現在修復作業が行われている広大な**専制公宮殿**は、外殻構造が残っているだけだが、ギリシャに現存するビザンティン時代の数少ない世俗建築の一つだ。

■丘の上の**城跡**を訪ねてみよう。高台にあるので、ミストラの都市遺跡、眼下の谷、タイゲトス山脈の険しい斜面が望める。

ヨーロッパ

ベストシーズン　初夏（4月～5月）と秋（9月中旬～10月）は温暖だ。
旅のヒント　ミストラ観光は1日あれば足りる。最寄りの町は5キロ離れたスパルタだ。
アテネからスパルタへはバスが頻繁にある。所要時間は3～4時間。
スパルタからミストラまではタクシーで約10分。スパルタやミストラ新市街には、たくさんのホテルがある。
ミストラ新市街からミストラの遺跡までは歩いて数分。
ミストラでは5月29日に、コンスタンティヌス11世をしのぶレクイエムが行われる。
正教徒の中にはビザンティン帝国最後の皇帝である彼を、聖人と考える人もいる。
ウェブサイト　www.visitgreece.jp（ギリシャ政府観光局）、www.laconia.org/Mystra1_intro.htm（英語）

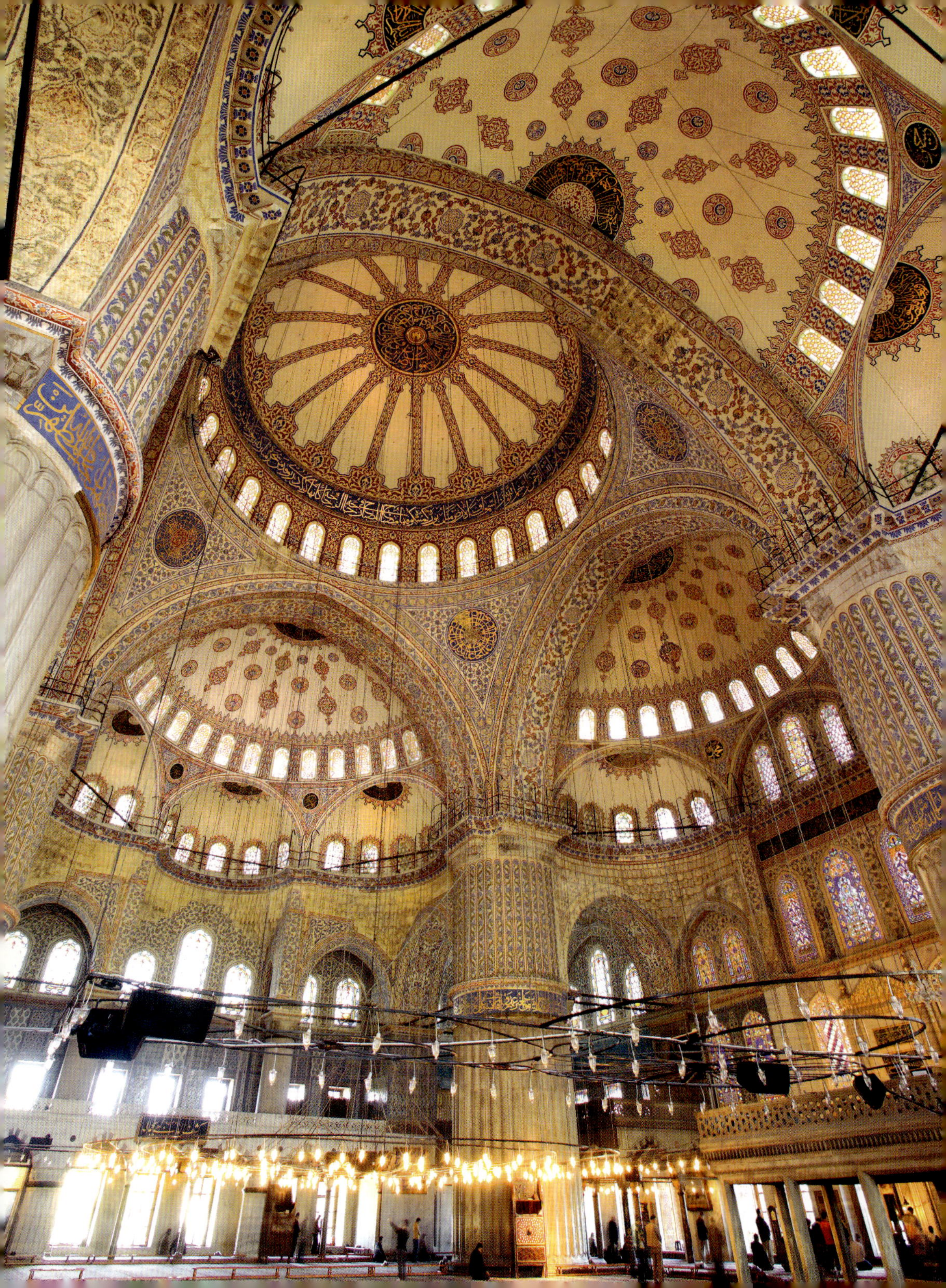

トルコ
スルタン・アフメト・モスク

「ブルー モスク」として知られるこのモスクは、かつて聖地メッカと勢力を競う存在だった。時代は移ったが、現在もイスラム建築の粋を集めた建造物は多くの人を感動させる。

壮大で重厚なスルタン・アフメト・モスク（ブルーモスク）は、イスタンブールの空に堂々とそびえ、天を突く6本のミナレット（尖塔）が、陽光を受けて銀色に輝く。このモスクは、スルタン・アフメト1世の命を受け、1609年から17年に建設された。すぐ北にあるアヤソフィア大聖堂に対抗する目的があったが、キリスト教世界最高峰の建築と張り合うだけではあきたらず、メッカにあるイスラム教の最も神聖なモスクにも対抗した。

当時、ミナレットが6本あるのは、メッカのモスクだけだった。批判をかわそうと、アフメト1世は、メッカのモスクに7本目のミナレットを建てる資金を出したが、ブルーモスクの開堂式直後、建物の完成前に、27歳でチフスのため亡くなる。

広大な中庭を歩くと、アーチ、ドーム、半円ドームが視界に入る。静まり返った礼拝堂に入ると、その階段状の構造が、訪れる人々の目を引くためだけにつくられたのではないことがわかる。それらは、大きな柱、ステンドグラス、名前の由来となった青色のタイルと同様に、空間を広く感じさせる役割も果たしているのだ。

壁の上部に張られたタイルには、明るい青と緑を基調に、ユリ、チューリップ、樹木、抽象的な模様が渦を巻くように描かれている。

ベストシーズン　天候は、春と秋が最高だ。夏の暑さと混雑を避けて、4月下旬から6月上旬、あるいは9月から10月に訪れるのがよい。

旅のヒント　じっくり時間をかけて見学しよう。中庭は座って雰囲気を味わう絶好の場所だ。夜訪れると、昼にはない幻想的な姿を見せてくれる。モスクは1日5回の礼拝の間、礼拝をしない人には30分間閉鎖される。金曜の昼食時の礼拝や、イスラム教の聖なる日などは、特に混み、モスクは1時間以上閉鎖されることもある。控え目な服装で行こう。入り口でショールを借りることもできる。冬はとても寒いので厚着をしよう。中に入る時には靴を脱がなければならないので、靴下を重ねて履いておこう。

ウェブサイト　www.tourismturkey.jp（トルコ政府観光局）、english.istanbul.com（英語）

アジア

見どころと楽しみ

■ **タイル**の数を数えてみよう。2万枚以上はある。財力にものをいわせて、有名なイズニックの窯で焼かれたものだ。

■ **夜に訪れよう。**夏は、**音と光のショー**が催され、モスク建設の歴史が語られる。語られる言語は日によって違う。無料で観賞できる。

■ **西のヒッポドローム（大競技場）**側からゆっくり近づくと、建物のすばらしさが最もよくわかる。最初の門を通り、中庭に入る。モスクの最大の屋根が見え、滝のように階段状になったドームが一歩ごとに違って見えてくる。

■ **見上げると、6本のほっそりした優美なミナレット**がそそり立つ。その美しさに、思わず息をのむだろう。

■ **メッカの方向を示すミフラーブ（祈祷用のくぼみ）**には、イスラム教で最も神聖な都市メッカから持ってきた**聖なる黒い石**のかけらがある。

前ページ：ブルーモスクの名前は、豪華な内装に使われている手書きのイズニック・タイルの色に由来する。その色彩は、260のステンドグラスから差し込む光によって変化する。上：イスタンブールのスルタン・アフメト・モスクよりも多いミナレットを擁するモスクは、世界中を探しても、数えるほどしかない。

パナギア・フォルビオティッサ教会のドームに描かれているフレスコ画。キリストが天使と伝道者に囲まれ、イスラエルの12支族を審判にかけようとしている。

キプロス

トロードス山の壁画教会群

トロードス山の山腹に点在する壁画やイコンで飾られた教会は、修道士たちの芸術性の高さや強い信仰心を雄弁に物語っている。

中世初期、ギリシャ正教会の修道士たちは、世俗の誘惑から逃れるために、トロードス山中に隠れすんだ。その時、彼らは、世俗社会で持っていた物はすべて捨てたが、パレットと絵の具だけは捨てなかった。その後、彼らは地中海沿岸地方で最も鮮やかな芸術の数々を生み出すことになった。

細かく描かれたフレスコ画や、真に迫るイコンは、キプロスの国宝である。キッコー修道院のような大規模な修道院から、小さなパナギア・フォルビオティッサ教会に至るまで、聖人や聖書の場面がビザンティン様式で描かれている。

絵画の多くには、刷毛で金箔が張ってある。修道士はしっくいの壁やアーチにフレスコ画を描き、木板に描いたイコンを集めて華麗なイコノスタスをつくった。

トロードス山にある修道院の中で最も大きく華麗なキッコー修道院の内部は、フレスコ画であふれている。この修道院は、トロードス山の山頂に11世紀に設立された。修道院の大きな教会には黄金のイコノスタスがあり、修道士が使った広い居住空間には、贅沢な装飾が施された回廊がある。この修道院に飾られている、聖ルカが描いたとされる聖母マリアのイコンは、奇跡を起こすと信じられている。

ベストシーズン 標高1950メートルのトロードス山は、陽光が降り注ぐキプロス島の海岸とは、気候が少し異なる。夏は比較的温暖だ。冬は雪が降ることもあり、意外と寒い。秋は木々の葉が秋色に染まり、ワイン祭りがある。

旅のヒント トロードス地方の修道院は、芸術愛好家だけでなく、ワイン愛好家をも魅了する。十字軍の時代からつくり続けられている世界最古のワイン、コマンダリアはこの地方の特産だ。訪問者を受け入れているワイナリーは多く、ワインを購入する前に試飲できる。キッコー修道院にはワイン・ショップがあり、敷地の外にも露天の販売所を設けている。トロードス山の西側山腹にあるパナギア・クリソロギアティッサ教会も、同じように販売している。

ウェブサイト www.cyprus-info.jp（キプロス・インフォメーションサービス）
www.visitcyprus.com（英語ほか）、www.kykkos-museum.cy.net（ギリシャ語、英語）

見どころと楽しみ

■ キッコー修道院では、特に貴重な**イコン**は付属の博物館で、光や温度を調節できる状態で展示している。修道院裏手の松に覆われた丘の斜面からは、トロードス山の壮大な風景を望める。

■ パフォス港近くの**カトパフォス**遺跡には、ローマ時代の精巧で生き生きとしたモザイクの床がある。

■ ニキタリの近くにある**パナギア・フォルビオティッサ教会**は、12世紀に建てられた石造の教会だ。驚くほど詳細な「最後の審判」のフレスコ画をはじめ、ビザンティン様式のフレスコ画やイコンが数多くある。

ヨーロッパ

エジプト
聖カタリナ修道院

世界最古の修道院の一つであるここは、燃えるシバから
神がモーセに声をかけたといわれている神聖な場所に建っている。

　ラクダの眠たげな鳴き声が、聖カタリナ修道院を囲む赤い花崗岩の高い壁を越えて聞こえてくる。ビザンティン皇帝ユスティニアヌス1世は、「燃えるシバの教会」を守るため、シナイ山麓に修道院の建設を命じた。「出エジプト記」は、神は燃えるシバの中からモーセに、イスラエルの民をエジプトから連れ出すように命じたといい、「燃えるシバの教会」はその跡に建てられた聖地だ。

　ここは6世紀に建てられ、正式名を「キリスト変容の修道院」というギリシャ正教会の修道院だ。侵略を免れたため、価値ある芸術や貴重な彩飾写本、古いイコンが残っている。中でも特に貴重な宝物は、祭壇の上、後陣のボールトを飾るモザイク画で、キリスト変容の場面が描かれている。祭壇右の石棺の中には、アレクサンドリアの聖カタリナの遺物といわれる頭蓋骨と左手が納められている。

　修道士を守ったのは彼女だけではない。修道院の入り口近くに、預言者ムハンマドが署名したという手紙がある。修道院の存続はこのおかげでもある。ムハンマドの訪問を修道士たちは手厚くもてなし、ムハンマドは修道院の保護を誓ったという。

ベストシーズン　11月から4月。修道院は、日曜と金曜を除く、9時〜12時に開いている。日曜日と金曜に開いているのは、燃えるシバの教会だけだ。修道士の礼拝は土曜日。

旅のヒント　聖カタリナ修道院訪問とシナイ登山を組み合わせることができる。シナイ山で日の出を見るなら、丸1日と1泊が必要。シナイ山に登るには、2〜3時間かかる。この地域には遺跡が多いので、数日間は滞在したい。気温の変化に対応できる準備をしておくこと。懐中電灯は持参しよう。男性は修道院に宿泊できることもある（女性は不可）。警官からパスポートの提示を求められるため、いつも携帯しよう。

ウェブサイト　www.egypt.or.jp（エジプト大使館エジプト学・観光局）、www.touregypt.net（英語）

アフリカ

見どころと楽しみ

■ **修道院の図書館**は、バチカンに次いで世界で2番目に多くの聖書写本を収蔵する。その中には4世紀の**シナイ写本**（現存する最古のギリシャ語聖書の写本）の断片や、12ページの**シリア写本**（シリア語に翻訳された4〜5世紀の写本）がある。

■ ムハンマドの誓いもあり、修道士は修道院内に**ファーティマ朝のモスク**を建てることを許可した。だが、このモスクはメッカと無関係ということで、ほとんど利用されていない。

■ 11月25日の**聖カタリナの殉教の日**には、修道士が彼女の遺物を持って教会の周囲を歩く。

■ 毎日鳴らされる**木製の鐘**の音に耳を傾けよう。金属製の鐘は、日曜日と休日に鳴らされる。

聖カタリナ修道院は、シナイ山の麓に広がる美しい谷間にある。6世紀から途絶えることなく修道院として存続してきた。

彫刻が施された木製の扉の先に、"空中教会"がある。

エジプト
アル・モアラッカ教会

コプト教徒は1900年以上も前からエジプトでキリスト教信仰を守ってきた。
この教会も信者とともに、その長い歴史を刻んでいる。

　カイロ旧市街のマルキルギス通りを歩き、バビロン要塞の南塔を過ぎると、彫刻された両開きの扉がある。中には聖書の場面を描いたモザイク画や、ヤシの木の彫刻が並ぶポーチがあり、その先が静寂の庭だ。ここから29段上に行くと、アル・モアラッカ教会の木製の正面玄関の扉がある。ここが、「階段教会」とも「空中教会」とも呼ばれる、7世紀のコプト教の教会だ。
　教会の宝物の多くは、隣接するコプト博物館に収蔵されている。イエスのエルサレム入城が彫られた横木も博物館にある。5世紀につくられたこの横木は、教会で最古の遺物だ。身廊は門番小屋通路の上にあり、説教壇は11世紀のものだ。壁には壁画や象眼細工の絵が並び、教会の東端には聖ゲオルギウス、聖母マリア、洗礼者聖ヨハネを祭る祭壇がある。

ベストシーズン　エジプトの冬は気候が穏やかなので、11月から4月がおすすめ。
教会は礼拝時間を除く、毎日9時〜16時に開いている。入場無料。

旅のヒント　教会は1〜2時間で十分だが、さらに時間をとって、ほかのコプト教会やベン・エズラ・シナゴーグも訪ねよう。礼をわきまえた服装をし、宗教上のマナーを守ること。教会を訪問する際には短パンや腕がむき出しになる服装は控えよう。

ウェブサイト　www.egypt.or.jp(エジプト大使館エジプト学・観光局)、www.touregypt.net(英語)

見どころと楽しみ

■ 説教壇を支えている**13本の柱**をじっくり観察しよう。黒色がユダ、灰色が疑い深いトマスで、残る白色の11の柱が、イエスとそれ以外の使徒を表している。これはコプト教会に共通する特徴だ。

■ 南の側廊に行き、精巧に彫刻された**松材の扉**を探そう。この扉は小さな礼拝堂や、赤い花崗岩の洗礼堂に通じている。そこは教会で最も古い部分だ。

■ 教会の入り口近くにある**聖母の絵**を探そう。聖母の眼差しは、どこを歩こうとも、歩く人を追ってくるだろう。

■ 隣接する**コプト博物館**を訪れよう。ここには教会の宝物が収蔵されている。

■ 通りの屋台で**コシャリ**を食べよう。レンティル豆、米、パスタ、タマネギ、ニンニク、トマト、唐辛子の入った濃厚でスパイシーなスープだ。

アフリカ

166 | 世界の聖地

ポーランド
ビエリチカ岩塩坑の教会

ポーランドのビエリチカ岩塩坑は、地下教会で有名だ。
通路や部屋が迷路のように入り組んだ坑内には、鉱夫が掘った礼拝堂が数多くある。

クラクフ近くのビエリチカ岩塩坑では、結晶化した岩塩でつくられたシャンデリアの明かりが聖キンガ礼拝堂を照らす。シャンデリアのほか、祭壇や教皇十字、聖人像など、すべて抗夫が岩塩を彫ってつくった。

地下にある、高さ12メートル、長さ54メートルの聖キンガ礼拝堂には、見事な芸術品が多い。中でも、聖書の場面を描いた浅浮き彫りがすばらしい。

岩塩坑は9層で、最深部は地下327メートル。ビエリチカ岩塩坑は、1996年の壊滅的な浸水で中止されるまで、700年もの間、採掘を続けてきた。坑道の総延長は290キロにも及び、部屋は数え切れない。ビエリチカ岩塩坑の鉱夫たちは、そこで日々祈りを捧げるために礼拝堂をつくり、岩塩の彫刻や彫像で飾った。

聖アントニ礼拝堂は、17世紀につくられたビエリチカ岩塩坑で最古の礼拝堂だ。378段の階段を下りると、地下64メートルの1層目に到達する。見学者は地下の通路をさらに3キロ以上も下りる。途中には地底湖や洞窟がある。見学者が行けるのは、地下135メートルまでで、そこには世界最大の鉱山博物館がある。

ベストシーズン　岩塩坑は年中公開されている。夏は最も混雑する。

旅のヒント　岩塩坑内の平均気温は14℃なので、セーターを持っていこう。ガイド付きツアー（英語など）が約3時間だ。坑内のレストランで食事をしたり、郵便局や土産物屋に寄ったりする時間もみておこう。鉱山の専門の従業員が案内する地質学ツアーもあり、主に19世紀に採掘された坑道を見学する。岩塩坑ツアーは3時間歩くので、体力が必要だ。ツアーは、少なくとも2週間前までに予約すること。大みそかには坑内でダンスパーティーがある。

ウェブサイト　www.poland.travel（ポーランド政府観光局）、www.kopalnia.pl（ポーランド語、英語ほか）

ヨーロッパ

見どころと楽しみ

■ 岩塩を彫ってつくった**聖像**、**壁画**、**彫像**をじっくり鑑賞しよう。ポーランドで有名な人物、聖人、地の精などをかたどっている。鉱夫たちは、地の精が幸運をもたらすと信じていた。

■ **聖キンガ礼拝堂**で催されるコンサートに行こう。日曜の朝か、祝祭日に訪れるのもいい。7月24日は聖キンガ祭、12月4日は聖バルバラ祭だ。これらの日には盛大なミサが行われる。聖キンガは岩塩坑の守護聖人、聖バルバラは鉱夫の守護聖人だ。

■ **博物館**には14の展示場があり、歴史的な採掘道具が展示されている。

■ お腹が空いたら、坑内の**レストラン**で食事をしよう。地下125メートルにある。

ビエリチカ岩塩坑のすばらしい礼拝堂は、何百年間に及ぶ坑夫たちの苦労の成果だ。

日々の祈り | 167

שי״לת

700年の歴史を誇る 旧新シナゴーグ

チェコ

この小さなシナゴーグには、ユダヤ民族を守るためにつくられた人造人間の伝説が残る。
中世様式の二つの身廊をもつシナゴーグとしては、世界で最も古い。

プラハの中心にある旧新シナゴーグ（スタロノバ・シナゴーグ）は、ユダヤ人の信仰と忍耐強さの象徴だ。このゴシック建築のシナゴーグは、現役のものとしてはヨーロッパ最古で、ナチス支配下の時期を除き、700年間ずっとユダヤ人の祈りの場だった。中心には、後期ゴシック様式の格子に取り囲まれたビーマー（講壇）があり、ここで礼拝のための講読が行われる。東壁の階段を上ると、聖典トーラーを収めた聖櫃がある。

旧新シナゴーグは、1270年前後に建てられた。創建された当時は新シナゴーグという名前だったが、その後、新しいシナゴーグがいくつも建てられたので、「古い新シナゴーグ」と呼ばれるようになったという。

プラハのユダヤ人社会で、最も重要な礼拝所だったこのシナゴーグは、弾圧をも耐え抜き、数多くの伝説を生み出した。ハトが翼を羽ばたかせて火事を消したという伝説のほか、謎に包まれた、こんな伝説もある。

16世紀の高名なラビであるユダ・レーウエ・ベン・ベザレルは、ユダヤ人を守るためにゴーレムという人造人間をつくり出した。しかし、ゴーレムは暴れ出し、言うことを聞かなくなってしまう。そこでレーウエは、ゴーレムを壊して、シナゴーグの屋根裏に隠したというのだ。

ベストシーズン シナゴーグは、土曜とユダヤ人の祝日には公開されない。

旅のヒント ヨゼホフ地区（ユダヤ人地区）は、プラハで最も人気の観光スポットの一つ。
旧新シナゴーグは、ユダヤ博物館とは別なので、別にチケットを購入しなければならない。
旧新シナゴーグを見学し、これ以外のユダヤ人地区を見るなら、半日はかかる。
1日でも足りないかもしれない。シナゴーグでは、男性は頭を覆うこと。ユダヤ教の安息日と祝日には礼拝がある。男女は別々に礼拝をし、女性は隣室で礼拝する。女性が礼拝をする部屋からは、厚い壁に空いた狭く深い穴から聖所が見える。
シナゴーグに入る前には、セキュリティ・チェックがある。

ウェブサイト www.czechtourism.com（チェコ政府観光局）
www.jewishmuseum.cz（プラハ・ユダヤ博物館）、www.synagogue.cz（英語ほか）

ヨーロッパ

見どころと楽しみ

■ 入り口にかかるゴシック様式のアーチに彫られたブドウのつると、聖櫃の上の三角壁の彫刻は、**イスラエルの12支族**を象徴しているといわれている。

■ 講壇上の赤い垂れ幕は、1716年のものだ。それ以前の垂れ飾りには、ダビデの星やとんがり帽子など、**プラハのユダヤ人社会**を象徴する伝統的な図柄が描かれている。プラハのユダヤ人は、当時はとんがり帽子を被らなければならなかった。

■ ヨゼホフ地区に残るシナゴーグだった建物のいくつかが、まとめて**ユダヤ博物館**となっている。「貴重な遺産」と呼ばれている展示物は、プラハのユダヤ人の歴史、伝説、伝統を詳しく伝えている。ユダヤ教文物のコレクションとしては世界有数だ。

■ シナゴーグに隣接する**ユダヤ人共同墓地**を訪れよう。この墓地も博物館の一部だ。不規則に並んでいる1万2000個の墓石には、洗練された彫刻が刻まれている。それらの彫刻は、何百年もの間、芸術家の創作意欲を駆り立て、夢想家を魅了してきた。訪れる人が多い墓の一つが、ラビのレーウエの墓だ。

前ページ：旧新シナゴーグではユダヤ教の伝統に従い、主聖所は男性しか入れない。女性は隣室で礼拝する。**上左**：シナゴーグの正面入り口上に掲げられているダビデの星。**上右**：聖書朗読台にあるシャバティー（飾り板）には、「わたしは絶えず神に相対する」と刻まれている。

日々の祈り | 169

ルーマニア
ブコビナの修道院群

ルーマニア北東部の辺境の地にたたずむ数々の修道院。
そこに描かれた絵画は、この国の芸術に多大な影響を及ぼしてきた。

修道院の外壁が、聖書の場面や歴史的な出来事を描いた絵画で華やかに彩られている。北モルダビアともいわれる、辺境のブコビナ地方のこの修道院群は、彩色写本のページを拡大コピーしたようにも見える。

ほとんどが16世紀に建てられた貴重な教会で、現在は修道院として使われている。最も見応えがあるのは、「東のシスティーナ礼拝堂」と呼ばれるボロネツ修道院だろう。このルーマニア正教の修道院は、外壁や内壁を飾る、青いフレスコ画で知られる。強烈な青の顔料は、「ボロネツの青」と呼ばれている。

ボロネツ修道院は、1488年にシュテファン大公によって建てられた。彼は、来るべきオスマン・トルコとの戦いで必ず勝利をもたらすと約束した隠遁者、聖ダニールへの誓いを守ってこの修道院を建てた。この修道院は、1785年、ハプスブルク家によって閉鎖されたが、1991年に女子修道院としてよみがえった。

ベストシーズン 4月から10月が快適な気候。どの修道院でも、巡礼シーズンや祝祭期間の雰囲気が最高。特に復活祭の前がおすすめだ。ボロネツやフモールの守護聖人である聖ゲオルグの日は、4月23日。7月2日にはプトナでシュテファン大公を祝う祭りがある。

旅のヒント 公共交通機関が整備されていないので、ガイド付きツアー以外で修道院をすべて回るには、自分で車を運転するか歩くしかない。観光拠点は、ボロネツ近くのグラ・フモールかフモール、もっと快適な宿泊施設なら、スチャバがいい。見学には、車なら半日、徒歩なら1日は必要。どの修道院も、8時～20時に開いている。ミサは1日に4回以上ある。これ以外の時間帯でも見学を断られることはあまりない。節度ある服装で、短パンなどはやめよう。女性は礼拝堂に入るときは、頭を覆うこと。

ウェブサイト www.romaniatabi.jp（ルーマニア観光・商務局）
www.romanianmonasteries.org（英語ほか）

ヨーロッパ

見どころと楽しみ

■ ボロネツ修道院の西の外壁に描かれたフレスコ画「**最後の審判**」は、鮮やかな色彩と芸術性が傑出しており、ブコビナの絵画の最高傑作といわれている。北のファサードには、イエスの家系図の概略が描かれた有名な「**エッサイの木**」がある。

■ **スチェビツァ修道院**はすばらしい景観の中にあり、要塞化されている。こぢんまりしていて美しい**モルドビツァ修道院**は、離れた所にある。**フモール修道院**の見どころは、屋内の壁画。森の中の**プトナ修道院**で、聖シュテファン大公の墓石を見るのも良いだろう。

■ 礼拝の前に修道女や修道士がたたく**トアカ（木板）**に耳を傾けよう。

■ 美しいブナの森や丘を散策しよう。フモール修道院とスチェビツァ修道院の間、スチェビツァ修道院とモルドビツァ修道院の間にブナの森が広がっている。

ボロネツ修道院にある「最後の審判」の色鮮やかなフレスコ画。恐ろしくなるほど細かく描かれている。

ホレズ修道院は、当初は男子修道院だったが、1872年以来女子修道院になった。美しい回廊に囲まれ、現在60人の尼僧が暮らしている。

ルーマニア
ホレズ修道院

手つかずの自然が残された田園地帯にあるこの女子修道院は、
キリスト教に殉じた国民的英雄に捧げられている。

　ホレズ修道院は、ルーマニア南部のオルテニア地方、ホレズ渓谷の高台に建つ、ルーマニア正教の修道院だ。名前は、ホホレズ（ワシミミズク）に由来するという説もある。1690年に始まった教会建設は、トルコの侵入を警戒して夜に限られ、7年で完成した。この修道院を開いたワラキア地方の領主コンスタンティン・ブルンコベアヌは、オスマン・トルコの侵略に勇敢に抵抗した国民的英雄で、ルーマニア正教の聖人に列せられている。

　彼は、この修道院をトルコの侵略に対する防波堤であり、自分の死に場所と考えていた。実際には、彼と4人の息子は、イスラム教への改宗を拒んで、コンスタンチノープルで斬首されたが、修道院はほぼ無傷で残った。

　修道院は、ルーマニアの独創的建築様式であり、ブルンコベネスク様式の完璧な遺産だ。複雑な石の彫刻と多くのフレスコ画を巧みにあしらい、東洋、ルネサンス、ビザンティンが調和している。境内は二つあり、内側の境内へは、木製の大門から入る。中庭は三方を柱廊に囲まれ、彫刻のある分厚い扉を開けると主聖堂がある。その中には、フレスコ画の宗教画、聖像のランプ、イコノスタスがある。

ベストシーズン　ホレズは、夏は暑く、冬は寒い。5月、6月、9月が最も快適。この修道院は、いつ訪問しても門前払いされることはないはずだ。復活祭には信者が集まる。

旅のヒント　ホレズ修道院には、数時間は滞在したい。ブカレストからだと、列車かバスでルムニク・ブルチャに行き、そこからミニバスかバスでホレズに行く。修道院はホレズの北3キロにあり、その近くにロマニ・デ・ススス村がある。車の場合は、ルムニク・ブルチャからDN67号線を走り、ホレズ直前で右折すると、ロマニ・デ・ススに着く。ホレズには、ホテルが1軒と数軒のゲストハウスがある。ホレズ渓谷にも朝食付きの民宿が多い。宿泊できるという意味のcazare（安宿）、またはcamere（部屋）という看板を探そう。

ウェブサイト　www.romaniatabi.jp（ルーマニア観光・商務局）
www.romanianmonasteries.org（英語ほか）

見どころと楽しみ

■ **王族の気分**で宿泊しよう。修道院にはすばらしいゲストルームがある。2005年には、英国のチャールズ皇太子がプライベートでこの修道院を訪問し、3泊した。

■ 主聖堂の中に、**ブルンコベアヌの葬儀の記念碑**がある。彼の遺骨は、ブカレストの聖ゲオルグ新教会にある。

■ ホレズはルーマニア屈指の**陶器の町**だ。ホレズ焼を買おう。毎年6月最初の週末には、「**ホレズの雄鶏**」と呼ばれるルーマニア最大の陶器市がある。雄鶏柄の器が多いことからこの名が付いた。

■ **ホレズ渓谷**は、ハイキングにはぴったりの場所だ。手つかずの自然が残されており、エコツーリズムが盛んだ。

ヨーロッパ

日々の祈り | 171

聖なる塔
トップ10

いつの時代にも、神は天上にいると考えられてきた。
人々は高い塔を建て、天に少しでも近づこうとした。

❶ シカゴ教会堂（米国イリノイ州）

シカゴ教会堂は、高さ173メートルの23階建てだ。教会の建物としては米国で最も高く、精巧に彫刻されたゴシック様式の石の塔が、超高層ビルが建ち並ぶビジネス街に高くそびえている。教会の1階には数千人を収容できる礼拝堂があり、ステンドグラスの窓や木製の彫刻に囲まれて信者が礼拝している。塔の下、高さ122メートルにあるスカイ・チャペルでは洗礼や結婚式が行われ、人気を博している。

旅のヒント シカゴ教会堂はシカゴのビジネス街の中心、ウェスト・ワシントン通り77番にある。毎週水曜から日曜には通常の礼拝があり、誰でも参加できる。www.chicagotemple.org（英語）

❷ ビシュワナート寺院（インド バラナシ）

聖なるガンジス川の西岸に建つこのヒンドゥー教寺院は、金色に輝いている。毎年何百万人ものヒンドゥー教徒が、モクシャ（解脱）を求めてここに集まる。シバ神を祭ったこの寺院は、さまざまに形を変えながら長い年月を経てきた。1839年、パンジャブの藩王ランジット・シンが約1トンの金を寺院に寄進した。それを使って、高さ15.3メートルの塔が金で覆われた。

旅のヒント この寺院は、ウッタル・プラデーシュ州のバラナシにある。寺院は毎日公開されている。www.varanasicity.com（英語）

❸ ビルラ・マンディール（インド ニューデリー）

ビルラ・マンディール（別名、ラクシュミーナラヤン寺院）は、インドの首都デリーのニューデリー地区の中でも、信者の数が圧倒的に多いヒンドゥー教の寺院だ。身分を問わず誰でも礼拝できることを条件に、1939年にマハトマ・ガンジーが落成式を行った。この寺院の外観で最も特徴的なのは、紡錘状の赤いシカラ（塔）だろう。最も高いシカラは50メートルもある。拝堂とシカラの組み合わせは、インド東部地域のオリッサ様式の特徴だ。

旅のヒント 毎年8月か9月に寺院で行われるジャンマシュタミ祭に合わせて訪問しよう。www.laxminarayan.blessingsonthenet.com（英語）

❹ ジャムのミナレット（アフガニスタン）

高さ65メートルに達するジャムのミナレットは、アフガニスタン中央の辺境の地にある。12世紀に建てられ、不気味な雰囲気の山々に囲まれているが、干ばつ、洪水、地震、戦争を耐え抜き、チンギス・ハーンの侵略にも破壊されることはなかった。焼きレンガでつくられた優美な塔は、化粧しっくいや彩色タイル、コーランの一節や飾り文字で飾られている。

旅のヒント ジャムのミナレットは辺境の地にあり、インフラ基盤がほとんど整備されていないので、個人旅行はおすすめできない。ツアーで訪問しよう。www.afghanembassyjp.com/jp（駐日アフガニスタン大使館）
www.afghan-logistics.com（英語）

❺ サーマッラーの大モスク（イラク）

9世紀に建てられたこの大モスクは、レンガでつくられたらせん形のマルウィヤ・ミナレットが最大の特徴。創建者であるアル・ムタワッキルは、白いロバに乗ってミナレットに上ったという。

旅のヒント サーマッラーは、バグダッドの北130キロのチグリス川のほとりにある。旅行前にはイラク情勢をチェックしよう。www.muslimheritage.com（英語）

❻ ボルグン・スターブ教会（ノルウェー）

かつてノルウェーにはスターブ教会（木造教会）が1000以上あったが、現在残るのは30カ所ほどだ。大きなスターブ（柱）を中心に、ほぼ全て木でつくられている。ボルグン・スターブ教会は、屋根と塔にある竜頭の彫像が、バイキング時代をしのばせる。

旅のヒント ボルグン・スターブ教会は、5月18日から9月14日まで公開されている。www.norway.or.jp（駐日ノルウェー王国大使館）

❼ ウルム大聖堂（ドイツ）

靴のひもをしっかり結ぼう。教会の尖塔としては世界一高いウルム大聖堂の塔は、頂上まで768段ある。空に向かって上り、161メートルの高さの頂上に到達すると、すばらしい景色が眺められる。晴れた日にはアルプスも望め、疲れも吹き飛ぶ。

旅のヒント 毎年12月には、ウルム大聖堂前の広場でクリスマス・マーケットが開かれ、大勢の人でにぎわう。www.visit-germany.jp（ドイツ観光局）

❽ オックスフォード大学セント・メアリー教会（英国）

「夢見る尖塔」として知られるオックスフォードの数ある尖塔の中で、最もすばらしいのがこの教会の尖塔だ。その歴史は非常に古く、1280年創建。14世紀に、ゴシック様式の小尖塔（ピナクル）を載せた精巧な尖塔がつくられた。124段の階段を上って塔のてっぺんまで行くと、町が一望できる。

旅のヒント 塔の下には聖母マリアのポーチがある。入り口扉の上には聖母子像があり、クロムウェルの兵隊（1642年の清教徒革命）による銃弾の穴があちこちに開いている。www.visitbritain.jp（英国政府観光庁）

❾ ソールズベリー大聖堂（英国イングランド）

ソールズベリーにある輝かしい大聖堂は、1258年に完成した。この大聖堂の尖塔は、石造の塔としては英国最高。高さ123メートルで少し傾いている。風景画家ジョン・コンスタブル（1776～1837年）の作品に、この塔を題材にしたものが何点かある。

旅のヒント ソールズベリー大聖堂には、英国最大の回廊がある。www.visitbritain.jp（英国政府観光庁）

❿ ハッサン2世のモスク（モロッコ）

高さ210メートルを誇る世界一高いミナレットは、カサブランカにある。光沢ある緑の陶磁器タイルでつくられた模様が、頂上部分を彩る。毎夜レーザー光線がメッカの方向を照らす。

旅のヒント イスラム教徒以外の人は、ガイド付きツアーでなければ内部に入れない。www.morocco-emba.jp（駐日モロッコ大使館）

次ページ：サーマッラーの大モスクにあるマルウィヤ・ミナレットは、高さ55メートル。らせんを描く外側の階段で頂上まで上れる。古代メソポタミアのジッグラト（日干しレンガの聖塔）を彷彿とさせる。

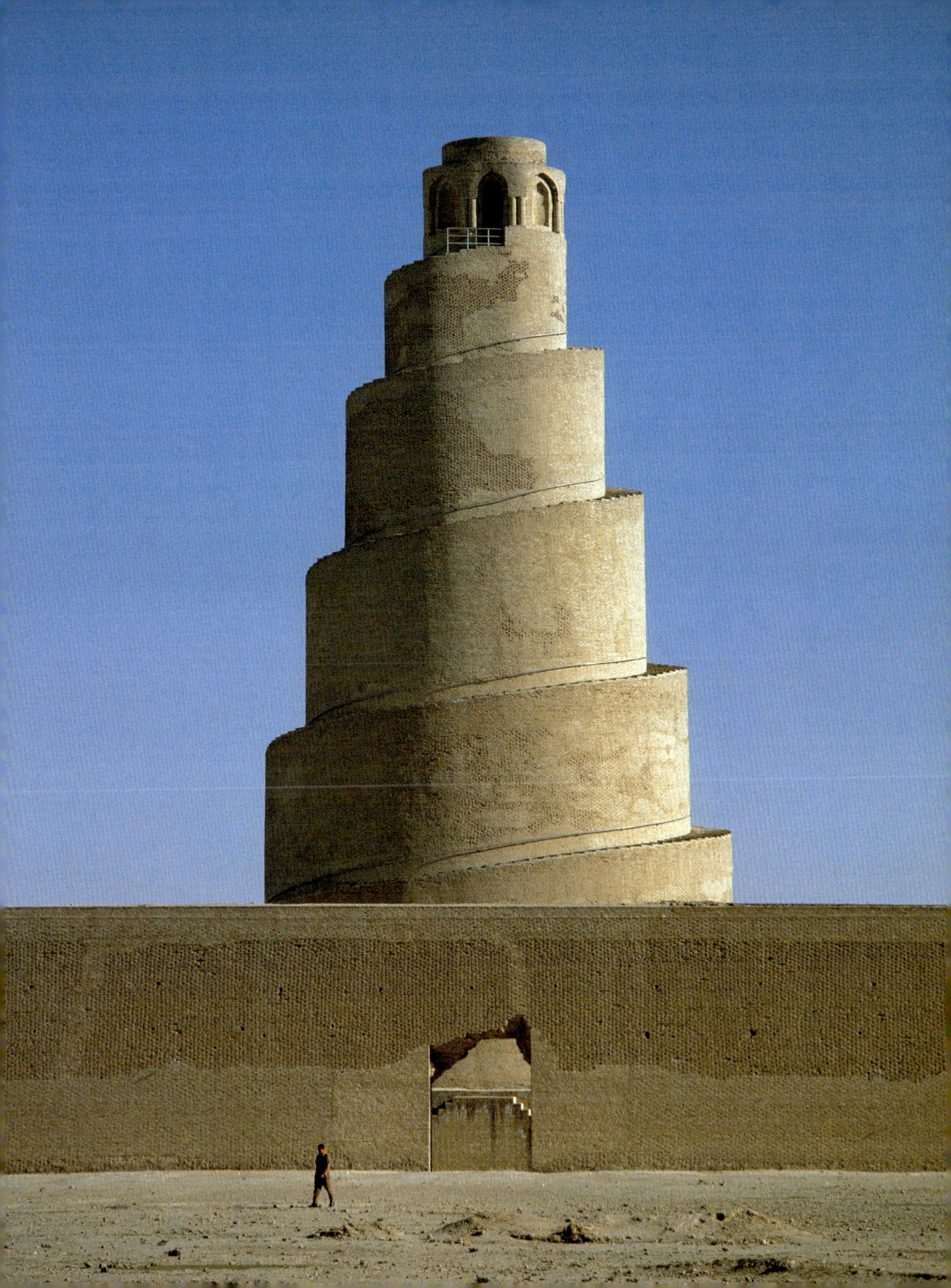

バイキングは、自分たちの船に竜頭の彫刻を配して魔よけにしていた。キリスト教に改宗した彼らは教会にも、その伝統を引き継いだ。

ノルウェー
ロム・スターブ教会

850年前、丈夫なノルウェーパインで建てられたロムの教会は、
キリスト教文化とバイキング文化が融合した傑作だ。

　ノルウェーがキリスト教を受け入れた1000年前、この地に初めて建てられた教会は、スターブ教会と呼ばれ、頑丈なノルウェーパインの枠組みが、壁と土台をつなぐ役目をしている。

　現在残るスターブ教会は、約30カ所だ。その中でも、ロム・スターブ教会は、最も大きく、最も美しいといわれている。この教会は、ヨートゥンハイメン山脈のグドブランスダレン渓谷に位置し、今も礼拝の場として利用されている。

　1158年に建てられ、その後何百年間にもわたって増築されたこの教会は、20世紀に修復された。教会の入り口には、バイキング時代を彷彿とさせる動物の彫刻が飾られている。教会の中では、淡いブルーに塗られた信徒席が目につく。

　頭上を見るとアーチ天井があり、彫刻された聖歌隊席にはパイプオルガンがある。壁は宗教画で飾られ、高い支柱が何列にも並んでいる。だが、室内で最も目を引くのは、荘厳な説教壇だ。そこには花模様の彫刻が何重にも彫られている。

見どころと楽しみ

■ 教会の壁に飾られた絵の中には、18世紀の地元の画家**エガート・ムンク**の作品がある。世界的に有名な画家エドバルド・ムンクの遠い親戚だ。

■ ロムの町には、スターブ教会ではないが、これ以外に二つの木造教会がある。1800年代に建設された**ガルモ教会**と、1864年に建設され、1951年に修復された**ベベルダル教会**だ。

■ ロムは**ヨートゥンハイメン国立公園**の入り口にある。この美しい公園には、ノルウェーの最高峰がそびえている。登るのは骨が折れるが、登山に慣れている人なら問題なく登れる。風景は息をのむほどすばらしい。

ヨーロッパ

ベストシーズン　5月から9月に訪問すること。それ以外の期間は、一般の訪問者の立ち入りはできない。
旅のヒント　礼拝中は、観光客は教会には入れない。前もって教会に申し込めば、教会内を案内してもらえる。見学には少なくとも1時間はかかる。教会内部の写真撮影は禁止。
ウェブサイト　www.norway.or.jp（駐日ノルウェー王国大使館）、www.visitscandinavia.or.jp（スカンジナビア政府観光局）、www.stavechurch.org（英語）、www.visitlom.com（ノルウェー語、英語ほか）

ハンガリー
エステルゴム大聖堂

惜しみない賛辞を贈られているこの大聖堂は、
決して古いとはいえないが、強い印象を与えることは確かだ。

教会としては、ヨーロッパで3番目に大きいこの大聖堂は、ハンガリー人にとって宗教そのものであり、民族を象徴する存在でもある。
　教皇シルベステル2世は、1000年にゲーザ公の息子バイクをイシュトバーン1世として即位することを認めた。これによりハンガリーは、カトリック勢力の一員なったが、その戴冠式を行った場所が、エステルゴムの町だ。被昇天の聖母マリアと聖アダルベルトに捧げられたこの巨大なバジリカ大聖堂は、ハンガリー北部のドナウ河畔の丘にそびえる。この大聖堂はハンガリー・カトリック教会の総本山だが、19世紀に昔の教会跡地に建てられたものだ。
　建設に際して、耐久性を重んじ、壁は所によっては厚さが17メートル、ドーム内の高さは90メートルもある。敷地内には、イタリア風のバコーツ礼拝堂がある。トスカーナの職人が16世紀に建てたこの礼拝堂は、昔の教会で唯一残ったものだ。大聖堂の主祭壇には、世界最大のキャンバスに描かれた祭壇画「聖母被昇天」がある。これは、ミケランジェロ・グリゴレッティの作品だ。

ベストシーズン　訪れるのに最適なのは、5月と6月、それに9月と10月。夏は混むので避けたい。真冬は雪が積もると、とても美しい。復活祭に訪れると特別な思い出ができる。毎年8月上旬に開催されるエステルゴム国際ギター音楽祭は、歴史のある音楽祭だ。
旅のヒント　エステルゴムは、ブダペストの北西約50キロのスロバキアとの国境近くにある。大聖堂は毎日8時～18時に開いている。宝物館や地下霊廟、ドームの見学ができるのは、毎日9時～16時半まで、入場料が必要。エステルゴムの町を見るには、丸1日かかる。ここに宿泊すれば、静かで落ち着いた雰囲気に包まれた早朝の大聖堂を見ることができる。
ウェブサイト　www.hungarytabi.jp（ハンガリー政府観光局）

ヨーロッパ

見どころと楽しみ

■**宝物館**には、中世の司教杖、聖杯、祭服などがずらりと並んでいる。

■**地下礼拝堂**には、共産主義に抵抗したハンガリー人の**ミンゼンティ・ヨージェフ枢機卿（1892～1975年）の墓**がある。彼は15年間、米国大使館に避難していたが、亡命先のウィーンで亡くなった。その遺体は、共産主義政権崩壊後の1991年、祖国に戻された。

■**ドーム**からは、ピリシュ山地やベルジェニ山地、淡い色彩の古い街並み、雄大なドナウ川など、すばらしい眺めが楽しめる。

■**バコーツ礼拝堂**には、美しく彫刻された赤大理石の壁がある。1506年から11年に建てられ、一度解体されたが、1823年にまた組み立てられ、エステルゴム大聖堂の南側に組み入れられた。

エステルゴム大聖堂は、丘の上からドナウ川を悠然と見下ろしているようだ。

日々の祈り | 175

ハンガリー
ブダペストの大シナゴーグ

燦然と輝く希望の象徴として、新たに修復されたヨーロッパ最大のシナゴーグ。ブダペストにある旧ユダヤ人街の真ん中にそびえている。

中欧ではどのシナゴーグでも、過去の深い傷がしのばれる。だが、この壮麗なシナゴーグは、喧噪の街と対照的に深い静けさをたたえ、やわらかな光が永遠の平和を約束しているかのようだ。

19世紀中頃、ブダペストの東部、ペスト地区には、3万人のユダヤ人がすんでいた。当時は、ユダヤ人の社会進出が著しい時代だった。この雰囲気を反映するかのように、1854年から59年にかけて、有力なユダヤ改革派集団が、大シナゴーグ（ドハーニ街シナゴーグ）を建設した。設計を担当したルートヴィヒ・フェルスターは、ムーア様式とビザンティン様式を折衷し、エキゾチックな建物を完成させた。

しかし、1920年代、彼らを悲劇が襲う。右翼政権下での弾圧、続いてユダヤ人隔離政策、国外追放、そして、ナチスによる迫害へとエスカレートした。

さらにブダペスト解放を企てるソ連の空爆で、大シナゴーグは破壊された。その後の共産政権の時代も、破壊はやまなかった。修復作業は1989年に始まった。

ベストシーズン シナゴーグは、日曜から木曜と、金曜の朝に公開されている。開館時間は事前に調べておこう。金曜の夕方と土曜の朝は、ユダヤ人の礼拝のために開かれる。

旅のヒント ドハーニ街（たばこ通り）の大シナゴーグは、ペスト地区の中心街の近くにあり、ドナウ川のエルゼベート橋からわずか450メートルだ。最寄りの地下鉄駅は、M2号線のアストリア駅。英語とヘブライ語のガイド付きツアーは、開館時間中、1時間ごとに出ている。ほかの言語のツアーは事前に申し込まなければならない。シナゴーグの見学は1時間程度だが、敷地内のユダヤ歴史博物館を見学する時間も予定しておこう。シナゴーグ見学とブダペストのユダヤ人街ツアーを組み合わせてもいい。所要時間は、約3時間。

ウェブサイト www.hungarytabi.jp（ハンガリー政府観光局）、www.greatsynagogue.hu（英語）

ヨーロッパ

見どころと楽しみ

■**豪華な内部**は、その広さも驚異的だ。長方形のバジリカを参考にして建てられ、長さ75メートル、幅27メートルある。信徒席は**2964席**。このシナゴーグは、現役のシナゴーグとしてはヨーロッパ最大。

■シナゴーグで催されている**コンサート**を観賞したい。音響効果は抜群だ。非常に珍しいことだが、このシナゴーグにはオルガンがある。

■**屋外のラウル・ワレンバーク記念公園**には、ホロコーストで犠牲になったハンガリー人の記念碑がある。金属製の「生命の木」は、シダレヤナギの形をしていて、葉の一枚一枚に、犠牲者の名前が刻まれている。戦時中ブダペスト駐在のスウェーデン外交官だったワレンバークは、ナチスドイツの死の収容所に送られる運命にあった1万5000人ほどのユダヤ人の命を救った。

ステンドグラスの窓から差し込む光の色がゆらめき、大シナゴーグの壮麗な装飾をさらに豪華に見せている。

草原に建つ均整がとれた優美な教会は、祈りの場であるとともに、人々に安らぎを与えてきた。

ドイツ
聖コロマン教会

バイエルン地方の手つかずの自然の片隅にぽつんと建つ、宝石のようなこの巡礼教会は、昔ながらの信仰を求める人々を魅了している。

雄大なアルプスをはるか遠くに眺め、花咲く草原や緑の牧草地に囲まれていると、11世紀にタイムトリップし、聖コロマンと一緒にくつろいでいる気分になるだろう。

聖コロマンは、故郷のアイルランドから聖地パレスチナに向かう途中、ここに滞在した。しかし、戦争で命を落とし、結局パレスチナにはたどり着けなかった。死後、彼が多くの奇跡を起こしていたことがわかり、非公式に列聖された。

シュバンガウの村には、疫病の犠牲者を葬った穴の横に、この聖人を祭る最初の礼拝堂が建てられた。14世紀、黒死病がヨーロッパを襲った時のことだ。

多くの巡礼者がここを訪れ、ペストからの救いを求めて聖人に祈った。聖コロマン信仰は広がり、バロック様式の全盛時代、1673年から78年にかけて教会は建て直された。現存する建物はこの時のものだ。木造の内装は、長い年月と静かな祈りの時間を思い起こさせる。毎年10月にコロマン祭りが行われる。

ベストシーズン 聖コロマン教会は、通常、5月下旬から10月中旬まで、毎日開いている。ただし、シュバンガウのツーリスト・オフィスで確認しよう。教会は、雪をかぶった冬の姿はいうまでもなく、四季を通じて魅力的だ。

旅のヒント シュバンガウの村はミュンヘンの南西約160キロ、フッセンからは5キロだ。どちらからもバスか列車で行ける。聖コロマン教会は、村とは1キロ離れている。教会だけなら1時間程度で見学できる。

ウェブサイト www.visit-germany.jp(ドイツ観光局)、www.schwangau.de(シュバンガウ観光情報)

見どころと楽しみ

■ 教会の内部は、バロックのしっくい細工、バラ色の大理石、絵画、彫刻などを組み合わせた、明るく華やかな印象。

■ 教会の聖体顕示台には、**聖コロマンの聖遺物**が納められている。メルク修道院から提供されたあごの骨のかけらだ。メルク修道院は、聖コロマンが亡くなった際に、遺体を引き取った。

■ コロマン祭りは、**聖コロマンの日**(10月13日)に最も近い日曜日に行われる。伝統に従って、民族衣装をつけた250人の騎手が、豪華に飾られた馬に乗って、野外のミサ会場に登場する。騎手は教会を3周して聖人の祝福を受け、その後、ビールと肉料理で祝う。この祭りは純粋な宗教行事であり、威厳に満ちている。

■ 背景の**アルプスの山々**が、教会の白い壁やタマネギの形をした塔、木陰のある中庭を引き立てている。

ヨーロッパ

日々の祈り | 177

東欧のシナゴーグ トップ10

東欧に残るシナゴーグは、その豪華さや規模など、さまざまだが、いずれも、苦悩に満ちた過去を物語る。

❶ ジョウクバのシナゴーグ（ウクライナ）

17世紀のジョウクバの要塞シナゴーグは、ナチスの爆撃で一部破壊されたが、今も輝かしい威厳を備えている。ピンク色の分厚い壁、彫刻された正面玄関、アーチ形の窓、銃眼のある屋根などは、ここが文化の中心だったことを物語る。16世紀後半の「理想都市」の構想に基づいてつくられた建物だ。

旅のヒント ジョウクバはウクライナ西部の町。国際空港のあるリヴィウの近郊にある。www.go2kiev.com/view/zhovkva.html（英語）

❷ ボートシャニの大シナゴーグ（ルーマニア）

1834年に建てられたこのシナゴーグの内部は、外観からは想像もつかないほど豪華だ。彫刻と金箔で飾られ、大胆に彩色した聖櫃（せいひつ）が、高い位置に掲げられ、壁や天井は、十戒、聖書の中の動物、イスラエルの12支族など、素朴な絵で飾られている。

旅のヒント シナゴーグを訪問するなら、ボートシャニのユダヤ人コミュニティーセンターに直接問い合わせよう。または、ルーマニア大使館や領事館を通じて申し込もう。www.romaniatabi.jp（ルーマニア観光・商務局） www.romanianjewish.org（英語）

❸ パクルオイスのシナゴーグ（リトアニア）

その昔、東欧の村ならどこにでも凝った木造シナゴーグがあった。しかし、今では、質素なシナゴーグがわずかに残るだけだ。パクルオイスのシナゴーグもとても素朴だ。1801年に建てられた頃は、花々や動物の絵画で飾られていた。今では壁がゆがみ、屋根が傾いているが、そんな姿でも、過去を思い出させてくれる。

旅のヒント リトアニアには木造のシナゴーグが十数棟残っている。どこも車で簡単に行ける。www.litjews.org（英語、リトアニア語ほか） www.shtetlinks.jewishgen.org/pakruojis（英語）

❹ ティコチンのシナゴーグ（ポーランド）

ティコチンは、戦前のユダヤ人集落の趣を残した町だ。町の通りや低い家並みの上にバロック様式のシナゴーグがそびえている。1642年に完成したこのシナゴーグは、かつては学校や裁判所や刑務所でもあった。今は修復され、博物館になっている。

旅のヒント シナゴーグ博物館は、毎日10時～17時に開館している。月曜と祝日の翌日は休館。www.poland.travel（ポーランド政府観光局） www.tykocin.hg.pl（英語ほか）

❺ レム・シナゴーグ（ポーランド クラクフ）

レム・シナゴーグは、壁に囲まれ、丸石が敷き詰められた庭の奥にある。クラクフの旧ユダヤ人街、カジミエシュ地区で今も礼拝に使われ、安息日には昔ながらの祈りが響く。

旅のヒント 夏に行われるユダヤ文化祭に合わせて訪問しよう。www.poland.travel（ポーランド政府観光局） www.jewishkrakow.net（英語、ポーランド語ほか）

❻ トルナバのシナゴーグ（スロバキア）

二つの塔があるトルナバのシナゴーグは廃墟だった。今は改築されて現代美術館となっている。

旅のヒント ヤン・コニアレク・ギャラリーには、この地域のユダヤ人の歴史を伝える常設展示場が設けられている。www.sk.emb-japan.go.jp（在スロバキア日本国大使館）、www.slovakia.org/trnava.htm（英語）

❼ ソフィアの中央シナゴーグ（ブルガリア）

2009年に創建100周年を迎えるソフィアの中央シナゴーグは、ムーア風のしま模様や円屋根などが特徴で、16世紀のモスクが建つ地域にうまくとけ込んでいる。豪華に装飾された八角形の聖所は、1.8トンの真鍮製のシャンデリアで照らされている。

旅のヒント シナゴーグにはユダヤ歴史博物館が併設されている。www.sofiasynagogue.com（英語ほか）

❽ セゲドの新シナゴーグ（ハンガリー）

新シナゴーグの壮大なドームは、林立する尖塔や円屋根の上にそびえるように建っている。だが、その美しさは、東洋と西洋の様式を融合させた壮麗な室内装飾にある。1903年に開所したこのシナゴーグは、ベテラン建築家リポット・バウムホーンの傑作だ。ユダヤのシンボルが、装飾や建築の細部の一つひとつに見られ、見る者の心を揺さぶる。

旅のヒント セゲドの町はブダペストから列車で2時間半で訪れることができる。www.hungarytabi.jp（ハンガリー政府観光局） www.zsinagoga.szeged.hu（英語ほか）

❾ マードのシナゴーグ（ハンガリー）

バロック様式のこぢんまりしたシナゴーグは、ハンガリー北東部にあるワインづくりの盛んなマードの村にそびえている。このシナゴーグは最近修復され、壁は淡い色で装飾された。金で覆われたライオンや怪物グリフォンが、聖櫃の上に後ろ脚で立っている。シナゴーグの隣にはユダヤ教の学校やラビの家が当時のまま残されている。聖所の隣室に設けられた小さな展示場では、マードのユダヤ人の歴史が見られる。

旅のヒント 2004年に修復されたこのシナゴーグは、マードの見どころの一つだ。この地のワイナリーも訪れよう。かつては多くのワイナリーがコーシャー（ユダヤ教の食事規定に従った食品）市場に出荷していた。www.hungarytabi.jp（ハンガリー政府観光局） www.isjm.org/country/mad.htm（英語）

❿ ウシュチェクのシナゴーグ（チェコ）

第二次世界大戦や共産主義政権により、18世紀に建てられたウシュチェクの砂岩のシナゴーグは廃墟となった。だが、2003年、10年に及ぶ修復を終え、元の輝きを取り戻した。トマトのような赤い色の建物は独特の造形で、文化イベントの会場になっている。この地のユダヤ人の歴史を伝える常設展示場には、19世紀の学校が復元された。

旅のヒント シナゴーグは、プラハの北71キロにある。4月から10月まで一般公開されている。www.czechtourism.com（チェコ政府観光局） www.mesto-ustek.cz（チェコ語、英語ほか）

次ページ：リポット・バウムホーンは、近代ヨーロッパで最も多くのシナゴーグを手がけた建築家で、彼が設計したシナゴーグは22にもなる。ハンガリー・セゲドにある壮麗な新シナゴーグは、彼の最高傑作といわれている。

SZERESD FELEBARÁTODAT MINT TENMAGADAT ואהבת לרעך כמוך

ドイツ
アーヘン大聖堂

ヨーロッパ北部で最古の大聖堂は、神聖ローマ帝国と関係が深く、ここにはカール大帝の棺が安置されている。

　アーヘン大聖堂の片側には、大理石でつくられた質素なカール大帝の玉座が置かれている。神聖ローマ帝国の歴代の32人の皇帝は戴冠後、その玉座を降りて家臣たちに挨拶したという。

　神聖ローマ帝国初代皇帝を宣言したカール大帝は、786年に現在の大聖堂の中心にある宮殿教会の建設を始めた。アーヘン大聖堂は、ヨーロッパ北部最古の大聖堂で、宮殿教会はカロリング朝建築の傑作だ。特に注目すべきは、高さ32メートルの八角形の塔だ。この荘厳な塔の円天井は、かつてヨーロッパ一の高さを誇った。モザイク画と金で飾られた天井からは、青銅のシャンデリアがつり下がり、その下にカール大帝の石棺が置かれている。

　カール大帝は領土の拡大だけではなく、聖遺物も集めたため、遠方からも巡礼者が続々と大聖堂を訪れた。最も貴重な聖遺物は、聖母マリアの外衣、幼な子イエスの産着、十字架上でイエスが身につけていた下帯などである。斬首された洗礼者ヨハネの首を包んでいたとされる布もある。これらの聖遺物は、聖母マリアの聖堂に納められ、大聖堂は昔から、「聖母マリアのための皇帝の大聖堂」と呼ばれていた。

ベストシーズン　季節にかかわらず、いつ訪れても良いが、クリスマス・マーケットが開かれているときは祝祭気分も味わえる。

旅のヒント　修復中、礼拝中、巡礼者の公式行事がある時は、観光客の立ち入れない礼拝堂や博物館もある。見たいものが公開されているかどうか、前もって問い合わせておこう。大聖堂と博物館をじっくり見るなら2日は必要だ。

ウェブサイト　www.visit-germany.jp（ドイツ観光局）、aachen.de（英語、ドイツ語ほか）

見どころと楽しみ

■アーヘン大聖堂の**外観**は、さまざまな建築様式の寄せ集めだ。だが、外観で判断しないようにしたい。圧巻なのは、大聖堂の内部だ。

■ビザンティン文化の影響を受けた**モザイク画**が、カロリング朝のほかの建物との違いを際立たせている。四つの大河が天国のエルサレムで交わる場面を雄大に描いたモザイク画は、見逃さないようにしたい。

■アーヘン大聖堂は、巡礼者が激増したため、15世紀に拡張された。1414年にカール大帝没後600年を記念して、**ガラスの礼拝堂**が増築された。この礼拝堂のステンドグラスは第二次世界大戦で破壊され、その後新たにつくられた。

カール大帝の石棺に見られる彫刻。玉座に就いたカール大帝が、教皇レオ3世とランスのチュルパン大司教を両脇に従えている。

サン・ビターレ聖堂の外観は素朴だが、一歩内部に入ると目の覚めるようなモザイク画が迎えてくれる。

イタリア
サン・ビターレ聖堂

6世紀に完成した聖堂は、ビザンティン様式のモザイク画で飾られている。イスタンブール以外で、これほど見事なモザイク画が残る場所はない。

八角形の建物が印象的なラベンナのサン・ビターレ聖堂は、外観は簡素だが、内部は多数のモザイク画で豪華に飾られている。モザイク画は教会の建立と同じく、6世紀のものだ。初期キリスト教のビザンティン様式のモザイク画としては、保存状態は最高だ。後陣には、イエスが聖ビターレ（ウィタリス）に殉教者の冠を授ける場面を描いたモザイク画がある。

その右側には、聖堂を建設した司教エクレシウスが、その模型を持っているモザイク画がある。また、左側では、ビザンティン皇帝ユスティニアヌスと皇妃テオドラが、司教マクシミアヌスと並んで描かれている。この聖堂は、ユスティニアヌス帝時代に建てられ、547年にマクシミアヌスが献堂式を行った。

ローマ皇帝はラベンナを軽視していたため、紀元前90年まで支配下に置かなかった。その後5世紀頃、ラベンナはローマ帝国の拠点になり、サン・ビターレ聖堂などの大建造物が建設された。伝説では、この聖堂が建つ場所は、ローマ人がミラノのビターレをキリスト教徒と判断した場所といわれる。聖ビターレは拷問され、生き埋めにされた。そして、ラベンナで最も敬愛される殉教者になった。

見どころと楽しみ

■ ラベンナは、文学と関係の深い町だ。『神曲』の作者**ダンテ・アリギエーリ**は、1321年、この町で死んだ。彼の墓は、サン・フランチェスコ教会の隣にある。アイルランドのロマン派詩人、**ウィリアム・バトラー・イェーツ**は、サン・ビターレ聖堂のモザイク画からインスピレーションを得て、『ビザンティウム』と『ビザンティウムへの航海』を書いた。

■ **ポポロ広場**は、ラベンナにある広場だ。半円を二つ合わせたような形のこの広場には、噴水や記念碑があり、聖堂や教会などの建物が周囲に並んでいる。座って周りの風景をゆっくり楽しもう。さまざまな形の瓦屋根が空にそびえているのが見える。

■ **大司教の館**はぜひ訪れたい。**聖オルソ大聖堂**には、6世紀の大理石の石棺が二つある。**国立博物館**は、ラベンナの歴史を網羅している。

ヨーロッパ

ベストシーズン サン・ビターレ聖堂は、毎日9時~19時に開館している。だいたい12時~13時ぐらいが、モザイクが最も良く見える明るさになる。

旅のヒント イタリア北部のエミリア・ロマーニャ州にあるラベンナは、高速道路が通り、列車の乗り継ぎもよいので、レンタカーでも、バスでも列車でも行ける。ボローニャ空港から車か列車で1~2時間で、ポポロ広場から500メートルほど。サン・ビターレ聖堂は丸1日かけて見学したい。それ以外も見学するなら、2日以上必要だ。

ウェブサイト www.enit.jp（イタリア政府観光局）
www.sacred-destinations.com/italy/ravenna-san-vitale（英語）

イタリア
カサーレ・モンフェッラートのシナゴーグ

今では信者がほとんどいなくなってしまったが、美しく修復されたシナゴーグは、ユダヤ美術の真髄を伝える傑作だ。

カサーレ・モンフェッラートのシナゴーグは、ありふれた建物で、その入り口も特徴はない。しかし、扉を開けて中に入ると、金色の輝きが目に飛び込んでくる。神を祝福する黄金の輝きだ。

天井にはヘブライ語で「ここは天国への入り口である」と刻まれている。淡い色の壁にはヘブライ語の聖句や文言が並び、金を被せたしっくい細工で飾られている。女性用礼拝所には優美に波打つ格子窓がある。18世紀につくられた、聖典トーラーを収める聖櫃(せいひつ)と礼拝所とを隔てるものは、錬鉄の格子だ。彫刻で埋め尽くされたティンパヌム(三角壁)を高いコリント式円柱が支え、その脇には、らせん状の枝付き燭台があり、トーラーを象徴する金冠がその上に掲げられている。

1595年に建てられたシナゴーグは、何世紀にもわたって増築され、装飾が加えられてきた。ピエモンテ州には華美なシナゴーグがいくつか現存しているが、このシナゴーグが最も華麗だ。

ベストシーズン シナゴーグは、毎週日曜の10時〜12時と、15時〜17時に公開されている。平日に訪れる場合は予約が必要。

旅のヒント カサーレ・モンフェッラートは、高速道路A26号線でミラノやトリノから車で90分弱。アスティ、アレッサンドリア、カルマニョーラなど、ピエモンテ州のほかのシナゴーグも一般公開されている。カサーレ・モンフェッラートのシナゴーグで半日過ごしてから、かつてユダヤ人街だったシナゴーグ周辺を散策し、ユダヤ人の共同墓地を訪れよう。

ウェブサイト www.enit.jp (イタリア政府観光局)、www.casalebraica.org (イタリア語、英語)

ヨーロッパ

見どころと楽しみ

■ ホロコーストの犠牲になったユダヤ人をしのび、シナゴーグの入り口に碑がある。その近くの中庭の回廊の下に、ヘブライ文字の神秘的なシンボルが刻まれた彫刻がある。

■ 聖櫃の近くに、**16世紀の浅浮き彫り**が二つある。一つにはエルサレムとソロモン王の神殿が描かれ、もうひとつには古代のヘブロンの町が描かれている。その近くに、ヘブライ語とイタリア語が刻まれた**大理石の飾り板**がある。1848年にピエモンテ州のユダヤ人を解放したカルロ・アルベルト王を記念したもの。

■ **ユダヤ美術歴史博物館**で、刺繍(ししゅう)、銀の祭礼用具、トーラーをはじめとする、ユダヤ文化に関する展示品を見よう。

■ **明かりの博物館**には、現代の芸術家が作ったハヌカー(神殿の清めの祭り)のメノーラー(枝付き燭台)が展示されている。

カサーレ・モンフェッラートのシナゴーグのきらびやかな室内。ユダヤ教のシンボルで飾り立てられたバロック様式の殿堂だ。

サン・ピエトロ大聖堂のドームから、光が差し込んでいる。

バチカン市国

サン・ピエトロ大聖堂

聖ペテロも埋葬されているという歴代教皇の墓所に建つ大聖堂は、
世界屈指の宗教芸術で飾られている。

世界で最も小さな国、バチカン市国にサン・ピエトロ大聖堂はある。カトリックの最も神聖な場所の一つであり、世界最大の教会の一つだ。

1506年に建設が始まったこの大聖堂は、ミケランジェロをはじめとする偉大なルネサンスの芸術家が、設計や装飾に携わった宗教芸術の宝庫だ。大聖堂が建つのは、広さ4ヘクタールのサン・ピエトロ広場。この広場はベルニーニが設計し、訪問者を抱くように、列柱がゆるい弧を描いて並んでいる。

広場から扉をくぐって大聖堂に入ると、長い身廊が延びる。巨大な彫像や列柱、美しい祭壇画が、角を曲がるたびに目に入る。聖ペテロの像は、多くの巡礼者に触れられ、足の指は摩耗している。見上げれば、天井の縁を囲む窓から陽光が差し込み、その内側は、キリスト、聖母マリアなどのモザイク画で飾られている。その下で最も目を引くのが、主祭壇の上にあるブロンズの天蓋だ。初代教皇、聖ペテロは、この真下にあるローマ時代の共同墓地(ネクロポリス)に眠っている。

見どころと楽しみ

■ 入ってすぐ右の第一礼拝堂には、**ミケランジェロ作の「ピエタ」**がある。十字架にかけられた後のイエス・キリストを抱く悲しげな聖母マリアを表現した聖母子像だ。写実的で心が痛むようなミケランジェロのこの彫像は、「ダビデ像」とともにルネサンス芸術の傑作であり、構成も傑出している。

■ ベルニーニの**サクラメント礼拝堂**は、黙想と祈りの場所です。サン・ピエトロ大聖堂の礼拝堂では、世界中からやって来た聖職者たちが、朝7時からさまざまな言語で終日ミサをしている。

■ エレベーターに乗って天井まで行くと、**ドームの内側**から大聖堂を見下ろせる。そこから320段を上って展望台に出ると、ローマの街並みが一望できる。

■ 教皇の夏期休暇や旅行中以外は、毎週日曜日の正午にカトリック信者が**サン・ピエトロ広場**に集まる。教皇はバルコニーから集まった人々を祝福する。

■ **ネクロポリス**のガイド付きツアーでは、発掘現場を通り大聖堂の真下にある共同墓地に行く。カトリック信者はここに聖ペテロの墓があると信じている。だが、多くの学者は、1953年にエルサレムのオリーブ山で発見された墓が、聖ペテロが実際に埋葬された場所だと考えている。

ヨーロッパ

ベストシーズン　サン・ピエトロ大聖堂には、混雑を避けるため、午前中の早い時間に行こう。

旅のヒント　見学には3時間以上必要だ。ガイド付きツアーでなければ、並ぶことを覚悟しよう。特に日曜日は長い行列ができるだろう。毎週日曜日には、身近でイタリア語とラテン語のミサが終日行われている。大聖堂の南翼廊にある郵便局を兼ねたインフォメーションセンターで無料のツアーがあるか確かめよう(日曜休)。厳格な服装規定があり、ミニスカート、短パン、タンクトップでは入れない。ネクロポリスを見るには、バチカンの発掘事務所に申し込む。

ウェブサイト　www.vatican.va (英語、イタリア語ほか)、www.saintpetersbasilica.org (英語)

日々の祈り | 183

芸術家の礼拝堂
トップ10

多くの芸術家が信仰から創造のひらめきを得てきた。ここでは、芸術家ゆかりのすばらしい礼拝堂を紹介する。

❶ ベト・ショロム・シナゴーグ（米国ペンシルベニア州）

エルギンズ・パークの町にあるこのシナゴーグは、フランク・ロイド・ライトの設計。ユダヤ教のシンボルが随所に見られる。外観は、ユダヤ教の神殿である幕屋、先住民のテント、山を表す。日中は室内に光があふれ、夜は、内側から輝いて見える。

旅のヒント 礼拝は毎日行われている。建物の見学ツアーに参加するなら、事前に申し込んでおいた方がいい。
www.bethsholomcongregation.org（英語）

❷ ロスコ礼拝堂（米国テキサス州）

1960年代、ジョンとドミニクのメニル夫妻が、抽象画家のマーク・ロスコに瞑想の空間をつくることを依頼し、ヒューストンに、8枚の大きな絵がかけられた八角形の部屋ができた。絵はどれも黒を基調に、濃紺、濃い紫色、赤色で微妙な変化をつけている。

旅のヒント 土曜～火曜は10時～18時、水曜～金曜は10時～19時に開館している。www.rothkochapel.org（英語）

❸ 皇帝の礼拝堂（ロシア モスクワ）

ウスペンスキー大聖堂にあるこの礼拝堂はかつて、16世紀初期のフレスコ画が壁に並び、美しく飾られていた。しかし、圧巻なのは、ロシア最高の聖像画家たちが描いた多層構造のイコノスタスだ。テオファネスの「洗礼者聖ヨハネ」や「大天使ガブリエル」など、すべてが宝石のように輝いている。

旅のヒント クレムリンは毎週木曜休み。www.russia-emb.jp（在日ロシア連邦大使館）、www.kreml.ru（ロシア語、英語ほか）

❹ 聖セバスティアーノ教会（イタリア ベネチア）

16世紀初めに活躍したベネチアの画家パオロ・ボロネーゼが描いた油彩やフレスコ画が、聖具保管室の天井、身廊の天井と上壁、パイプオルガンの扉、内陣を覆っている。そこには、聖セバスティアーノの生涯や聖書の場面が劇的に描かれている。

旅のヒント 共通パスを利用すると聖セバスティアーノ教会をはじめ、15のベネチアの教会に入れる。パスは、対象となる教会で購入できる。
www.enit.jp（イタリア政府観光局）
www.chorusvenezia.org（イタリア語、英語）

❺ スクロベーニ礼拝堂（イタリア パドバ）

アレーナ礼拝堂とも呼ばれるこの小さな礼拝堂には、ルネサンス芸術の傑作が納められている。14世紀のジョットのフレスコ画の数々だ。イエスと聖母マリアの生涯の二つの物語が、両側の壁を埋めている。紺碧の天井、斑岩や大理石で描かれただまし絵の壁、きらびやかなフレスコ画など、礼拝堂は色彩にあふれている。

旅のヒント 見学は予約が必要。www.enit.jp（イタリア政府観光局）
www.cappelladegliscrovegni.it（イタリア語、英語）

❻ システィーナ礼拝堂（バチカン市国）

教皇が住むバチカン宮殿内につくられたシスティーナ礼拝堂の広く高い天井には、ミケランジェロ作の343の人物が描かれている。彼は1508年から09年と、1511年から12年に、これらの絵をほとんど1人で描いた。旧約聖書の場面では、神がアダムに生命を与える有名な絵など、創世記の物語が描かれている。祭壇画の「最後の審判」は、1541年に完成した。

旅のヒント 礼拝堂は、月曜から土曜と、月末の最終日曜日に開いている。
www.vatican.va（英語、イタリア語ほか）

❼ ロザリオ礼拝堂（フランス）

フランス南部ヴァンスにあるこの静かな礼拝堂は、建物、ステンドグラス、装飾品など、すべてがアンリ・マティスの作品ということに尽きる。祭服までもが彼のデザインだ。室内に差し込む黄と緑と青の光は、神の色や光そのものの色、空の色などを象徴している。それらの色が、床や陶磁器タイルの壁画を照らす。

旅のヒント ロザリオ礼拝堂は、ニースの近くにあるヴァンスの中心街から歩いて10分弱の距離だ。毎週火曜と木曜の10時～11時半と14時～17時半、開館している。夏は開館時間がもう少し延びる。11月は休館。
jp.franceguide.com（フランス政府観光局）

❽ サン・ピエール礼拝堂（フランス）

14世紀にできたこの小さな礼拝堂は、ビルフランシュの漁村にある。室内には漁師の守護聖人である聖ペテロ（サン・ピエール）の生涯を描いた、華やかな壁画が至る所にある。映画監督のジャン・コクトーの作だ。彼は1957年に礼拝堂の改装に取りかかり、この地の人々や周辺の村々をモデルとして、壁画を描いた。

旅のヒント 礼拝堂は、ニースの東5キロにあるビルフランシュ港の入り口近くにある。www.villefranche-sur-mer.com（フランス語、英語）

❾ サン・アントニオ・デ・ラ・フロリダ修道院（スペイン）

かつての王室礼拝堂の中に入ると、入り口近くにフランシスコ・デ・ゴヤの墓がある。そして、墓を取り囲む壁には、彼自身が描いたフレスコ画があり、サン・アントニオの奇跡の物語を伝えている。これらのフレスコ画をろうそくや線香の煙から守るため、1928年に全く同じつくりの礼拝堂が隣に増築された。

旅のヒント 礼拝堂は、マドリードのフロリダ通りに面している。最寄り駅は、プリンチペ・ピオ。開館は、火曜から金曜は10時～14時と16時～20時で、土曜と日曜は10時～14時だ。
www.spain.info/JP/TourSpain（スペイン政府観光局）

❿ サンダム記念礼拝堂（英国イングランド）

英国の画家スタンリー・スペンサーは、1927年から32年にかけて、この礼拝堂のために19の絵画を制作した。作品はすべて、第一次世界大戦に英軍医療部隊員として従軍した経験をもとに描かれている。落ち着いた作風だが心に訴える作品には、軍隊の日課を描いた「床掃除」や「背嚢の整理と輸送」と題された絵が並び、祭壇画の「兵士たちの復活」で締めくくられている。

旅のヒント ハンプシャー州バークレアにある礼拝堂は、3月上旬から12月下旬に公開されている。開館時間は日によって違う。www.visitbritain.jp（英国政府観光庁）、www.nationaltrust.org.uk（英語）

次ページ：イタリアのパドバのスクロベーニ礼拝堂にあるジョット作の「哀しみ」。イエスの生きている兆候を必死で探す聖母マリアと、イエスの死を悲しむ人々の苦悩が伝わってくる。

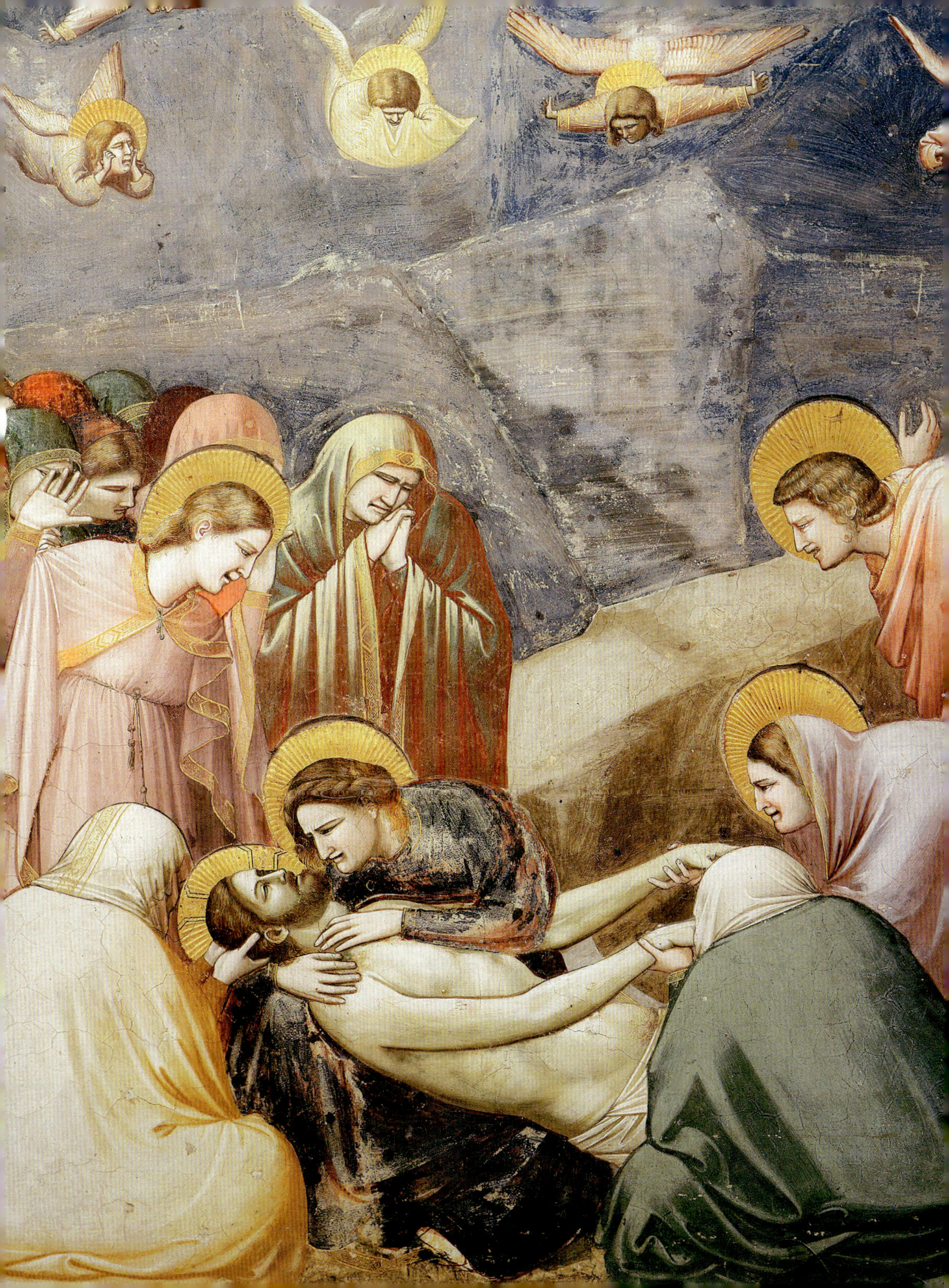

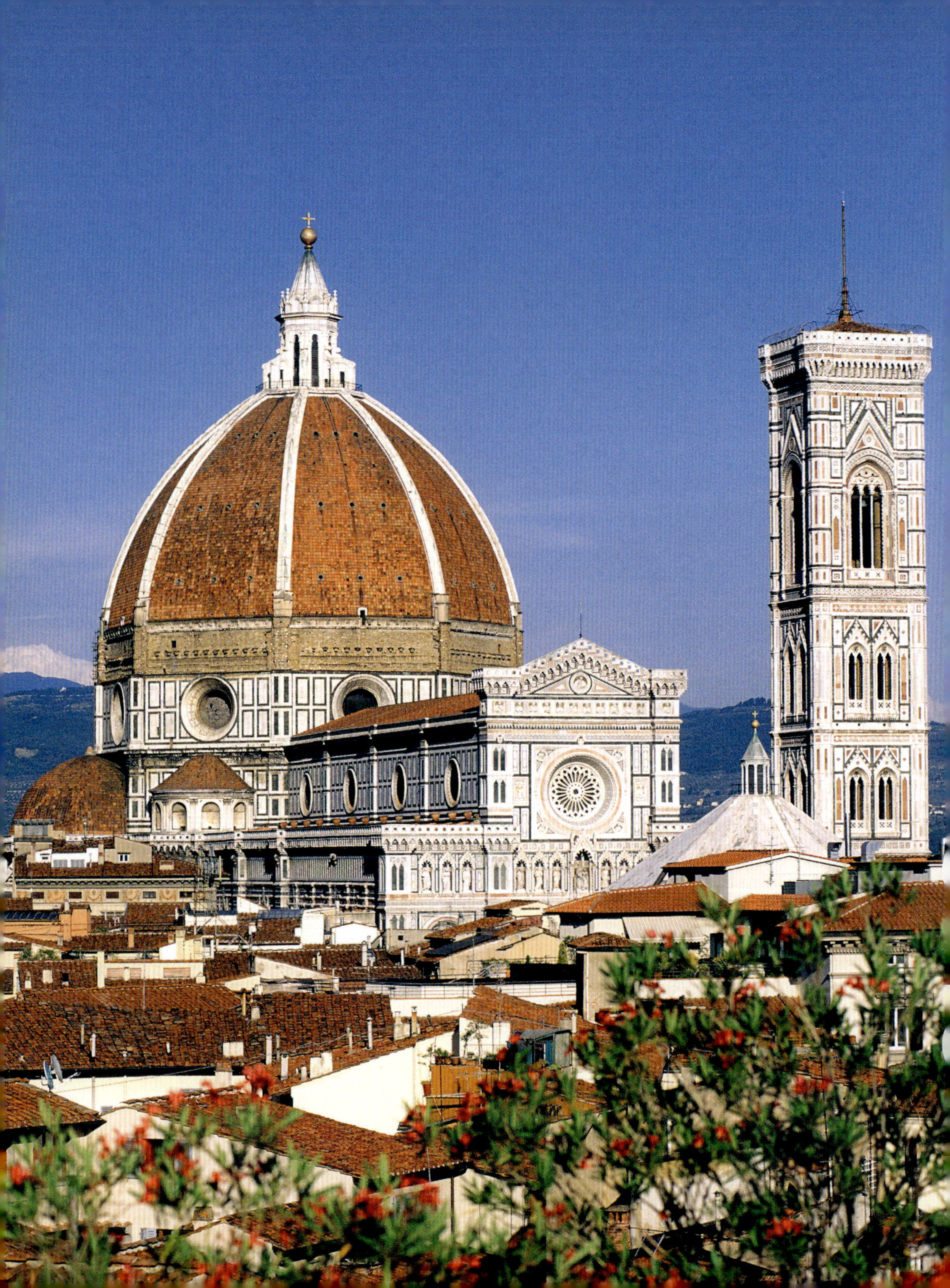

イタリア

花の聖母マリア大聖堂

ルネサンス建築の真髄であるフィレンツェの大聖堂の建造には、イタリアを代表する芸術家や建築家たちが集められた。

広く「ドゥオーモ」として知られている花の聖母マリア大聖堂は、フィレンツェの街並みを見守り続けてきた。この壮大な大聖堂は、13世紀後半に建設が始まり、15世紀中頃にようやく完成した。ジョット、ブルネレスキ、ドナテッロ、ドメニコ、ギルランダイオ、ピサロ、ルーカ・デッラ・ロッビアといった、イタリア屈指の画家や彫刻家、建築家が、この美の殿堂の建設に携わった。

中でも圧巻は、フィリッポ・ブルネレスキが設計し、15世紀初頭に建設が始まった巨大な円天蓋だ。この天蓋の優美な曲線は、フィレンツェのどこからでも見られるといってよいほどだ。深紅、緑、白の大理石のファサードは幾何学模様の彫刻で覆われ、所々に設けられた壁のくぼみには、荘厳な聖人像が納められている。

格調高い大聖堂の内部は、床に象眼細工の大理石が敷き詰められ、金めっきの柱頭をもつ巨大な円柱が並ぶ。そして、高窓からはステンドグラスを通してやわらかな光が注ぎ込む。天井を仰ぐと、「最後の審判」のフレスコ画が見える。巨大な円天蓋いっぱいに広がる絵は神々しく、目が釘づけになる。間近に見るなら、463段の階段を上ろう。さらに、展望台に上れば、息をのむようなフィレンツェの風景が待っている。

ヨーロッパ

ベストシーズン ドゥオーモを訪れるのは春の終わりがおすすめ。天候が穏やかで、観光客も少ない。夏は混むので避けたい。日曜は開館時間が早まる。平日にすべての建物を見学したいなら、昼すぎに行くと良い。大聖堂、円天蓋、鐘楼、洗礼堂、美術館は、すべて開館時間が違う。事前に正確な時間をチェックしよう。

旅のヒント フィレンツェへは、直接飛行機で行くか、あるいはローマまで飛行機で行き、そこから列車で行ってもいい。大聖堂のすべての建物を見て回るには、少なくとも3時間はかかる。フィレンツェ全体の観光には3日かかる。春の雨に備えて傘を持っていこう。春と秋は重ね着をしよう。フィレンツェはこぢんまりした町で、どこへでも歩いていける。レンタカーを借りるのは無駄。見どころの近くに駐車スペースはない。

ウェブサイト www.enit.jp（イタリア政府観光局）、www.operaduomo.firenze.it（イタリア語、英語）

見どころと楽しみ

■ドゥオーモの向かいに、八角形の**サン・ジョバンニ洗礼堂**がある。ここにはロレンツォ・ギベルティ作の有名な「天国の門」がある。ブロンズ板に金を被せた豪華な扉には、聖書の場面が描かれている。

■白、赤、緑の大理石で美しく装飾された、ジョット設計の**鐘楼（カンパニーレ）**を見逃さないようにしよう。階段を414段上ると、ここでも雄大な風景が楽しめる。フィレンツェの街並みや、ドゥオーモの全景が見られる。

■ドゥオーモの裏には、大聖堂の美術館である**付属美術館**がある。このすばらしい美術館には、ドナテッロ作の彫刻や、ルーカ・デッラ・ロッビア作の彩色陶板の聖母マリアや歌う天使など、かつてドゥオーモを飾っていた芸術品の数々が展示されている。

■ルネサンス美術の愛好家は、かつて**サン・マルコ修道院**に暮らした修道士をうらやましく思うだろう。現在この修道院は、美術館になっている。この修道院を設立したドミニコ修道会は、修道士や修道女の共同体という意味で修道院という言葉を使っている。1436年から45年に修道士としてここに住んだ、画家のフラ・アンジェリコは、小さな僧坊を含め、建物の多くにフレスコ画を描いた。名作「受胎告知」もある。

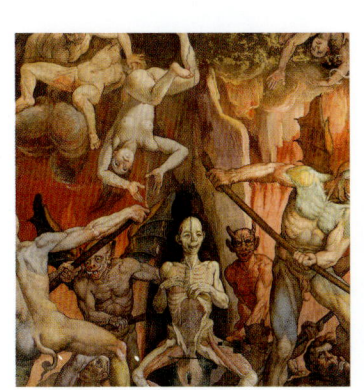

前ページ：フィレンツェの家々の向こうに、ドゥオーモがそびえる。ブルネレスキが設計した円天蓋、身廊、ジョットの鐘楼は花の都のシンボルだ。上左：円天蓋の「最後の審判」の恐ろしげなフレスコ画は、信者に神への畏怖を伝えるために描かれた。上右：ドゥオーモの美しさは、ファサードの精巧な装飾にある。

聖歌隊席は、もともと修道士たちが祈りを捧げた場所。現在は、付属聖歌隊が毎日の礼拝で歌っている。

英国 イングランド

ウェストミンスター寺院

長い歴史を誇り、威厳に満ちたウェストミンスター寺院。
壮麗さと重厚さという点で、この教会に匹敵するものはないだろう。

　石が口を利くとしたら、ウェストミンスター寺院は多くを語るだろう。ここにはイングランド、スコットランド、英国の17人の国王をはじめ、多くの著名人が埋葬されている。1066年に、ウィリアム1世が戴冠式を挙げて以来、王の戴冠式と王室の結婚式はここで行われている。

　英国で最も高いゴシック式のアーチ形天井など、豪華絢爛なこの教会は、ロンドンの中心にある。そして王室の教会ともいわれ、王室行事の場であり、英国国教会の主要な教会として君臨している。

　その歴史は、エドワード懺悔王が11世紀に設立した修道院に始まる。巡礼者が歩いてすり減った壇上では、今も信者が祈りを捧げる。現在の建物のほとんどは、13世紀にヘンリー3世が建てた。バラ窓、とがったアーチなどはフランス式だが、塑像（そぞう）や彫刻、大理石の柱の様式や、通路を1本にするなど英国風の趣もある。

ベストシーズン　ウェストミンスター寺院は日曜を除く毎日、観光客にも公開されている。
ただ、祝祭日や、特別行事のある日には入れない。開館時間は日によってちがうので、詳細はウェストミンスター寺院のホームページで調べよう。

旅のヒント　少なくとも2時間はかけたい。並ぶのは覚悟しよう。入場は有料。
有意義な訪問にするためには、音声ガイドを借りるか、ガイドツアーに参加しよう。どちらも追加料金が必要だが、その価値は十分にある。

ウェブサイト　www.visitbritain.jp（英国政府観光庁）・www.westminster-abbey.org（英語）

見どころと楽しみ

■エドワード2世以降、国王は、**戴冠式**のいすに座って王冠を受けるようになった。このいすは、ヘンリー5世の墓石の近くにある回廊の台座に置かれている。1300年につくられ、座席板の下に棚があり、そこに「スクーンの石（運命の石）」が収められていた。聖ヤコブの枕といわれるこの石は、1996年にエディンバラ城に返還され、現在はスコットランドを象徴する品々とともに保管されている。

■16世紀初頭につくられた優美な**ヘンリー7世の礼拝堂**を見逃さないようにしよう。チューダー家の紋章、約100体の彫像などが見られる。

■**詩人のコーナー**には、チョーサー、シェイクスピア、テニスン、ディケンズ、エミリー・ブロンテのほか、多くの著名な文学者の記念碑がある。

■**英国空軍礼拝堂**には、第二次世界大戦での航空戦、バトル・オブ・ブリテンで戦死した連合軍の飛行士が祭られている。窓には、63の飛行中隊の記章が飾られている。

■**付属博物館**には、歴代国王の肖像や13世紀の色鮮やかなオーク材で制作された祭壇背後の飾りがある。

ヨーロッパ

フランス
シャルトル大聖堂

ゴシック建築の粋を集めた大聖堂には、国王や芸術家、
聖書に登場する人物を題材にした豪華な装飾が施されている。

ボース地方の平地にそびえるシャルトル大聖堂の尖塔は、700年以上にわたって旅人や巡礼者を魅了してきた。聖母マリアに捧げられたゴシック建築の金字塔は、パリの南西、ウール川のほとりの町シャルトルにある。

この地にあった最初の教会も、聖母マリアを祭っていた。伝説によれば、876年にカール大帝は、聖遺物として「サンクタ・カミシア(聖衣)」を大聖堂に納めたという。これは、イエスが生まれた時に聖母マリアが着ていたという外衣の一部だ。30年間かけて建てられ、1260年に献堂式を挙げたシャルトル大聖堂は、中世ヨーロッパの大聖堂の中で、保存状態が最も良い。

建設に携わった彫刻家や芸術家の名前は残っていないが、この建物は王室と多くの職人の共同作品である。この格調高いゴシック教会には、数え切れないほど多くの称賛すべき品々がある。イエスや聖人の生涯だけでなく、大聖堂に寄付をしたさまざまな職人たちの日常も描かれている。総面積2600平方メートルにもおよぶステンドグラスには、色鮮やかに物語が描かれている。

ベストシーズン シャルトル大聖堂には正午のツアー(有料)に合わせて行こう。ステンドグラスの窓や彫刻をじっくり見たら、午後遅くの地下墓地ツアーにも参加すると良い。理想的には、数日間かけて窓と扉口を一つずつ見たい。快晴の多い冬に訪問すると、色鮮やかなシャルトル大聖堂が見られる。

旅のヒント パリのモンパルナス駅から列車で1時間もかからない。ランブイエの森を通り、ボース平野を走る旅は快適だ。控え目な服装にして、腕や足の露出は避けること。

ウェブサイト jp.franceguide.com(フランス政府観光局)、www.diocese-chartres.com(フランス語)

見どころと楽しみ

■ 創建時の186枚の**ステンドグラス**のうち、152枚が残っている。中世のステンドグラスが当時のまま残る世界最大のコレクションだ。

■ 床には象眼細工で描かれた**中世の迷路**がある。その面積は世界最大。保存状態も最高である。巡礼者はこの「エルサレムへの道」を歩いたりはったりして、天国への到達を目指す。

■ 優美な階段を上って、**聖ピア礼拝堂**へ行こう。聖母マリアの聖遺物を安置するために14世紀に建設された礼拝堂だ。

■ 「**新入会者の扉**」とも呼ばれる北の入り口の脇には、荷車に載せて運ばれる契約の箱の彫刻がある。テンプル騎士団が契約の箱をシャルトル大聖堂に運び込み、地下墓地に隠したと信じている人もいる。

夜のシャルトル大聖堂は、とりわけ美しく幻想的だ。

ステンドグラス トップ10

光り輝く色彩で、
物語を見せてくれるステンドグラスは、
今も昔も人々を魅了し、感銘を与えている。

❶ ブラウン長老派記念教会（米国メリーランド州）

紺青色のドームと輝くステンドグラスで有名なこの教会は、ボルティモアの宝だ。ここにあるルイス・コンフォート・ティファニーによる11の窓は、制作当時の場所にある最古のティファニー作品の一つ。どの窓にも、彼のトレードマークである鮮やかな色調、複雑なデザイン、流れるような線が見られる。

旅のヒント 市庁舎広場のシオン教会にもステンドグラスが多くある。www.browndowntown.org （英語）

❷ ワシントン国立大聖堂（米国ワシントンD.C.）

晴れた日には、カテドラル内が神々しい光に満たされる。陽光がステンドグラスから降り注ぎ、灰色の石に深紅、黄、緑、紫の色彩をちりばめる。まるで、万華鏡をのぞいているようだ。

旅のヒント フォルガー・シェイクスピア図書館で「人生七つの時期」を見よう。大聖堂のステンドグラスを制作した工芸家の作品だ。一般公開は4月のシェイクスピアの誕生日に行われる。www.nationalcathedral.org （英語）

❸ セント・メアリーズ大聖堂（オーストラリア シドニー）

金色砂岩のトレーサリー（はざま飾り）が、巨大なステンドグラスを二分する。ステンドグラスは、はるばる英国のハードマン・アンド・カンパニーから運ばれたものだ。内陣と翼廊の窓には「ロザリオの祈り」の15の神秘が描かれ、身廊には新約聖書の場面が描かれる。北側の大窓は、19世紀にデザインされた逸品だ。

旅のヒント 地下霊廟の床には、「天地創造」のモザイクが描かれている。www.stmaryscathedral.org.au （英語）

❹ アッベル・シナゴーグ（イスラエル エルサレム）

このシナゴーグの美しいステンドグラスは、1962年、マルク・シャガールが献納したもの。彼はこの時、「聖書の教えである愛と友情を求め、万民の平和な暮らしを願ってきたユダヤの人々への、ささやかな贈り物」だと語った。ユダヤ教のシンボル、宙に浮かぶ動物や花や魚が、鮮やかな色彩のステンドグラスに描かれている。

旅のヒント このシナゴーグは、ハダッサ大学医療センターの付属施設だ。www.hadassah.org.il （英語ほか）

❺ 聖ビート大聖堂（チェコ プラハ）

聖ビート大聖堂は、プラハの街並みにひときわ高くそびえている。身廊北側には、聖キリルとメソディウスをたたえて、アール・ヌーボーの画家アルフォンス・ミュシャが描いたステンドグラスがある。濃い赤やサファイアブルー、深い金色の豊かな色調を鑑賞しよう。

旅のヒント カレル橋を渡り、装飾芸術博物館を訪ねてボヘミアガラスについて学ぼう。www.hrad.cz （チェコ語、英語）

❻ サン・ドナート大聖堂（イタリア）

1278年創建の格調高い大聖堂は、フィレンツェの南東80キロ、トスカーナ地方のアレッツォの町に建つ。ステンドグラスのデザインを任されたのは、フランス人画家ギヨーム・デ・マルチラだ。ここはイタリアで彼の作品が完全な形で残っている貴重な場所だ。「キリストの洗礼」「ラザロの復活」「聖霊降臨」などが描かれている。

旅のヒント 大聖堂には、ピエロ・デッラ・フランチェスカ作のフレスコ画「マグダラのマリア」など、ほかにも芸術品がたくさんある。www.enit.jp （イタリア政府観光局）www.toscanaviva.com （イタリア語、英語）

❼ クエンカ大聖堂（スペイン）

1900年代、それまで大聖堂を飾っていた傷みのひどい中世のステンドグラスが、4人のスペイン現代作家による作品に替えられた。大胆で抽象的な構図が、古い石の床や壁に明るい赤、黄、青のまだら模様を投げかけている。土地の風景を描いたもっと複雑なデザインは、差し込む陽光を多色の光の束に変え、堂内に複雑な光を投げている。

旅のヒント 大聖堂はクエンカの中世の街並みにあり、フエカル峡谷を見下ろす崖の上に建っている。崖の下の新地区からバスで行けるし、歩いても行ける。中世地区に観光用の駐車場はない。www.spain.info/JP/TourSpain （スペイン政府観光局）www.visitclm.com/lugares/cuenca/cuenca （英語ほか）

❽ トレド大聖堂（スペイン）

独特の光と影を生み出しているのは、750枚のステンドグラスだ。14世紀につくられたものもある。赤と青をアクセントにした金色が特に目立つ。北と南の扉の上には、やわらかい色調のバラ窓がある。

旅のヒント 石の門をくぐり、町を取り囲む分厚い城壁を抜け、旧市街の狭い通りを歩いてみよう。遠い過去に足を踏み入れたような気分になる。www.architoledo.org/cathedral （英語）

❾ リバプール大聖堂（英国イングランド）

英国最大の大聖堂のステンドグラスに描かれているのは、キリスト教と、大聖堂の歴史だ。聖母マリア礼拝堂の入り口は、リバプールの女性がテーマになっている。西側には、現代的なデザインのステンドグラスがはめられている。

旅のヒント 大聖堂のグレート・スペース・ツアーに参加しよう。www.visitbritain.jp （英国政府観光庁）www.liverpoolcathedral.org.uk （英語）

❿ セント・マーチン教会（英国イングランド）

ラファエロ前派の画家、エドワード・バーン＝ジョーンズ卿が下絵を描いたステンドグラスは、ウィリアム・モリスの工房で制作された。祈り、美徳、子ども、楽園、善良な羊飼い、聖書の英雄をテーマにした絵が、宝石のような色彩を放っている。

旅のヒント 教会は、イングランド北部カンブリア州ブランプトンの町にある。ハドリアヌスの城壁までは19キロだ。www.visitbritain.jp （英国政府観光庁）www.stmartinsbrampton.org.uk （英語）

次のページ：トレド大聖堂では、聖母マリアとともに多くの聖人や聖職者たちが、ステンドグラスに描かれ、堂内に輝きを与えている。

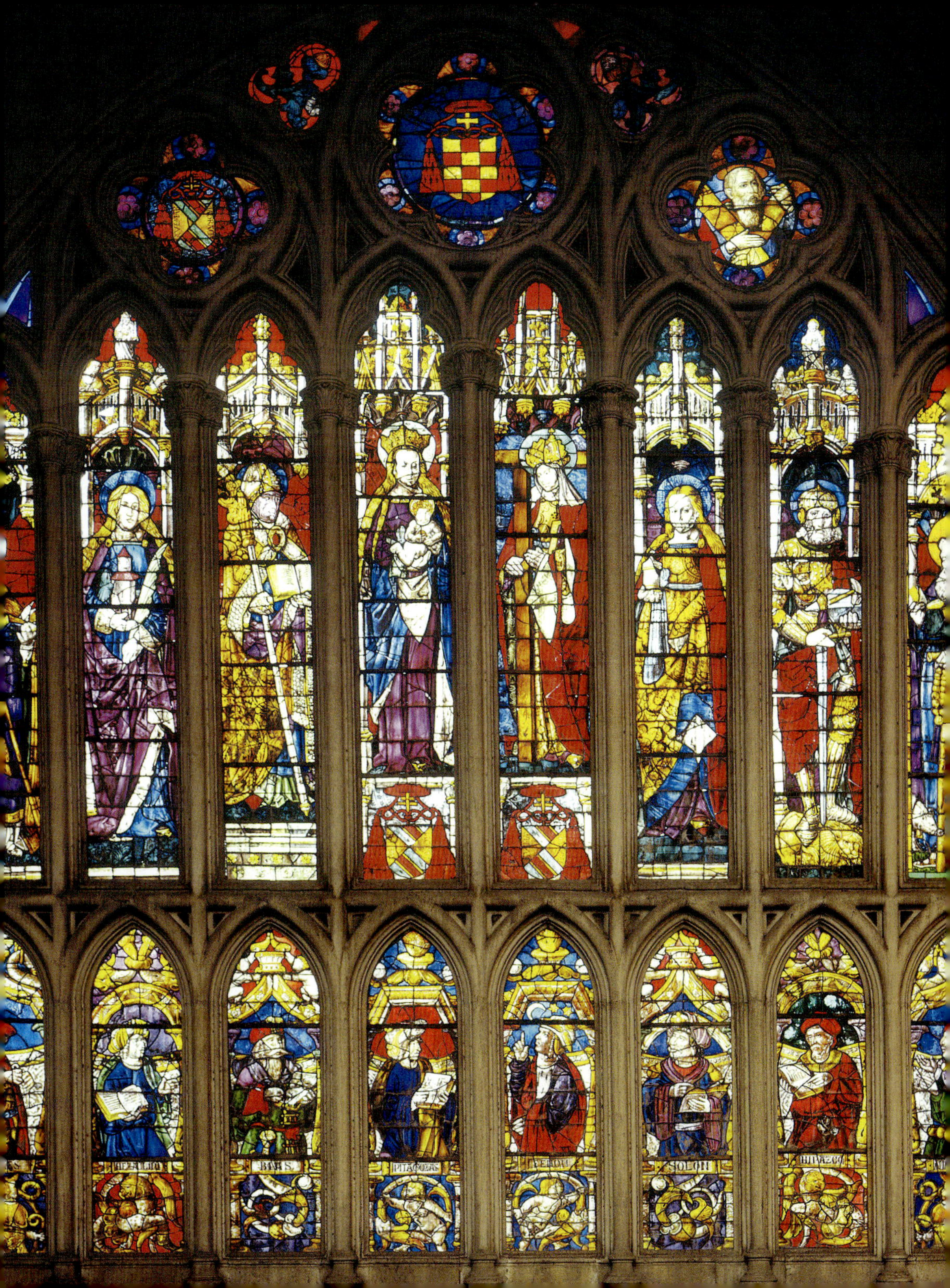
SOLON

ノートルダム大聖堂のガーゴイルと呼ばれる怪物像は、雨どいで集めた水を、下の石細工からはき出すという排水の役目も果たしている。

フランス
パリのノートルダム大聖堂

ヨーロッパでも早い時期に建てられたゴシック様式の大聖堂は、パリの中心に優雅にそびえている。

パリの大司教座、ノートルダム大聖堂を眺めるには、どこからが良いか。それは難しい問題だ。

堂々たる西側のファサードは、遠くからは巨大な城塞のようだが、近づくとゴシック様式の彫刻で飾られているのがわかる。セーヌ川からは、歴史あるシテ島の端に建つノートルダムがさらに精巧に見える。複雑な壁を支える飛び梁や、大聖堂の身廊と聖歌隊席を支える石のアーチが見えるのは、セーヌ川からだ。

聖母マリアに捧げられたノートルダム大聖堂は、1163年、古い大聖堂の跡地に建設が始まり、1345年に完成した。天へ伸びる垂直性を追求したフランス・ゴシック建築の代表だ。見上げると自然と天を仰ぎ見る。支柱はしだいに細くなり、アーチは上に伸びる壁の重量を支える。

大きなステンドグラスを通して降り注ぐ色とりどりの光は信者に感銘を与える。

ベストシーズン 毎日7時45分～18時45分に開いている。見学には少なくとも2時間が必要。朝早く行って行列を避けよう。日曜の朝10時の礼拝では、グレゴリオ聖歌が聞ける。聖歌隊は土曜の10時半と18時半の礼拝の際に歌う。昔ながらの聖堂の雰囲気を味わうなら、清掃のため、いすが片づけられている月曜の朝に行こう。

旅のヒント ノートルダム大聖堂は特に多くの人が訪れる人気の名所だ。また、観光客でも敬意を払うべき聖地だ。女性は肩を出した服は避けること。塔に上れるのは一度に20人までで、大勢の人が順番を待っている。てっぺんまで387段の階段なので、心臓や呼吸器系に問題のある人は自重しよう。早めに行って、長い行列を避けよう。

ウェブサイト jp.franceguide.com（フランス政府観光局）、www.notredamedeparis.fr（フランス語、英語）

見どころと楽しみ
- 直径13メートルもある南側の**バラ窓**を見よう。ヨーロッパで最大級のステンドグラスだ。第二次世界大戦中の1939年に、枠ごとはずして安全な場所に保管され、戦後、元の場所に戻された。
- 大聖堂にある**二つのオルガン**のうち、一つは世界最大だ。特別な礼拝の時は、重さ13トンもある南塔のエマニュエルの鐘が鳴らされる。
- 歴史愛好家ならノートルダムの**地下墓所**に感激するにちがいない。大聖堂の向かいの広場の地下が博物館になっている。月曜を除く毎日10時～18時に開館。

ヨーロッパ

フランス
サクレ・クール寺院

モンマルトルの丘から、パリの街並みを見下ろすバジリカ大聖堂。
ここは、フランスでも屈指の、由緒ある場所だ。

光の都と呼ばれるパリの北にそびえるモンマルトルの丘に、白い円屋根を頂くサクレ・クール寺院が鎮座している。
　「殉教の丘」という意味のモンマルトルの丘は、古代から神聖な場所だった。ドルイド教の神官に続き、ローマ人はここにマルスやメルクリウスを祭り、メロビング朝のキリスト教徒が礼拝所を建てた。18世紀には、革命派がベネディクト会を追放し、彼らの修道院を破壊、最後の尼僧院長をギロチンにかけた。この丘で古くから残っているのは、小さなサン・ピエール教会だけだ。
　サクレ・クール寺院そのものは、1919年に完成した比較的新しいネオ・ビザンティン様式の建物である。暗い拝廊(ナルテックス)に掲げられている最初の告知には「ここは永久の祈りの場所である」とある。
　ここは、一日中、祈りを捧げに来る人たちが後を絶たない。円屋根は金のモザイク画で飾られ、付属礼拝堂は祈りのろうそくで照らされ、礼拝の間は香のほのかな香りが漂う。そのすべてが、この大寺院の神秘的な雰囲気を演出している。

ベストシーズン　毎日、6時〜22時15分に開いている。見学には1時間は必要。午後遅めに行って、寺院の階段かテラスから、パリに沈む夕日を眺めよう。

旅のヒント　寺院内での写真・ビデオ撮影は禁止。司教の宝物や棺が納められている教会の地下墓所は、不定期の公開で、入場無料。寺院に隣接するゲストハウス、エフレムは巡礼者の集まる宿で、修養会も行われる。収容人数は100人、障害者用の部屋も9室ある。修養会に参加するには、司祭か修道女と面会する。

ウェブサイト　jp.franceguide.com（フランス政府観光局）
www.sacre-coeur-montmartre.com（フランス語、英語）

ヨーロッパ

見どころと楽しみ

■寺院へは、スザンヌ・バラドン広場から出ている**ケーブルカー**に乗っていこう。ケーブルカーは速いし、眺めもよい。歩いて行く場合には、ビュービュ通りの坂と、デプレ通りの階段を上る。歩いていく途中でもカルベール広場からすばらしいパリの街並みが眺められる。

■サクレ・クール寺院の左隣にある、より古い**サン・ピエール教会**も訪ねよう。内部はローマ時代の円柱とともにロマネスク様式の特徴が見られる。

■できれば晴れた日を選んで**円屋根**に登ろう。9時〜18時に開いている。234段の階段は屋外についている部分もある。パリの絶景が望める場所だ。

サクレ・クール寺院は、トラバーチンという石材でつくられている。濡れると方解石がしみ出し、年月を経ても白さを保つ。

日々の祈り | 193

キリストの生誕を描いたファサードの複雑な彫刻は、ガウディの影響が最も良く見られる。

見どころと楽しみ

- 「キリストの生誕」のファサードは、ガウディの存命中に完成した。しかし、彼の死後、1935年に起きたスペイン内戦で建設作業は中断された。

- ファサードの基部には、宇宙の安定を象徴する**カメの彫刻**がある。海に近い方が海ガメ。山に近い方が、陸ガメ。

- **塔**や壁の周りにつくられた部屋からは、建物全体や町を眺められる。言葉を失うような眺望だ。

- **12の鐘楼**(うち4基は未完成)は、イエス・キリストの十二使徒を表す。各鐘楼の上には、使徒の頭文字を記した金の十字架を収めた2枚の盾が載っている。

スペイン
サグラダ・ファミリア教会

規模も装飾も中世の大聖堂に匹敵するガウディの聖家族贖罪教会は、急ぐ必要はないとばかりに、ゆっくりと作業が続けられている。

バルセロナの空にそそり立つ8本の華麗な尖塔を擁するサグラダ・ファミリア教会は、カタルーニャ地方のシンボルであり、アントニ・ガウディの最も有名な作品でもある。

ガウディは、1882年以来この教会の建設に心血を注ぎ、亡くなるまで40年以上もの間、精力的に作業を進めたが、完成には至らなかった。現在もガウディの設計図に従い建設は継続中だ。ガウディの建築を愛する人もカトリック信者も、聖堂のスケールを見て、感嘆し、度肝を抜かれる。

建物すべてが宗教的イメージに満ちている。内も外も、精巧な彫刻と大きなステンドグラス、幾何学模様や動植物を施した装飾が融合している。三つのファサードのうち、二つは完成した。東側の「キリストの生誕」と、西側の「キリストの受難」だ。すべて完成すれば、大聖堂の正面、南側のファサードには「栄光」が描かれる。現代の建設機材を使っても、完成は2026年といわれている。

ヨーロッパ

ベストシーズン 4月から8月は9時〜20時、10月から3月は9時〜18時に開いている。
旅のヒント 2〜3時間は取りたい。所要時間45分のガイド付きグループツアーもある (5月〜10月は11時〜17時に1時間おき。11月〜4月は午前中のみ)。節度ある服装で行こう。
ウェブサイト www.spain.info/JP/TourSpain(スペイン政府観光局)
www.sagradafamilia.cat(スペイン語、英語ほか)

スペイン
円柱の森 メスキータ

コルドバにある大モスクはイスラム世界の栄光であり、
イスラム教徒が残したヨーロッパで最も壮大な遺産だ。

　古都コルドバは、8世紀から13世紀にかけて、アル・アンダルス地方のイスラム王国の都だった。黄金時代には、芸術や学問が栄え、異教徒にも寛容であった。コルドバの歴代アミールが建立、拡張を命じたメスキータ（大モスク）には、彼らの野心とともに、崇高な心が表現されている。

　ガダルキビール川を見下ろす高台に建つこの巨大な建物の外観は質素で、内部の驚くべき構造や神々しさはうかがえない。中には整然と並んだ無数の石柱、その柱が支える2段のアーチがある。その一つひとつは、レンガと石を交互に組み、赤と白のストライプ模様になっており、柱とアーチがずっと奥まで続いている。天井には明かり取り用のドームが並び、この「円柱の森」を絶妙の明るさで照らしている。

　この神秘的な空間を奥へ進むと、さらに驚かされる。大理石の貝殻のように彫刻された壁のくぼみ、ビザンティン様式のモザイク、ムーア式のタイルなど、目を見張るような美しい装飾のほか、500年の歴史を誇るキリスト教の大聖堂がある。レコンキスタでコルドバが再びキリスト教国となり、イスラム寺院に、不似合いなキリスト教大聖堂が無理やりつくられたのだ。

ベストシーズン　毎日開放されている。時間は季節により異なる。コルドバはほぼ一年中気候が良いが、夏は、非常に暑い日もある。冬は開門時間が夜まで延長されることもある。
旅のヒント　週末や長期休みの時期は、一日中混雑していることが多い。閉門間際に訪れれば、団体客はもういないので、落ち着いた雰囲気を満喫できるだろう。すべてを見るのに2時間は必要。
ウェブサイト　www.spain.info/JP/TourSpain（スペイン政府観光局）
www.mezquitadecordoba.org（スペイン語、英語ほか）

ヨーロッパ

見どころと楽しみ

■ メスキータの中心に、繊細な彫刻を施した**ミフラーブ**（メッカの方向を示す壁のくぼみ）付きの八角形の部屋がある。ビザンティン様式のモザイク、複雑なアーチで覆われた円天井が見事。

■ ミフラーブ近くの部屋は**宝物庫**になっていて、カトリックの芸術品がいくつも収められている。「スペインのミケランジェロ」といわれる、アロンソ・カーノの彫刻や、16世紀の聖体顕示台がある。

■ メスキータの城壁の外に、昔の**ユダヤ人街**があり、細い道が迷路のように入り組んでいる。ユダヤ人街には、異端審問の後、カトリックの教会につくり替えられた**14世紀のシナゴーグ**がある。

■ メスキータの敷地内をカトリック教徒の行列が練り歩く、**聖週間**に訪れたい。

西ゴートとローマ時代の遺跡を利用しているメスキータの石柱は、モスク自体よりもずっと古い。かつては、ここに1000本の柱があったといわれている。

日々の祈り | 195

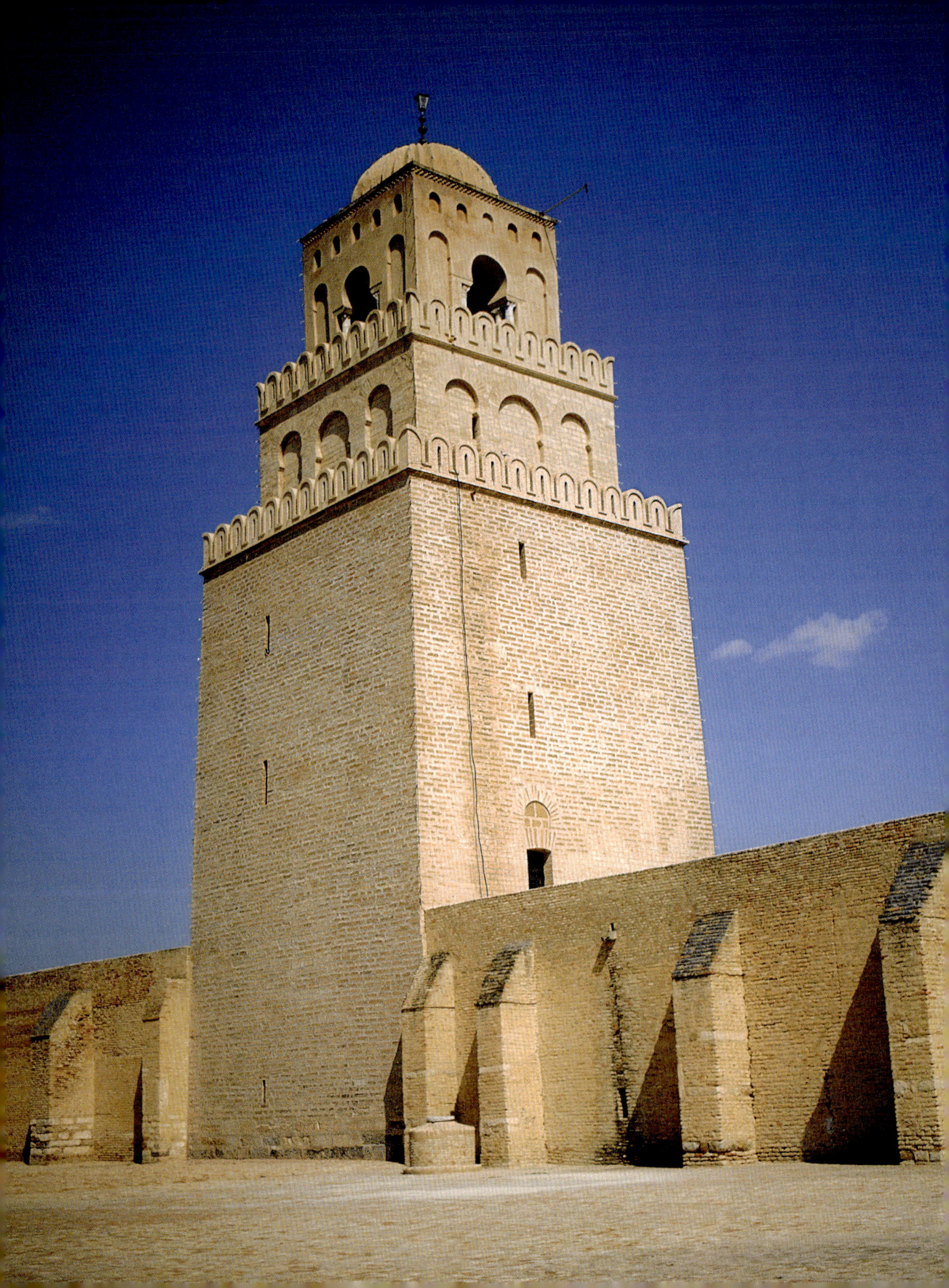

チュニジア
ケルアンの大モスク

ケルアンの大モスクは、北アフリカ最大のイスラム教寺院だ。
歴史は古く、イスラム教が開かれて間もなく創建された。

聖都ケルアンは、チュニジアの乾燥した内陸平野に蜃気楼のように現れる。大モスクさえも砂と同じ色だ。その世界最古のミナレットは、イスラム勢力がマグレブ（北西アフリカ）を征服した直後の730年に建てられた。マグレブ征服を指揮したウマイヤ朝の将軍ウクバ・イブン・ナフィーが建設を始め、その後の100年間に建て替えられ、規模が拡大した。

現存する建物の大半は、9世紀に建造された。それは、ケルアンがアグラブ王朝の都として栄えた黄金の100年間だった。控え壁を巡らし、銃眼や矢狭間のある3層のミナレットを備えたモスクは、礼拝所と要塞を兼ねていた。ここはイマームが教えを説き、男たちが学び、敵が攻めてきた際は住人が避難する場所だった。

美しいコーランの刻字が並ぶ門をくぐると、まばゆい中庭に出る。一面が白大理石で覆われ、三面は柱廊で囲まれている。礼拝堂へと続く扉は精巧な寄せ木細工でできている。そこを抜けて、ミンバル、またはイマームの説教壇を探してみよう。メッカの方向を示すミフラーブと呼ばれる壁のくぼみは、162個のモザイク・タイルで覆われて、天井からは巨大なシャンデリアが下がる。

礼拝堂に入れるのはイスラム教徒の男性だけだが、誰でも扉から中をのぞくことは許されており、身廊と414本の円柱を見ることができる。ケルアンへ7回巡礼すれば、メッカへの巡礼を1回したのと同じ意味があるといわれている。

ベストシーズン 春と秋がベスト。モスクは毎日8時～14時に開いているが、金曜は8時～12時。イスラム教徒以外はウクバ・イブン・ナフィー通りの正門から入る。

旅のヒント モスク見学に30～45分、町全体の観光には1日必要。チュニジア人の多くはフランス語を話す。フランス語が堪能なら、値切り交渉に役立つ。ケルアンに行く自前の交通手段がないなら、ルアージュという乗り合いタクシーが最適。たいていの都市にはルアージュ・ステーションがあり、係の人に目的地を告げると、数分の内に車と同乗者が見つかる。そのほか、沿岸部の町からバスで行く方法もある。節度ある服装で行こう。

ウェブサイト www.tunisia.or.jp（駐日チュニジア大使館）、www.tunisiaguide.com（英語）

見どころと楽しみ

■ 中庭で**大理石の排水溝**を見よう。その装飾は、フィルターと日時計の役目を兼ねている。日時計はかつて礼拝の時間を知る手段だった。

■ 大モスクの向かいにある**カーペット屋のテラス**から、寺院全体を見下ろせる。モスクがどれだけ大きいか良くわかり、写真を撮るのにも絶好の場所だ。少額のお礼を渡すと喜ばれる。

■ 城壁の外、すぐそばの**アグラビの貯水池**を見に行こう。また、**シュルファ**という聖職者たちの墓所を見よう。シュルファは預言者ムハンマドの孫、フセインの末裔といわれている。

■ **マウリド・アン・ナビー**（預言者生誕祭）は旧暦のため、年によって日が変わる。祝わない保守派もいるが、多くのイスラム教徒は礼拝に出たり、家族と一緒にごちそうを食べたりして祝う。

前ページ：730年頃建てられたミナレットは、初期のイスラム建築の代表例だ。後世のミナレットと比べると、ずいぶんずんぐりしている。**上左**：礼拝堂の円柱の多くは、カルタゴの建物から運んだ再利用品。**上右**：中庭は三面を柱廊で囲まれている。柱の数を数えようとする者は目が見えなくなるという言い伝えがある。

マリ
ジェンネの泥モスク

泥とレンガでつくられた建造物としては世界最大の大モスク。
まるで巨大な難攻不落の砂の城であるかのように、ジェンネの旧市街にそびえている。

ジェンネに日が落ちる。夜のとばりが下りて、通りが静かになると、大モスクの拡声器から礼拝の呼び掛けが聞こえる。モスクを取り囲む広場や路地を歩いていると、長衣にターバンをつけた男たちが、巨大なモスクのあちこちを影のように動いて、礼拝の時間を知らせている。

翌朝モスクに戻り、その壮観なたたずまいをじっくり見よう。現在の建物は1907年に建てられた。スーダン・サヘル様式の代表的建築物だ。アフリカとイスラムの伝統を折衷したこの建物は、日干しレンガ、もみ殻、木材、わらなどでできている。

大モスクはまるで、地面から生えてきたかのように見える。俗世とは異なる崇高な雰囲気を醸し出そうと、高い土台の上に築かれ、六つの階段で上るようになっている。大地と同じく、モスクは雨で削られ、暑さでひび割れる。泥の壁からは、骨組みに使われているヤシ材が突き出し、単色のモスクにアクセントをつけている。毎年、モンスーンの季節を前に、雨に備えて泥が塗り重ねられる。女たちは川から水を運び、男たちはヤシの骨組みに上り、新しい泥を塗るのである。

ベストシーズン　冬(11月〜3月)が最適。雨が少なく、暑さを和らげる風も吹く。5月から9月の蒸し暑い雨期は避けよう。にぎやかな市場が開かれる月曜日がおすすめ。

旅のヒント　ジェンネまで公共交通機関を使うなら、カールフール・ド・ジェンネ(ジェンネ交差点)で降りて、そこで客待ちをしている乗り合いタクシーで町へ向かおう。宿泊施設は高級ホテルから簡素な宿までいろいろある。イスラム教徒でないとモスクに入れないかもしれないが、外観を見るだけでも訪れる価値はある。

ウェブサイト　www.ambamali.jp/jp（駐日マリ大使館）

アフリカ

見どころと楽しみ

■ 清らかさと豊穣の象徴である「**ダチョウの卵**」を探そう。三つある高さ11メートルの塔のてっぺんについている。

■ 毎年恒例の「**泥塗り**」は4月上旬に行われる。何日も前から準備が始まり、お祭りムードのジェンネの人々は、大量の泥を用意する。若者たちは音楽と踊りで盛り上がる。

■ ピローグと呼ばれる船をチャーターして、最寄りの町、**モプチ**へ行こう。バニ川とニジェール川が合流する地点にある。船旅は3日かかるが、川沿いのすばらしい自然だけでなく、川と深くかかわっている人々の暮らしぶりを間近に見られる。

泥と日干しレンガのモスクは、1240年からこの場所に建っている。アフリカで最も有名な建造物の一つだ。

フェリクス・ウフエ・ボワニ大統領が30億ドルを投じて建てた大聖堂。大きなステンドグラスはフランス製だ。

コートジボワール

平和の聖母大聖堂

**西アフリカの小国に、モダンなカトリック大聖堂がある。
その広さは、バチカンのサン・ピエトロ大聖堂と肩を並べる。**

西アフリカに位置するコートジボワール。首都ヤムスクロの閑散とした大通りの先に平和の聖母大聖堂はある。世界一の高さと大きさを誇る、このカトリック教会は、フェリクス・ウフエ・ボワニ元大統領により、バチカンのサン・ピエトロ大聖堂を模してつくられた。

1990年、サン・ピエトロ大聖堂より低くすること、貧しい人のための病院を建てるという条件付きで、教皇ヨハネ・パウロ2世により清められ、聖堂と認められた。

この大聖堂のドームはサン・ピエトロより低いが、てっぺんの十字架(高さ158メートル)を含めると、ずっと高い。大聖堂はわずか3年で完成したものの、教皇の条件にあった病院はまだできていない。

イタリア産の大理石が敷き詰められた3ヘクタールの広場から大聖堂に近づくと、両側に背の高い円柱の列が並んだ通路が迎えてくれる。聖堂に入ると、36枚の現代風の窓は、面積7400平方メートルにおよぶステンドグラスで覆われ、色とりどりの光で壁廊を照らしている。身廊中央の通路の両側には、エアコンがついた円形の信徒席があり、中央の天蓋のある祭壇に向かっている。座席数は7000人、立ったままなら、さらに1万1000人も入ることができるほど広い。

ベストシーズン 乾期(11月〜2月)はほかの季節より涼しいが、12月は砂まじりの強風に見舞われる。
旅のヒント 教会を見るのに2時間。ミサに出るならそれより長くなる。コートジボワールは政情不安なので、旅行前に情報を集めよう。マラリア流行地域なので、予防薬を飲み、防虫剤を使おう。
ウェブサイト ahibo.com/ambaci-jp (駐日コートジボワール大使館)
yamoussoukro.org/galerie_b.htm (フランス語)

見どころと楽しみ
- **イエスと使徒**を描いた青いステンドグラスを探そう。イエスの真下に大聖堂を建てたフェリクス・ウフエ・ボワニが描かれ、彼が13人目の使徒だと主張している。

- 1990年にヨハネ・パウロ2世が置いた**病院の礎石**は、大聖堂隣の敷地にまだ残されたままだ。

- **道端の屋台やカフェ**では、おいしい料理が食べられるし、地元の人と交流するのに絶好の場所だ。クジャノ(チキンと野菜の煮込み)とアチェケ(砕いたキャッサバを発酵させたもの)を食べてみよう。アロッコ(タマネギと唐辛子の入ったバナナの揚げ物)もおいしい。

- **セヌフォ族のお面**はよい土産になるが、気をつけたいことがある。死者の魂が取りついていると信じる人もいるからだ。

アフリカ

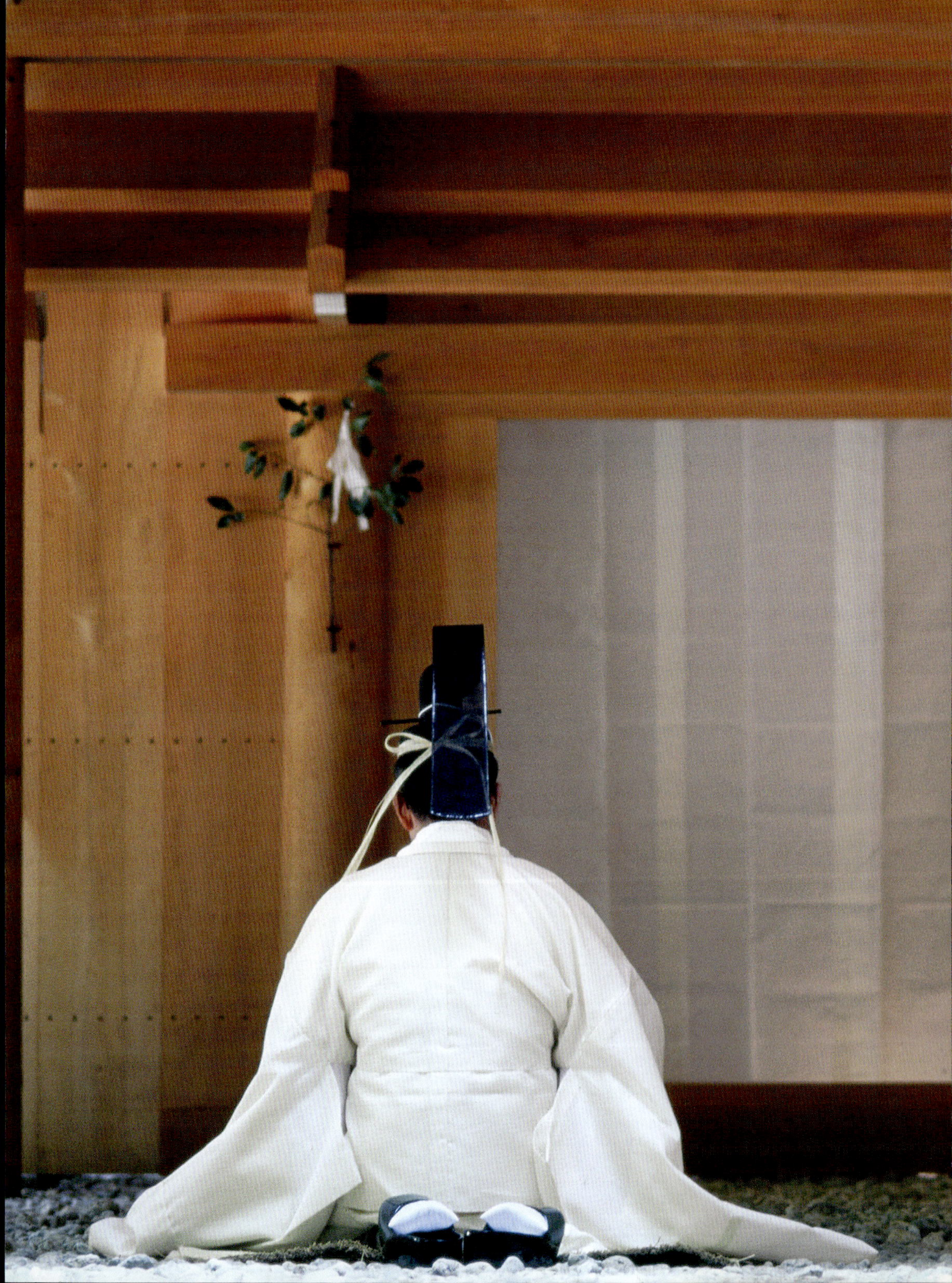

6 神が宿る場所

世界各地には、人々が崇める神聖な場所が数多く存在する。それらは、宗教上重要な出来事が起きた場所であったり、聖人ゆかりの地や聖遺物が見つかった場所だ。神が現れたとされる場所も神聖視される。

崇拝の理由もさまざまだが、そのつくりや形もそれぞれに異なっている。寂しい荒野の洞穴もあれば、騒々しい都会の真ん中に建つ大寺院もある。その多くは古くからよく知られた場所で、長い歴史を誇っている。例えば、偉大な宗教の開祖や預言者が生きた、あるいは没した地。奇跡が起こり、神が現れたと伝えられる場所。聖なる儀式の舞台。聖遺物が納められ、崇められている祠堂などだ。

中には、近年になって創建されたものもある。信仰心を目に見える形で表すために、宗教団体や個人が寄付を募って建てたのだ。ほかには、既存の宗派の壁を打ち破り、伝統の違いを越えて崇拝されている人物を記念する場所や、キリスト教のシンボルをほかの宗教の伝統と融合させている場合もある。

左：日本で最も神聖な神社である、伊勢神宮。白装束、冠、浅沓で正装した神職が、祈りを捧げている。

ハイダ族の文化を知る手がかりは、代々伝えられる物語やヒマラヤスギでつくったトーテムポールだ。

見どころと楽しみ

■ ウィンディー・ベイの**古いヒマラヤスギの林**を散策しよう。幹に穴がある木は、ハイダ族がトーテムポールやカヌーづくりに適した木を探して試し彫りした跡だ。

■ ホットスプリング島で**癒やしの温泉**につかろう。ハイダ族は、この天然の温泉を聖なる泉と崇めていた。

■ **ハイダ・ヘリテージ・センター**でハイダ文化の過去と現在を知ろう。**カービングハウス**の前には、新たにつくられたトーテムポールが立っている。最上部には、3人の見張りの顔がある。スキッジゲート村出身の彫刻家の作品だ。

■ トーテムポールやロングハウスと1人で向き合う時間をとろう。驚くべきパワー、深い平穏、そこにとどまっている**精霊の存在**を感じるかもしれない。

カナダ
先住民文化が残る ハイダ・グワイ

カナダ西部に浮かぶ島にあるハイダ族の集落の跡地では、
風雨にさらされたトーテムポールが、静かに海を見ている。

ブリティッシュ・コロンビア州の沖合に浮かぶひっそりとした島々は、地図上ではクィーン・シャーロット諸島となっている。だが、カナダ先住民のハイダ族は、ハイダ・グワイと呼ぶ。「人々の島」という意味だ。ハイダ族は北米大陸の北西沿岸部出身で、数世紀にわたってこの島々に住んできた。

スカン・グワイ（アンソニー島）には、静寂の中に朽ちた丸太がそびえている。かつてここにはハイダ族の住居があったが、現在は、鳥や動物の顔の彫刻があるトーテムポールだけが残る。ハイダ文化では、トーテムポールは一族の血統や歴史を表し、客を歓迎し、土地の所有権を示し、そして、墓所でもあった。クウナには、背の高い丸太のてっぺんに、カエルやワシ、ビーバー、シャチなどが彫られたトーテムポールがあるが、それぞれが、1800年代半ばにすんでいた一族を表している。

北米

ベストシーズン クィーン・シャーロット諸島にあるグワイ・ハアナス国立公園へは年中入れる。
気候は一年中涼しくて雨が多い。6月中旬から8月中旬が最も雨が少なく快適。

旅のヒント 余裕をもって主な見どころを訪ね、悪天候に対応するためにも、7日間は見ておきたい。グワイ・ハアナス国立公園への交通手段はカヤックかボート、水上飛行機のみで、どれも悪天候では利用できない。クィーン・シャーロット諸島へはバンクーバーから定期航空便がある。プリンス・ルーパートからは飛行機とフェリーが利用できる。

ウェブサイト www.hellobc.jp（ブリティッシュ・コロンビア州観光局）
www.haidaheritagecentre.com（英語）

米国ワシントンD.C.
無原罪の御宿りの聖母大聖堂

全米屈指の聖母マリアを祭るこの教会は、
巡礼と祈りの場所であり、米国最大のカトリック教会だ。

首都ワシントンD.C.にある、教会としては世界十指に入る大きさを誇る、無原罪の御宿りの聖母大聖堂は、石、レンガ、タイル、モルタルだけでつくられており、鉄のはりや枠組み、柱は一切使われていない。

ビザンティン風の明るい色彩が特徴のモザイク・ドームや高さ100メートルに達する「騎士の塔」は、地上で見ても、空から見ても目立っている。

世界中の人々が信奉する聖母マリアをたたえる目的で、教会にはさまざまなマリア様が集められている。上部教会の身廊の外側にある付属礼拝堂と地下聖堂に、世界各地にある有名な聖母マリア教会を飾っている聖画や彫像の複製が納められているのだ。チェンストホーバの聖母（ポーランド）やファティマの聖母（ポルトガル）、グアダルーペの聖母（メキシコ）、ルルドの聖母（フランス）など、各地の人々が敬愛する聖母の姿だ。

教会にある「教会における聖性への普遍的召命について」をはじめとする、数々の石細工は、ワシントン市内にある国立大聖堂をつくった優秀な石工の1人、アンソニー・セグレティの手になるものだ。大聖堂の外側はロマネスク様式、内側はビザンティン様式でつくられている。ここには年間75万もの人が訪れる。

ベストシーズン　通年開かれている。特別な礼拝や行事はホームページで確認できる。
旅のヒント　ガイド付きツアーは常時申し込める。15人以上の団体なら、ツアーをアレンジしてくれる。
ウェブサイト　www.nationalshrine.com（英語）

見どころと楽しみ

■ 七つある主なドームは**ビザンティン様式のモザイク**で飾られている。北側の後陣の半ドームは、生者と死者を審判する光輪の中のキリストが描かれている。キリストの右眉がつり上がっているのは、公正な審判を下そうとしていることを表し、左眉がリラックスしているのは、哀れみをもっていることを示している。

■ **地下教会**は、女性の聖人を描いたモザイク画で飾られている。聖アンナ、アレクサンドリアの聖カタリナ、聖ルチアなどだ。

■ 敷地内には**マリアの庭園**がある。清らかさを象徴する白い花が植えられ、マリアの歌と呼ばれる「マニフィカト」の一節で縁取られた噴水がある。

無原罪の御宿りの聖母大聖堂は、設計から完成までにほぼ1世紀の年月が費やされた。

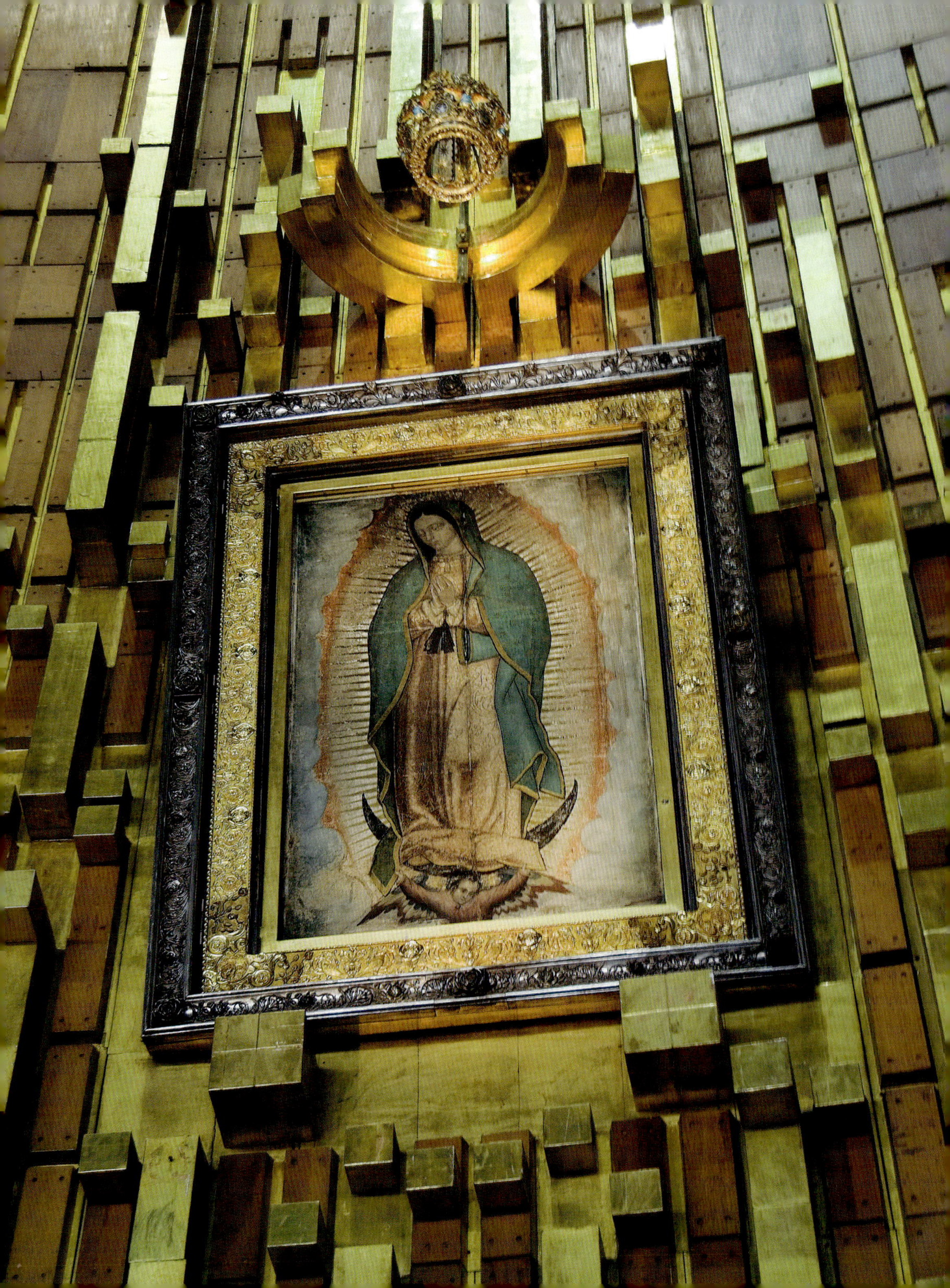

メキシコ
グアダルーペの聖母大聖堂

ラテンアメリカで最も崇められている聖母マリアの肖像が納められた大聖堂。
今、マリア像は祭壇の上に掲げられ、訪れる人々を見守っている。

祈るように合わせられた聖母マリアの両手。目を伏せ、三日月の上に立ち、背後からは太陽の光が聖母を照らしている。その名を冠した聖堂に納められているグアダルーペの聖母マリアの肖像は、バチカンに次いで、最も人気を集めているカトリックのシンボルだ。毎年、大聖堂には1500万人もの信者が訪れる。その多くが、祭壇までの最後の数メートル、または数百メートルを、罪の償いをするためにひざまずいて進むという。

伝説によると、スペインがアステカを征服した10年後の1531年、インディオの農夫の前に聖母マリアが現れ、彼のマントの内側にその姿が焼き付いたという。メキシコ市にあるグアダルーペの大聖堂で、金の額に収められて掲げられている聖母マリアの肖像こそ、その時のものだと伝えられているのだ。青いマントを着た褐色の肌の聖母の肖像は、1976年にそれまで納められていた聖堂から新たに建てられた大聖堂に移された。古い聖堂は今も保存され、公開されている。

現在の大聖堂は、スタジアムのような大きな建物だ。直径100メートルもある巨大な空間を擁した内部には、5万人が収容できるという。大聖堂を訪れた人は、聖母像のすぐ下に設置された動く歩道に乗って聖母を見上げる。

ベストシーズン メキシコ市はほぼ一年中快適で温暖で、沿岸部のように厳しい気候ではない。11月から2月が最も寒く、10月、3月と4月は温暖、5月から9月はほかの時期より暑く、雨も多い。ミサは毎日、一日中行われている。

旅のヒント 12月12日はグアダルーペの聖母マリアの祭日で、教会にはものすごい数の信者が詰めかける。壮観だがちょっと閉口するかもしれない。ここは非常に神聖な場所なので、適した服装で行こう。写真撮影もできる。大聖堂は、メキシコ市中心部から北西16キロの、ラ・ビラ・デ・グアダルーペ・イダルゴ地区にある。最寄りの地下鉄駅はラ・ビラ・バシリカ。バスもあるが、タクシーで行ってもいい。アステカの遺跡、テオティワカンにも行くなら、この2カ所の観光を組み合わせるのがいい。大聖堂はその途中にある。

ウェブサイト www.visitmexico.com（メキシコ政府観光局）、www.sancta.org（英語、スペイン語ほか）

北米

見どころと楽しみ

■**古い聖堂**は今も保存されている。1707年に建てられ、この場所で何度も建て替えられた最後の聖堂だ。新築するたびに豪華になっていった。ドーリア式円柱のある暗い室内に、聖母マリアを見たアステカ族、**フアン・ディエゴ**の大理石の彫像がある。彼は2002年、教皇ヨハネ・パウロ2世によって列聖された。

■古い聖堂の裏に**大聖堂博物館**がある。聖母マリアが起こした数々の奇跡が描かれた小さな祭壇や色鮮やかな木箱だけでなく、宗教的な絵や織物などの膨大な展示品がある。

■この教会には大勢の**信者**や**巡礼者**がやって来る。女性は願い事を書いたリボンを肖像の下に置く。果物や花を供える人もいる。子どもたちは伝統的な衣装を着てくる。男児は聖フアン・ディエゴの格好をしている子が多い。

前ページ：聖母マリアの姿が焼き付いたといわれる布。金の額に納められ、円形の建物のどこからでも見えるように、主祭壇の高い位置に掲げられている。**上左**：大聖堂の外観。巨大な競技場のようにも見える。
上右：アステカの民族衣装をつけた楽士。

グアテマラ
中米で生まれた邪神 マシモン

サンティアゴ・アティトラン村にある「邪神」の祠堂(しどう)は、
カトリックの伝統と古代マヤの信仰が混ざり合っている。

グアテマラ西部の高地に広がるアティトラン湖。火山の噴火によって形成されたこの湖のほとりのサンティアゴ・アティトラン村では、「マシモン」という不思議な神を崇める信仰が盛んだ。

マシモンはカトリックの聖人とマヤの悪霊を混ぜたような偶像で、新大陸での、ヨーロッパ信仰と土着信仰の融合を示す例だ。マシモンは、キリスト教の天国と地獄をつなぐ道、マヤの地下世界と死後の世界を結ぶ道を開くとも信じられている。

地元の宗教リーダーが輪番で1年ごとに自宅に祠堂を設ける。マシモンの像を納めるためと参拝者のために、通りに面した部屋を開けておくのだ。

天然樹脂の線香の香りが充満し、ろうそくの火が揺らめく中、信者はマシモンの像にタバコやラム酒を捧げる。彼らは、マシモンは復讐を助けてくれるばかりか、農業や商売、さらに日常の願いをかなえると信じる。マシモンはユダとペドロ・デ・アルバラード（残忍なスペイン人征服者）を一緒に神格化したような存在だ。

ベストシーズン マシモンの祠堂は一年中見られるが、聖週間（復活祭の前の1週間）に訪れたい。マシモンの像が聖金曜日の行列で信者に担ぎ出され、次の1年間、像を預かる家に運ばれる。サンティアゴ・アティトランの芸術と音楽の祭典は3月にある。市場は金曜と日曜に開かれる。

旅のヒント サンティアゴ・アティトランは数時間もあれば見て回れるが、アティトラン湖地方は2～3日滞在する価値がある。サンティアゴ・アティトランはグアテマラ市やアンティグアから道路も通じているが、湖の反対側の観光拠点パナハッチェルから船で行くのが一般的だ。ボートは夜明けから日没まで出ている。所要時間は90分。

ウェブサイト www.gt.emb-japan.go.jp（在グアテマラ日本国大使館）、www.santiagoatitlan.com（英語）

北米

見どころと楽しみ

■**白塗りのカトリック教会**を訪ねよう。築400年のこの教会には、信者がつくった服を着た聖人の木像がある。

■**アティトラン湖**は、太古の火山のカルデラにできた湖で、中米で最も美しい湖といわれている。宗教関係の名所以外に、湖周辺ではさまざまなアウトドアスポーツが楽しめる。

■地元のトゥトゥヒル・マヤ族の**民族衣装**を見よう。男性は白と紫のストライプの短パン、女性はドレス。どちらも細かい鳥や花の柄が刺繍されている。

黒い帽子とカラフルなスカーフをつけたマシモン像。信者が葉巻を捧げる。

シセロ神父を信奉する人々は、白い石像の足元へと上る。

ブラジル
村人に愛される シセロ神父像

ジュアゼイロ・ド・ノルチは、どこにでもある貧しい村だが、
聖人のように崇められている人物のおかげで、毎年200万人もの巡礼者が訪れる。

ブラジル北東部にあるひなびた小さな村には、「奇跡の神父」と呼ばれるシセロ神父を信奉する人々が集まって来る。信者たちは、シセロ神父が、いつかカトリック教会から聖人として認められることを切に願っている。

シセロ・ロマーノ・バティスタ神父は、1844年生まれ。若い頃から聖職者を目指し、1870年代から、ジュアゼイロ・ド・ノルチ村の神父として積極的に活動した。教区の家々を回り、人々の暮らしに密着した話をして村人たちの信頼を得た。

1889年、転機が訪れた。マリア・デ・アラウージョという村の女性がシセロ神父から聖体拝領を受けたが、その聖体が口の中で血に変わったと訴えたのだ。若い神父はこの「異端」行為により、カトリック教会から破門されるが、彼の評判は近隣の貧しい村々に広がり、彼の話を聞くために人が集まった。多くの人が彼には奇跡を起こす力があると信じたのだ。

現在、聖週間と3月24日(シセロの誕生日)は、信者で村はごった返す。

ベストシーズン 信者は一年中ここを訪れる。だが、最も盛り上がる時期は、聖週間だ。この祝祭期間中、数千人が村に集まる。

旅のヒント ジュアゼイロ・ド・ノルチは、ブラジル北東部のセアラ州にあり、セルタオと呼ばれる乾燥した砂漠のような土地だ。最寄りの都市、フォルタレザから飛行機かバスで行ける(バスでは8時間ぐらい)。この地域の生活は、巡礼観光で成り立っていることを頭に入れておこう。物ごいがいるし、歌や踊りを見せて日銭を稼ぐ人々がいる。農家の生活は厳しい。だから、金持ちの観光客相手に商売をする村人に金を出し惜しみしてはならない。

ウェブサイト www.brasemb.or.jp (駐日ブラジル大使館)

見どころと楽しみ

■ **奇跡の家**には、さまざまな供え物が展示されている。プラスチック製や木製の腕や脚、感謝状、写真などだ。これらの品々から、貧しく信心深いこの地方にすむ人々が抱える、苦悩の一端がうかがえる。

■ **ログラドゥーロ・ド・オルト**と呼ばれる丘からの眺めを楽しもう。頂上には、帽子を手にするシセロ神父の巨像が立っている。

■ シセロ神父をたたえて建てられた**聖堂**のいくつかを訪れてみよう。説教をした教会、暮らし、亡くなった家、埋葬された礼拝堂などがある。

■ 眺めのすばらしい**アラリペ台地**はハイキングに最適だ。洞窟、泉、滝、霧の出やすい森がある。

南米

日本 三重県
伊勢神宮

日本で最も神聖とされる神社である伊勢神宮には、日本全国はもとより、世界各地から、毎年700万人もの参拝者が訪れる。

杉の巨木が生い茂る森の奥深くに、伊勢神宮の社は、ひっそりと建つ。ここには、太陽の神である天照大御神（内宮）と、衣食住をはじめすべての産業の守り神である豊受大御神（外宮）が祭られている。

天照大御神は、神道の中心的な神で、今上天皇を含む皇室の先祖とされており、太古の昔、日本人に大切な糧である稲を授けたともいわれる。

伊勢神宮には内宮と外宮という、6キロほど離れた二つの宮がある。内宮は、八咫鏡を祭るために、2000年前に創建されたといわれている。八咫鏡とは、天照大御神が孫の瓊瓊杵尊に、日本を治めよと送り出す際に与えたとされる鏡だ。

外宮は、天照大御神の食事をつかさどる豊受大御神を祭るために5世紀に創建された。内宮と外宮には木造の社が点在するが、どれも素朴な神社建築である。

内宮と外宮は20年に一度建て替えられる。これは、式年遷宮と呼ばれ、1300年前から続く伝統。古い建物を解体し、森から切り出したヒノキの木で全く同じ様式で建て替える。62回目に当たる次の神宮式年遷宮は、2013年の予定だ。

ベストシーズン　伊勢神宮では数百年続くさまざまな祭事が年間を通じて行われている。訪問時期にどんな行事があるか、ウェブサイトで確認しておこう。

旅のヒント　伊勢には主要な鉄道の駅が二つあり、名古屋、京都、大阪から頻繁に電車が出ている。所要時間は1時間半から2時間。外宮はどちらの駅からも歩いていけるが、内宮へ行くには駅からバスに乗らなければならない。伊勢には宿泊施設が少ない。

ウェブサイト　www.isejingu.or.jp（伊勢神宮）

アジア

見どころと楽しみ

■ 毎年10月中旬に行われる**神嘗祭**（かんなめさい）は最も重要な祭事だ。天皇の使者が五色の絹などの供物を天照大御神に供える。

■ 外宮第一鳥居の手前に**手水舎**があり、そこから先が神域であることを示している。参拝者はここで清めの儀式を行う。手を洗い、口をすすぐだけで身も心も清められる。

■ 内宮の近くにある**おはらい町**は、土産物屋が並ぶ通りで、その中ほどに明治時代の店舗を忠実に再現した**おかげ横町**がある。名物の赤福を食べてみよう。

五十鈴川ほとりの内宮正宮。四重の御垣に囲まれた最も奥にあるご正殿に天照大御神が祭られている。

穏やかな広島湾に潮が満ちると、朱塗りの鳥居が水面に鮮やかな姿を映す。

日本　広島県
厳島神社

高さ16メートル、重さ60トンあまりの大鳥居は厳島神社のシンボルだ。
潮が満ちると、まるで海に浮かんでいるようにみえる。

　広島湾に浮かぶ宮島は、長い間、島全体が神として崇められてきたが、今も神聖な島であることに変わりはない。波打ち際にある厳島神社は、御神体である島に人々が足を踏み入れることなく参拝できるよう、入り江の桟橋の上に建てられたものだ。

　入り江の後方には樹木が生い茂る弥山がそびえ、海岸に沿っていくつもの建物が並んでいる。本殿、拝殿、五重の塔はすべて屋根付きの回廊で結ばれている。海のただ中に立つ大鳥居は、人間のすむ俗界と神々の聖域との境界を表す。

　厳島神社は飛鳥時代の592年に創建されたと伝えられる。その後、1168年に平清盛によって、現在のような社殿が造営された。それ以来、多くの武将たちの崇敬を集めるようになった。

　優雅な建物は、平安時代後期の建築様式に特徴的なものだ。6本の支柱をもつ朱塗りの大鳥居は、満潮時、海をまたいで渡っていくように見える。干潮時の姿も壮観だ。潮が引くと、濡れた砂の上を鳥居まで歩いていけるようになる。

ベストシーズン　年間を通じて訪れることができる。気候的には3月、4月、10月、11月が特に快適。
旅のヒント　神社を見るのに2時間。宮島は本土の宮島口からフェリーで10分。
島での食事は割高になるので、弁当かサンドイッチを持っていこう。
神社は6時半～18時に開いている。拝観料が必要となる。
ウェブサイト　www.miyajima-wch.jp（廿日市市環境産業部観光課・宮島観光振興室）

見どころと楽しみ

■ 灯籠が下がる朱塗りの回廊を歩いて、**武具の宝物**を見よう。有名な武士の刀剣やよろいとともに、**1000年前の扇**、平安時代の遺産が展示されている。

■ 宮島に宿泊すれば、満潮時の神社を見るチャンスがあるし、灯籠に火を灯した神社、**ライトアップされた大鳥居**を見ることができる。幻想的な眺めだ。

■ 辺りを満たす平穏な雰囲気に浸ろう。海岸沿いの石灯籠のそばで、**野生のシカ**が草をはんでいる。

アジア

伝説の風景　謎の巨大遺構　信仰の発祥地　永遠の史跡　日々の祈り　**神が宿る場所**　巡礼の道　儀式と祝祭　忘れえぬ人々　心を見つめて

神が宿る場所 | 209

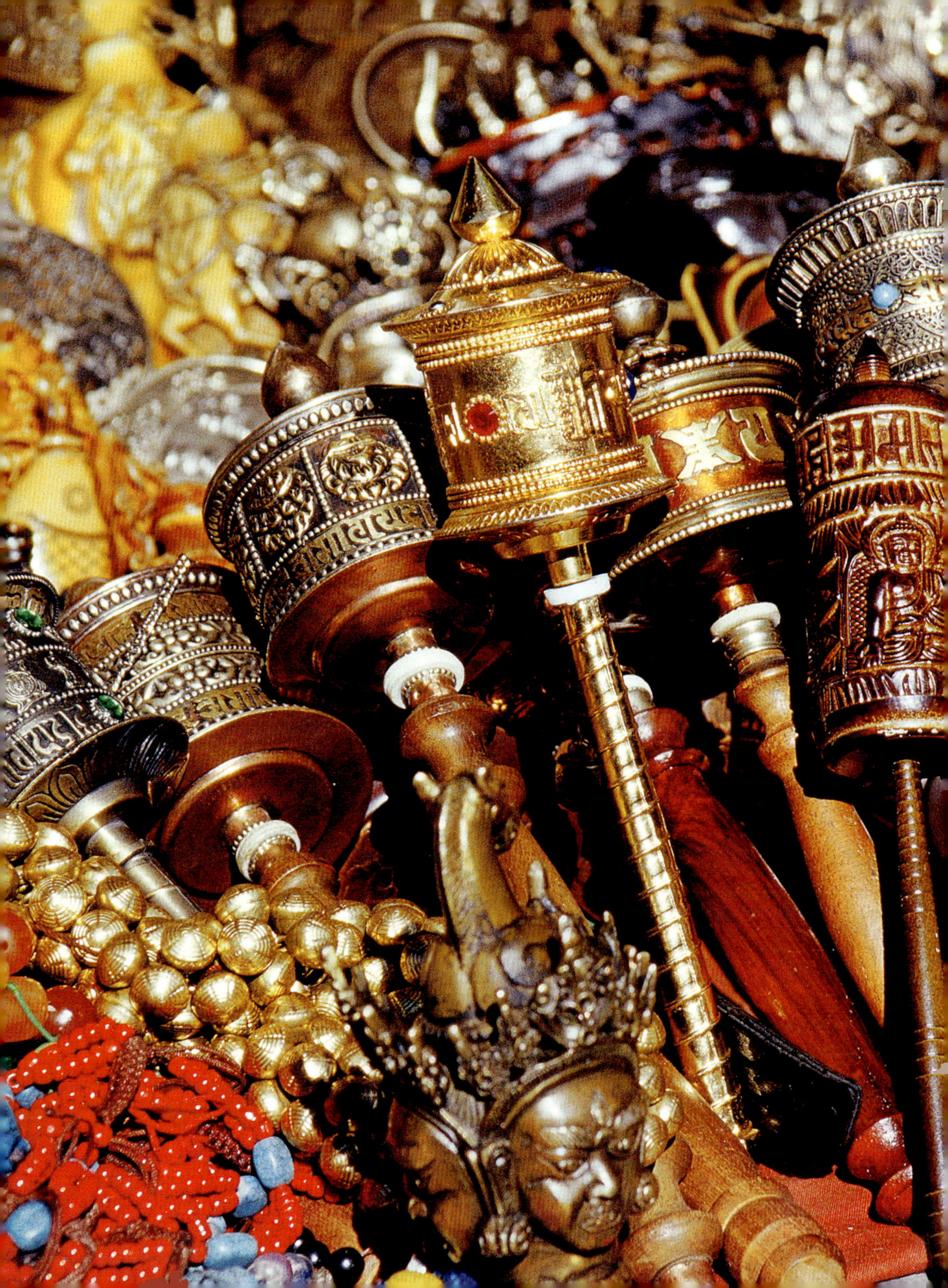

中国 甘粛省

チベットの信仰が息づく ラブラン寺

辺境の地にある僧院で、僧や巡礼者とともに過ごそう。
祈祷旗がはためき、ランプに使われるヤク・バターのにおいが満ちている。

甘粛省甘南チベット族自治州に位置する夏河県の手つかずの大草原の端にラブラン寺はある。チベット仏教のゲルク派（黄帽派）の寺院だ。白く塗られたまばゆい僧院は、きらびやかな金色の屋根に覆われ、その中ではチベットの信仰に即した生活が息づいている。

暗い堂内には、僧侶たちの低い読経の声が響き渡り、壁には恐ろしい顔をした仏像が並ぶ。鼻をつくにおいを発するヤク・バターのランプの光が瞬いている。

僧たちの格好もきらびやかで、独特の黄色い三日月帽が目を引く。かつてここには4000人の僧侶が暮らしていたが、今ではその数は数百人である。その多くは修行僧で、15年間の修行を経た後、最後に誓願を立てて正式な僧となるのだ。

寺院の周りは全長3キロの回廊になっている。巡礼者は経を唱えながら、回廊を時計回りに回り、来世での幸せを願って、マニ車を回す。マニ車というのはカラフルに装飾された回転する円筒で、中に経文が納められている。マニ車を1回転させれば、中に入っている経文全部を唱えたのと同じ意味があるといわれている。

回廊に延々と並ぶマニ車には、膨大な数の経文が納められていて、功徳を積むにはもってこいの場だが、巡礼者たちは小型のマニ車も携帯している。回廊を歩きながらいっしょに「オム・マニ・パドメ・フム」と唱えてみよう。マニ車が回る音に耳を澄ませると、無我の境地に誘われる。

ベストシーズン 夏河県は標高3000メートルほどの高地で、冬は非常に寒く、夏は涼しい。寒さが平気な人は、チベットの新年（ロサル）に合わせて行くのも良いだろう。そして、3日後の大祈祷祭（モンラム）を見よう。チベット暦で行われるこれらの祭りは、西暦の2月下旬から3月上旬にあたる。旅行前にこの地域の安全情報を確認しよう。

旅のヒント 夏河は蘭州からバスで6〜7時間。蘭州は中国の主要都市と飛行機や鉄道で結ばれている。夏河の宿に滞在し、寺院やその周辺を散策しながら、少なくとも3日は過ごしたい。仏教に興味があり、チベットについて学んでいるなら、もっと長く滞在したくなるだろう。

ウェブサイト www.cnta.jp（中国国家観光局）、www.tibetinfor.com（中国語、英語ほか）

アジア

見どころと楽しみ

■ 6階建ての**大経堂**を見よう。境内にある18の建物の一つで、3000人の僧が座れる広さがある。堂内には四方の壁にブッダの絵があり、天井からは竜を刺繍した絹の天蓋が下がり、140本ある柱には仏画が掲げられている。

■ 早朝に行くと、本堂の前に僧侶たちが集まっている。扉が開くのを待つ間、彼らは**経**を唱える。その声が静けさの中に響き渡る。

■ 近くの草原へ出かけよう。チベットの遊牧の民が**ヤク**を放牧している。チベット族の家に泊めてもらうこともできる。夏は草原一面に黄色い花が咲く。

前ページ：携帯できる小型のマニ車をはじめとする巡礼用具が、地元の市場で売られている。**上左**：寺院の外周に設けられた3キロに及ぶ屋根付きの回廊。巡礼者たちが、歩きながらマニ車を回していく。**上右**：チベットの新年を祝う行事で、死に神に扮した踊り手が群集の前で舞いを披露する。

聖なる洞窟を目指して、巡礼者は雪の積もった丘を登る。はだしの人もいる。

インド
バイシュノ・デビ女神の洞窟

ヒンドゥーの女神が祭られている山頂の洞窟に続く
急峻な巡礼路の先には、雪を被った山や深い森が連なる。

女神バイシュノ・デビへの帰依を示すために、巡礼者は山頂を目指す。自分の足で歩く人もいれば、ポニーや、輿を使う人もいる。果ては、ヘリコプターでやって来る人までいるという。

巡礼の列は「ジャイ・マータ・ディ(母なる神をたたえよ)」の詠唱とともに進む。これで、12キロの険しい道を歩き通す力が湧くという。巡礼路の起点から頂上までは、入場規制がある。洞窟が狭く、同時に多くの人が入れないからだ。

洞窟内には、「聖なる岩」と呼ばれる岩の層があり、女神バイシュノの三つの化身、マハーカーリー、マハーラクシュミー、マハーサラスバティだといわれる。ほかの岩は、女神の参拝に訪れた3億3000万の神々の一部だといわれている。巡礼者は、汚れのない心でこの洞窟を訪れ、女神に祈れば、ご利益があると信じている。

ベストシーズン 年間を通じて訪れることができる。最もにぎわうのは、ナブラトリ(4月頃と10月頃)などの祭りがある時期と、5月から7月、9月から10月だ。冬は、雪で山道を登るのが難しくなる。

旅のヒント ジャンムー(最寄りの空港)からバスかタクシーで48キロ離れたカトラへ行く。そこから聖なる洞窟までは12キロ歩く。洞窟に入る順番待ちのために町に1日か2日、待機する予定で行こう。ウェブサイトをチェックして、自分の訪問時期の訪問者数を確認しておこう。洞窟内は撮影禁止。ここはジャンムー・カシミール州にあり、近年暴動が起きている地域だ。旅行前に治安情勢を確認しておこう。

ウェブサイト www.embassyofindiajapan.org (在日インド大使館)
maavaishnodevi.org (英語)

見どころと楽しみ

■ 巡礼路の起点近くにある、**バン・ガンガの滝**で水浴びをしよう。女神バイシュノが水を手に入れるため、地面に矢を放ってできた滝だといわれている。

■ **バイシュノ女神の足跡**が残されているという小さな祠に立ち寄り、女神のご加護を祈ろう。足跡は明るい黄色の花輪で飾られている。

■ 行程の半分ほどのアドクワリには、**永遠の乙女の洞窟**がある。その狭い入り口からは一度に1人ずつしか通れない。ここに一度入れば、汚れた魂がすっかり清められるという。

■ 洞窟を流れる氷のように冷たい**小川**をはだしで渡る時は「ジャイ・マータ・ディ」と唱えよう。これを唱えれば、冷たさに耐えられるといわれている。

■ 巡礼者たちは、頂上の洞窟入り口付近で野宿する。洞窟で朝の祈りを始める**僧侶の詠唱**で目覚め、清々しい夜明けを迎えることができる。

アジア

インド
アムリトサルの黄金寺院

シク教徒にとって最も神聖な寺院は、巨大な四角形の
人工池に浮かんだ石づくりの小島に建っている。

　古代パンジャブ王国の中心であった、インド北西部の都市アムリトサルには、シク教の信仰と文化の拠点がある。黄金寺院、ハリマンディル・サヒーブだ。シク教徒なら、一生に一度は訪れたい地だ。

　寺院の周りには、石と大理石でつくられた巨大な堂があり、毎日1万人もの巡礼者が寝泊りし、食事も振る舞われる。巡礼者たちは昼間、町の名前にもなっているアムリトサル（不老不死の甘露の池）にかけられた長い橋を渡って本堂に向かう。

　本堂の中には、シク教の聖典「アディ・グランタ（グル・グラント・サヒーブ）」が納められている。そばまでは近づけないが、信者はそこへ向かってコインや花を捧げようと、行列をなして待っている。

　聖典は、夜間は境内の別の寺院アカル・タフトに安置される。このため、毎日、夕方になると聖典を運ぶ行列が池の橋を渡り、岸に沿って進む。太鼓やトランペットが鳴り響き、信者が花を投げたり、聖歌を歌いながら熱心に行列を見守る。

ベストシーズン　インド北西部のほこりっぽい平原にあるアムリトサルは、夏は非常に暑く、冬はヒマラヤから吹き下ろす寒風のために、冷えこむことがある。訪問に最適なのは、秋（10月～11月）だろう。この時期なら日中の気温は10～17℃の間。

旅のヒント　アムリトサルに1泊はしたい。そうすれば、毎晩寺院の境内で行われるにぎやかな行列を見られる。シク教徒は、人間ではなく神がすべてを与えると考えているため、黄金寺院の周辺の宿坊（ニワ）で誰もが無料で食事と寝場所を与えられる。アムリトサルには国際空港があり、鉄道も通じている。列車の旅は、ラホールから3時間、デリーからだと8時間だ。

ウェブサイト　www.embassyofindiajapan.org（在日インド大使館）
www.sgpc.net/golden-temple/index.asp（英語）

見どころと楽しみ

■ 聖典「**アディ・グランタ**」はシク教の折衷主義的な性格を表す。これには、1000年から1606年にかけて最初の5人のグルが作った6000近くの聖歌とともに、ヒンドゥー教やイスラム教の聖者の作品も含まれている。聖歌は、歌う目的で作られているが、朝の祈りには朗読することになっている。

■ **シク中央博物館**には、シク教の芸術品、工芸品をはじめ、寺院が創建された16世紀からの歴史が展示されている。

■ 寺院を訪れたすべての人に食事を振る舞う**グル・カ・ランガル**で、巡礼者たちと食事をしよう。シク教の教義の要である平等の精神に従い、人種、国籍を問わず、誰でも歓迎される。

本堂の見える人工池の縁で、石の柱廊の脇に座り、休むシク教徒の老人。

بسم الله الرحمن الرحيم

スーフィー聖者の廟

パキスタン

イスラム神秘主義の聖者シャハバーズ・カランダルの命日祭は異なる宗教間の和解を願う行事であり、世界的にも盛大な祝祭だ。

インダス川のほとりにそびえる丘の上にセヘワーン・シャリーフはある。ここは2500年前から栄えるオアシス都市だ。現在は、イスラム神秘主義であるスーフィーの聖者で詩人のハズラット・ラール・シャハバーズ・カランダル（1177～1274年）の廟がある町として有名である。カランダルは高い地位にあったが、世俗的なもの一切を捨て、ヒンドゥー教徒とイスラム教徒の対話を説いて諸国を巡り、セヘワーン・シャリーフにたどり着いた。

旧市街の中心に、ヒンドゥー教徒とイスラム教徒が共に参拝するカランダルの廟がある。創建は1356年だが、その後何度か建て替えられた。3日間にわたって行われる彼の命日祭（ウルス）には多くの巡礼者が集まる。青のタイルで覆われた廟の内部、銀の天蓋（てんがい）の下にカランダルの墓がある。日中は静かだが、夜は熱狂的な雰囲気に変わる。聖者をたたえようと、信者たちは踊り、祈り、歌う。

カランダルを特に崇敬するカランダル・スーフィーと呼ばれる人々は、意識状態を変性させることによって神に近づけると信じている。忘我の境地に達する踊りや歌のほか、多くの人はトランス状態に陥るために大麻を吸う。そのため、セヘワーン・シャリーフを訪れれば、大麻のにおいに気づくはずだ。

保守派イスラム教徒の多くは、スーフィーは開放的すぎると危機感をもつ。だが、イスラム教徒以外には、イスラム世界の最も親しみやすい存在と映るだろう。

ベストシーズン 霊廟は朝の4時半から真夜中まで開いている。イスラム暦のシャアバーン月の18日から21日に行われる命日祭に合わせて行こう。ムハッラム月の9日、10日にも大きな祭りがある。この日は預言者ムハンマドの孫、イマーム・フセインの死を悼み、シーア派の信者が自分をむち打ちながら行進する。気候は11月から4月が快適。夏（5月～8月）は焼けるように暑い。

旅のヒント セヘワーン・シャリーフは、カラチから車で4時間。治安状況にもよるが、列車やバスでも行ける。出発前に安全情報を確認すること。
命日祭に行くなら、前もって宿を予約したい。ホテルは数カ月前には満室になってしまう。

ウェブサイト www.tourism.gov.pk（英語）

見どころと楽しみ

■朝は聖者に祈りを捧げる信者の列に加わろう。香や線香、香油の煙が漂う中、花輪や緑の布を捧げ、その後、静かに寺院の周りを回ろう。

■アレクサンドロス大王（紀元前356～前323年）が築いたという巨大な要塞、**カフィール・キラ**の遺跡を見よう。セヘワーン・シャリーフ郊外にある。アレクサンドロスの遠征について行くのに疲れた兵士たちは、現在のインド・アムリトサルで反乱を起こし、ここでの野営後、故郷マケドニアを目指して行軍した。

■アジア最大の淡水湖、**マンチャー湖**付近の集落を見に行こう。そこにはセハナ族の居住地でもある。モハナ族は、自分たちはアレクサンドロス大王の遠征軍の子孫だと主張しているが、多くの人類学者は否定している。

■保存状態の良い古代都市**モヘンジョ・ダロ**を訪ねよう。セヘワーン・シャリーフから車で2時間。5000年前に花開いたインダス文明発祥の地だ。

前ページ：スーフィーの聖者ハズラット・ラール・シャハバーズ・カランダルの廟を目指して、横断幕を掲げながらセヘワーン・シャリーフの通りを練り歩く熱狂的な信者たち。上：線香の煙が立ち上る中、聖者の墓の前で頭を垂れて祈る参拝者。

教会下の地下礼拝堂に祭壇が設けられている。

シリア
聖アナニア教会

むき出しの石の壁、簡素な祭壇、高窓から差し込む光――。
こうした情景が、初期キリスト教信仰の素朴さをよみがえらせる。

ダマスカス旧市街に位置するキリスト教地区。バブ・シャルキ（東門）のそばにある金属製のアーチ門に近づくと、道は狭くなり、町の喧噪は遠のく。門をくぐり、小さな庭を抜けた先に、聖アナニア教会がある。また、木陰には、アナニアに洗礼を受けるパウロの、白い彫像がある。

急な階段を下りると、小さな礼拝堂がある。礼拝堂の脇には木のベンチが並び、両側の石壁に設けられた壁のくぼみ（壁龕）には、聖書に登場するアナニアを描いた絵が掲げられている。新約聖書によると、アナニアは、ダマスカスへ向かっていた盲目のパウロの目を開いたという。そして、パウロは洗礼を受けた。

聖アナニア教会は、この奇跡を起こしたアナニアの家の跡地に建つといわれるが、数百年の間に異教徒に何度も壊された。2世紀から3世紀には、異教徒の寺院がここに建ち、モスクになったこともある。1814年、フランシスコ会がこの地を買い上げ、修復した。発掘により、各種のキリスト教に関連した品々が出土した。

ベストシーズン シリアで気候が穏やかなのは4月から6月と、9月から11月。

旅のヒント 聖アナニア教会はハナニア通り34番にある。東門と東門近くのハナニア通りとの交差点から200メートル。ラマダンの時期に訪問する場合はホテルは早めに予約したい。

ウェブサイト www.syriatourism.org（英語ほか）、www.ancientworldtours.com
www.sacred-destinations.com/syria/damascus-straight-street-via-recta.htm（英語）

見どころと楽しみ

- 地下の礼拝堂は**ローマ時代の地層**と同じ位置にある。聖書の舞台となった時代の街並みが想像できるだろう。

- **ミサ**に出よう。フランシスコ会が運営する聖アナニア教会は、現在もミサが行われている教会としては最古級だ。

- ダマスカス旧市街の「**まっすぐな道**」と呼ばれている道にあるほかの聖地も訪ねてみよう。ジュピターを祭ったローマ時代の神殿、聖パウロ教会、ヒシャーム・モスクがある。

- 観光を終えたら、**中東の伝統料理**を食べよう。ファラフェル（ひよこ豆のコロッケ）、ババガヌッシュ（ナスのペースト）、タブーリ（サラダ）、フムス（ひよこ豆のペースト）など。最高のシュワルマ（カバブ）は、バブ・トウマ（トマスの門）付近にある屋台で食べられる。

アジア

シリア
ウマイヤド・モスク

現存するモスクとしては最大級であり、最古の部類に入るウマイヤド。
イスラム建築を代表する建造物でもある。

荘厳なシャンデリアの下で、信者たちはメッカの方向にひざまずいて祈る。一方で、モスクに腰を下ろし、荘厳な雰囲気に浸る人たちもいる。

ダマスカスのウマイヤド・モスクは、アラムのハダド王の神殿（前900年）に始まり、聖堂や礼拝堂が建てられてきた歴史的な場所にある。モスクの創建は705年にさかのぼり、現役のものとしては世界最古とされる。スンニ派の礼拝所であるモスクの斬新なデザインは、メディナにあるムハンマドの家を模している。モスクの中には、華麗なドーム屋根をいただく霊廟があり、そこにイスラム教徒に「預言者ヤフヤ」と呼ばれている、洗礼者聖ヨハネの首が納められているといわれる。ここは、キリスト教徒にも神聖な場所なのだ。

高い窓から陽光が降り注ぎ、礼拝所の床を覆う絨毯に光を投げかける。屋根のない中庭は白い大理石が敷き詰められ、モスク内の金のモザイク装飾とは対照的だ。モスクの東端にある、モザイクで飾られた宝物のドームも重要だ。

ベストシーズン 断食（ラマダン）明けの大祭と犠牲祭の時期は非常に混雑する。だが、混雑が気にならないなら、活気あふれる祭りの雰囲気を楽しめるだろう。
旅のヒント モスクに入る時、女性は頭から足まで覆わなければならない。男性も短パンは禁止。モスクの隣の事務所でガラビヤ（長衣）を借りられる。参拝者に敬意を払おう。特に礼拝中は気をつけよう。写真を撮る前に必ず了解を得ること。モスクには男子禁制の場所もある。スリに注意しよう。特にモスクの外は要注意だ。
ウェブサイト www.syriatourism.org（英語ほか）

見どころと楽しみ

■**サラディン廟**を訪ねよう。サラディン（サラーフッディーン）は、イスラム世界の英雄で、12世紀の偉大な指導者。

■**カルバラーの殉教者**である、フセインの首が納められているといわれている場所を探そう。奥の部屋の壁、浮き彫り細工の銀板がはめ込まれているところがそうだ。

■**中庭**に座り、モスクの平穏な雰囲気をゆっくり味わおう。

■礼拝所の東端にある小部屋を探そう。礼拝の時を呼び掛ける**アザーン**はそこから流される。

右端に見える細い塔が、13世紀のイエスの塔。最後の審判の日、イエスがそこから地上に降りてくると信じられている。

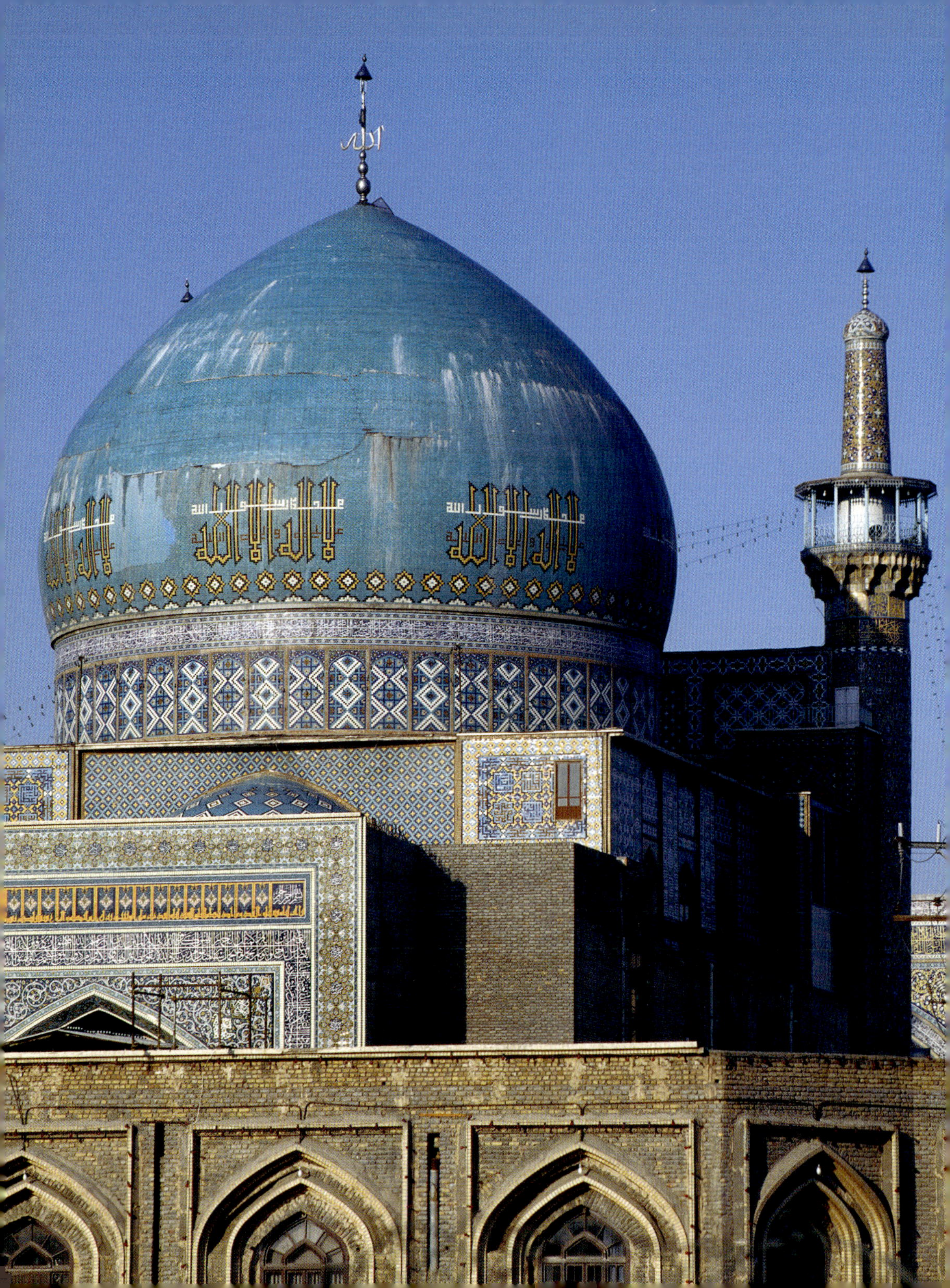

イマーム・レザー廟

イラン

818年に、イマーム・レザーが殉教した場所に建てられたこの霊廟は、イランのイスラム教シーア派にとって最も大切な場所だ。

イラン第2の都市マシュハドにあるイマーム・レザー廟の中庭、ダル・アル・ビラヤーでは、女性の黒いチャドルのすそが、ひざまずいて祈る男性をかすめていく。色とりどりの礼拝用ペルシャ絨毯（じゅうたん）の上では子どもたちが遊び、その横で祈る母親たちの顔には深い信仰心が見てとれる。

このアリー・ムーサー・アッ＝リダー（レザー）の聖廟には毎年、2000万人のシーア派の信者が訪れる。レザーはシーア派の第8代イマーム（指導者）。彼の霊廟は境内の中心にある。巨大な金色のドームの下に、彩色タイルや鏡のタイルで飾られた天井があり、霊廟を守っている。

霊廟からは放射状に21の柱廊が延び、モスクや小部屋、男性用、女性用、家族用それぞれの礼拝所の中庭へと通じている。男たちはザリー（廟を覆う金めっきを施した格子）に触れ、キスをしようと群がる。女性用の礼拝所からは胸をたたく音とともに嘆き悲しむ声や泣き声が聞こえてくる。

重要な祭事が行われる前の晩、コーランが朗読される中、イマームの墓は伝統にしたがってほこりを払われる。その後、バラ水で洗われ、神聖なほこりは信者に分け与えられる。

霊廟は、長い年月の間に破壊と再建が繰り返され、拡張されてきた。歴代のイマームが競うように、ホールやモスク、中庭、図書館、学校、尖塔を建てたのだ。

ベストシーズン 4月から6月と、9月から11月。ノウルーズ（イランの新年）は避けよう。非常に混雑する。毎年3月21日前後が新年にあたる。

旅のヒント イランへ行く前に安全情報を確認しよう。クレジットカードやATMの使用はイラン居住者のみ。トラベラーズチェックも使えない。現金を持っていって銀行で両替しよう。銀行の方が路上の両替商よりもレートがよい。イスラムの習慣に従い、男女とも節度ある服装で。イスラム教徒以外の人が入れるのは、霊廟の中心の中庭と博物館のみ。

ウェブサイト www.iranembassyjp.com（駐日イラン大使館）、www.imamreza.net/eng（英語）

アジア

見どころと楽しみ

■ けがや病気の治癒を求めてきた巡礼者は、**ダル・アル・シヤダー**の柱廊の東側にある銀の窓から祈る。ここで多くの奇跡が起こったと伝えられている。

■ **コーランの朗読**に耳を傾けよう。ダル・アル・フハズの広間で毎朝行われる儀式で朗読される。

■ 廟の至るところにある**水飲み場**は、殉教したイマーム・フセインとその72名の従者を記念している。彼らは7世紀、カルバラー近くで、のどの渇きで死んだ。

■ **鼓楼**では毎日、日の出と日没時にトランペットと太鼓が鳴らされる。太鼓は参拝者の病が奇跡的に治った時にも打ち鳴らされる。

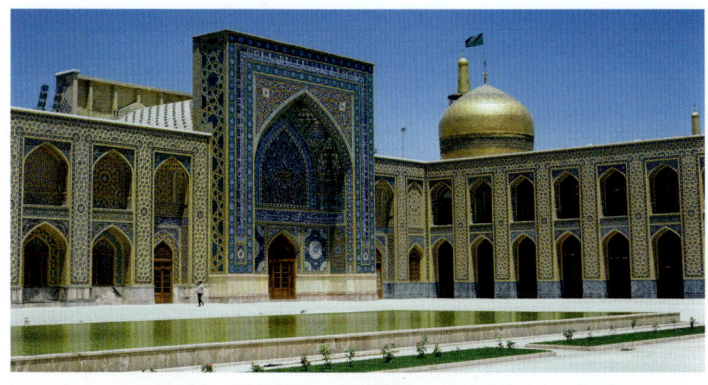

前ページ：イマーム・レザー廟は、世界最大級のイスラム建築だ。タイルのすばらしさでも知られている。上：広大な境内には、現在建設中も含めて七つの中庭がある。写真は1979年につくられた中庭で、イラン・イスラム共和国の建国の父、イマーム・ホメイニの名がつけられている。

神が宿る場所 | 219

リトアニア
十字架の丘

5万本もの十字架が捧げられているこの小高い丘は、
宗教と政治の悲しい歴史を繰り返し体験してきた。

農地に囲まれた小高い丘には、十字架や十字架像がまるで森のように立てられている。簡素なものから豪華な彫刻が施されたものまで、形も大きさもさまざまで、何重にも積み重ねられている。

リトアニアの愛国者の写真や肖像が、車のナンバープレートやばんそうこうでつくった即席の十字架に埋もれ、ロザリオをかけたキリスト像やマリア像もある。素朴で小さな十字架には、実に多様なメッセージが託されている。皆がそれぞれの願いを託して十字架やロザリオを捧げるので、その数は増える一方だ。

こうした習慣は中世から始まったという説もあるが、最初にこの丘に十字架が掲げられたのは1831年だろう。ロシアの支配に抵抗して死んだ人々を記念したのが始まりだ。しかし、抵抗は失敗に終わった。その後、ここはリトアニアの抵抗と独立の象徴になった。20世紀後半、KGBは3度も十字架を撤去したが、すぐに前より多くの十字架が立った。信仰の自由を奪った共産主義への抵抗の証しであった。

ベストシーズン　年間を通じて訪れることは可能。復活祭には熱心な人々が集まり、最もにぎわう。

旅のヒント　1時間ぐらい過ごそう。十字架の丘はシャウレイの北12キロの所にある。隣国ラトビアのリガに向かう公共バスで行ける。または、リガとビリニュスを結ぶ幹線道路A12号線のドライブの途中で寄っても良い。丘を見ている間、タクシーは待っていてくれるだろう。シャウレイにはホテルはたくさんあるし、歴史ある教会や博物館(自転車博物館、写真博物館など)もある。

ウェブサイト　litabi.com/travel.html (リトアニアナビ)、www.travel.lt (リトアニア語、英語ほか)

ヨーロッパ

見どころと楽しみ

■ リトアニア人を祖先にもつ教皇**ヨハネ・パウロ2世**も1993年にここを訪れ、十字架を捧げた。彼の訪問とリトアニア人の信仰に感謝する石の記念碑がある。

■ **キリスト教以外のシンボル**がキリスト教のシンボルに交じっている。この地域はヨーロッパで最後にキリスト教に改宗したため、こうした特徴が見られる。

■ 風が吹くと十字架やロザリオが互いにぶつかり合って**音**を奏でる。何かを語りかけるようで、心が揺さぶられる音だ。

おびただしい数の十字架や像の間をぬって道が頂上へ続く。

顔や手が黒っぽい理由は明らかではない。長年、ろうそくのすすにさらされたためかもしれない。

見どころと楽しみ

- 騎士の広間はかつてポーランドの国会議事堂として使われていた。壁には絵が、ずらりと並んでいる。ヤスナ・グラに黒い聖母が到着した時の模様も描かれている。
- 修道院の敷地には、8000冊以上を収蔵する図書館や宝物庫、博物館がある。
- チェンストホーバとクラクフの間の160キロのイーグル・ネスト・トレイルを車で走り、この地が包囲された時を想像してみよう。トレイルは石灰岩の崖の上に建つ15の中世の城を結んでいる。ポーランドは度々侵略され、奇跡だけでなく、物資も必要としていただろう。

ポーランド

黒い聖母像

切りつけられ、黒ずんでいるチェンストホーバの聖母は、
ポーランドを象徴する存在となり、国民の精神的支えとなった。

　ヤスナ・グラ修道院に納められている黒い聖母を拝むために、毎年500万人が訪れる。この絵は、イエスがまだ幼い頃、聖家族の家にあった杉材のテーブルの天板に、聖ルカ自身が描いたものだといわれている。

　天板は14世紀にここに運ばれ、それを納めるために教会と修道院が建てられた。ポーランド人はこの聖母像に特別な思いを抱く。この絵が、17世紀のスウェーデンの侵略から修道院を守ったと伝えられているからだ。以来、ポーランド国民はこのイコンを熱烈に信奉してきた。

　イコンは現在、1650年につくられた黒檀と銀の祭壇に掲げられている。多くの聖母像は真珠や貴石をちりばめた豪華な衣装を着ているが、表情は悲しげだ。

　狭い礼拝堂には供物を捧げる長い列ができている。奉納された松葉杖、宝石、花束、写真の数々が、聖母への信仰の深さを物語っている。

ベストシーズン　夏の間、修道院には参拝者が多い。特に8月15日、26日の聖母の祭日は混雑する。寒くてもよいなら、冬に行こう。丘に雪が積もり、修道院が美しく見える。

旅のヒント　クラクフ（約100キロ離れている）を出て、チェンストホーバに向かう途中、ついでにイーグル・ネスト・トレイル（鷹の巣の道）に沿ってドライブしよう。チェンストホーバはワルシャワから約230キロ。カトウィスに向かって幹線道路を2時間半走って到着する。日帰りできる。

ウェブサイト　www.poland.travel（ポーランド政府観光局）、www.jasnagora.pl（ポーランド語、英語ほか）

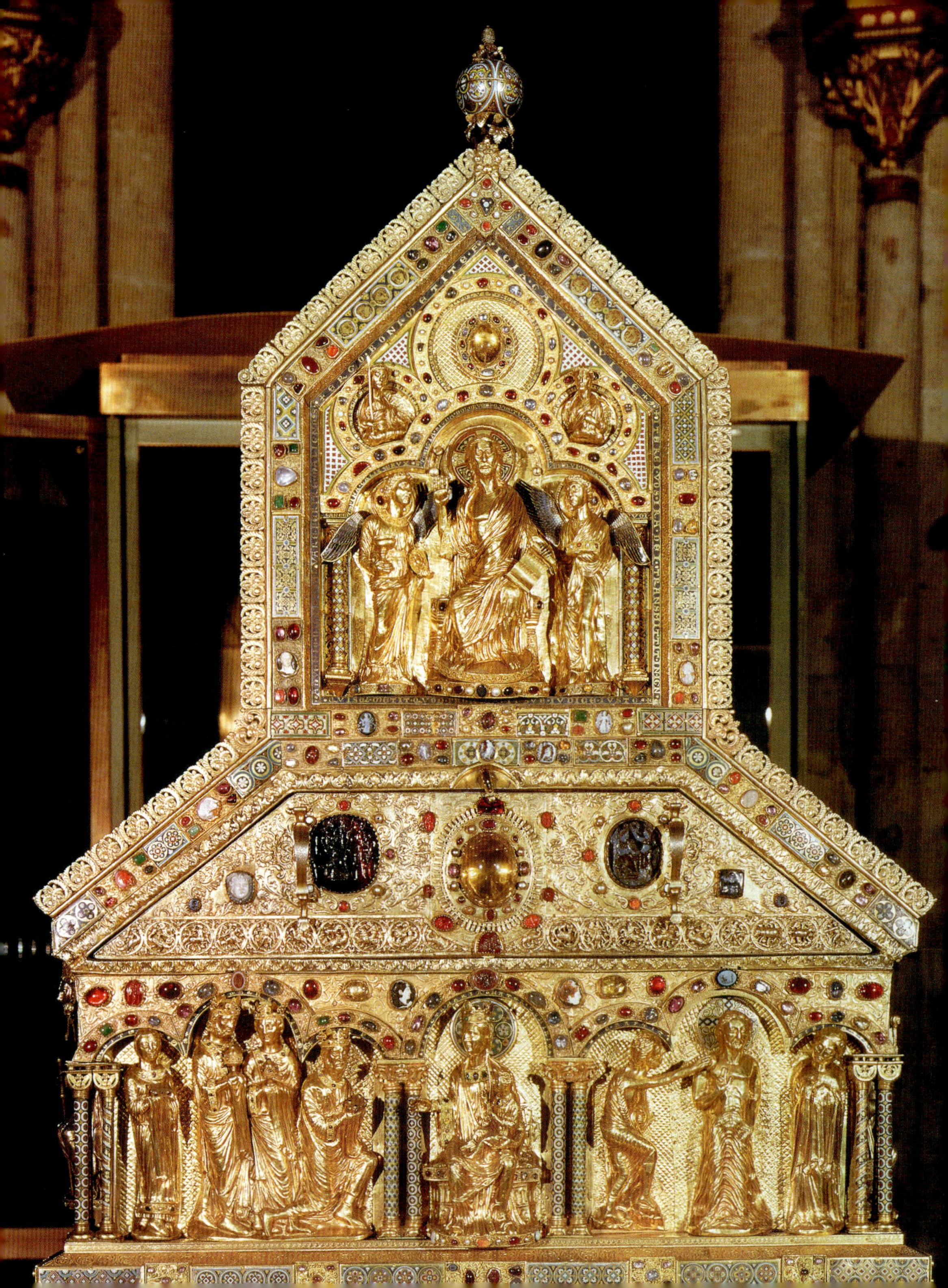

ドイツ
東方三博士の聖遺物箱

ヨーロッパ北部で最大のゴシック建築であるケルン大聖堂には、
金銀細工が施された豪華な聖遺物箱が安置されている。

ケルン大聖堂の巨大なステンドグラスの窓から降り注ぐ光を浴び、東方三博士の聖遺物箱は、たとえようもない美しい輝きに包まれている。

宝石や金で飾られたこの聖遺物箱には、イエスの誕生時にベツレヘムを訪れた東方の三博士、メルキオール、バルタザール、カスパールの遺骨が納めてあるという。その荘厳さは、これを安置するために建てられたケルン大聖堂に比肩する。現在は、大聖堂東端にある13世紀の内陣の主祭壇奥に安置されている。

バジリカ聖堂を模したとされる華やかな聖遺物箱は、高さ152センチ、幅109センチ、奥行き221センチ。聖なる遺物を納めた容器としてはキリスト教世界では最大といわれている。フランダースで活躍した金銀細工師、ニコラ・ド・ベルダンが1190年頃に設計し、完成までに40年以上かかった。

正面にはめ込まれた三つの大きな宝石は、金をかぶせた三博士の頭蓋骨がある場所を示している。そして、四面には、イエスの生涯、12使徒、旧約聖書の預言が、型押しの浅浮き彫りで描かれている。

中世の工芸職人たちは、表面に1000個以上の宝石や貴石を埋め込み、色とりどりのクロワゾン七宝、シャンルベ七宝、カメオ細工で飾った。1164年に、ケルンに聖遺物を運んだライナルド・フォン・ダッセル大司教のカメオも飾られている。

ベストシーズン ケルン大聖堂は毎日開いているが、礼拝中は立ち入りが制限される。さらに、聖遺物箱が置かれている内陣は、告解のときは閉鎖される。

旅のヒント 1時間のガイド付きのツアー（英語）がある。最寄りの空港はフランクフルト。空港からケルンまでは高速鉄道で1時間ほどだ。

ウェブサイト www.visit-germany.jp（ドイツ観光局）、www.koelner-dom.de（ドイツ語、英語）

ヨーロッパ

見どころと楽しみ

■ 聖遺物箱の精巧な**職人技**を鑑賞しよう。見事な宝石細工、金属細工が施されているのがわかる。

■ 大聖堂の宝物館には、かつて使われていた**聖遺物箱**が展示してある。聖餐式の祭服、聖杯、十字架、そのほかの宗教関連の品々も見られる。

■ 15世紀のドイツの画家、シュテファン・ロホナー作の祭壇画「**東方三博士の礼拝**」も必見だ。

■ 1880年に完成した、2本の尖塔を備えた**大聖堂**を見て回ろう。着工から完成までは632年かかっている。その大きさと凝った装飾には目を見張るばかりだ。「ゲロの十字架」や「ミラノの聖母」などの傑作にも目を向けよう。

■ ミサに出席するか、あるいはただ身廊に座って大聖堂の壮大さを感じ、見事な**ステンドグラス**の窓を鑑賞しよう。

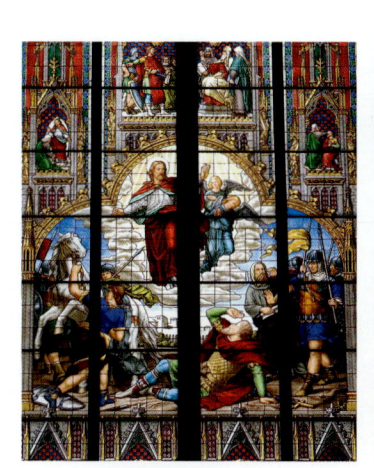

前ページ：聖遺物箱の正面にはキリストの洗礼が描かれている。洗礼が行われたという1月6日は、東方三博士の祝日である。上左：ダマスカスへ向かう聖パウロが回心したエピソードを描いたステンドグラス。第二次世界大戦で破壊されたが、1992年から94年に復元された。上右：主祭壇の奥に安置された聖遺物箱。

聖遺物箱
トップ10

聖人の遺骨や遺品を納めるために古くから立派な聖堂が建てられ、宝石で飾られた豪華な箱がつくられてきた。

❶ ゴシック様式の聖遺物箱（米国ニューヨーク市）

この豪華な聖遺物箱は、かつてハンガリーのブダ（現ブダペストの一部）の貧しき聖キアラ女子修道会の尼僧院に納められていた。現在はメトロポリタン美術館の分館で、中世美術の殿堂となっているクロイスターズ美術館が所蔵している。華麗なゴシック建築をかたどり、とがったアーチや銀を被せた装飾が見事。扉を開けると、体中に天使に囲まれた聖母子像が見える。

旅のヒント クロイスターズ美術館はフォート・トリオン公園にある。地下鉄A線で190番街駅へ向かう。そこからマーガレット・コービン通りに沿って北へ10分歩く。または、マディソン街と83番街の交差点からM4のバスに乗って、終点で降りる。www.metmuseum.org（英語）

❷ チャイティーヨー・パゴダ（ミャンマー モン州）

伝説では、ブッダの頭髪1本によって、このゴールデン・ロックが崖から転げ落ちるのを防いでいるのだという。谷を見下ろす絶壁に危なっかしくとどまっているこの巨大な岩は、いたずら好きの2人のナッツ（土地の精霊）が置いたといわれている。多くの参拝者が訪れ、岩に四角い金箔を張っていく。

旅のヒント パゴダに行くのは体力が必要だ。バスで麓のベースキャンプまで行く。そこからトラックに乗って尾根の下まで行き、2.5キロの山道を登ると頂上に着く。男性に限り、ゴールデン・ロックに触れてもよい。
www.myanmar-tourism.com/Jintro.html（ミャンマー観光促進部）
tourism.goldenlandpages.com/kyaikhtiyo.html（英語）

❸ ドブロブニク大聖堂（クロアチア）

10世紀後半、ドブロブニクの司祭の夢に、3世紀に生きたアルメニアの司教ブラホが現れ、ベネチアの襲来を告げた。彼のお告げで町は守られ、ブラホはドブロブニクの守護聖人となった。大聖堂の壮大な宝物庫には、聖人ブラホの頭と腕と脚の遺骨があるとされている。12世紀の金銀細工の王冠に納められた頭蓋骨は、聖ブラホの祝日（2月3日）の最大の呼び物だ。この日、聖骨のパレードが町を練り歩き、熱狂的な群衆に披露される。

旅のヒント 旧市街の入り口、ビレ門には巨大な聖ブラホの像が立っている。
croatia.hr（クロアチア政府観光局）
www.dubrovnik-online.com（英語ほか）

❹ トプカプ宮殿（トルコ イスタンブール）

イスタンブールのトプカプ宮殿には、預言者ムハンマドの貴重な遺物が数多くある。タイルで覆われたドーム天井の広間には、聖なる外套、ひげ、墓の土、剣、竹の弓、石に残された足跡など、さまざまな遺物が豪華な箱に収められている。その脇で、コーランが朗読されている。

旅のヒント トプカプ宮殿は9時〜19時に開いている。火曜閉館。
www.tourismturkey.jp（トルコ政府観光局）
www.topkapisarayi.gov.tr（英語、トルコ語）

❺ サンタ・クローチェ・イン・ジェルサレンメ教会（イタリア ローマ）

ミラノ勅令を発布し、キリスト教を公認したコンスタンティヌス1世の母、聖ヘレナは、聖地エルサレムからの聖遺物を安置するため、320年にサンタ・クローチェ教会を建てた。彼女はイエスの十字架を探しにいき、木片三つと釘を持ち帰った。またイエスがかぶせられたイバラの冠のトゲもある。

旅のヒント 付属の修道院の美しい菜園も見逃さないように。
www.enit.jp（イタリア政府観光局）

❻ トリノ大聖堂のシンドネ礼拝堂（イタリア）

人間の顔がうっすらと映っているトリノの聖骸布は、イエス・キリストの遺体を包んだ布であると信じられている。公開されているのは複製で、本物は、温度と湿度を管理できるケースに保管されている。教会の博物館には、歴代の聖遺物箱が展示されている。銀の鋲で飾られ、ビロードで内張りされた15世紀の箱などだ。

旅のヒント 本物の聖骸布が次回一般公開されるのは2025年の予定。
www.enit.jp（イタリア政府観光局）

❼ ロンバルディアの鉄王冠（イタリア モンツァ）

カール大帝もナポレオンも、この王冠で戴冠をした。宝石がちりばめられた王冠の内側には細い鉄環が張ってある。聖十字架の釘からつくられたというその鉄環は、幅わずか1センチだが、2人の皇帝がキリストとの結びつきを強調するには十分だった。

旅のヒント 鉄王冠が納められている大聖堂は、ミラノの北のモンツァにある。
www.enit.jp（イタリア政府観光局）

❽ 聖ウルスラの聖遺物箱（ベルギー ブルージュ）

聖ウルスラは、敬虔なキリスト教徒の王女で、結婚を避けるために、1万1000人の処女を伴ってケルンへの巡礼の旅に出た。しかし、その帰途、フン族によって皆殺しにされたという。聖ウルスラの木製の聖遺物箱には、その悲しい物語が描かれている。

旅のヒント 聖ウルスラの聖遺物箱は、聖ヤン病院のメムリンク美術館にある。
www.visitflanders.jp（ベルギー・フランダース政府観光局）

❾ サント・フォワ修道院（フランス コンク）

聖フォワの遺物は、もとはアジャンの修道院にあったが、これをねたんだコンクの修道士が、866年にこっそり持ち帰った。修道士は、高さ90センチの座像をつくり、盗んだ聖遺物を納めた。

旅のヒント 教会と宝物館は毎日開館している。jp.franceguide.com（フランス政府観光局）、www.tourisme-conques.fr（フランス語、英語ほか）

❿ エル・エスコリアルの聖ロレンソ修道院（スペイン）

国王フェリペ2世は聖遺物を集めるのが趣味で、生涯に7500以上も集めた。全身の遺骨も10体ある。また臨終の際にはお気に入りの聖遺物を周りに並べさせた。

旅のヒント 修道院へはマドリードからバスか電車で簡単に行ける。
www.spain.info/JP/TourSpain（スペイン政府観光局）
www.patrimonionacional.es（スペイン語）

次ページ：絶妙なバランスで崖の縁でとどまっている黄金の巨大な岩は、左右に動かして下に糸を通すことができる。岩の上には、紀元前574年につくられたチャイティーヨー・パゴダがある。

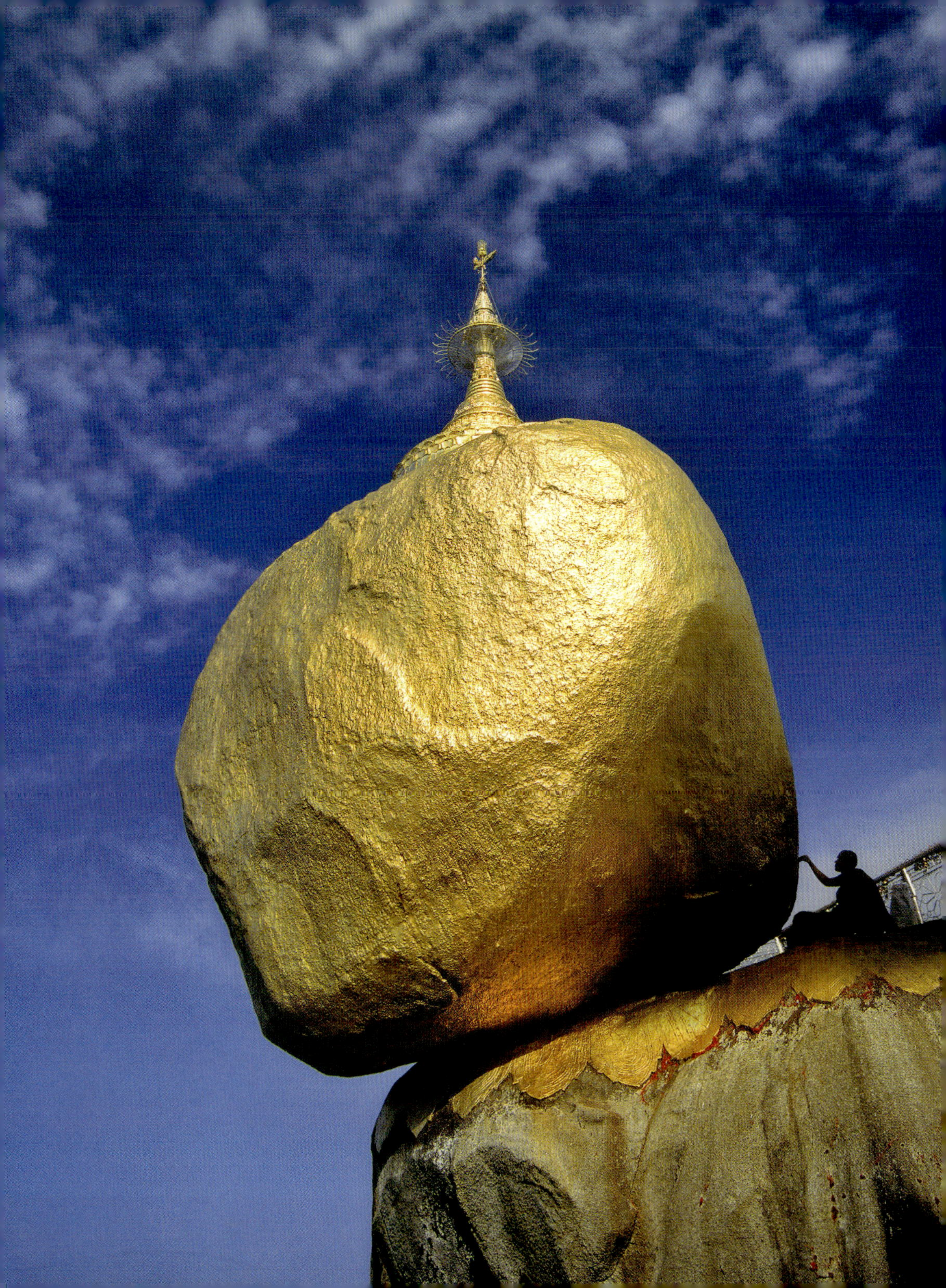

黙示録の洞窟を取り囲んで建つ聖堂。白いしっくい塗りの入り口の上には、聖ヨハネが弟子に黙示録を書き取らせているモザイク画がある。

ギリシャ
黙示録の洞窟

聖ヨハネは、新訳聖書最終章の「ヨハネの黙示録」を、パトモス島の丘の上にある洞窟で書き上げたといわれている。

エーゲ海に浮かぶパトモス島の紺碧の入り江を見下ろすように、1000年の歴史を誇る城塞修道院、アギオス・イオアンニス・テオロゴス（神学者聖ヨハネ修道院）が建つ。この修道院は、正教会では最も神聖な場所の一つだ。だが、修道院の城壁を下りた場所に、小さいがさらに神聖な場所とされる黙示録の洞窟がある。

聖ヨハネは、95年にローマ皇帝ドミティアヌスによってパトモス島に流され、ここにすんだといわれる。洞窟に続く聖堂の入り口上には、キリストからの啓示を弟子のプロホロスに書き取らせる聖ヨハネのモザイク画がある。神聖な洞窟には、13世紀に描かれたものも含め、すばらしいフレスコ画やイコンが飾られている。

洞窟の壁や天井には、小さな銀の板があちこちにかけられている。村人たちは、この銀の板に願いを込めて聖人に祈った。洞窟内には、聖ヨハネが神の言葉を聞いたとされる岩のさけ目が見られる。ここは数百年前から村人の祈りの場である。

ベストシーズン 復活祭から10月まで。パトモス島は、ギリシャの復活祭（通常4月）の時期や、聖母被昇天祭（8月中旬）の時期は、巡礼者で混雑する。

旅のヒント パトモス島の宿泊施設は、入り江に面したスカラ村か、その近くのグリコス村に集中する。黙示録の洞窟は、スカラ村からホーラ村への途中にある。ホーラは丘の上にあるパトモス島の歴史地区で、神学者聖ヨハネ修道院がある。パトモス島には空港はないが、レロス島、サモス島、コス島などからフェリーや水中翼船が頻繁に出ている。

ウェブサイト www.visitgreece.jp（ギリシャ政府観光局）、www.patmos.com（英語）
www.sacred-destinations.com/greece/patmos-cave-of-apocalypse（英語）

見どころと楽しみ

■ 丘の上のホーラ村は、伝統的なギリシャの島の集落で、神学者聖ヨハネ修道院の古い城壁の周りに広がっている。40以上の小さな**教会**や**礼拝堂**が、迷路のような石畳の路地や、まぶしく輝く白い家並みの中に点在している。

■ 神学者聖ヨハネ修道院には、**聖遺物**や**イコン**が数多く所蔵されている。

■ ホーラ村からは、**イカリア海**に浮かぶ近隣の小さな島々の風景を見よう。北にはイカリア島やサモス島の山々が見え、晴れた日には、トルコ本土が望める。

■ **グリコス村**を訪ねよう。澄んだ青い海と、長く続く砂と小石のビーチ。ずらりと並んだ小さなレストランは、捕ったばかりの魚を食べさせてくれる。

ヨーロッパ

イタリア
聖フランチェスコ大聖堂

裕福な生活を拒み、貧しさを喜んで受け入れた聖人の永眠の地には、
立派な教会が建ち、イタリア美術の傑作が並んでいる。

　アッシジの聖フランチェスコ大聖堂の下堂に足を踏み入れると、そこは、ろうそくの光で満たされ、足元はランプのかすかな明かりしか届かない。薄暗がりに立つと、ロマネスク様式のアーチが見える。

　礼拝堂の壁は、13世紀のイタリア美術の巨匠たちが描いたフレスコ画で埋め尽くされている。最も有名なのが、ゴシック期の画家、チマブーエとジョットの作品だ。

　中央の身廊の低い天井は濃紺色だが、明るい星がちりばめられており、両側の壁に描かれた絵を結びつけている。壁の絵には、聖フランチェスコの生涯が描かれる。翼廊の壁にはチマブーエの「玉座の聖母と4人の天使と聖フランチェスコ」がある。

　身廊から石の階段を下りると、聖フランチェスコの遺骨を納めた地下室がある。1818年に発掘されたものだ。薄暗い地下聖堂と大聖堂の下堂を見学してから、1253年に完成したゴシック様式の上堂に行くと、光があふれ、明るく感じる。上堂もジョットやチマブーエたちのフレスコ画で飾られている。上堂にある、聖フランチェスコの生涯を描いたジョットの28枚のフレスコ画は特に有名で、多くの人を魅了している。

ベストシーズン　年間を通じて訪れることができる。春と秋が最も穏やかな気候だが、人が多い。夏は人が少なくなるが、非常に暑い。冬は寒くて雨が多いが、静かだ。

旅のヒント　日曜午前中は閉鎖。服装の制限は厳しい。長ズボンか長いスカート、長袖で行くこと。写真撮影は禁止。駅から大聖堂まではバスがある。カレンディマッジオの春の祭り(5月の第1木曜)には、アッシジは人でごった返す。

ウェブサイト　www.enit.jp (イタリア政府観光局)、www.sanfrancescoassisi.org (イタリア語)

ヨーロッパ

見どころと楽しみ

■ アッシジの郊外にある**カルチェリ修道院**を訪れて、洞窟を見よう。聖フランチェスコは仲間たちとそこで暮らした。

■「清貧、貞節、従順」の**フレスコ画**を探そう。聖フランチェスコは、その誓いに従って生きた。

■ 大聖堂の上堂の祭壇上の天井と正面入り口の**天井の継ぎ当て**を探そう。1997年の地震では、建物が壊れ4人が死亡。継ぎ当ては修復の跡だ。チマブーエとジョットのフレスコ画も、大きな被害を受けた。

■ 聖フランチェスコが若い頃、十字架の前で祈りを捧げていると、「フランチェスコ、早く行ってわたしの壊れかけた家を建て直しなさい」と十字架上のキリストが語りかける。彼はお金を出して教会を修復し、父親から勘当された。その**十字架**は、サンタ・キアーラ修道院にある。

ピエトロ・ロレンツェッティ作の14世紀のフレスコ画。聖フランチェスコ(左)と聖ヨハネ(右)が聖母子を見守る。聖フランチェスコの手には聖痕がある。

イタリア
ピオ神父巡礼教会

敬虔な信者や物見高い人々が、南イタリアの小さな町に詰めかける。
聖痕が現われ、多くの尊敬を集める20世紀の福者が眠る教会を訪れるためだ。

ガルガーノ地方の静かな山間の町サン・ジョバンニ・ロトンドにピオ神父が来たのは1916年のこと。患っていた結核の療養のためだったが、このカプチン会修道士は、この地で出現した聖痕で広く知られるようになった。それは1918年9月20日、彼が教会で祈っていた時に現れたといわれる。

その後50年間、ピオ神父は十字架上のイエスと同じ傷の聖痕を抱えたまま生きた。質素な彼の部屋では現在、指の部分のない手袋、包帯、傷口からはがれたかさぶたなどが展示されている。カトリック教会は、彼の傷が聖痕だと認めるのを長年ためらっていたが、1999年に列福、2002年に列聖された。

ロトンドの町には、イタリアを代表する建築家レンゾ・ピアノ設計の超近代的で巨大な教会が建ち、年間700万人の巡礼者が訪れる。この教会は、室内に6500人分の信者席があり、屋外には3万人を収容できるスペースがある。

ベストシーズン 4月から10月は気候がよく、何千人というピオ神父の信奉者とともに過ごす機会がもてる。11月から3月は、寒くて訪問者が減り、教会はあまり混まない。

旅のヒント フォッジャ近くのサン・ジョバンニ・ロトンドにあるこの教会は、ローマの南東290キロにある。列車かバスで、5時間はかかる。レンタカーでも良いし、サン・ジョバンニ・ロトンドの訪問をナポリやバーリの旅行と組み合わせても良い。サン・ジョバンニ・ロトンドには、少なくとも1泊はしたい。日曜は礼拝にやって来る地元の人で混雑する。混雑を避けたいなら、平日に訪問しよう。

ウェブサイト www.enit.jp（イタリア政府観光局）、www.conventopadrepio.com（イタリア語、英語ほか）

ヨーロッパ

見どころと楽しみ

■ **十字架の道**を歩こう。カステッラーノ山の曲がりくねった松林の道を歩いて登ると、キリストの受難をテーマにした彫像や、聖母マリア、ピオ神父、復活したキリストの彫像の前で信者が祈っている。

■ 100年以上も前から保護されている、近くの**ウンブラの森**を訪れよう。ブナ、ライム、オーク、クリの木などの森に、多くの野鳥や動物が生息している。

■ 曲がりくねった山道を車で上って、大天使ミカエルゆかりの、**サンタンジェロ山**に行こう。古くからの巡礼地だ。

超近代的な教会の一方の壁は、巨大なステンドグラスになっている。鮮やかな光が室内にあふれるように設計されている。

エルサレム修道会の修道女が、地下聖堂の祭壇の前に身を伏せて祈る。

フランス
サント・マドレーヌ聖堂

古来、ヨーロッパ全土から巡礼者が訪れてきたこの教会には、マグダラのマリアの遺骨が納められていると伝えられる。

　ブルゴーニュのモルバン地方に広がる丘陵地帯に、バジリカ式教会はある。小さな森や石畳が敷かれたベズレーの街を見下ろす丘の上だ。878年、ローマ教皇ヨハネス8世がここに教会堂を建てたのが始まりだ。

　1146年には聖人クレルボーのベルナールが、ここの説教壇から十字軍参加を呼びかけた。スペインのサンティアゴ・デ・コンポステーラへの巡礼路には主な起点が4カ所あるが、ベズレーはその一つだ。

　ロマネスク様式の建物が完成したのは、1215年。何百年もの間、人に踏まれてすり減った石の階段は、光沢を帯び、そこを下りると、カロリング様式の地下聖堂がある。そこに安置されている金の聖遺物箱には、マグダラのマリア(サント・マドレーヌ)の指の骨が納められているといい、年間80万人を超す巡礼者が訪れる。聖堂にはこのほかにもマグダラのマリアの聖遺物が納められていたが、16世紀の宗教戦争で焼失したといわれている。

見どころと楽しみ

■ 明るい身廊へ入る前、うす暗い入り口(拝廊)で立ち止まって、中央扉の上にある**タンパン(ティンパヌム)**の彫刻をじっくり観察しよう。「使徒の伝道」が描かれている。

■ 身廊に並んだ**柱頭の彫刻**は、石でできた聖書といえる。そこには、聖書の物語や聖人の生涯が語られている。それ以外にも、暴力的なものから滑稽なものまで、世俗的な寓話も彫られている。

■ 教会の裏を歩くと、古い修道院やよく手入れされたテラス式庭園がある。そこからは、**モルバン地方の丘**がはるかなたまで広がっているのが見える。

■ この地方で有名な**聖堂**は、サンス、オーセール、オータンにもある。フォントネーにあるシトー修道会の修道院も訪れる価値はある。

ヨーロッパ

ベストシーズン　復活祭と8月は非常に混む。4月、10月、クリスマスの後は比較的静かだ。毎年7月22日は、聖マグダラのマリアの祝祭がある。

旅のヒント　ベズレーの町やその周辺の宿泊先は、ベズレーの案内所で相談しよう。鉄道駅がないので、最寄りのスミュール駅からタクシーを利用する。8月には音楽祭がある。6月中旬から9月中旬にかけては、毎週日曜日の16時からオルガン演奏会がある。

ウェブサイト　jp.franceguide.com (フランス政府観光局)

聖母を祭る場所 トップ10

聖母マリアを崇拝する人は世界中にいる。
聖母をたたえるためにつくられた聖堂や芸術作品、
教会は多くの人を引きつけている。

❶ アパレシーダの聖母（ブラジル）

アパレシーダの聖母像は、1717年、3人の漁師がパライバ川で発見した。高さ40センチほどの小さく黒い像は現在、大きな黄金の王冠をかぶり、ブラジル国旗をあしらった礼服に包まれて、ノッサ・セニョーラ・アパレシーダ大聖堂に安置されている。この大聖堂は、聖母マリアを祭った聖堂としては、世界で最大。

旅のヒント 毎年10月12日には、アパレシーダの聖母を祝う祭りがある。www.aboutsaopaulo.com/city/aparecida/our-lady.html（英語）

❷ ロッキンガムの涙の聖母像（オーストラリア）

オーストラリアの個人宅にあった素朴な彫像が、2002年から世界中の巡礼者を集めるようになった。ロッキンガムのこの聖母像は涙を流し、辺りはバラの香りに包まれるというのだ。この家を訪れた後、多くの人が奇跡を経験している。この像は科学的な検査を受けたが、涙と甘い香りの正体はまだ解明されていない。

旅のヒント 聖母像を見るには予約が必要だ。ロッキンガムは、パースの南にあり、車で1時間もかからない。www.weepingmadonna.org（英語）

❸ ウラジーミルの生神女（ロシア モスクワ）

ロシアを代表するイコン、「ウラジーミルの生神女（聖母）」は、12世紀につくられたビザンティン美術の典型である。テンペラの繊細な色づかいは、長い間にくすんでしまった。しかし、幼子イエスが一心に聖母にほほをすり寄せ、聖母がこちらをじっと見つめる姿は、今も見る人の心を動かす。

旅のヒント モスクワの国立トレチャコフ美術館にあるトルマチの聖ニコライ教会に展示されている。www.tretyakovgallery.ru（ロシア語、英語）

❹ 聖母マリアの家（トルコ エフェソス）

コレッソス山の緑の森に囲まれたこの素朴な石の礼拝堂は、聖母が最後に住んだ家だといわれる。聖書によると、聖母マリアは、キリストが受難した数年後、使徒ヨハネとともにこの地にやって来て、死ぬまでここで暮らしたという。

旅のヒント 聖母マリアの家は、エフェソスの近くにある。トルコの古代都市エフェソスには、保存状態の良い遺跡がたくさん残っている。www.tourismturkey.jp（トルコ政府観光局）

❺ ロレートの聖家（イタリア）

つつましい石の家が、何百年間も巡礼者を引きつけている。この家は聖母マリアが生まれ、受胎告知を受けた場所だといわれている。伝説によると、この家は天使によってナザレから運ばれ、1295年にイタリアのこの小さな丘の町に到着したという。礼拝堂には、毎年何千人もの巡礼者が訪れる。

旅のヒント この家は、ロレート聖堂の内部にある。ドーム天井にある美しいフレスコ画を見逃さないようにしよう。www.santuarioloreto.it（イタリア語、英語）

❻ 聖母を祭る教会群（マルタ）

多くの教会やイコンを見ればわかるように、マルタでは聖母の人気は絶大だ。ゴゾ島のタ・ピーヌ教会は、1883年に地元に住む1人の女性が、聖母マリアの声を聞いた場所である。建物の外には、丘の上に続く曲がりくねった道に、イエスの受難をしのぶ「十字架の道行きの留」が14カ所設けられ、素朴で美しい彫像が並んでいる。

旅のヒント マルタへは、聖金曜日（復活祭直前の金曜日）に訪れるのがいい。華やかな行列が通りを埋め尽くす。www.tapinu.org（英語、マルタ語）

❼ ラ・サレットのノートルダム聖堂（フランス）

1846年、2人の子どもがアルプス山中で聖母マリアを見たと、おびえながら報告した。山の牧草地に現れた聖母は、涙を流していたという。以後、その場所は有名な巡礼地になり、ラ・サレットの聖母に病気を治してもらったという人が何人も現れた。山腹の壮大な聖堂から出発して、息をのむようなアルプスの風景を見ながら山道を登ると「出現の谷」に着く。

旅のヒント ラ・サレット村はグルノーブルの南80キロにある。ノートルダム聖堂へは、車、バス、タクシーで簡単に行ける。lasalette.cef.fr（フランス語、英語）

❽ ロカマドールの黒い聖母像（フランス）

クルミ材の優美な聖母像は、ひざに幼子イエスを抱いている。中世、ロカマドールの町をキリスト教の重要な巡礼地にしたのは、この像。七つの教会があるこの町は、石灰岩の崖に張りつくようにあり、巡礼者も旅行者も、黒いマリア像が納められているノートルダム教会を目指して大階段を登る。敬虔な信者は、200もの石段を、ひざまずいて登っていく。

旅のヒント ロカマドールの町は、トゥールーズから車で2時間だ。www.notre-dame-de-rocamadour.com（フランス語）
www.villes-sanctuaires.com（フランス語、英語ほか）

❾ イタリア人の礼拝堂（英国オークニー諸島）

第二次世界大戦中、イタリア軍の捕虜は、風に吹きさらされたラム・ホルム島に抑留された。捕虜たちは、ドメニコ・キオケッティを中心に、英国軍の半円形プレハブ兵舎2棟を聖母を祭る礼拝堂につくり替えた。建立に身も心も捧げたキオケッティは、1945年に解放された後も、洗礼盤を完成させるために残った。今日、毎年10万人以上がこのユニークな礼拝堂を訪れる。

旅のヒント スコットランド・オークニー諸島へは、英国本土からカークウォール空港まで定期航空便がある。ジョン・オーグローツなどからはフェリーで行ける。www.undiscoveredscotland.co.uk/eastmainland/italianchapel（英語）

❿ ファティマの聖母（ポルトガル）

1917年、3人の羊飼いの子どもが、聖母マリアが現れるのを何度も見たと言った。それ以降、ファティマとそこにある教会は、最も重要な聖母顕現の場所の一つになった。

旅のヒント 年間約400万人がこの町を訪れる。最も混雑するのは、5月と10月だ。www.santuario-fatima.pt（ポルトガル語、英語ほか）

次ページ：ファティマで行われた聖母顕現を祝う84周年記念祭。聖母マリア像をひと目見ようと、大勢の巡礼者がやって来た。暗闇の中、信者がともすろうそくが、星のようにきらめいている。

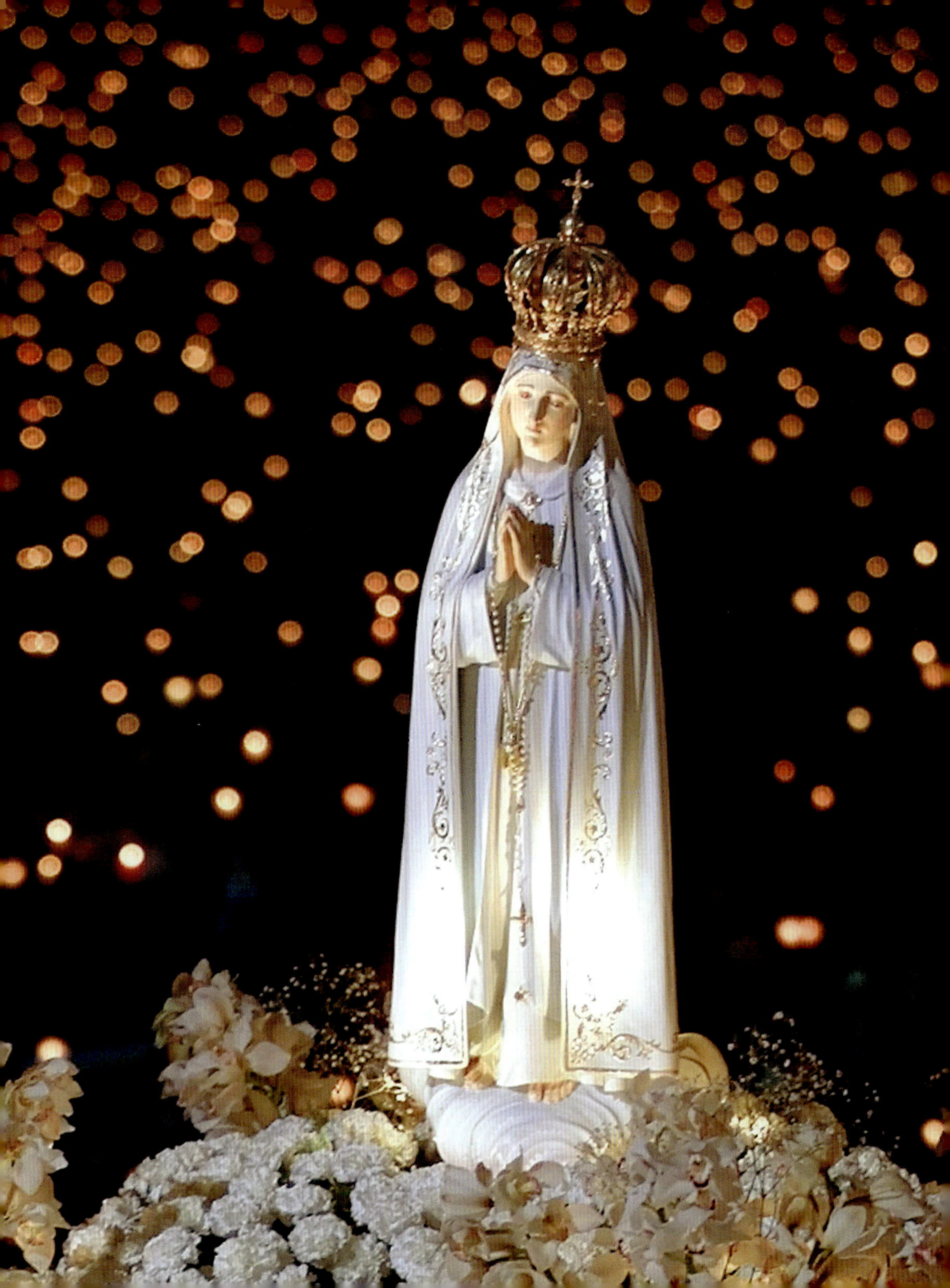

ラ・モレネータが右手に持っているオーブ（球）に触れば、聖母の祝福がもたらされると信じられている。

スペイン
黒い聖母子像 ラ・モレネータ

モンセラット修道院に安置された黒い聖母子像は、
古くからカタルーニャ地方の人々の敬愛を集めてきた。

バルセロナ北西の険しい山の中に、モンセラットの町がある。伝説によると、この一帯では昔、羊飼いが奇妙な声を聞いたり明るい光を目にすることがあった。そして880年に、町の洞窟で聖母子像が発見された。

町は一挙にキリスト教の巡礼地となり、教会、礼拝堂、ベネディクト修道院、聖堂が建てられた。だが、大部分の建物は、1811年にナポレオン軍に破壊された。

現在の建物は、1850年代に再建されたものだ。ラ・モレネータと呼ばれる聖母子像は、今ではガラスケースに入れられているが、聖母が右手にもつ黄金のオーブ（球）だけは信者が触れられるようになっている。

ベストシーズン ラ・モレネータの祝祭日である4月27日は、特に多くの参拝者でにぎわう。聖母子像は年間を通して公開されているが、冬は比較的訪問者が少ない。

旅のヒント モンセラットはバルセロナの北西56キロにある。バルセロナからの日帰りは可能だが、この町や自然をじっくり味わうなら、宿泊したい。モンセラットへはバルセロナのプラサ・エスパーニャ（スペイン広場）駅から列車が1時間ごとに出ている。列車は山の麓に到着する。標高600メートル上の修道院までは歩くか、登山鉄道かケーブルカーを利用する。モンセラットの町は標高1220メートルなので、厚手の衣類が必要。

ウェブサイト www.spain.info/JP/TourSpain（スペイン政府観光局）
www.montserratvisita.com（英語、スペイン語）

見どころと楽しみ

■ 聖母の像が最初に見つかった**聖なる洞窟**は、修道院から歩いて40分だ。途中の山道には、聖像がいくつも並んでいる。現在は礼拝堂になっている。

■ 修道院の周囲にはハイキングに適した**山道**がある。山道はさまざまなコースがあり、ハイキングをしながら周辺を散策できる。双眼鏡があれば、ヤマネコ、スズメ、タカ、ハヤブサなど、山にすむ動物が見られるだろう。

■ **サン・ホアンのケーブルカー**に乗って、修道院からさらに山を登り、**サン・ホアン礼拝堂**へ行こう。周囲の風景が一望できる。帰りは下り坂を歩いて45分。

■ この修道院の聖歌隊学校はヨーロッパで最も歴史が古い。50人の「**エスコラニア**」少年聖歌隊は、土曜日を除く毎日、聖堂で歌っている。

ヨーロッパ

スペイン
聖テレサ修道院

修道院改革に熱心で、神秘体験をしたことで知られる
スペインの守護聖人、聖テレサは生誕の地で尊敬を集めている。

歴史の古いアビラの町は、82の半円形の塔と九つの門がある城壁に囲まれている。11世紀に建設されたこの城壁は、当時のままの姿を保つ。城壁の上を歩くと、城塞都市アビラの様子がよくわかるだろう。

聖テレサ修道院は、テレサ・デ・セペダ・イ・アウマダ（アビラの聖テレサの洗礼名）が生まれた場所に1636年に建てられた。裕福な家庭に生まれた聖テレサは、信心深い生活を送り、重要な書物を著した。彼女は、カルメル女子修道院の改革にも大きな役割を果たした。修道院のバロック様式の教会の身廊には、聖テレサと彼女の友人だった「十字架の聖ヨハネ」の像がある。

サーラ・デ・レリキアス（聖遺物の広間）には、聖テレサの薬指が展示されている。聖テレサの死後、彼女を信奉する多くの人々は、切り取った彼女の手が奇跡を呼び起こしてくれると信じた。アビラでは毎年、10月15日の聖テレサの日を祝い、1週間にわたって宗教行事、市主催の行事、文化的催しが繰り広げられる。

ベストシーズン 冬はひどく寒いので避けよう。10月15日の聖テレサの日には、宗教行事とともに、コンサート、闘牛、フラメンコなどが催される。宗教行事は、聖週間にもある。5月2日にはアビラの守護聖人サン・セグンドを祝う行事がある。

旅のヒント アビラはマドリードの北西110キロにあり、日帰りできる。マドリードからアビラ行き列車は、チャマルティン駅から出る。バスは、南バスターミナルから。

ウェブサイト www.spain.info/JP/TourSpain（スペイン政府観光局）

見どころと楽しみ

■ 聖テレサが27年間過ごした**エンカルナシオン修道院**では、彼女が使った部屋が公開されている。また彼女の生活ぶりや著作が展示された小さな博物館もある。

■ アビラがイスラム勢力から奪回された後に建てられた、12世紀の**カテドラル**を見学しよう。ロマネスク様式とゴシック様式が融合している。

■ スペイン異端審問所の初代長官だった**トマス・デ・トルケマダ**の墓もこの町にある。

■ アルバ・デ・トルメスの町の近くに、聖テレサが埋葬された**カルメル会修道院**がある。そこには彼女の心臓が、今も腐敗せずにあると、信奉者たちは信じている。

祈りを捧げる聖テレサ。聖テレサ修道院のステンドグラスに描かれている。

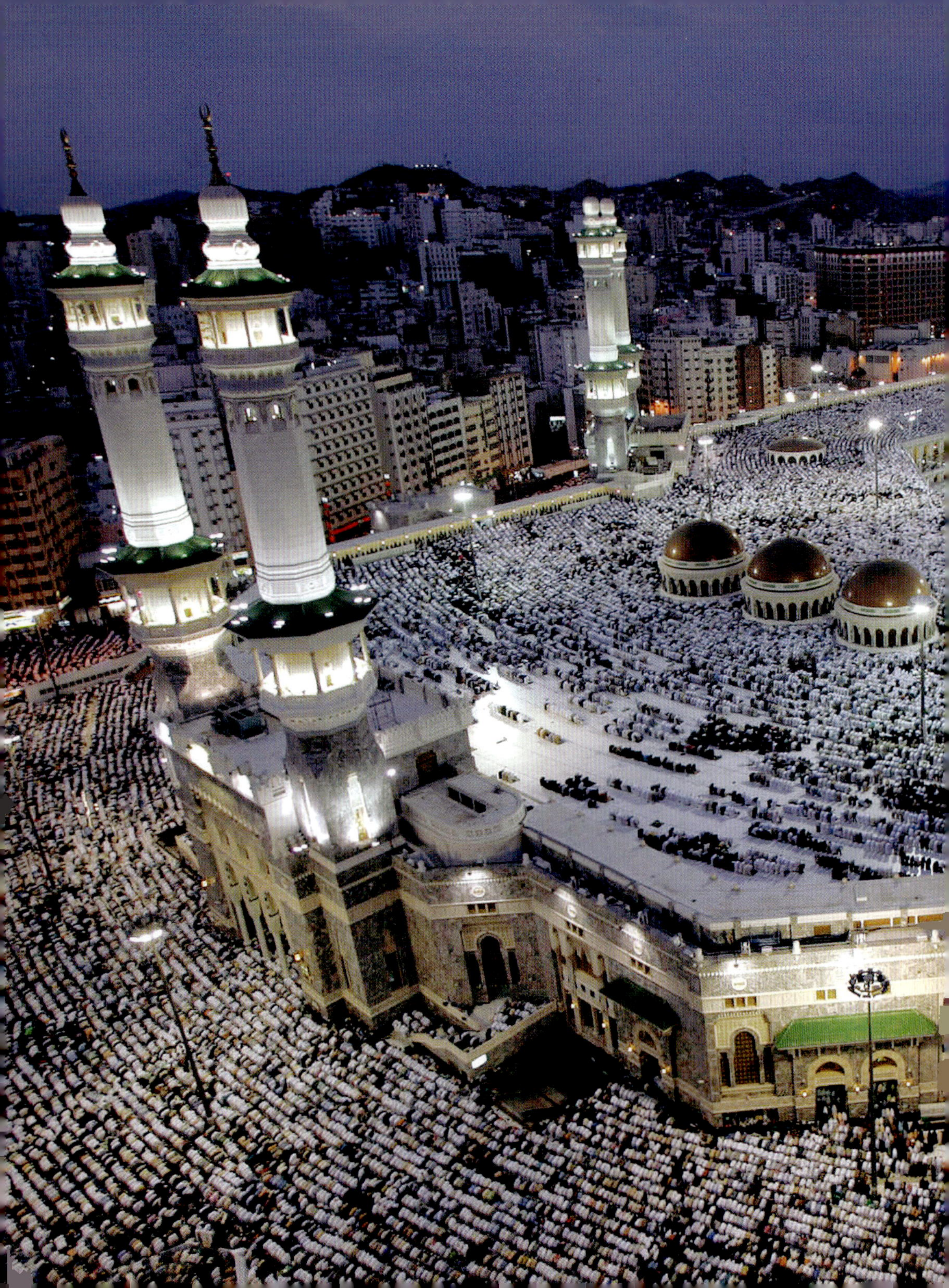

7 巡礼の道

聖地や霊場を巡り、祈りを捧げる。その旅の行程すべてを信仰の一部とみなす宗教が多い。イスラム教では、メッカの巡礼（ハッジ）が信者の義務にもなっている。年1回のハッジには、サウジアラビアにある聖地メッカに、世界各地から何百万人もの信者がやって来る。敬虔（けいけん）なイスラム教徒は、死ぬまでに一度はその仲間に加わりたいと願うのだ。

キリスト教徒もまた、魂の再生や身体の癒やしのために、あるいは過ちを悔い改め、心を入れかえるために巡礼に出る。アイルランドにあるクロウ・パトリック山にはだしで、あるいはひざ歩きで登る者がいれば、奇跡を求めてフランス西部の町、ルルドに安置された聖ベルナデッタの遺体に詣でる者もいる。

ユダヤ教の信者が目指すのは、エルサレムに残るソロモン王の第二神殿の西壁、通称「嘆きの壁」だ。

インドネシアのジャワ島にある8世紀のボロブドゥールには、毎年ブッダの誕生日を祝って大勢の仏教徒が訪れる。

左：ハッジの時には、世界中のイスラム教徒がサウジアラビアのメッカに集まる。写真はハラム・モスクで行われる夕べの祈り。最も神聖な場所カーバ神殿に近づこうと、人々はわずかなすき間に身体を押し込む。

サンタンヌ・ド・ボープレ大聖堂前に集まる巡礼者たち。

カナダ
サンタンヌ・ド・ボープレ大聖堂

ケベック・シティにそびえる聖アンヌ（サンタンヌ）を祀る美しい大聖堂。
ここは、北米でも有数の歴史を誇る巡礼地の一つだ。

　大西洋カナダ沖で1658年に激しい嵐に見舞われたフランスの船乗りたちが、聖母マリアの母とされる聖アンヌに祈りを捧げると、遭難を免れた。ケベックの東、セント・ローレンス川のほとりに上陸した彼らは、命が助かったことに感謝し、そこからほど近くに聖アンヌをたたえる礼拝堂を建てた。
　サンタンヌ・ド・ボープレ大聖堂は1926年の完成で、最初の建物から数えて5代目になる。正面に立つ、聖母マリアを抱く聖アンヌ像は、高さ3.7メートルもある。この像を目当てに北米を中心に年間150万人もの観光客や巡礼者が訪れる。巡礼者たちはひたすら祈り、奇跡を求めて花やメダルを置き、祈りを捧げる。
　ケベックの守護聖人である聖アンヌは、カトリック教徒の間で、病気やけがを治してくれる聖人として崇められており、この大聖堂に詣でた後、不自由だった手足や目が治癒したという逸話も多く伝えられている。

見どころと楽しみ
- 1676年から1876年に巡礼者が訪れていた初期の教会をしのぶ**記念礼拝堂**も見逃せない。
- 夏には大聖堂の隣にある「**十字架の道行きの留**」で祈ることもできる。近くには、**スカラ・サンタ**のレプリカもある。これはイエス・キリストが裁きを受けたピラト邸の階段で、聖ヘレナがエルサレムからローマに運んだとされる。
- 大聖堂付属の**サンタンヌ美術館**には、聖アンヌを題材にした美術作品のほか、3代目の教会の祭壇も展示されている。
- 大聖堂の地階にある**無原罪の宿り礼拝堂**には、星をちりばめたドームの下に聖母マリア像が立つ。また、ミケランジェロ作「ピエタ」のレプリカもある。

北米

ベストシーズン　大聖堂は年間を通じて入場でき、ミサもいくつかの言語で毎日行われる。巡礼シーズンは6月から9月上旬までで、7月26日の聖アンヌ祭は最大のイベント。美術館は6月から10月の9時～17時。
旅のヒント　大聖堂と美術館を中心にひと通り見て回ると1日かかる。
ウェブサイト　www.bonjourquebec.com（英語、フランス語ほか）
www.ssadb.qc.ca（英語、フランス語）

メキシコ
クビレテ山への騎馬巡礼

馬で行く現代の巡礼には、
メキシコ全土からカウボーイたちが集まる。

　年1月初め、メキシコ中部、グアナファトの町から17キロの所にあるクビレテ山周辺に、ひづめの音が響きわたる。つば広の帽子を目深にかぶったカウボーイたちが、めかしこんで馬に乗って山頂を目指す。

　クビレテ山の山頂には、両手を大きく広げてそびえる高さ60メートルのキリスト像がある。キリスト教の祭日、公現祭に合わせて、その像に詣でるのだ。

　20世紀初頭、反宗教的な政権が一度は像を破壊したが、その後、グアナファトの敬虔な信者たちの浄財で再建された。像の足元には小さな礼拝堂がある。

　メキシコで、カウボーイたちによるクビレテ山への騎馬巡礼が始まったのは1952年のことだ。最初はわずか25人であったが、年を追うごとに参加者は増え、今では数千人に達するまでになっている。家族やご近所同士が連れだって、荒野を通り、3、4日間かけてやって来る。

　それは、東方の三博士が幼子イエスに会うためにベツレヘムを目指した旅の再現なのだ。巡礼者の大半は馬で来るが、中にはひざ歩きで山頂を目指す人もいる。

ベストシーズン　巡礼の季節は1月初旬で、公現祭(1月6日)に最高潮となる。
旅のヒント　厳しい気候を覚悟すること。日差しは強烈だが、午後は強い風が吹き、夜になると激しく冷えこむ。日焼け止めや上着は必須。グアナファトはメキシコ市から370キロで、バス便が多く出ており、所要時間は約5時間。グアダラハラからの所要時間も同じくらい。
ウェブサイト　www.visitmexico.com (メキシコ政府観光局)
www.aboutguanajuato.com、www.whatguanajuato.com (英語)

北米

見どころと楽しみ

■ **公現祭前夜**、巡礼者たちはたき火で肉を焼き、テキーラを回し飲みして野宿をする。宴の場は陽気で情緒的な雰囲気が漂う。

■ **クビレテ山**はメキシコのちょうど中心に位置しているため、**両手を広げたキリスト像**は国全体を包みこんでいるとされる。

■ **グアナファト**には美しい**スペイン風コロニアル建築**が随所にある。曲がりくねった道、凝った装飾の邸宅、バロック様式の教会は、16世紀半ばにスペイン人に征服されてから、この町がシエラ・マドレ山脈の銀採掘で繁栄した歴史を物語っている。

公現祭のために華やかに着飾ったカウボーイたちの長い列が、山頂まで続く。

ブラジル
ボン・ジェズス・ダ・ラパの洞窟

ブラジル東部バイア州の洞窟につくられたこの聖地は、
地元民の熱心な信仰のよりどころになっている。

南米

　　　せ返るような暑さと、底知れぬ静けさ。岩肌がそのままむき出しになっ
む　た天然の聖堂は、人間がつくった建造物にはない雰囲気に満ちている。
　　　石灰岩でできたこの洞窟には、気の遠くなるような長い時間をかけて
ゆっくりと育った鍾乳石や石筍があり、そこには無数の彫像や写真が飾られてい
る。この聖堂があるのは、ブラジル東部、バイア州のボン・ジェズス・ダ・ラパ(ラパ
の良きイエス)という小さな町の、高さ90メートルもの絶壁の下だ。

　伝説によると、フランシスコ・デ・メンドンサ・マールという若いポルトガル人のプ
レイボーイが、サルバドルを出発して何カ月も放浪し、バイア奥地のこの洞窟にたど
り着いて、ここで信仰に目覚めたという。彼はこの洞窟で祈りと悔悛の日々を送り、
隠遁者として残りの生涯を過ごした。やがて地元の人々や銀鉱掘りたちの間で、フ
ランシスコは奇跡を起こす者として崇められるようになる。

　彼は1722年に世を去ったが、その頃にはもう洞窟は聖地となっていた。現在も
ここには、バイア州全土から毎年80万人以上が徒歩や車でひっきりなしに訪れ、
祈りと感謝を捧げている。

ベストシーズン　5月から10月は巡礼者は多いが、ノベナ(9日間の祈り)と行列が行われる
8月1日から8日にかけて最高潮に達する。巡礼者の日の8月5日には、洞窟内で盛大にミサが行われる。

旅のヒント　8月第1週はホテルの室料が3倍にはね上がるので、事前に確認のこと。
条件に合うホテルは、早い段階で確実に押さえておこう。サルバドルからのバス便は500キロを
9時間で走る。町の郊外には小さい空港もある。町の雰囲気を味わい、宗教的な儀式や行事を
見物するなら、最低でも2日は滞在したい。ここを拠点にバイア州内陸部まで
足を延ばし、すばらしい景色と美しい村々を楽しみながら散策する手もある。

ウェブサイト　www.brasemb.or.jp (駐日ブラジル大使館)

見どころと楽しみ

■ 石灰岩の聖堂はまるで迷路のよう。**ノッ
サ・セニョーラ・ダ・ソレダージ**と、やや
小さめの**セニョール・ボン・ジェズス**、こ
の二つの洞窟を曲がりくねったトンネル
がつないでいる。

■ **サラ・ドス・ミラグレス(奇跡の部屋)** に
は、木やろうでつくられた**身体の部分の
模型**がたくさん飾られている。これは治
癒の願いがかなった人々がお礼に奉納し
たもの。洞窟の外で腕や脚などの模型を
買って奉納できる。

■ 洞窟周辺の景色はすばらしい。丘の**ハ
イキング**や、サン・フランシスコ川の**ボ
ートトリップ**が楽しめる。

サラ・ドス・ミラグレス(奇跡の部屋)は、巡礼者の奉納物で飾られている。

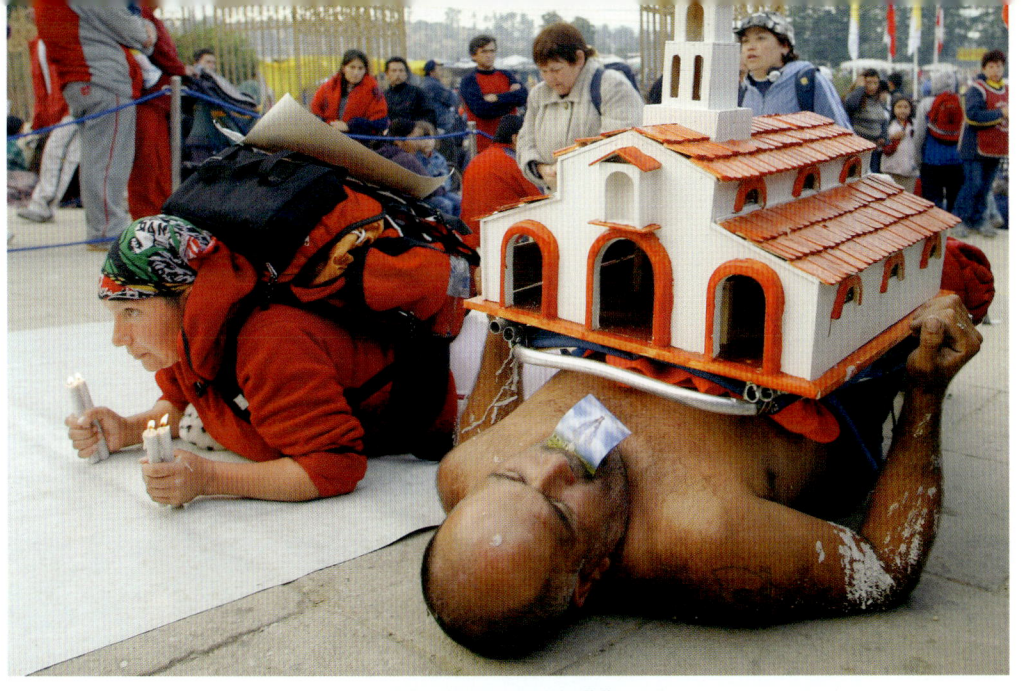

自らに試練を与えながら聖地に向かう巡礼者。右の男性は、教会の模型を胸にのせたまま移動している。

チリ

ロ・バスケス聖母教会

12月8日、チリの港町にある聖地を目指してやって来るキリスト教巡礼者が、奇抜な方法で信仰心を表現する。

毎年12月8日の「聖母マリアの無原罪の御宿りの祭日」に、チリでは「究極の巡礼」の姿を見ることができる。この日、首都サンティアゴの北西93キロにある港町バルパライソには、各地から大勢の巡礼者が続々と集まって来る。彼らはこの地から国道68号線で32キロ離れた所にある、ロ・バスケスの聖母教会を目指す。そこには青い衣装をまとった聖母マリア像があるのだ。

聖地に至る道には特に特徴はないが、聖地を目指して進む巡礼者たちの姿は、注目に値する。目的地までの残り数キロをはだしで歩くなどは当たり前。火のついたろうそくを持ってはう者や、十字架を背負う者、あおむけで胸に教会の模型をのせ、身をよじって進む者もいる。そんな巡礼者を見物に来る観光客も多い。

血を流し、傷だらけで巡礼を終えた人々がひと息つくのは、この日に合わせて開く大きな市場だ。参道に沿って露店が並び、食べ物や飲み物はもとより、宗教に関係するあらゆるものが売られている。

1913年、3代目として築かれた単塔の教会は、優美ではあるが、小さいため、一度に大勢が入れない。そのため巡礼者は交代で教会に入り、祈りを捧げる。

見どころと楽しみ

■ **バルパライソ**は通りや街並みを見るだけでも楽しい。海岸から切り立つように町が広がっているので、エレベーターがあちこちにある。

■ チリを代表するノーベル賞詩人、パブロ・ネルーダが暮らしていた**ラ・セバスティアーナ**はぜひ訪れたい。また**議事堂**には観光客向けのギャラリーがある。

■ バルパライソからバスで20分の**ビニャ・デル・マール**は、ブランドもののショッピングが楽しめる高級リゾート地。気分転換に訪れてみても良いだろう。

南米

ベストシーズン　「聖母の無原罪の御宿りの祭日」は12月8日。
旅のヒント　この日はチリの祝日なので、商業施設はすべて休業（市場は除く）。サンティアゴとバルパライソを結ぶ国道68号線は車両の乗り入れが禁止になる。宿の予約は早めにして、当日はかなりの混雑を覚悟すること。
ウェブサイト　www.visit-chile.org（英語ほか）、www.chile.travel（英語、スペイン語）

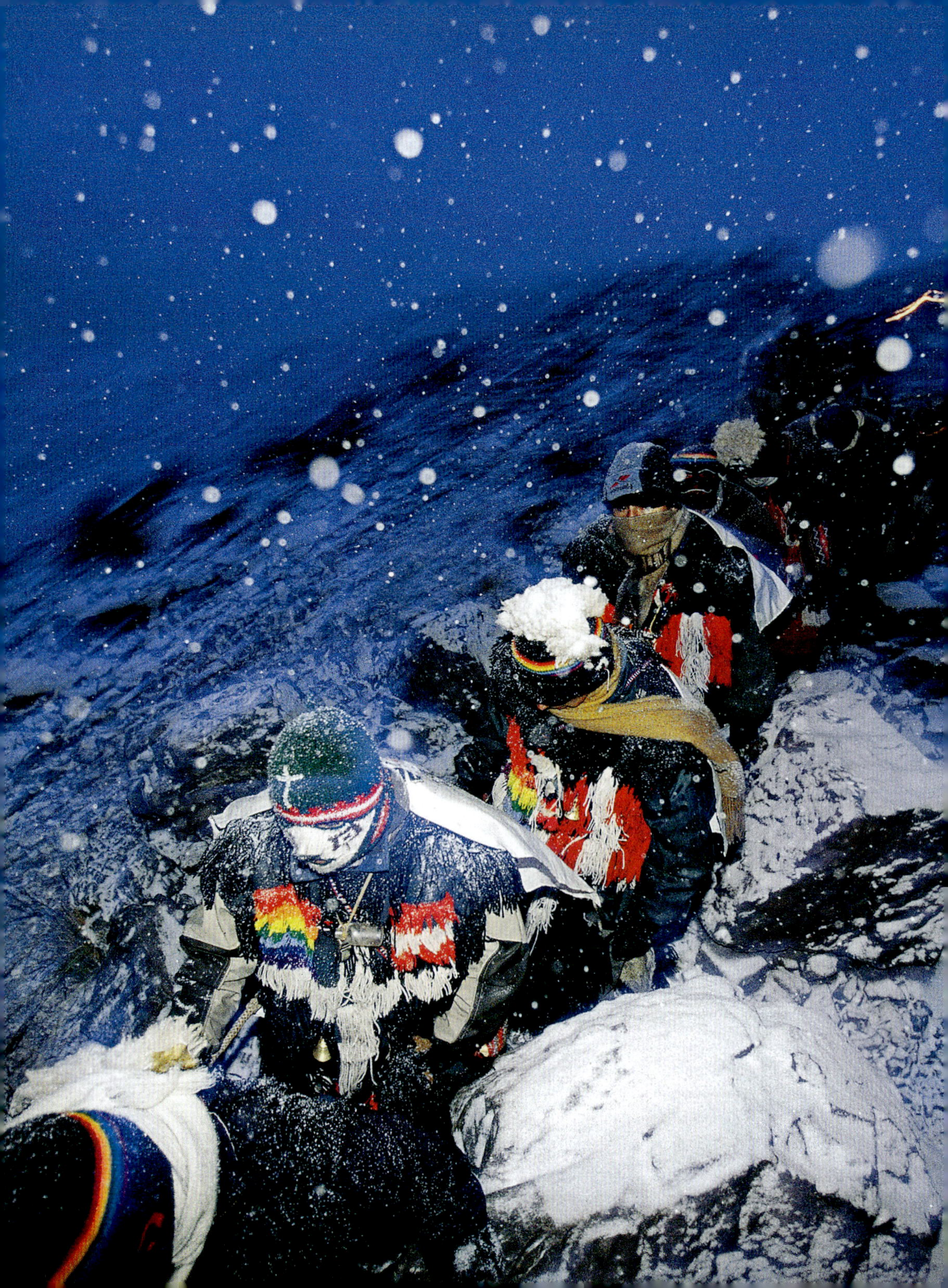

アンデスの巡礼祭 コイユル・リティ ペルー

雪のアンデス山中で、ペルーの伝統文化と
カトリック信仰が融合したにぎやかな巡礼が行われる。

　毎年収穫期が終わると、アンデス山脈で農業に従事する人々は、聖地シナカラに巡礼する。標高4700メートルのシナカラ渓谷は、霊峰アウサンガテ山の中腹にあり、ケチュア族、アイマラ族、インカの人々の祖先が都と定めていたクスコの近くにある。

　3日間にわたって行われるコイユル・リティ（雪の星）祭は、山の神に豊穣を祈る祭りであるとともに、1783年に地元の少年がイエスの姿を見たという奇跡をたたえる祭りでもある。

　祭りの中心になるのは、カピージャ・デル・セニョールというカトリックの礼拝堂。村ごとに特徴のある衣装を身にまとった巡礼者たちが、踊り手や楽団を先頭に続々と集まっては、テントを張って祭りの支度をする。

　祭りの山場は、礼拝堂で行われるイエスをたたえる儀式だ。アンデスの伝統的な笛の調べに合わせて、民族衣装をまとった踊り手たちが礼拝堂の周囲を練り歩く。

　祭りの第2夜には、ウクク（クマ男）と呼ばれる巡礼者の一団がアウサンガテ山の頂に登る。山の神々に敬意を表し、アマゾンをはじめ数々の川の源流となる氷河から、氷を切り出してくるのだ。

　ミサが終わると、氷を背負った巡礼者たちが家路に就く。そして氷河から切り出してきた氷を解かした神聖な水を畑にまいて、新しい作物を植える。

ベストシーズン　祭りは5月下旬から6月初旬の3日間。日程は年によって変わる。
旅のヒント　巡礼の出発地は、クスコからバスで4時間ほどのマウアヤニ村。クスコから祭りの場所までは丸1日かかる。ガイドと料理人が同行し、荷物も運んでくれるクスコ発のツアーもある。昼間の気温は0℃前後だが、夜はマイナス5℃まで下がるので、防寒対策を十分にすること。
ウェブサイト　www.peru-japan.org（ペルー観光情報サイト）
www.cuscoperu.com、www.peru-explorers.com（英語）

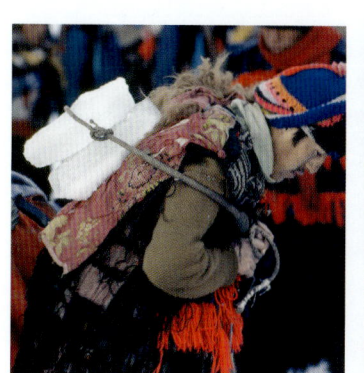

見どころと楽しみ

■人々は長い列をつくって礼拝堂の周りを回る。ウククはクマの格好をしており、パブルーチャと呼ばれる**踊り手**はアルパカなど、さまざまな山の守り神に扮する。

■最終日の朝には、**色とりどりの衣装**を着た人々が、氷河から切り出した氷の塊を背負って山を下りる。

■クスコでは、**サンタ・カタリーナ修道院付属美術館**を訪ねてみよう。この土地固有の文化とスペイン文化が融合した美術作品が鑑賞できる。

前ページ：選ばれた巡礼者たちがアウサンガテ山の危険な氷河に登り、氷を切り出す。華やかな衣装とマスクで、身元を隠す。**上左**：切り出した氷を背負って下りる巡礼者。この氷が聖なる水になる。**上右**：神話の登場人物に扮した踊り手は、祭りの間ずっと踊り続ける。

両子（ふたご）寺の山門に続く橋と石段を、仁王像が守っている。

日本　大分県
国東半島霊場巡り

火山がつくり出した荒々しい風景を見ながら、
修験者たちが通った行者道を歩いてみよう。

　九州の北東部、瀬戸内海に突きでた国東半島は、両子山（ふたごさん）の噴火で形成された山がちの半島だ。峻険で、周りから孤立した地形であるため、20世紀半ばまでは、ここを訪れるには、ごく限られた道しかなかった。

　人を寄せつけない地理的条件が、仏教の修行にはふさわしかったのか、この地には、8世紀から14世紀にかけて数多くの寺が建立された。そしてそれにともなって、寺同士を結ぶ行者道もつくられた。

　行者道は地形などおかまいなしに延びている。目もくらむような絶壁を登ったかと思うと、標高720メートルの両子山を回りこんだりもする。かつての行者道はほとんど消えかかっていて、現在残っているのは起伏の激しい山道だけだ。切り立った崖を伝う細い道は背筋がゾクゾクするような危なっかしい場所もあるが、見晴らしは良く、緑濃い渓谷のはるか向こうに瀬戸内海を望むことができる。

　ところどころ石畳の残る部分もあるが、その敷石は木の根に持ち上げられて傾いている。たいていの道は、初めて訪れる人には道に見えないだろう。くるぶしまで生えたシダや花々を踏み分け、時には台風でなぎ倒された竹を押しのけながら歩む霊場巡りは、楽ではないが、貴重な体験になる。

見どころと楽しみ

■**両子寺**にお参りしたら、不動明王像に旅の安全を祈願しよう。ほかにも不動明王を祭る寺がいくつかある。

■深い岩の割れ目にかかる石の橋、**無明橋（むみょうはし）** は必見。足がふるえて、立ったままでは渡れない人もいるほどスリルがある。

■切り立った崖にある**文殊仙寺（もんじゅせんじ）** には宿坊があり、修行僧たちとともに寝起きし、座禅や写経ができる。

■日本最古で最大の仏教壁面彫刻、**熊野磨崖仏（くまのまがいぶつ）** もぜひ見てみたい。

アジア

ベストシーズン　トレッキングに最適な季節は3月と4月、10月と11月。
旅のヒント　両子山を一周するには3〜4日必要。道はわかりづらいので、必ずガイドを頼もう。重い荷物を車で運び、地元の民宿を手配してくれるツアーもある。高所恐怖症の人にはおすすめしない。
ウェブサイト　web.city.kunisaki.oita.jp/yumekikou/index.jsp（国東コレクション夢紀行）

インドネシア
ボロブドゥールの仏教遺跡

8世紀に建立された仏教遺跡ボロブドゥールには、
ブッダの生誕祭を祝うために多くの信者が訪れる。

イスラム教国であるインドネシアには、世界最大級の仏教遺跡、ボロブドゥールがある。王国の都として栄えたジャワ島のジョクジャカルタの郊外、煙を吐く火山を背景に、その石づくりの仏教遺跡は存在している。

800年頃までにほぼ完成したとされるボロブドゥールは、世界最大の仏塔を擁し、石造遺跡としては南半球最大の規模を誇る。六つの方形壇と三つの円形壇を配した、階段状ピラミッドを思わせるその威容は、全体でマンダラを表現しており、仏教の考える全宇宙を象徴しているといわれている。

参拝に訪れた者は、遺跡の最も下から、全長3.6キロに及ぶ通路を歩いた後、階段を上って頂上に出る。それは、地上から涅槃に向けて三つの段階を通過していくとする仏教的宇宙論を、身をもって実践することにほかならない。

ブッダ生誕を祝うワイサックの日には、多くの仏教徒がここに詣でる。僧侶たちは早朝にムンドゥ寺院を発ち、5キロの道のりをたどり、ボロブドゥールへと向かう。

アジア

見どころと楽しみ

■遺跡の頂上に向かう通路の壁には、1460点ものレリーフがあり、ブッダの生涯や、仏教徒が克服すべき人間の欲望などが描かれている。このレリーフは、巡礼者たちを教え導く役割も果たしている。

■ジョクジャカルタの東18キロ、ボロブドゥール史跡公園内にあるのがプランバナンのヒンドゥー教寺院群。9世紀のもので、精巧な石づくりの堂が林立している。

■プランバナン遺跡では、5月から10月の毎夜「ラーマーヤナ」の野外上演が行われる。総勢250名の役者とガムラン楽団が繰り広げる古代ヒンドゥー教叙事詩の世界は圧巻。

ベストシーズン 遺跡は1年を通して見ることができるが、ワイサックの日程は要確認（通常は5月だが、6月になることもある）。

旅のヒント 遺跡だけなら半日で見て回れるが、ジョクジャカルタやプランバナンなど、周辺も含めると1週間は欲しい。ジョクジャカルタまでは、バリやジャカルタから飛行機、バリから陸路、ジャカルタから鉄道の便がある。ボロブドゥールはジョクジャカルタから車で1時間。遺跡から車ですぐに、全35室の高級リゾートホテル、アマンジオ・リゾートがある。古代寺院にヒントを得た石づくりのデザインが印象的。

ウェブサイト www.visitindonesia.jp（インドネシア共和国文化観光省）

ボロブドゥール最上壇に並ぶ72基の仏塔には、それぞれにブッダ像が納められている。

カワカブ山にはチベット全域から巡礼者が集まる。

中国　雲南省・四川省・チベット自治区
カワカブ山

チベット仏教の霊峰カワカブ（白い雪）を巡る道は、
絶景が楽しめるトレッキングルートでもある。

中国のチベット自治区を訪れる際の拠点である雲南省徳欽は、国境の町という趣だ。通りを埋めるのは、ヤクの群れを引き連れたチベットの農民たち。彼らは雲南省と四川省、チベット自治区にまたがる、標高6740メートルのカワカブ山を一周する、コラという巡礼のためにやって来る。

　ブッダの精神を象徴する山として、世界中の仏教徒から崇められているこの山には、コラのためにたどる道が二つある。

　一つは内周ルート。1日程度で踏破でき、交通手段もある。西当温泉や神滝、明永氷河と見どころも多い。もう一つの外周ルートは全長300キロ。高山の牧草地や木立を抜け、急斜面を登り、標高4000メートルの峠を越える厳しいルートだ。

　荒涼とした峠にたたずむお堂には、何百本という祈りの旗がはためき、仏教徒の息遣いが感じられる。カワカブ山は処女峰で、誰もその頂に登った者はいない。

　だが、チベットの巡礼者たちはこの聖山に登ろうとは考えてもいないようだ。山の周囲を巡れば、来世でより良い人生が約束されると、信じているからだ。

ベストシーズン　5月と6月、9月と10月。トレッキングに最適なのは、空気が乾燥して澄んでいる秋。
旅のヒント　内周ルートの所要日数は、楽しみ方次第で1〜5日。外周ルートは12日以上を見ておこう。昆明発のトレッキングツアーも多数あり、山に向かう途中で古都の麗江や香格里拉にも案内してくれる。
ウェブサイト　www.cnta.jp（中国国家観光局）、www.khampacaravan.com（英語）

見どころと楽しみ

■内周ルートの登山口まで車で向かう途中、ラサと昆明、ダージリンを結んで茶や織物を運んでいた古い**隊商路**を見ることができる。

■標高3300メートル以上の地点にある香格里拉（しゃんぐりら）は、かつて**隊商の中継地**だった。美しい自然に囲まれ、多様な民族が暮らすこの町には、独特の言葉や習慣が残っている。高地に慣れたら、ギャワリンガ寺などを訪ねてみよう。

■ものは試しで、ヤクの乳からつくった**バターティー**を飲んでみよう。味は、薄めのチーズスープに似ている。

アジア

インド
サバリマラの丘

毎年1月、何百万という巡礼者が、インド南部ケーララ州の密林を抜けて丘の上にあるアイヤッパの寺院を目指す。

ケーララ州、西ガーツ山脈にあるサバリマラの丘には、アイヤッパ神が祭られている。シバ神と、ビシュヌ神が女性に姿を変えたモーヒニーの間に生まれたのがこの神で、ヒンドゥー教では統一のシンボルとされる。

毎年1月、何百万もの信者が、はだしでサバリマラの丘を登る。ほとんどは男で、年配の女性もわずかにいる。寺院に続く18段の階段に近づくにつれて、参拝者がアイヤッパの名を唱える声も大きくなり、熱狂的な祈りの声が丘に満ちる。

ヒンドゥー教では、巡礼者一人ひとりが神の化身と考えるが、そのためには参拝に先立つ41日間、身を清め、禁欲する厳しい修行を積む必要がある。

寺院に到着した巡礼者は、神域にあるアイヤッパ神の彫像を見ようと、時には何日も待つ。巡礼最大のイベントはマカラ・ジョティー（通常は1月14日）で、サバリマラ近くのもう一つの聖地パンダラムを支配した王の末裔がかごに乗り、アイヤッパ神の宝物を寺院に運ぶ。神官が宝物を彫像に供えて儀式を締めくくる。

寺院の北東の山では、神々がアイヤッパ神をたたえる儀式を行うという。

ベストシーズン 寺院が開いているのは11月中旬から1月中旬まで。それ以外の時期は1カ月に数日のみ開く。

旅のヒント 寺院はあらゆる宗教の信者に開かれているが、10歳から50歳の女性は禁制。寺院まで4キロの登り道が始まるのは、チャラッカヤムから13キロのパンバだが、車かバスでサバリマラまで行くのが近い。エルメリから約50キロの山道を歩いてパンバに向かう巡礼者もいる。

ウェブサイト www.embassyofindiajapan.org（在日インド大使館）
www.sabarimala.org、www.ayyappan-ldc.com（英語）

見どころと楽しみ

■ 巡礼者が参加する**ネヤビシェカム**という祭りでは、アイヤッパ神の像に神聖なギー（液状バター）を注ぎ、ジーバトマ（魂）とパラマートマ（神）の融合を表現する。

■ 毎夜、寺院の扉を閉める際には、その年の神官代表メル・サンティが、**アイヤッパ神のためにつくられた子守唄**「ハリパラサナム」を詠唱する。

■ **バブルスワミ聖堂**も訪ねよう。バブルスワミはアイヤッパ神に制圧されたイスラムの戦士で、後に2人は仲間になった。

■ 大蛇の神と女神を祭る寺院では、楽団や踊り手が**スネークダンス**を捧げて神々を楽しませる。こうすれば信者はヘビにかまれても毒が回らないとされる。

サバリマラの丘への途上、踊りを捧げるアイヤッパ神の信者たち。

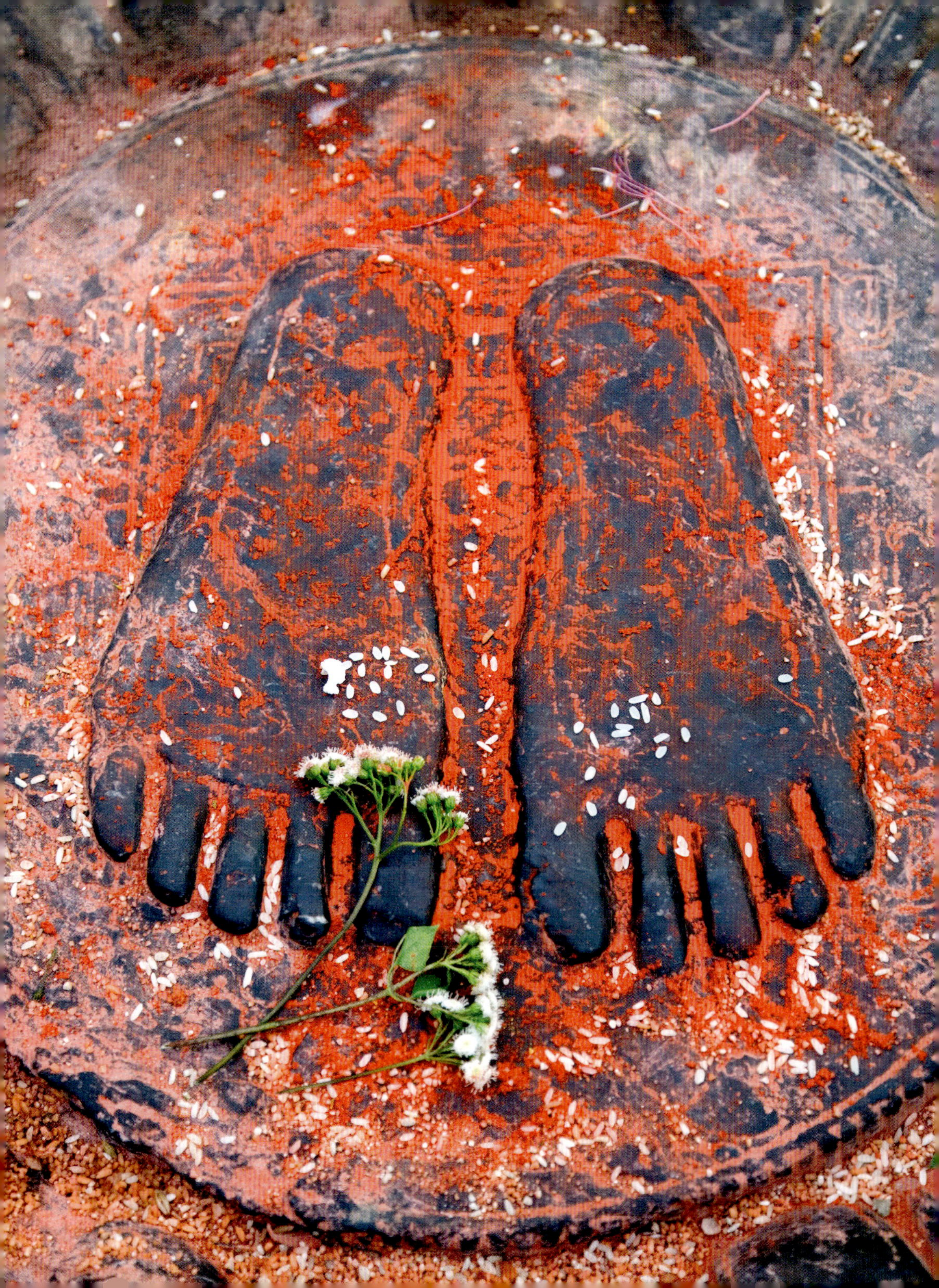

ネパール

スワヤンブナート寺院

カトマンズ郊外のスワヤンブナート寺院は、仏教徒、ヒンドゥー教徒、それに観光客が押し寄せる黄金の寺院だ。

首都カトマンズ西端の丘の上にあるスワヤンブナート寺院は、少なくとも2000年前から巡礼と祈りの場所であり、今日ではネパールを象徴する存在でもある。

スワヤンブナート寺院を訪れるには、東側にある365段の階段を上らなくてはならない。周囲には、修行僧が暮らす林や土産物屋があり、この寺院の別名「サルの寺」にふさわしく、いろいろな種類のサルもいる。カトマンズ渓谷が一望できると評判の現在の寺院は、ヨーロッパでローマ帝国が終わりを迎えようとしていた5世紀にブルサデバ王が建立したものであり、ネパール最古の仏教建築である。

太古の昔、カトマンズ渓谷がまだ湖だった頃、ここは湖に浮かぶ島だったとされ、当時からすでに寺院はあったと信じられている。湖から1本のハスが成長し、水が枯れて、丘に変わり、花が黄金の仏塔になったという伝説がある。そこから、「自ら創造した」を意味するスワヤンブという名がついた。

現在、寺院周辺はとてもにぎやかだ。近くの水田では農民が忙しく働き、遠くからやって来た巡礼者がひきもきらない。黄色い僧服をまとった修行僧が、経文を収めた円筒形のマニ車を回し、観光客が建物や彫像をカメラに収める。

スワヤンブナートは仏教だけでなくヒンドゥー教の聖地でもあり、仏教寺院の間に真っ白なヒンドゥー教寺院が点在している。

ベストシーズン 観光に最適な季節は春と秋。スワヤンブナートを訪れるなら、観光客が少なく、熱心な信者しかいない早朝がおすすめ。

旅のヒント 寺院へ行くには、車かタクシーで丘の頂上にある西側入り口を目指すか、東側入り口から階段を上る。敷地内は1時間もあれば見て回れるが、スワヤンブナートの雰囲気を実感するためにも、少なくとも半日はここで過ごしてほしい。

ウェブサイト www.nepalembassyjapan.org/japanese（在日ネパール国大使館）welcomenepal.com（ネパール政府観光局）

アジア

見どころと楽しみ

■ 黄金に輝く中央の**仏塔（マハ・チャイテャ）**には、さまざまな象徴的意味が込められている。白いドームは世界を表し、いくつもの目は自分自身を省みる知恵を意味する。クエスチョンマークを思わせる鼻は、宇宙の統一を表現する。黄金の層が13段なのは、悟りへの道を象徴している。

■ **ハラティ・デビ寺**は、天然痘などの伝染病をつかさどるヒンドゥー教の女神を祭っている。パゴダ風の建物はネパールで仏教とヒンドゥー教が融合され、独自の宇宙観が形成されたことを物語る。

■ **ゴンパ（修行僧の祈りの部屋）**の屋上からは、境内を一望できる。

■ **ネパール国立博物館**には、木像や絵画、金属細工など、宗教的・芸術的に貴重な品が数多く展示されている。

前ページ：カトマンズ近くのスワヤンブナート寺院の東側の階段の上り口にある足跡。ブッダ、もしくはここを巡礼の地にした文殊菩薩の足跡であるとされる。上左：木立に囲まれた階段には仏像が並んでいる。上右：中央の仏塔（マハ・チャイテャ）はカトマンズ市街と周辺の山々を見守っているかのようだ。

ペラヘラ祭の行列では、神聖な雄のゾウが仏歯を象徴する小箱を運ぶ。

見どころと楽しみ

- 仏歯は宝石で飾られた小箱に納められ、寺院内の玉座に安置されている。左右を巨大な象牙が守っている。

- シンハラ朝時代の建物は、現在は別の用途に使われている。国王の宮殿は**考古学博物館**に、女王の宮殿は**キャンディ国立博物館**になっている。

- 仏歯寺に隣接するスリダラダ博物館のアルト・マリガワ・パビリオンには、世界中の著名人が仏歯に捧げた供物のほか、**歴史的な資料**が展示されている。また王族の衣装、古代壁画、銀の棺、仏像なども興味深い。

スリランカ

華麗な祝祭が彩る 仏歯寺

ブッダの"犬歯"を祭るという仏歯寺は、多くの参拝者を集め、年に一度、目にもあでやかな祭りの舞台となる。

　今から1700年ほど昔の313年、ヘママラという王女によって、インドで荼毘に付されたブッダの左上の犬歯がひそかにスリランカに持ちこまれた。仏教徒はそれを仏歯と呼んで崇め、やがて「仏歯を持つ者は国を支配する」とまで言われるようになった。

　1592年に即位したウィマーラ・ダルマ・スーリヤ1世は、その仏歯を新都キャンディに移した。仏歯は当初、木造寺院に安置されていたが、後に現在の建物に移された。その後仏歯には、スリランカ独立の象徴という新しい意味も加わり、かつての宮殿の敷地内にある仏歯寺は日々の祈りの場となっている。

　年に一度のペラヘラ祭では、仏歯をたたえる祝祭が10日間にわたって続く。太鼓が打ち鳴らされ、踊り手が練り歩き、絹の衣装と電飾をまとった100頭ものゾウが行進する。それはまさに、深い信仰に裏打ちされたスペクタクルだ。

アジア

ベストシーズン　標高500メートルのキャンディは高原ならではの冷涼な気候で、蒸し暑い沿岸部とは対照的。ペラヘラ祭は7月または8月に行われ、日程は月の満ち欠けで決まる。

旅のヒント　キャンディとその周辺の寺院、宮殿、博物館を見て回るには2〜3日かかる。アダムズ・ピーク登山に挑戦したい人は、アウトドア系旅行会社でガイド付きトレッキングツアーを申し込もう。

ウェブサイト　www.lankaembassy.jp/index_ja.htm（駐日スリランカ大使館）
www.daladamaligawa.org（英語）

イラク

イマーム・フセイン廟

偉大なる殉教者イマーム・フセインを祭るこの壮大な霊廟は、
熱心なシーア派教徒たちの巡礼地だ。

毎日大勢の巡礼者たちで混雑するカルバラーは、イラク中部の町だ。ヤシの木が並ぶ広場を横切り、大きなアーチ状の門をくぐった先にあるのが、シーア派イスラム教徒の最大の聖地であるイマーム・フセイン廟だ。

黄金のドームと2本のミナレットの足元に、イマーム（指導者）だった、フセイン・イブン・アリーが眠っている。預言者ムハンマドの孫であり、第3代カリフだったが、680年のカルバラーの戦いで戦死した。

彼の死後、多くの信者がその墓に詣でたため、モスクが建設された。霊廟は火災や略奪、宗教紛争のために何度も破壊された。現在の建物は11世紀に建設が始まり、時代とともに、豪華さが加わった。

イマーム・フセインは、苦難の後に訪れる解放と救済の象徴とされる。そのため、霊廟を訪れる信者たちは大げさに嘆き悲しみ、自分をむち打ち、虐殺を再現して、苦難をイマーム・フセインに伝える。黒装束で、大声で嘆き、自分の胸を激しく殴る信者の姿に戸惑うだろう。だが、シーア派にはここは天に通じる門なのだ。

ベストシーズン　アーシューラーやアルバインといった宗教行事が行われる時は、廟内はもちろん周辺の通りも大混雑する。イスラム暦の1月であるムッハラム月10日に開催されるアーシューラーは、イマーム・フセインと72人の殉教者をしのぶもの。アルバインはその40日後に行われる。サダム・フセイン時代にはどちらも禁止されていた。公に再開されたのは政権崩壊後の2003年である。

旅のヒント　カルバラーおよびイマーム・フセイン廟はバグダッドから日帰り可能で、ナジャフにあるイマーム・アリ廟にも立ち寄れる。イラクは国内情勢がまだ不安定なので、安全情報を確認すること。現地では経験豊かな地元のガイドを必ずつける。

ウェブサイト　www.al-islam.org/shrines/karbala.htm、www.atlastours.net（英語）

アジア

見どころと楽しみ

■**イマーム・フセイン廟**は、典型的な初期イスラム建築。金と銀を惜しみなく使った豪華な金属製の壁には、幾何学模様が精巧に彫られている。

■カルバラーの大広場の反対側には、イマーム・フセインの異母兄弟で、カルバラーの戦いで命を落とした**アッバス廟**もある。

■シーア派教徒にとって、カルバラーの南約50キロにある**ナジャフ**は、メッカ、メディナに次ぐ聖地。16世紀に再建された**イマーム・アリ廟**には、ムハンマドのいとこで義理の息子でもある**イマーム・アリ**が眠っている。シーア派では、彼が初代カリフということになっている。彼の死後、カリフの地位を巡る争いでスンニ派とシーア派が分裂した。

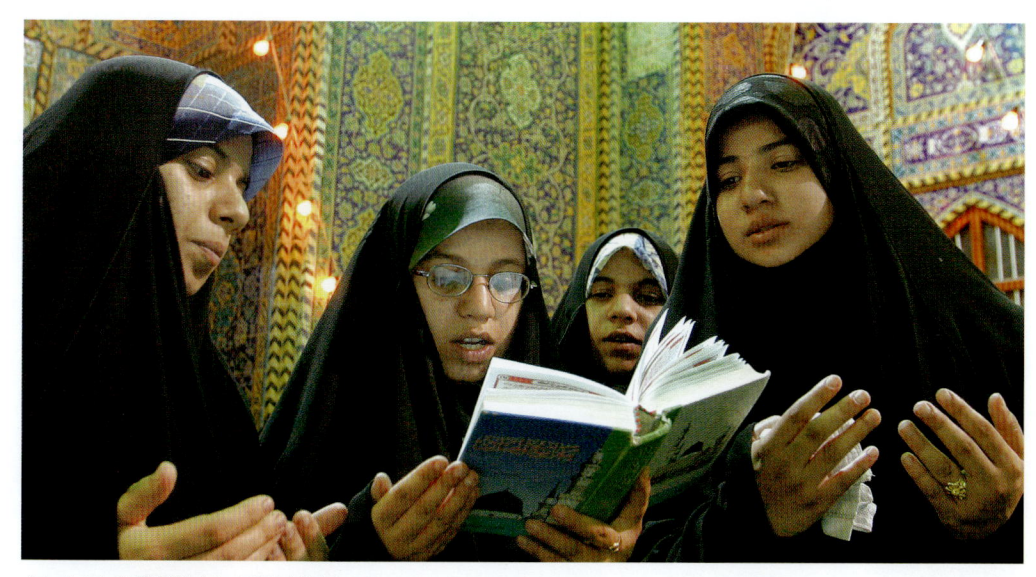

イマーム・フセイン廟を訪れたシーア派の女性たち。

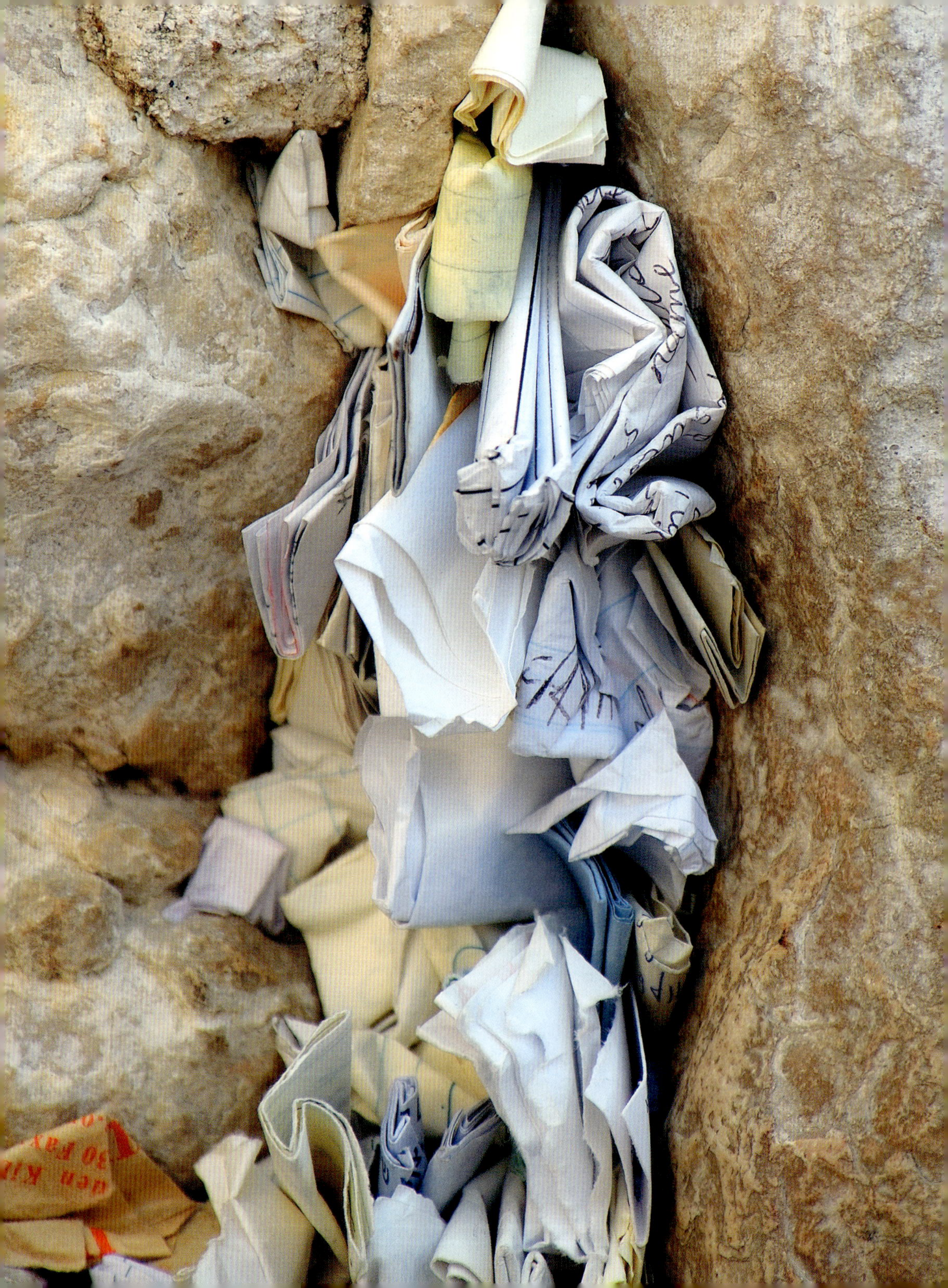

祈りを受け止める 嘆きの壁
イスラエル

ユダヤ教最大の聖地の一つ。信者は何世紀もの間、エルサレムの神殿の丘にある石壁の前でひたすら祈りを捧げてきた。

ユダヤの人々が巨大な石積みの壁の前で祈る。この壁はもともと、紀元前515年に建設されたエルサレムの第二神殿の一部だった。モーセの十戒を刻んだ石板を収めていた「契約の箱」を安置するために、ソロモン王が建てた紀元前10世紀の第一神殿があった場所だ。その後第二神殿が失われたことをユダヤ教徒は嘆いたため、「嘆きの壁」の名がついたという。

無数の信者に手で触れられて、積み上げられた石は鳴動しているようにも見える。それは人々の祈りの言葉と、石のすき間に差しこまれた願い事の紙のせいかもしれない。紙は絶えず差し込まれるので、足元には古い紙がたくさん落ちている。

壁は長さ57メートルで、広場の端にそびえるように立つ。重いもので1個100トンもの石灰岩を、モルタルなしで高さ19メートルに積み上げた技術は驚異的だ。

紀元前19年頃、ヘロデ王は第二神殿を拡張した。紀元20年、神殿はローマ人が破壊したが、西側の壁だけは残った。「西壁」と呼ばれるのはそのためだ。

ここはユダヤ教とイスラム教の聖地であることから、これまで何度となく紛争の火種となってきた。武装兵士が絶えず警備する中、何時間も祈り続ける人、数分で祈りを終える人、笑顔で帰る人、泣きながら立ち去る人とさまざま。だが、ここに立つことができて、誰もが満足しているかに見える。

ベストシーズン 24時間いつでも行けるが、昼間が良いだろう。武装したイスラエル兵が警備し、訪問者のボディーチェックを行う。土曜日は電子機器の持ち込み禁止。天候は1年を通じておおむね快適。

旅のヒント 何日滞在するかは気分次第。感謝や祈りの言葉を書いた紙を壁に残しても良い。すき間があれば、そこに差し込む。壁の中ほどから下はかなりふさがっているので、身長の高い人が有利かもしれない。祈っている人のじゃまをしないように。たいていの人は場所を空けてくれるが、てこでも動かない人がいるからといって、押すのは厳禁だ。ユダヤ教の祝日は大混雑する。男はヤルムカ(小さな帽子)などの被り物、女はロングスカート着用のこと。壁から離れる際は後ずさりするのが決まりだ。

ウェブサイト tokyo.mfa.gov.il (駐日イスラエル国大使館)
www.thekotel.org、www.goisrael.com (英語)

見どころと楽しみ

■ **ティシャ・ベアブー**(7月または8月)の日には何万人というユダヤ教徒が集まり、第一および第二神殿の破壊を嘆く。

■ 1967年から88年に掘られた**西壁トンネル**に入ると、壁の地下部分はもちろん、ローマ時代や中世の納骨所を見学できる。ガイド付きツアーの予約が必要。

■ 近くの**ユダヤ人街**を訪ねてみよう。ヘロデ王の宮殿やセファルディの四つのシナゴーグなどが復元されていて、2000年以上昔、第二神殿時代の雰囲気を感じることができる。中でも壮麗なシナゴーグでは、かつてセファルディの主席ラビが任命されていた。

前ページ:嘆きの壁のすき間に差し込まれたメッセージ。ファクスや電子メールで届いたものもある。上:仮庵(かりいお)の祭りの時は、司祭の祝福のために正統派ユダヤ教徒が大勢集まる。出エジプト後、イスラエルの民が砂漠を放浪したことをしのぶ祭りだ。

巡礼の道 | 251

イスラエル
ゴルゴダの丘に建つ 聖墳墓教会

エルサレム旧市街のこの教会こそ、3度の破壊と宗派争いを
生き延びてきた、キリスト教最大の聖地だ。

アジア

信者たちはここで、「塗油の石」と呼ばれるバラ色の石に口づけする。磔刑になったイエスの遺体は、この石の上で埋葬の準備をされたという。

聖墳墓教会中央部では、カトリック、正教会、アルメニア教会のそれぞれの聖職者が時間を変えてミサを行い、そのかたわらで大勢の観光客が、円天井やビザンティン時代のエッチング、墓所などを見物している。

そしてたどり着くのがゴルゴダの丘へと続く階段だ。ここはイエスが十字架にかけられたとされる場所だ。古代ローマ初のキリスト教皇帝、コンスタンティヌス大帝は、ゴルゴダの丘を聖なる場所とするために、教会の建設を命じた。教会は2度の火災やイスラムの指導者カリフによる破壊にも耐え、十字軍によって再建された。現在の形になったのは1810年頃である。

キリスト教徒は毎日、ゴルゴダの祭壇前にひざまずく。イエスが最後の言葉を発したとされるこの場所で、信者たちはひたすら祈りを捧げる。すぐ近くにあるアダム礼拝堂は、イエスが死んだ時に割れたとされる岩を祭っている。

見どころと楽しみ

■ **ミサ**に出てみよう。ミサはギリシャ正教会のものがほとんどだが、ほかにもアルメニア教会とカトリック教会、さらにはコプト正教会、エチオピア正教会、シリア正教会も多少関係している。

■ ビア・ドロローサ（苦しみの道）に並ぶ「**十字架の道行きの留**」を表現した14像のうち五つは教会内部にある。残り九つの情報も教会で入手できる。ほとんどはエルサレム旧市街にあるが、実際に磔刑が行われたのは城壁の外だった。

■ 入り口に立ったら、上窓の辺りにある**朽ちかけたはしご**を探そう。このはしごの処理について、各宗派の間で合意ができないため、少なくとも19世紀からここにある。

ベストシーズン 教会が開いているのは、4月から9月は5時〜21時、10月から3月は4時〜19時。

旅のヒント 時間には十分余裕を見ておく。丸1日でも足りないぐらい。教会はいつも混雑している。1年で最もにぎやかなのは復活祭のミサで、聖職者たちがエルサレムの町を練り歩く。

ウェブサイト tokyo.mfa.gov.il（駐日イスラエル国大使館）、www.goisrael.com
www.bibleplaces.com/holysepulcher.htm（英語）

正教会の復活祭で行われる聖なる炎の式典。正教徒たちは何世紀も前から、この聖墳墓教会に集う。

ハッジにやって来た信者が、カーバ神殿の周りを7周する。壁に口づけしようとする者もいるが、大混雑で近寄ることは困難だ。

サウジアラビア
メッカ巡礼 ハッジ

サウジアラビアのメッカ。肌の色や国籍、階級を問わず、
すべてのイスラム教徒が一つになって、神との合一を目指す。

　メッカは歴史的にも宗教的にも、重要な町だ。世界中のイスラム教徒が、1日に5回メッカの方角に向かって礼拝する。そして、年1度のハッジの時期には数百万人がこの地を訪れる。

　メッカは、イスラム教の開祖ムハンマドが誕生した570年以前から聖地だった。旧約聖書に登場するアダムとアブラハムも、メッカと深い関係がある。アブラハムの生涯は、神への信仰が試される苦難の連続だった。そこで、イスラム教徒もハッジの期間に、羊の供犠などアブラハムをしのぶ儀式を行う。イスラム教徒は、一生に一度はハッジを行わなければならない。それにより信仰は完全なものになる。

　メッカにあるカーバ神殿は、立方体の花崗岩でできている。現在、その内部には何もないが、かつては何世紀にもわたってイスラム教徒の重要な品々が安置され、隕石だと言い伝えられた貴重な石が壁にはめ込まれていた。今はハラム・モスクの中央に置かれ、金糸で刺繍された黒布に覆われている。巡礼者はハッジの始まりと終わりに、その周りを7周する決まりだ。

ベストシーズン　ハッジはイスラム教徒の義務ではあるが、信者はウムラと呼ばれる小巡礼にメッカを訪れることもある。また、家族や友人を訪ねるためにメッカを訪れたりもする。ただし、イスラム教徒でない者はメッカには入れない。

旅のヒント　ハッジにせよウムラにせよ、宗教儀式をひと通り体験するには最低3日は必要。最長で1カ月滞在できる。観光客はサウジアラビア政府公認の旅行代理店に申しこむこと。それ以外の旅行は認められていない。ハッジを満喫するには、数カ月前から魂を清めて準備しておくことが望ましい。また、45歳未満の女性は男性の同伴が必要。

ウェブサイト
www.saudiembassy.or.jp（駐日サウジアラビア大使館）、www.hajinformation.com（英語）

見どころと楽しみ

■ **ザムザムの泉**から湧き出す聖水は、のどの渇きだけでなく、空腹を満たし、病を癒やすと伝えられる。この泉は、アブラハムの奴隷で愛人でもあったハガルと、その息子イスマイルが見つけたという。ハッジを終えた巡礼者たちは、10リットル入りのポリエチレン容器に泉の水をくんで帰る。

■ メッカの北東にある**ジャバル・アンヌールのヒラーの洞窟**は、ムハンマドが大天使ジブリール（ガブリエル）からコーランの一部を受け取ったとされる場所。

■ 交易の中心地だったメッカの栄光を今に伝えるのが**バザール**だ。中央広場から広がる道沿いに商店がひしめくように並ぶ。金の宝飾品がお買い得。

アジア

歴史を彩る巡礼トップ10

歴史に残る巡礼の道や平和行進が行われた舞台を訪ねてみよう。

❶ ブッダガヤ（インド ビハール州）
インドにおける仏教の聖地ブッダガヤ。ここの菩提樹の下でブッダは7週間瞑想を続け、ついに悟りを開いたとされる。近くのマハーボーディ寺院も仏教徒の参拝者が後を絶たない。

旅のヒント 訪れるなら10月から4月がよい。近くのパトナもブッダゆかりの地で、遺灰を納めた博物館もある。www.buddhanet.net/bodh_gaya（英語）

❷ 塩の行進（インド）
1930年3月12日、マハトマ・ガンジーと78名の支持者は、グジャラート州サバルマティ・アシュラムからダンディを目指した。英国の塩税に対する非暴力の抗議行動だ。400キロに及ぶこの塩の行進を機に、英国支配への抵抗運動はインド全土に広がった。

旅のヒント サバルマティ・アシュラムには、ガンジーの生涯を伝える博物館がある（無休、8時半～18時）。www.saltmarch.org.in（英語）

❸ 聖パウロの道（トルコ）
聖パウロがキリスト教の布教のために通ったとされる道の一部で、全長約500キロ。地中海沿岸の都市アンタルヤに近いペルゲまたはアスペンドスから出発し、ピシディアのヤルバックに近いアンティオキアに至るこの道は、松林や湖など見どころも多い。

旅のヒント 赤と白の道しるべが頼りだ。www.tourismturkey.jp（トルコ政府観光局）、www.stpaultrail.com（英語）

❹ 聖者たちの道（ポーランド クラクフ）
丘の上に建つ14世紀のバベル大聖堂は18の礼拝堂を擁し、ポーランドの守護聖人、聖スタニスラフをはじめ、王族や英雄たちが数多く埋葬されている。付属博物館には500年前の式服が展示されている。そこには、スタニスラフの生涯が精巧な刺繍で描かれている。この丘から、16の美しい教会があるクラクフへ聖者たちの道が延びている。

旅のヒント 大聖堂にあるジクムントの鐘楼は特別な時にのみ鐘が鳴らされ、80キロ先にも聞こえるという。www.poland.travel（ポーランド政府観光局）、www.krakow.pl/en（英語ほか）

❺ カンタベリー大聖堂（英国イングランド）
カンタベリー大司教トマス・ベケットは1170年、ヘンリー2世の4人の騎士にこの聖堂内で殺害された。彼は癒やしをもたらす聖人となり、聖堂には今も多くの巡礼者が訪れ、豪奢な大聖堂に感嘆する。チョーサーの『カンタベリー物語』の舞台でもある。

旅のヒント ケント州カンタベリーまでのルートはいろいろ。『カンタベリー物語』のファンならロンドンのサザークにある陣羽織亭から旅を始めるが、チョーサーは道順までは示していない。www.visitbritain.jp（英国政府観光庁）、www.canterbury-cathedral.org（英語）

❻ エレアノールの十字架（英国イングランド）
1290年、エドワード1世の妃だったカスティーリャのエレアノールが突然の熱病で世を去った。17人の子どもとともに残された王の嘆きはどこまでも深かった。葬儀のため、妃の遺体をリンカンから174キロ離れたロンドンまで運ぶ際、葬列が休息をとった場所にはエレアノールをしのぶ十字架が立てられた。その一つがあったことから、ロンドン中心部のオフィス街は、チャリング・クロスという地名になった。

旅のヒント リンカンからロンドンまで、立てられた十字架は計12基だが、現存するのはゲディントン、ハーディングストーン、ウォルサム・クロスの3カ所のみ。www.visitbritain.jp（英国政府観光庁）、www.historic-uk.com（英語）

❼ 聖パトリックの足跡（アイルランド）
アイルランドで聖パトリックの足跡をたどる旅は、時に精神的にも肉体的にも厳しい試練となる。ダーグ湖に浮かぶ島で修行を積み、クロウ・パトリック山にはだしで登って祈りを捧げる。もちろん、もっと楽に行ける所もちゃんとある。北部のダウンパトリックは聖パトリックが埋葬されていると伝えられる町で、ダウン大聖堂のほか、聖人ゆかりの品を集めた博物館もある。

旅のヒント メイヨー州ムリスクにあるキャンベルズ・パブから旅を始めよう。www.discoverireland.jp（アイルランド政府観光庁）、www.discovernorthernireland.com/stpatrick（英語）

❽ モファット伝道所（南アフリカ ノーザン・ケープ）
1838年、宣教師ロバート・モファットは南アフリカの地に草ぶき屋根の「カラハリ大聖堂」を建て、キリスト教伝道の拠点とした。彼は苦労の末、聖書のセツワナ語訳を完成させ、出版した。

旅のヒント 伝道所は誰でも入れる。モファットの足跡については、彼の著書『乾いた土地の川』などを一読されたい。www.southafrica.net（南アフリカ観光局）、www.places.co.za（英語）

❾ ワシントン大行進（米国ワシントンD.C.）
1963年に人種差別撤廃を訴えるために25万人が参加した大行進。ワシントン・モニュメントからリンカーン記念堂までを埋め尽くした参加者の中には、わざわざ南部から来た人もいた。行進を呼びかけたマーティン・ルーサー・キング・ジュニア牧師は、「わたしには夢がある」で始まる世界的に有名な演説を行った。

旅のヒント ナショナル・モール一帯は24時間出入り可能。9時30分から23時30分は監視員がいて質問に答えてくれる。www.crmvet.org（英語）

❿ モルモン開拓者の道（米国）
1846年、イリノイ州ノーブーを追われた7万人のモルモン教徒が、新天地を求めてユタ州ソルトレークシティに向かった。馬車や手押し車で荒野を1300キロも移動する旅は苦難の連続で、翌年にユタ州にたどり着くまでに、多くが命を落とした。

旅のヒント 彼らの移動ルートは、イリノイ州からアイオワ州、ネブラスカ州、ワイオミング州を通り、ユタ州に至る大がかりなものだった。ワイオミング州には、当時の道の一部がそのまま残っている。www.nps.gov/mopi（英語）

次ページ：英国ケント州にあるカンタベリー大聖堂。597年に聖アウグスティヌスが建てた。今も多くの信者が訪れ、殉教したトマス・ベケットをしのぶ。

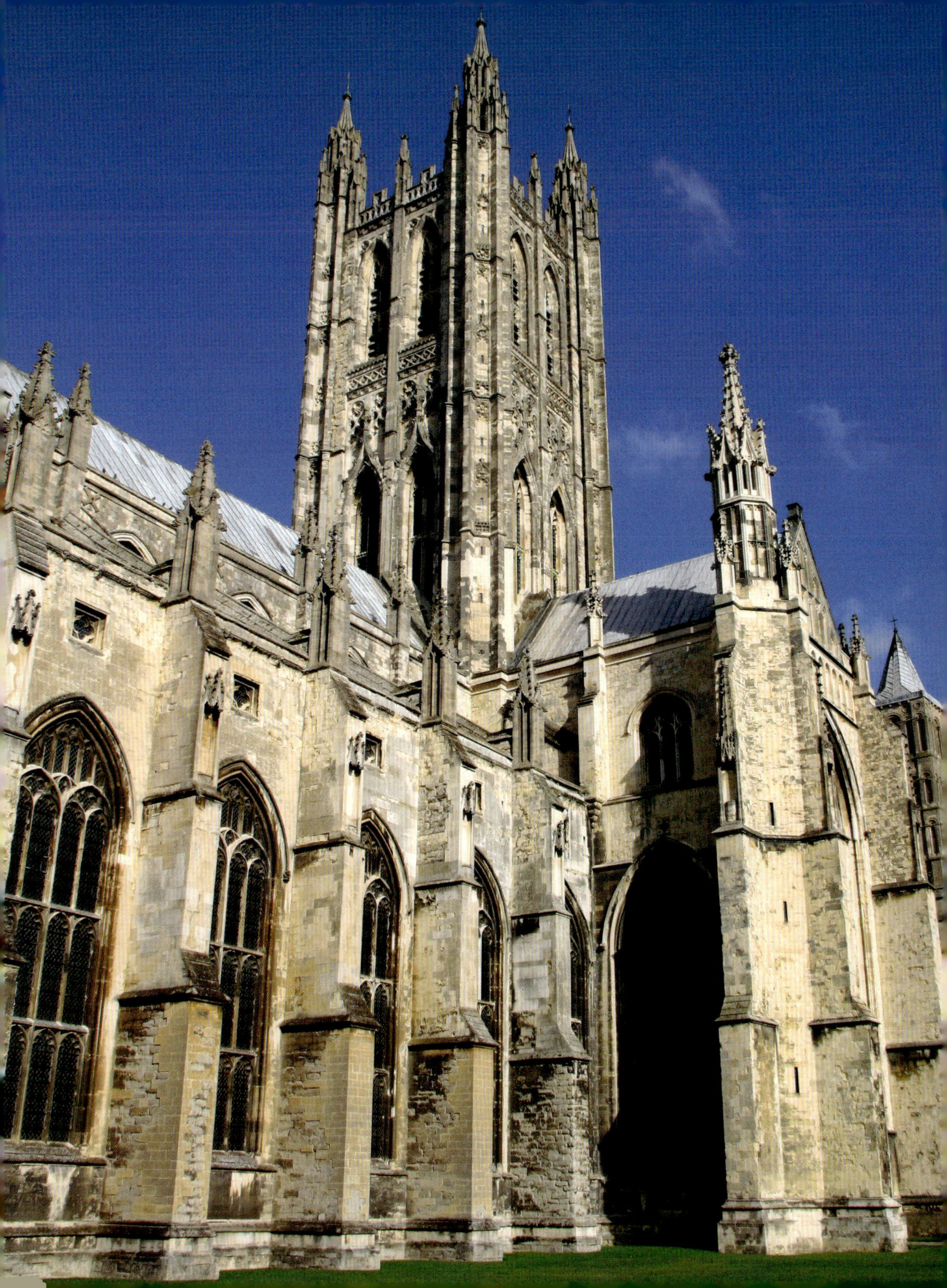

サウジアラビア
預言者のモスク

イスラム教の創始者ムハンマドが眠る預言者のモスク。
メッカ巡礼の拠点として数多くのイスラム教徒が訪れる。

アジア

メディナはイスラム教スンニ派、シーア派の両方にとって、メッカの次に重要な聖地だ。メッカで迫害を受けたムハンマドたちが逃げこんだのがメディナであり、ムハンマドはこの地に埋葬されている。メッカ同様、メディナに入れるのはイスラム教徒だけだ。

預言者のモスクには毎年数百万人が訪れる。ここでの礼拝はハッジ（メッカ巡礼）の一環でもなく、イスラム教徒の義務でもないが、ほかのモスクで行う1000回以上の礼拝に相当する価値があるとされている。モスクでの礼拝は儀式的なものではなく、堅苦しくないせいもあり、穏やかな雰囲気がある。メッカと違い巡礼者が平服であるのも、イスラム教の多様性を感じさせる。

現在のモスクの大部分は19～20世紀に建てられたもの。ムハンマドは、中央の緑のドームの下に埋葬されていて、左右を2人のカリフ、アブー・バクルとウマルが守る。巡礼者の増加でモスクは大幅に拡張され、かつての面影は全くない。モスクは50万人以上を収容できるほど広大で、10本ものミナレットがそびえている。

ベストシーズン　メディナは1年を通じて訪れることができるが、最も混雑するのがハッジ前後。断食月ラマダンの時も混み合う。
旅のヒント　2～3日あれば見どころはすべて回れる。6月から9月は暑さが厳しいので避けるのが賢明だろう。メディナはジェッダから飛行機で1時間足らず。車だと4時間ほど。
ウェブサイト　www.saudiembassy.or.jp（駐日サウジアラビア大使館）
www.sacred-destinations.com/saudi-arabia/medina-prophets-mosque（英語）

見どころと楽しみ

■ 預言者のモスクの反対側にある**ジャンナト・アル・バキ墓地**には、初期イスラム教指導者が埋葬されている。

■ 預言者のモスクから北西に3.2キロの**キブラタン・モスク**（「二つのキブラ」の意）は、珍しいモスクだ。イスラム教の黎明期、祈りの方向（キブラ）をエルサレムからメッカに移すお告げをムハンマドが受けたことから、ここには祈りの方向を示すミフラーブが二つある。一つはエルサレム、もう一つはメッカを向いている。

■ メディナから北に5キロの**ハムザ・ビン・アブドゥル・ムッタリブ廟**は、ムハンマドの叔父であり助言者だった人物を祭っている。

預言者のモスクには10本のミナレットがあり、その数は世界最多。モスク建設当時はなかったが、歴代の統治者が建てていった。

ラリベラ王は聖ゲオルギウスの依頼を受けて、教会群を建立したという。

エチオピア
ラリベラの岩窟教会群

**岩盤をくり抜いてつくられたラリベラの教会群。
キリスト教が根づいた4世紀からエチオピアに残るすばらしい建築遺産だ。**

　石を積み上げてつくった伝統的な家々が、肩を寄せ合うように並んでいる。ここはエチオピアの山あいの聖地、ラリベラだ。岩肌の赤い火山岩をくり抜いてつくり上げた教会群が、斜面に堂々とした姿を見せている。

　交通の便がたいへん悪い奥地にあるにもかかわらず、この教会群には大勢の巡礼者たちが次々と訪れる。この教会群を代々守ってきたのは、きらびやかな法服を身にまとい、豪勢な飾りが施された十字架を掲げた高僧たちである。

　伝説によると、これらの教会は今から800年もの昔、敬虔なラリベラ王がつくらせたという。ラリベラはここを新しいエルサレムとして、巡礼の地にしようとした。

　しかし、最近の研究では、その起源は7世紀であることが判明した。主な教会は11あるが、特に注目すべきは、地表から11メートルの深さまで掘り下げられた十字架型の教会、ベテ・ギョルギスだ。ろうそくの灯る内部には、エチオピアの守護聖人である聖ゲオルギウスがドラゴンを倒す場面も描かれている。

ベストシーズン　雨期が明けた10月が最適。この季節のエチオピアは新緑がみずみずしく、花が咲き乱れる。
1月中旬のティムケット祭など、大きな祭りの時期に訪れる場合は、宿や飛行機のチケットを早めに確保すること。

旅のヒント　主な見どころだけなら2～3日あれば十分だが、長く滞在すれば、雰囲気を味わえる。
岩窟教会にはほとんど照明がないので、懐中電灯と電池を忘れずに。
教会を全部見て回ると、険しい上り坂を含めてかなり歩くことになる。祭りの見物をしたい場合は、エチオピア独特の暦に気をつけること。ここに記した日付はすべて西暦に従っている。

ウェブサイト　www.ethiopia-emb.or.jp（駐日エチオピア大使館）
www.tourismethiopia.org（英語）

見どころと楽しみ

■ **クリスマス**（西暦1月7日）、**復活祭**（4月または5月）、それに**ティムケット祭**（公現祭のこと、1月19日）は華やかでにぎやか。体験する価値がある。

■ 周囲の山々のトレッキングも楽しい。自分の足で歩くも良し、ラバを調達するも良し。目を見張るパノラマはもちろん、近隣の村々で**アシェトゥン・マリアム教会**のような歴史的な建築物を見ることもできる。

■ **教会のミサ**に出席すれば、年代物の教典を聖職者が読み上げ、香炉が乳香をふりまく独特の雰囲気に浸れる。

■ 教会群で最も神聖な**セラシエ礼拝堂**は、かつて契約の箱が置かれていたともいわれ、ひと握りの高位聖職者しか入ったことがない。

アフリカ

マダガスカル
アンブヒマンガの丘の王領地

丘の上にあるこの巡礼地はマダガスカルの人々にとって、
500年以上も前から重要な聖地だった。

首都アンタナナリボは12の聖なる丘に囲まれているが、最も高い所が「アンブヒマンガの丘」と呼ばれ、信仰心と愛国心にあふれる人々の巡礼地となっている。

　1787年から1810年まで、「青い丘」とも呼ばれるこの丘に居城を築いて統治したのが、メリナ王国のアンドリアナンポイニメリナ王(これでも正式名の略称で、「君臨する王子を凌駕し、愛されるイメリナの王子」の意味)、別名ナンポイナ王である。ナンポイナ王は近隣の民族を統一し、奴隷制を廃止した。父王の成功を引き継いだ息子のラダマ1世は島全体を統一し、マダガスカル初の王となる。緑豊かな古都アンタナナリボには、ロバ(王領地)や墓、泉、池、森、フィダシアナ(集会場)といった当時の面影が随所に見られる。ナンポイナ王が暮らした木造の城は、妃の夏の屋敷や神聖なアンパリヒー湖のそばに堂々と立っている。この湖では、今もファンドゥルアナと呼ばれる王室の沐浴の儀式が行われる。

アフリカ

ベストシーズン　最適なのは4月から5月、9月から11月。サイクロンの季節(1月～3月)は避けよう。

旅のヒント　アンブヒマンガは、アンタナナリボ(地元ではタナと呼ばれる)から北に20キロ弱。北側のバスステーションから45分で到着。ロバおよびその周辺を見て回るには1日かかる。王領地の入り口近くでガイドを雇うこともできるが、あらかじめ値段を確認すること。王領地内は飲酒禁止。アンブヒマンガから徒歩30分のソアビナンドリマニトラは堀に囲まれた村で、キツネザルを飼っている民間公園がある。

ウェブサイト　www.madagascar-embassy.jp (駐日マダガスカル大使館)
whc.unesco.org/en/list/950 (英語ほか)

見どころと楽しみ

■ 王領地入り口の**巨大な石盤**は必見。入り口を封鎖するためのもので、40人がかりで運んだという。

■ 王領地のあちこちにあるのがアニミズムの**供犠台**だ——マダガスカルの社会には、ファディ(タブー)、トディ(因果)、ツィーニ(邪悪な力)への信仰が深く根づいている。

■ マダガスカル人は、祖先が常に見守っていると考える。各家庭の北東の角は神聖な場所で、**ナンポイナの霊**に祈りを捧げる。マダガスカル人の家を訪問する際は、右足から入り、左足から出ること。

■ **アンバトミアンテンドロの石**には、伝統的なボードゲームであるファノロナの盤面が刻まれている。

アンブヒマンガの丘の王領地に通じる門。1895年にフランスに占領されるまで、外国人はここをはじめとする七つの門をくぐることを許されなかった。

ブナの木に縁取られた岩山を登り、アッシジの聖フランチェスコが聖痕を受けたとされる聖地を目指す。

イタリア
スティグマータ礼拝堂

トスカーナ地方の岩山に建てられた教会群は、アッシジの聖フランチェスコに捧げられたものだ。

アッシジの聖フランチェスコはキリストと同じ苦しみを味わいたいと願い、1224年に40日間断食をして祈りを捧げた。その思いは通じて、フランチェスコの前に六つの翼をもつ天使セラフィムと、十字架にかけられたキリストが姿を現した。そして彼の両手両足と脇腹には聖痕が浮き出たという。

この奇跡が起きたラ・ベルナ山は、それ以来、多くのカトリック教徒が魂の探究のために訪れるようになった。石畳の広場を囲むように宗教的な建物が並ぶ聖域内には、八つの礼拝堂がある。スティグマータ（聖痕）礼拝堂もその一つだ。礼拝堂の入り口の上には、13世紀の大理石のレリーフが飾られている。セラフィムがその翼でキリストを包みこんでおり、聖フランチェスコがひざまずいて自らの両手を差し出している。フランチェスコが聖痕を受けたとされる場所は、赤い大理石と木の十字架で示されている。質素な礼拝堂だが、ルネサンス期の彫刻家アンドレア・デッラ・ロッビア（1435～1525年）作のテラコッタの礫刑像が目を引く。

見どころと楽しみ

- 聖域までの上り道はきついが、十分に価値はある。途中には歴史を感じさせる遺物も多い。例えば、**聖フランチェスコ像**は、市場で売られるキジバトを放すよう、少年に頼んでいる場面を表している。

- 聖域内の最大の**聖堂**と付属の鐘塔は必見。聖域では**礼拝堂**のほか、ゲストハウス、**16世紀の井戸**、2本の丸太でつくった**大きな十字架**が有名。

- 毎日午後には、ラ・ベルナ山の**修道士**たちが典礼のため礼拝堂に行進する。

- **ミサ**は通年で行われており、平日は1日3回、土曜日は6回。

- 周辺の**森林**は国立公園になっており、散策するのも楽しい。ブナ、モミ、カエデ、トネリコなどが渓谷を覆い尽くす。

ヨーロッパ

ベストシーズン 気候が快適なのは4月から10月。毎年9月17日にはスティグマータ祭が催される。
旅のヒント 岩山には20以上の古い建造物があるので、1～2日は滞在したい。お願いすれば、フランチェスコ会の修道士、修道女が快く案内してくれるだろう。聖域内にあるラ・ベルナのゲストハウスに宿泊することも可能だが、静かで厳粛な環境を乱すことは許されない。
ウェブサイト www.enit.jp（イタリア政府観光局）、www.santuariolaverna.org（イタリア語）
www.discovertuscany.com/casentino/la-verna.html（英語）

熱心な巡礼者はひざまずきながら山頂を目指すが、ムリスクのはずれにある花崗岩の聖パトリック像にお参りしてよしとする信者も多い。

アイルランド
クロウ・パトリック山

アイルランドの守護聖人、聖パトリックゆかりの山。
カトリック教徒は、魂を救うため、この山で苦行に励む。

標　高640メートルの聖なる山クロウ・パトリックは、アイルランド西岸にあり、ここは石器時代から聖地として崇められてきた。巡礼者は岩だらけの登山道を歩いて頂上を目指す。キリスト教伝来前のケルト人は、信奉する神クロム・ドーがこの山にすむと信じており、クロアハン・アグラと呼んでいた。

そして441年、アイルランドにキリスト教を広め、国の守護聖人になった聖パトリックがこの山に40日間こもり、四旬節の断食をしたという。この時パトリックは、アイルランドのヘビと悪魔をすべて退治したと伝えられる。それ以来、ここはアイルランド・カトリックの最も重要な聖地として、多くの巡礼者を集めている。

7月最終日曜日のリーク・サンデーには、敬虔なカトリック教徒が断食をした後、夜明け前にムリスク村を出発して山に登る。途中、3カ所の「立ち寄り所」で祈りを捧げ、ざんげをし、夜明けとともに頂上に着く。山頂近くの「パトリックの寝台」という場所からは、麓の町をはじめ、クルー湾に浮かぶ島々を一望できる。

ベストシーズン　快適なのは4月から9月。
旅のヒント　クロウ・パトリック山の登山は行きが2～3時間、帰りが1時間半。祭日は混雑し、特にリーク・サンデーには3万人もの人出がある。ほかに、ガーランド・フライデー（7月最終金曜日）、聖母被昇天祭（8月15日）は、山頂でミサが行われる。ビジターセンターにはトイレと食堂、ギフトショップなどがあり、事前予約でガイドツアーの手配も可能。山頂付近は道が狭く、正午前後は渋滞する。防水ジャケットとハイキングシューズは必須（はだしで登るのなら別だが）。夏は日焼け止めと、飲料水をたくさん持っていくこと。出発前に天候を確認し、下山時刻を誰かに伝えておこう。つえがあると便利。ムリスク村やビジターセンターで売っており、レンタルもある。
ウェブサイト　www.discoverireland.jp（アイルランド政府観光庁）、www.croagh-patrick.com（英語）

見どころと楽しみ

■ **最初の立ち寄り所**は山麓の小さな石塚で、聖パトリックの弟子ベニグヌスにちなんでいる。**2番目の立ち寄り所**は山頂にあり、教会と「パトリックの寝台」で構成される。**3番目の立ち寄り所**は西側の下山途中で、「マリアの墓」という三つの石塚がある。

■ 山頂に着いたら、430年から890年につくられた**石づくりの礼拝堂**を見よう。これはアイルランド最古の石造教会の一つで、1994年に発見された。

■ **ケルト人の丘の要塞**も見どころの一つ。頂上付近を発掘中に発見された。

■ 山頂近くの道沿いにある「パトリックの寝台」には**新石器時代の岩絵**が描かれている。

ヨーロッパ

フランス
ブルターニュの巡礼路 トロ・ブレイズ

ブルターニュの七聖人をたたえる中世の巡礼の旅が、
華やかな形で現代によみがえった。

中世の頃、ブルターニュの七聖人ゆかりの教会をすべて巡れば天国に行けると信じられていた。旅を完遂できなかった者は、死後も1年ごとに長くなる道を歩かねばならない。

ブルターニュ七聖人の巡礼は、全行程600キロの道のりこそ変わらないものの、1994年にブルトン語のトロ・ブレイズ（「ブルターニュの旅」という意味）という新しい名前で再出発した。巡礼者は全部で七つの行程を1年に一つ消化すればよい。長さは行程ごとに異なり、例えばサン・マロからドル・ド・ブルターニュに向かう30キロの行程は、5日間かけて歩く。翌年はもう少し長くなり、北岸にあるドル・ド・ブルターニュのサン・サンソン大聖堂から、ブルターニュ南西部のバンヌに向けて、186キロの道のりを7日間で歩ききる。

トロ・ブレイズには1000人以上の巡礼者が参加する。毎朝、ミサと朝食を済ませた巡礼者たちは、祈りの言葉や聖歌を唱えながら歩き始める。野外のピクニックランチで元気を取り戻し、途中の礼拝堂に立ち寄ったりもする。

ベストシーズン トロ・ブレイズは毎年7月に開催されるが、それ以外の季節でも、ブルターニュ地方では各教区でもっと短期間の企画が用意されている。

旅のヒント トロ・ブレイズの道協会が主催する正式な巡礼は、行程によるが最長7日間かかる。遅くとも6月までに参加申し込みをして、食事の予約は7月初めまでに済ませる。参加者の負担を減らすため、昼間は寝袋など個人の荷物は運んでもらえる。雨具を忘れずに。毎年の行程についての詳細は、カトリック教会または旅行代理店に問い合わせる。

ウェブサイト jp.franceguide.com（フランス政府観光局）、www.trobreiz.com（フランス語）

ヨーロッパ

見どころと楽しみ

■ 荒々しい海岸線を眺めながら、木々に囲まれた小道を歩く。ブルターニュの**自然の美しさ**は、魂の探究をする巡礼者たちにとって喜びの一つだ。

■ サン・マロにあるサン・バンサン聖堂など、教会を飾る**トロ・ブレイズのステンドグラス**も必見。

■ **ブルターニュの七聖人**は、聖マロ、聖サンソン、聖ブリュー、聖トゥグデュアル、聖ポル・オレリアン、聖パテルヌ、聖コランタン。どの聖人を祭る教会も、規模こそ小さいが、一見の価値あり。

■ 聖者の日には、**パルドン**というパレードが行われる。精巧な刺繡の衣装をまとい、レースを使ったブルターニュ独特の帽子をかぶった人々が町を練り歩く。

1994年に復活したトロ・ブレイズは、中世の頃は1カ月以上かかる長い巡礼だった。今は七つの行程に分割され、1年に1行程ずつ進む。

巡礼の道 | 261

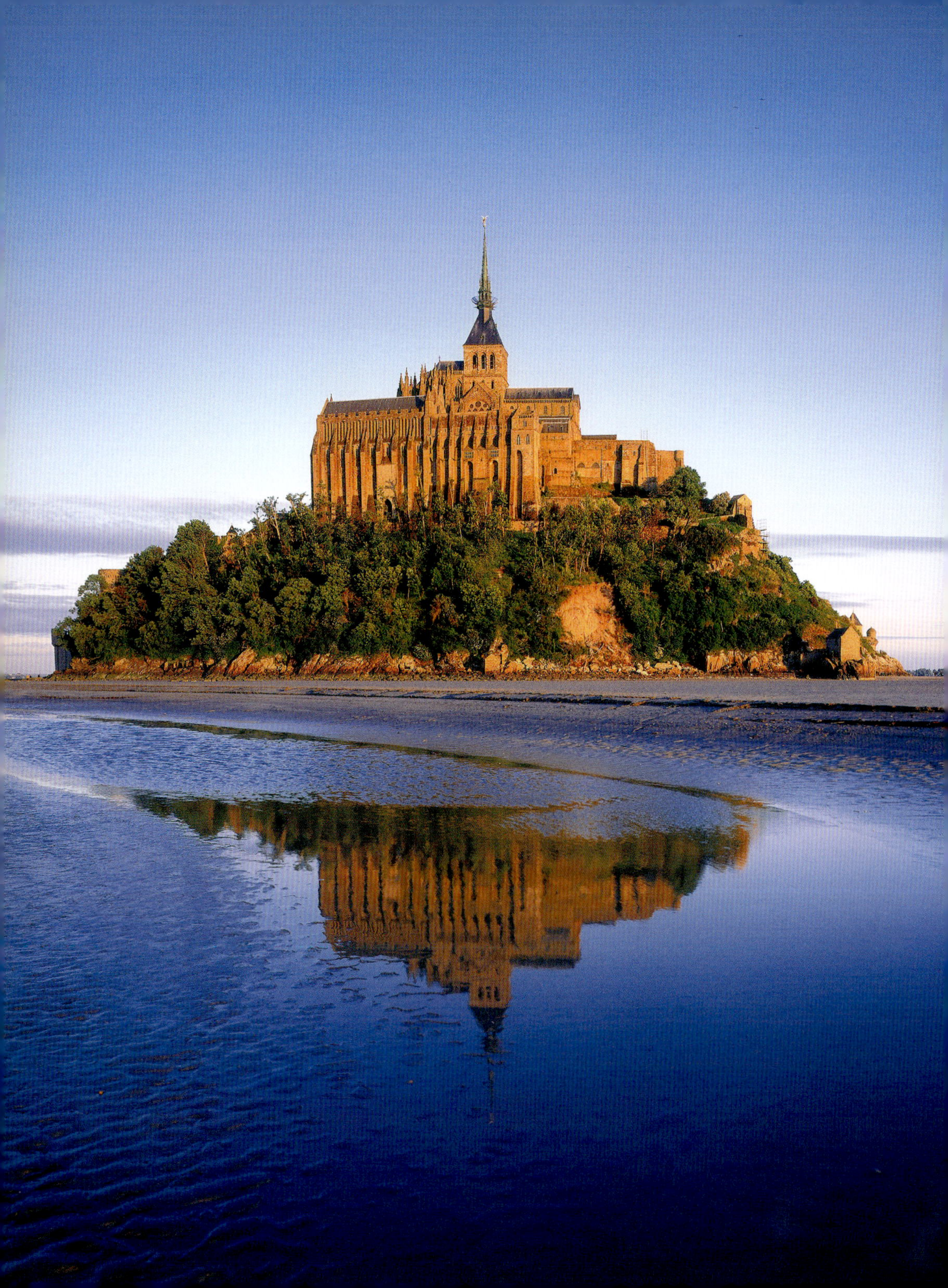

フランス
モン・サン・ミシェル

島にそびえる堂々たる修道院は、1000年近く昔から巡礼の地だった。
人々は干満の差が大きい海をものともせず、聖地を目指した。

中世ゴシック様式の威厳を誇る建物が、フランス北部ノルマンディーの沖合に浮かぶ島にそびえる。それがモン・サン・ミシェル修道院だ。

10世紀の昔からミケロと呼ばれる巡礼者たちは、大天使ミカエル（サン・ミシェル）から力を授かろうと、干満の差の激しい干潟を進んだ。カトリックでは聖ミカエルと呼ばれるこの天使は、善悪を判断し、魂の目方を量るのが役目とされており、はかりを持った姿で描かれる。中世の王は、助言を求めてシャルトル大聖堂から歩いて修道院を訪れ、大勢のミケロも魂の救済を求め、ここを目指した。

モン・サン・ミシェルの初代修道院は1023年から28年にかけて建設された。その後13世紀初頭に火災で一部が焼失すると、ラ・メルベイユ（驚異）と呼ばれる3層構築物が追加された。その後修道院は衰退し、18世紀末から19世紀初めにかけて起こったフランス革命の後は牢獄として使われたこともあったが、19世紀後半から再び巡礼者が訪れるようになった。

修道院の足元にはりつく小さな村は人口わずか40人。彼らは、モン・サン・ミシェル修道院を訪れる巡礼者たちに雨風をしのぐ場所と食事を提供しつつ、土産物を売っている。かつては干潮の時に海を歩いて渡るしかなかったが、現在は道路ができている。それにもかかわらずミカエル祭（9月29日）には、何千人という巡礼者が地元ガイドの案内により、昔ながらの方法で3キロの道のりを歩いて渡る。

ヨーロッパ

見どころと楽しみ

■城壁下に多くある小さなホテルや宿屋に1泊したら、翌朝は早起きして湾に面した城壁から**朝の絶景**を堪能しよう。朝日が、修道院の尖塔に立つ大天使ミカエル像を照らす瞬間は感動的。

■**ミサ**に出席してみよう。国際組織、エルサレム修道会に所属するローマ・カトリックの修道士と修道女が修道院内に居住し、月曜を除く毎日ミサを行う。

■湾の南側にある**アブランシュの図書館**は、中世にモン・サン・ミシェルでつくられた美しい**写本**を200冊以上所蔵する。

■春に訪れるなら、満潮の2時間前に着くようにしよう。ヨーロッパで最も流れの速い**潮の流れ**が見られる。

ベストシーズン　修道院は通年で開いている。時空を超越したような島の静寂を味わうなら冬がおすすめ。初春と晩秋には、シギなどの渡りを見ることができる。夕暮れの光の変化も美しいが、それ以上長くとどまったり、島で1泊するのは巡礼者だけで良いだろう。

旅のヒント　修道院内部は照明が暗いので、懐中電灯を用意していくと良いだろう。日が暮れて細い道を歩く時や、干潟裏を調べたりするのにも便利。
修道院には宿泊者用の簡素な部屋が用意されている。

ウェブサイト　jp.franceguide.com（フランス政府観光局）
www.ot-montsaintmichel.com（フランス語、英語）

前ページ：モン・サン・ミシェルのあるサン・マロ湾は潮位差が15メートルにもなる。海を渡る場合は注意が必要だ。上左：聖ミカエルが聖オベールの頭に指で穴を開け、モン・サン・ミシェルを建設させようとしている。上右：モン・サン・ミシェルの城壁の外にあるサン・トベール礼拝堂。

ロザリオ聖堂。ベルナデッタはロザリオを持つ聖母マリアの姿を見たという。

フランス
聖なる泉が湧く ルルド

ピレネー山脈にある治癒の奇跡で知られる聖地。
季節を問わず大勢の巡礼者がやって来る。

　無学で貧しい農家の娘だったベルナデッタ・スビルーは、14歳の時から、たびたび聖母マリアの姿を見るようになった。このうわさを聞きつけた人々が次々に訪れ、ベルナデッタがすむルルドは聖地となった。

　それから150年たった今日でも、聖母が出現したとされる場所には、大勢の巡礼者が詰めかける。ガブー川を見下ろす岩の上には、聖母像が立つ。ベルナデッタの証言そのままに、聖母マリアの白いガウンに青いリボンがかかり、はだしの両足には黄色いバラが咲いている。マリアはベルナデッタに、岩屋の中に湧く泉の存在を教えたという。病に効くとされる泉の水は、パイプで大理石の沐浴場に引かれていて、多くの信者を集めている。さらにマリアは、ベルナデッタを通じて村の司祭に礼拝堂を建てるよう命じた。岩屋の上につくられた聖母の領地には三つの教会ができていて、それぞれ坂道でつながっている。

見どころと楽しみ

■ 言い伝えでは、778年にシャルルマーニュ（カール大帝）がルルドの**要塞城**を攻略したという。

■ ルルドを見下ろすようにそびえるのが、ピレネー山脈の北端にある標高1000メートルの**ピク・デュ・ジェル山**。100年の歴史を誇るケーブルカーで登ろう。

■ **ベタラム洞窟**も必見。五つの異なる時代に形成された地層が見られる。ツアーに参加して、石灰岩の堆積物や迫力ある滝を見て回ろう。

■ **シャトー・ド・ボー国立博物館**は、アンリ4世が生まれた場所にある。見事な美術品コレクションやフランス王室の歴史に触れることができる。

ヨーロッパ

ベストシーズン　巡礼シーズンは4月1日から10月末日まで。7月から9月は毎日巡礼ツアーが行われる。朝8時30分に、光輪のマリア像前に集合。案内人に従ってミサに参列し、ベルナデッタの足跡をたどる。聖ヨセフの門の近くで、地図などを借りることもできる。

旅のヒント　ルルドを満喫するには最低でも2日は滞在しよう。周辺の見どころまで回るならもっと長いほうが良い。パリ、ボルドー、トゥールーズ、マルセイユ、リヨンから直通列車あり。

ウェブサイト　jp.franceguide.com（フランス政府観光局）
www.lourdes-france.com（フランス語、英語ほか）

スペイン
聖ヤコブの巡礼路

ピレネー山脈を越えるヨーロッパ有数の巡礼路。
文化と自然と宗教的な驚きに満ちている。

聖 ヤコブの遺骸を祭るサンティアゴ・デ・コンポステーラ大聖堂への巡礼は、1200年近い伝統がある。ヨーロッパ各地から大聖堂へ、何本もの道が延びている。中世にはヨーロッパ北部からの巡礼者が船で近くの港まで来て、使徒を象徴するホタテガイの貝殻を身につけて、最終行程だけを歩いた。

ピレネーを下ってきた巡礼者が最初にたどり着く町がパンプロナ。ゴシック様式の大聖堂がある。そこから少し西のプエンテ・ラ・レイナでは、フランス人とアラゴン人の巡礼者が、11世紀の美しい橋を渡って合流する。13世紀の大聖堂を擁するブルゴスは大きな町で、その西にあるレオン大聖堂はステンドグラスが美しく、内装も明るくて快活な印象。ポンフェラダに残るテンプル騎士団の城など、歴史を物語る遺跡も多い。巡礼の最終目的地サンティアゴ・デ・コンポステーラには、オブラドイロ広場を見下ろすようにバロック様式の大聖堂がそびえている。

ヨーロッパ

見どころと楽しみ

- ピレネー山脈の分水嶺、ロンセスバジェスからスペイン側に下る時、晴れた日には雪を頂いた**山々の絶景**が見渡せる。
- 1日歩き通した後は、**オープンエアのカフェ**でおいしいワインとタパスを楽しもう。
- 中世以来、巡礼者たちは、サンティアゴ・デ・コンポステーラ大聖堂の堂々たる**バロック様式の尖塔**が見えてきた時、たとえようもない幸福感を味わったという。
- ビーゴとラ・コルーニャの間には、スペインでも珍しい**手つかずの海岸線**が残る。
- **パンプロナ**は**サン・フェルミン祭**（7月7日～14日）、別名牛追い祭りが有名。

ベストシーズン 巡礼路を行くなら春か初夏（4月～6月）、または秋（9月～10月）がおすすめ。冬は寒く、湿度が高いし、真夏は暑すぎて歩くには不向き。

旅のヒント ピレネー山脈の町ロンセスバジェスからサンティアゴ・デ・コンポステーラまで、780キロを踏破するには、最低でも2週間は必要。スペイン北部は1年を通じて激しい雨が降るので、雨具や防水服を忘れずに。食事がとれる場所はたくさんある。巡礼者向けホステルは、事前登録すれば無料で宿泊できる。ただし予約は受け付けず、すぐ満室になる。巡礼路沿いの主要都市は、公共交通機関が発達している。

ウェブサイト www.spain.info/JP/TourSpain（スペイン政府観光局）
www.caminosantiago.com（スペイン語、英語ほか）

サンティアゴ・デ・コンポステーラ大聖堂は聖ヤコブが埋葬されているといわれる。彼はイベリア半島のケルト人にキリスト教を広めた。

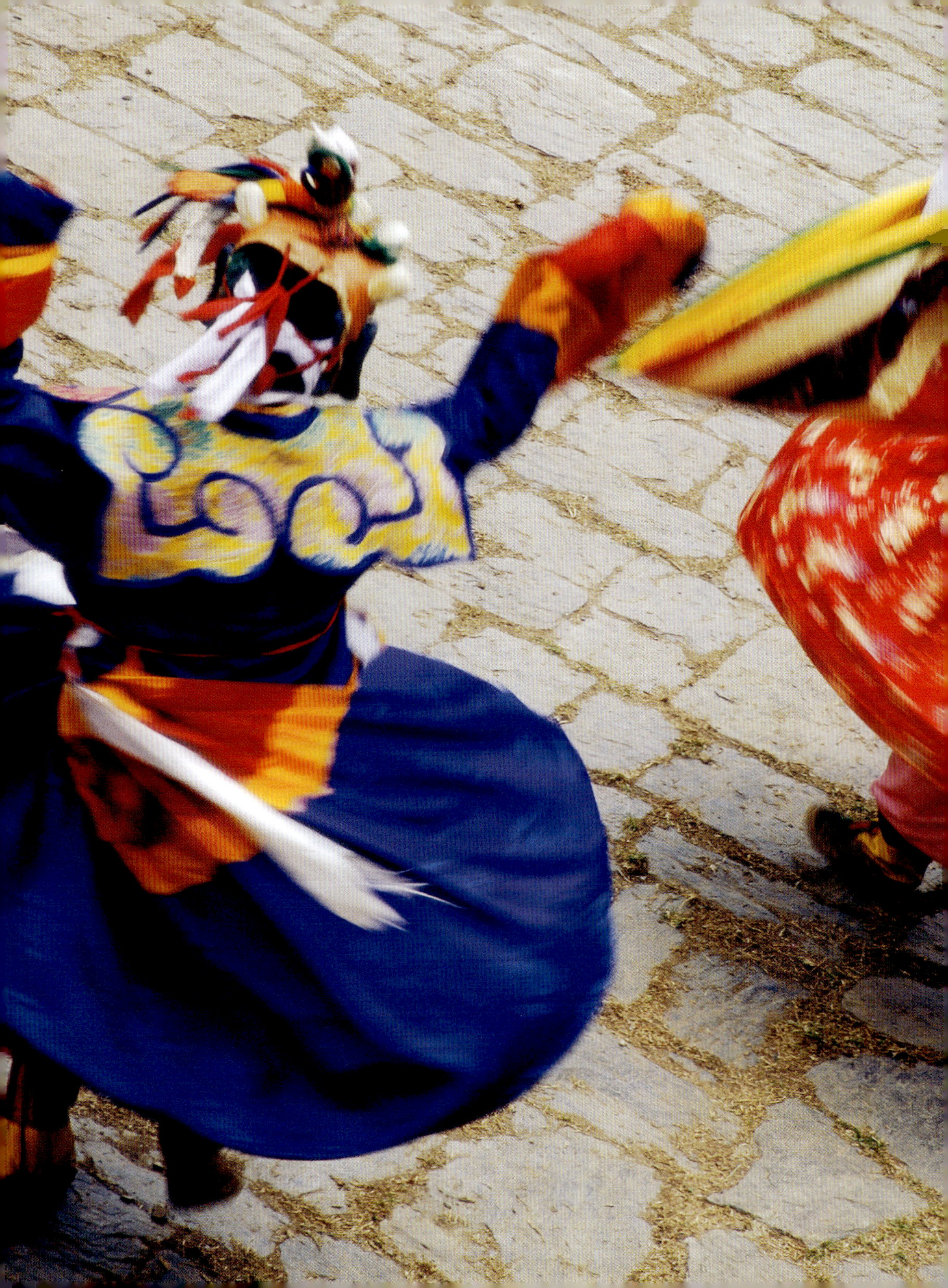

8 儀式と祝祭

仏教、キリスト教、ヒンドゥー教、ユダヤ教、イスラム教、シク教……。世界の主な宗教にはいずれも、神をたたえるための神聖な祝祭の儀式がある。こうした儀式は、各宗教の信者たちの生活に根ざしたもので、暮らしの区切りの行事として、暦の代わりにもなっている。この章で紹介する祭事には、色彩豊かで華やかなもの、厳粛で強い印象を残すものと、さまざまなものがある。

例えば、インドで行われるヒンドゥー教の祭りクンバ・メーラは、世界でも有数の規模を誇る祝祭で、信者をはじめとする人々が、世界中から聖地に集まってくる。韓国のソウルでは、ブッダの誕生日を色彩やかな提灯で飾り、祝う。さらには日本のお盆のように、この世とあの世の境界さえも飛び越え、大切な人を死後の世界から呼び戻す行事も見られる。

形はさまざまだが、こうした儀式や祭りに参加すれば、その地にすむ人々の心やその土地に根づく魂を知ることができる。そしてそれは、一生忘れられない大切な思い出になるはずだ。

左:ヒマラヤ山脈にあるブータン王国で行われる仮面祭ツェチュ。ブータンに仏教を伝えたグル・リンポチェの生涯をたたえて、祭りは数日間にわたって続く。

伝道教会はスペイン植民地時代の1640年に、フランシスコ会修道士が建設した。

米国ニューメキシコ州
サン・エステバン祭

プエブロという昔ながらの集落の面影を残すアコマの町で、毎年開かれる祭り。
乾いた風景の中で、古代から続く神秘的な伝統に触れることができる。

伝説によると、先住民であるアコマの人々は、現在のニューメキシコ州一帯を放浪しながら、彼らが「ハーク(準備された場所)」と呼ぶ安住の地を探していた。ある日、「ハークはどこだ？」と叫ぶと、返事があり、その声に導かれて着いたのが、標高113メートルの砂岩の大地(メサ)にあるスカイシティー(大空の町)だ。彼らにとって、そこは祖先が導いてくれた場所だった。

その後、スペインの圧政に苦しみながらも、アコマの人々は祖先の魂が息づく世界を一途に信仰すると同時に、カトリックの伝統も取り入れた。

毎年9月2日、守護聖人聖エステバンの祝日に、サン・エステバン・デル・レイ伝道教会の鐘が鳴り響く。ミサが終わると、聖人像を掲げた行列が広場まで行進し、風景や動植物などを象徴する音楽と踊りが始まる。それは、土着宗教とカトリックの祝祭が融合した奇祭だが、意味を深く追求するのは野暮というものだ。

ベストシーズン 9月2日。時刻は宗教指導者が決定するので、詳細はハーク博物館に問い合わせよう。祭り以外にもアコマを満喫したいのなら、さらに2日間滞在を延ばそう。

旅のヒント アコマはアルバカーキから車で45分。ハイウェーI-40号線の102出口で降り、案内を頼りにして渓谷にあるハーク博物館とスカイシティー文化センターを目指す。センターでプエブロツアーの手配が可能。写真撮影は許可が必要で、ビデオや三脚の使用は禁止。伝道教会と墓地内の撮影は禁止。

ウェブサイト www.uswest.tv/newmexico (アメリカ西部5州政府観光局)

見どころと楽しみ

■ 伝道教会は、**石と日干しレンガ**でできた堂々たる建物。内部を飾るオウムは美を、トウモロコシは食べ物を、そしてピンク色は大地を象徴している。

■ スカイシティー文化センターで、地元のガイドが案内してくれる**徒歩のプエブロツアー**に参加しよう。アコマの歴史と文化を学ぶ、またとない機会だ。アコマは母系社会で、大切なことは一家の末娘が決める。

■ メサの上からは**360度の視界**が開ける。絶景を堪能したら、昔からある**手掘りの石階段**で地上に降りてみよう。道路ができるまでは、それが村へ通じる唯一の道だった。

■ 渓谷にあるハーク博物館では、アコマの歴史と美術に関する常設展示のほか、特別展も開催されている。幾何学模様が美しい**陶器**が見もの。

北米

カナダ
カムループ・パウワウ

ブリティッシュ・コロンビア州、カムループスで繰り広げられる踊りの祭典。
北米先住民族の文化をたたえ、祝福する。

厳かな静寂のもと、ホスト・ドラムと呼ばれるリード・ドラマーたちが、息を合わせてリズムを刻み、歌い出す。北米先住民の踊りの祭典カムループ・パウワウの始まりだ。祭典を主宰するセクワプミック(シュスワプ)族が、高さ1.8メートルものワシの像を踊りの場に運びこむと、見物客は一斉に背伸びをしてその方向に目をこらす。

続いて、カナダと米国の国旗、参加する先住民の部族を象徴する山車が入場する。踊りの種類ごとに分けられた踊り手たちが、男性を先頭に一列で入場する。アーバーと呼ばれる踊り手たちが、リズミカルなドラムの伴奏にのって、太陽の動きと同じく時計回りに円を描いて動きの合ったステップを踏む。

歌と祈りの祝福が終わると、賞金が懸かったダンス競技会が幕を開ける。男たちが、狩猟や勇敢な行為を、優雅で巧みな動きで表現すると、踊りの場は色彩であふれんばかりになる。女たちは、めまぐるしいステップとともにフリンジ付きのショールを軽やかに回転させ、あでやかなダンスを披露する。

ベストシーズン カムルーパ・パウワウは、毎年7月下旬か8月上旬の金曜夜から日曜まで、カムループスの特別催事場で開催される。各セッションの始まりを告げるグランド・エントリーは、金曜の19時、土曜は正午と19時の2回、日曜は正午に行われる。

旅のヒント 入場券は通し券または1日券で、ゲートで購入できる。毎年パウワウには1万5000人以上が集まるので、ホテルの予約は早めに。カムループスは湖水と河川が豊かな地域にあり、近くの自然を楽しんでほしい。

ウェブサイト jp.canada.travel(カナダ観光局)、www.tkemlups.ca、www.secwepemc.org(英語)

北米

見どころと楽しみ

■ 華やかな**ダンス競技会**は必見。トラディショナル、ジングル・ドレス、グラス・ドレス、チキン、ファンシー・フェザー、ファンシー・ショールなどの種目がある。先住民でない見物客は、インタートライバル・ダンスに参加できる。

■ カナダのブリティッシュ・コロンビア州、サスカチェワン州、アルバータ州、それに米国北部から、**30を超す部族**、1300人近くが参加する。主宰するのは、セクワプミック族のコミュニティーであるカムループス・インディアン・バンド。近くの**セクワプミック博物館と歴史公園**で、彼らの歴史と文化を学ぼう。

■ 祭典では、**パウワウ・プリンセス**のページェントも呼び物。土曜日の戴冠式がクライマックス。

カムルーパ・パウワウでは、歌とドラムの競技会も白熱する。

トリニダードトバゴ
光の祭典 ディワーリー

カリブ海に浮かぶ島国のヒンドゥー教の祭り「ディワーリー」。
やわらかな光に包まれた街路で、人々は音楽や食事を楽しむ。

普段は騒がしい通りが静まり返り、無数の小さな炎が揺らめく。ディワーリーの時期になると、トリニダードトバゴの首都、ポート・オブ・スペインのはずれにあるアランフェスの通りで、また、トリニダード島中部のチャグアナスの家々の車寄せや窓辺で、さらに同島南部のサン・フェルナンドの玄関や中庭で、地面を埋め尽くすように素焼きのランプが並べられ、火が灯される。

ディワーリーは、光と富、繁栄の女神であるラクシュミーに捧げられ、またラーマ神が14年間に及ぶ追放から戻って来たことを祝福する祭りである。

トリニダードトバゴの住民は40パーセント以上がインド系で、ヒンドゥー教徒の家では、祭壇の前でラクシュミー・プジャという礼拝を行う。そして友人知人が集まってインド風のごちそうに舌鼓を打つのだが、厳格な決まりで肉類は出ない。

フェリシティやパトナといった小さな村では、夜になると静けさを破って人々が通りに押しよせ、インド風の音楽を奏で、踊りながら伝統的な食事を楽しむ。

アルコールは厳禁なので、祝祭でありながら厳粛な雰囲気の中、太鼓や金属の皿が単調なリズムを刻み、花火が夜空を切りさいて光と音がはじける。

ベストシーズン ディワーリーは10月または11月に行われる。

旅のヒント トリニダード島でディワーリー・ナガラに参加し、サン・フェルナンドで歴史の新しいディワーリー・サムランを見物して、さらにチャグアナスにあるヒンドゥー教の海中神殿を見学するならば、最低でも4日間が必要になる。この時期はホテルも満室になるので予約は早めに入れること。チャグアナスやサン・フェルナンドなど、小さな村を訪ねるには車が必要。ディワーリー・ナガラに向かう車の大渋滞は、覚悟しておこう。

ウェブサイト www.diwalifestival.org（英語）

北米

見どころと楽しみ

■ チャグアナス近郊で9日間にわたって行われる**ディワーリー・ナガラ**で祭りは開幕。伝統と現代性を融合させたダンスや刺激的な音楽など、トリニダードトバゴを代表するインド系アーティストのパフォーマンスが堪能できる。

■ インドとトリニダードトバゴの**名物料理**を試そう。ロティはカレー入りの平たいパン、グラブ・ジャマンは香りをつけたドーナツだ。

● ウォータールーには、世界でただ一つのインド・カリブ博物館がある。

■ ランプの中には、竹枠を走馬灯にした凝ったつくりのものもある。近所で出来ばえを競い合っているのを見て歩くのも楽しい。

ディワーリーでランプを並べていく女性たち。ランプは祭りの前の週から、サン・フアン、チャグアナス、サン・フェルナンドの通りで売り出される。

ボブ・マーリーの誕生日を祝ってドラムを鳴らす人々。赤、緑、金色はラスタファリズムを象徴する色だ。

ジャマイカ
スラム生まれの儀式 ナイヤビンギ

貧困と抑圧の中から生まれたラスタファリズムの儀式ナイヤビンギ。
ドラムのリズムと詠唱、そして"聖なる煙"が、町を包み込む。

ドラムが単調なリズムを刻む。詠唱が始まり、短いフレーズが何度も繰り返される。その言葉は、「バビロンを焼き尽くせ」「バビロンよ、おまえの玉座は倒れた」といった黙示録的なものや、「目覚めよ、シオン、目覚めよ」「聖書を読みなさい」といった教訓めいたものだ。

人々はリズムに合わせて揺れ、男たちはドレッドヘアを激しく振る。誰かが「火を貸せ！」と叫び、ガンジャと呼ばれる「聖なるハーブ（大麻）」を詰めたパイプを回しのむ。これがラスタファリズムの神聖な儀式、ナイヤビンギ（またはビンギ）だ。

彼らのドラムと詠唱とハーブは精神を高揚させるための手段であり、その場に居合わせた第三者でさえも気持ちが高ぶってくるのを感じる。

1930年代、ジャマイカの首都キングストンの極貧スラムから誕生したラスタファリズムは、歴史こそ浅いものの、その教えはあらゆる人の経験に通ずるものがある。彼らがダウンプレッションと呼ぶ抑圧は、多かれ少なかれ、誰しも感じているだろう。ドラムのリズムと詠唱が続く中、魂の自由、崩壊した秩序（バビロン）からの解放、追放された人々のシオンへの帰還を呼びかける声が響き渡る。

見どころと楽しみ

■ ジャマイカ北岸、セント・アンズ・パリッシュの丘陵地にある**ナイン・マイル**という村は、偉大なレゲエ歌手、ボブ・マーリーの生地。現在は、このラスタファリズムのスーパースターが眠る霊廟が建っている。観光客はここを訪ねたついでに、内陸部の小さな町や村々を巡り、美しい景色を楽しむことができる。

■ キングストンには、ボブ・マーリーの旧宅を改造した**博物館**がある。ホープ・ロードに面した美しいタウンハウスだ。愛用のギブソンのギターなど、思い出の品が展示されており、裏手の壁には暗殺未遂事件の時の弾痕も残っている。

■ 博物館の敷地内には、**レストラン「クィーン・オブ・シバ」**がある。マーリーが好きだった料理をはじめ、ベジタリアンフードが楽しめる。

北米

ベストシーズン　毎年2月はレゲエの月だ。ラスタファリズム信奉者は2月6日のボブ・マーリーの誕生日を祝う。ほかにも、次のような祝日がある。4月21日：グラウネイションデイ（ハイレ・セラシエがジャマイカを訪問した記念日）。7月23日：ハイレ・セラシエの誕生日。8月17日：ジャマイカ生まれの黒人運動指導者、マーカス・ガービーの誕生日。11月2日：ハイレ・セラシエの戴冠記念日。

旅のヒント　正統派のナイヤビンギは、内陸の山間部で行われ、招待者しか参加できない。ただし、大きな祭りなどの時は、浜辺や町中でも行われる。ガンジャの使用は違法。

ウェブサイト　www.visitjamaica.jp（ジャマイカ政府観光局）

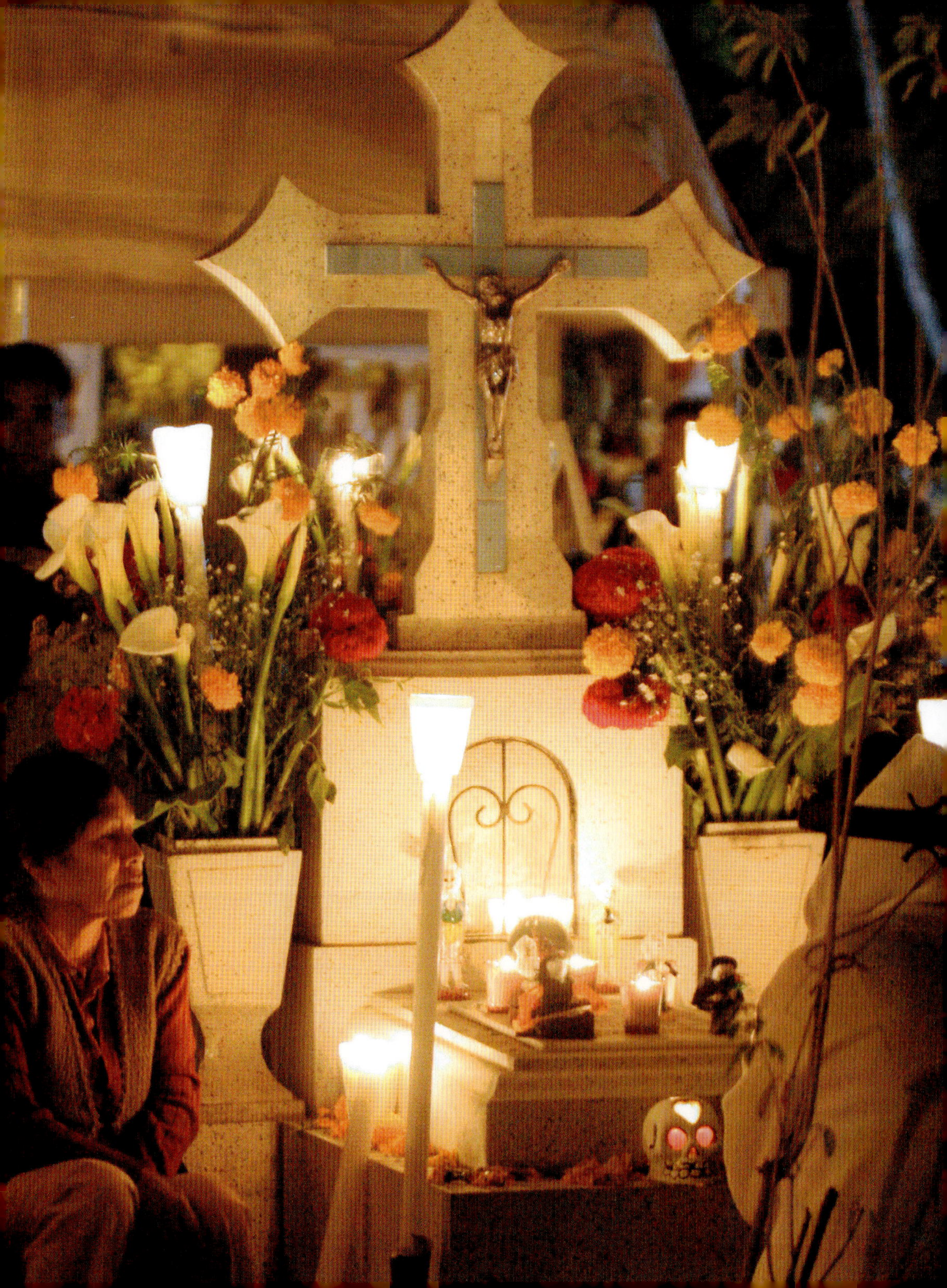

メキシコ 「死者の日」祭り

音楽と踊り、ごちそうで満たされたにぎやかな3日間、
人々は死のつらさや悲しみを、つかの間忘れる。

メキシコ南部のオアハカ。墓地に集まった数千人の人々が墓石をきれいに磨き上げ、金色と真紅の花飾りを供える様子は感動的だ。

太陽が沈むと、墓地はカーニバル会場に一変する。そぞろ歩きをする家族の間を、売り子たちが、ろうでできた骸骨などを売り歩き、子どもたちは爆竹を鳴らす。若者たちはステレオを大音量でかけ、ギターの流しも現れる。たき火の前で老女が宗教の歌を歌うと、皆がその周りに集まり、聞きいる。

ディア・デ・ロス・ムエルトス、「死者の日」と呼ばれるこの祭りは、メキシコのあちこちで行われるが、最も有名なのはオアハカで行われるものだ。基本になっているのはカトリック信仰だが、死んだ親類を生まれ変わらせるために神に生けにえを捧げるアステカの伝統も混ざっている。

子どもたちは魔女や吸血鬼などの格好をするので、ハロウィーンを思わせるところもある。死者の祭りとは何とも恐ろしげだが、何のことはなく、実際は不気味とはほど遠い。ブラスバンドが練り歩き、目にもあでやかな衣装の踊り手たちがそれに続く。女たちは腕によりをかけて、リュウゼツランから「月光のサボテン」という酒をつくる。人々は死者の頭という意味をもつカラベラの歌を歌い、詩を口ずさむ。死者の日のオアハカは、生命が満ち満ちている。

ベストシーズン 死者の日の祭りは10月31日から11月2日の3日間。祭りの数日前にオアハカ入りして、町の様子を把握しておくと良い。町はずれには、コロンブス到達以前の遺跡も残っている。

旅のヒント 毎年10月最終週のオアハカは特別なイベントが目白押しなので、満喫するには最低4日間は滞在したい。オアハカ行きのフライトと設備の整ったホテルはすぐいっぱいになるので、予約は早めに。オアハカは標高が高く、夜は驚くほど冷えこむ。
墓地や夜の催しを見に行く場合は、タクシーかホテルの車に送迎を頼み、夜明け前には宿に戻ること。
旅行代理店のガイド付きツアーもあるが、3時間程度と短いものが多い。

ウェブサイト www.visitmexico.com （メキシコ政府観光局）
www.go-oaxaca.com （英語、スペイン語）

北米

見どころと楽しみ

■市の中心部に近い広大な**パンテオン共同墓地**は、数千のろうそくや花飾り、精巧につくられた骸骨の模型などで飾られる。

■オアハカの南はずれ、ソソコトランにある市営墓地でも**伝統的な祭り**が夜通し行われる。

■祭りに欠かせない食べ物、花、爆竹、ろうの骸骨などは、中央広場（ソカロ）に近い**ベニト・フアレス市場**に立つ700以上の露店で買える。市場の一部は伝統工芸品の売り場にもなっていて、オアハカ名物の木彫りや織物も販売される。

■11月1日の「**万聖節**」は、カトリック教会が定めた祝日で、スペイン・バロック様式の**メトロポリターナ・デ・オアハカ大聖堂**ではミサが行われる。教会の外の路上では、地元のアーティストたちが、おがくずやチョーク、色砂などを駆使して「**タペーテス・デ・アレーナ**」と呼ばれる美しい絵を描く。

前ページ：オアハカ郊外、ソソコトラン墓地でろうそくを灯して亡き人をしのぶ。祭りの間にもこんな静かなひと時がある。上：歯をむき出しにした骸骨がリボンでおめかしをしている。メキシコの人々は、こんな豊かな発想で死の恐怖を笑い飛ばしてしまう。

ベネズエラ
太鼓が響く サン・フアン祭

首都カラカス周辺とカリブ海沿岸の小さな町は、
6月、サン・フアン（洗礼者聖ヨハネ）をたたえる祭りで沸き返る。

南米

蒸し暑い夜だ。腹の底に響く太鼓のリズムに合わせ、腰をくねらせて踊る少女の首筋にも汗が光る。その周囲で手拍子をとる群衆の中から、1人の若者が歩み出てきて彼女を誘う。しかし、少女は若者には目もくれず、ひたすら踊り続ける。続いて別の若者が彼女を口説き始める……。

バルロベントの町をはじめとするこの一帯には、奴隷たちに作業をさせたプランテーションが多く、カトリックの信仰を柱としながらも、アフリカの伝統的な儀式の要素を取り入れた数々の祭りがある。祭りで使われる太鼓もまた、アフリカを起源とする。中でも有名なのが、木でできたミナという大きな太鼓だ。奏者は、ミナにまたがって皮の面を鳴らし、仲間がばちで側面をたたく。

カリブ海沿岸では、サン・フアン（洗礼者聖ヨハネ）が守護聖人になっていることが多く、どの村の家を訪ねても、サン・フアン像を祭る小さな祭壇があり、花や色紙で飾られている。いつもは眠っているような小さな町が多いが、6月に入るとにわかに祭り気分が盛り上がり、躍動するリズムがあちこちから聞こえる。リズムのパターンは町ごとに決まっていて、詠唱も伴って複雑なハーモニーを奏でる。

ベストシーズン　サン・フアン祭は6月23日から25日まで開催される。
旅のヒント　祭りはたくさんの町で行われるが、どこもカラカスからバスで行ける距離だ。規模が大きいのは、ガレナス、ガティーレ、サンタ・ルシア、オクマレ・デル・トゥイ、バルロベント、クリエベ。どこも開放的で、観光客も踊りの輪に加わるよう誘われる。地元の人たちは気さくに接してくれるが、よそ者が気おくれする気持ちは理解していない。上手に踊れなくても良いから、ぜひ参加しよう。
ウェブサイト　www.rbv.info（スペイン語、英語ほか）

見どころと楽しみ

■ 6月24日には聖人のためのミサが行われ、その後サン・フアン像が通りを練り歩く。道端の見物人は、**パレード**の行列に向かってラム酒をかける。サン・フアンは地元では大酒飲みとして知られている。

■ 地元の太鼓工房を訪ねてみよう。職人がアボカドの木から太鼓をつくる様子を見せてくれる。その村の太鼓の歴史も聞かせてくれるかもしれない。

■ **クリエベ**の町は、とりわけ威勢のよい祭りで知られる。2万人以上が繰り出してにぎやかに行進する。お祭り気分にラムの酔いも手伝って、人々は昼夜を分かたず踊り続ける。

クリエベで3日間続く祭りでは、ノンストップの太鼓と踊りに人々の興奮は頂点に達する。

山高帽にポジェラという伝統的なスカート姿の女たちが、コパカバーナの中央広場で踊り、祭りの開幕を告げる。

ボリビア
聖母マリアの祝祭

ボリビアで最も崇められている聖母マリア像のお祭りでは、
荒々しい騒ぎが3日間にわたって続く。

ムーア式アーチがそびえる広場や通りには、色鮮やかな花びらがまかれている。民族衣装を着た酔っぱらいが、フルートとパイプ笛や太鼓が奏でるアイマラ族の音楽に合わせて踊る。すぐ近くにはティティカカ湖がある。

湖の南西部に突き出した半島の突端、コパカバーナという小さな町に、バシリカ・デ・ラ・ビルジェン・デ・カンデラリーア（ろうそくの聖母教会）がある。

1576年、漁の最中に激しい嵐にあった女性が、聖母マリアに救われたという伝説がある。それを聞いたインカ族の職人ティト・ユパンキが、マゲイの黒い木で聖母マリア像を彫って教会に奉納した。それ以来、このマリア像は奇跡を起こすとして、ペルーとボリビアで有名になり、「湖の黒いマリア」と呼ばれるようになった。

教会はその後スペイン人によって拡張され、1805年に現在の聖堂が完成した。聖母マリア祭は2月の3日間に行われ、ボリビア各地から巡礼者がやって来て聖母に感謝の祈りを捧げる。

めくるめくさまざまな色彩と騒音の洪水の中、聖母像はガラスの棺に入れられて町を練り歩いた後、小舟にのせられて湖に出て湖水を祝福する。

ベストシーズン　祭りは2月初めの3日間だけだが、祝福やミサは聖堂で毎日行われている。
旅のヒント　コパカバーナは小さい町なので、数日もあれば十分見て回れる。それより、ティティカカ湖や、ボリビアで最初の都市ラパスの観光に時間をとったほうがいい。標高は3855メートルもあり、日が沈むと急に寒くなるので暖かい服装を用意しておこう。コパカバーナ市内とその周辺にはホテルがたくさんあり、湖岸にあるオスタル・ラ・クプラとロザリオ・デル・ラゴは眺めが美しい。
ウェブサイト　www.bo.emb-japan.go.jp/jp（在ボリビア日本国大使館）

見どころと楽しみ
■ 聖母マリア像は、バロック様式の祭壇飾りを背景に立っている。暗闇の中でろうそくを灯すと、幻想的でとても美しい。

■ 祭りの3日目には、町はずれの囲いに雄牛が集められる。酒に酔った命知らずの連中が囲いに飛び込み、角で突かれないように逃げ回る。

■ 聖堂の前には、花やリボンで飾ったバスや乗用車、トラックが1年を通じて数多く駐車している。ベネディシオン・デ・モビルダーデス（自動車の安全祈願）という儀式のためだ。儀式では事故よけに酒が車にかけられる。

南米

ペルー

「奇跡の神」祭り

紫の衣装に身を包んだ修道士たちが、奇跡を呼ぶ
リマの守護聖人の絵を担いで街を練り歩く。

首都リマの10月は紫に染まる。カトリック信者が、悔悟(かいご)の色とされる紫を身にまとうからだ。彼らが崇拝するのが、「パカマミリャ（ケチュア語で大地の色と信仰心）のキリスト」と呼ばれる絵だ。十字架にかけられたイエスの足元に聖母マリアがいて、神と精霊が天から見守っている。もともと、リマの教会にあった絵だが、1746年の大地震でも無傷だったため、奇跡を呼ぶとされた。

その後、この壁を取り囲むようにラス・ナサレナス教会が建てられ、「パカマミリャのキリスト」も、そこに保管されている。この絵がもつ奇跡の力は南米に広く知られていて、年1度のパレードには「セニョール・デ・ロス・ミラグロス（奇跡の神）」をたたえようと、何万人もの人がやって来る。

人々は祭りの前夜から教会に泊まり、夜明けのミサに参加する。ミサの祝福を受けた後、行列が教会を出発し、リマの中心部を通り、ラ・メルセド教会を目指す。

イエスの絵はこしに乗せられ、紫の服をまとった修道士たちがうやうやしく運ぶ。

ベストシーズン 祭りは10月18日に始まり、行列は翌日に行われる。古い歴史を誇るリマを見物するなら、時間に余裕をもって滞在しよう。

旅のヒント リマのホルヘ・チャベス空港には南北アメリカとヨーロッパから便がある。国内を回るのはバスが一般的だが、夜行バスは避けよう。また自分で運転するよりタクシーに乗ったほうが良い。安ホテルは市の中心部のいかがわしい地域にあるので、ミラフローレスやバランコ辺りで泊まる方が無難。リマは食べ物がおいしく、特にシーフードがおすすめ。

ウェブサイト www.peru-japan.org（ペルー観光情報サイト）、www.peru.info（スペイン語、英語ほか）

南米

見どころと楽しみ

■ 伝統的な**ツロン・デ・ドニャ・ペパ**を食べてみよう。これは祭りにちなんだお菓子で、10月を通じて町で売られる。

■ リマのバランコ地区にあるクラブ、ラ・カンデラリアで、地元の人と一緒に**音楽や踊り**を楽しもう。ペルーの民族衣装や古い習慣に触れられる。

■ ラファエル・ラルコ・エレーラ考古学博物館では、**ペルー先住民**について学べる。古代の布地、人工物、陶器、金製品など、日常生活や宗教儀式で使われた品が展示されている。

10月、リマの通りは紫一色に染まり、人々は奇跡を起こすというイエスの絵に集まる。

盆の明けに行われる灯籠流し。祖先の霊をあの世に送り届ける行事だ。

日本
お盆

祖先の霊をあの世から迎え、供養する夏の行事。
仏教行事の盂蘭盆と日本古来の信仰が結びついたとされる。

　毎年8月半ば、多くの日本人は夏休みを兼ねて帰省し、家族とともに祖先の霊をあの世から迎える。「盆の入り」にはナスやキュウリでつくった牛馬を供えて、玄関先で、麻の茎オガラを燃やして「迎え火」をたく。こうして迎えた霊を供養し、4日後の「盆の明け」に送り火をたき、送り出す。

　盆の入りは、地方によって旧暦7月15日であったり、新暦8月13日であったりするが、「お盆」は日本人が受け継いできた大切な暮らしの行事だ。

　この先祖供養の行事は、目連尊者の故事に由来するという。亡き母が餓鬼道に堕ちて苦しんでいることを知った目連は、ブッダの教えに従って、夏の修行を終えたばかりの修行僧に食事を施した。すると、その功徳により、母親は救われた。それを知った目連は喜んで踊り出し、それが「盆踊り」の起源だという説もある。

　盆の明けには、京都・如意ヶ岳などで行われる五山送り火や長崎県内の精霊流しなど、各地で祖先の霊をあの世へ送るための火がたかれる。こうして祖先とのつかの間の再会が幕を閉じる。

見どころと楽しみ

■ **盆踊り**は寺の境内や町の広場で行われ、参加者は浴衣を着ることが多い。地域によって違うが、太鼓に合わせて円を描くように踊る。

■ 盆の明けに、祖先の霊を無事にあの世に送り届けるために**灯籠流し**を行う地域もある。文字や絵を描いた紙製の灯籠にろうそくを灯し、海に通じる川や湖に流す。

■ 灯籠流しは、日本の各地で行われる。特に有名なのは、宮津燈籠流し（京都府）、横手の送り盆まつり（秋田県）、敦賀とうろう流し（福井県）、長崎精霊流し。いずれも8月15日または16日に行われる。

アジア

ベストシーズン　お盆の時期は地方によってさまざまだが、全国的には8月13日から16日が一般的だ。
旅のヒント　京都の五山送り火は、市内のあちこちから見られる。最も知られる如意ヶ岳の「大」の字は、鴨川堤防からよく見える。北区の船岡山公園の頂上からは、鳥居形を除いてすべて見えるが、当日は混雑する。有料で、市内のホテル屋上から食事をしながら見るプランがある。
ウェブサイト　www.kyokanko.or.jp（京都市観光協会）

世界の夜祭り トップ10

夜に行われる祭りは世界各地にある。人々が寝静まる真夜中に、音楽や踊りで盛り上がる祭りを紹介しよう。

❶ 春の夜祭り（メキシコ）

メキシコ市は、春の訪れを独特のやり方で祝福する。この祭りが始まると、町の通りや広場では一晩中音楽が鳴り響き、人々はひたすら踊り続ける。民族音楽とラテンのリズムが混ざり合い、曲芸や劇団の一座も登場して夜明けまで大騒ぎになる。

旅のヒント　祭りが始まるのは、春分の前日(3月20日前後)の17時から。
www.visitmexico.com（メキシコ政府観光局）

❷ 魔女の夜祭り（メキシコ）

カテマコの町で毎年行われるこの祭りは、魔法にまつわるあらゆるものが登場するスペクタクルだ。魔女、魔法使い、占い師、祈祷師などが一堂に会し、出店がずらりと並び、通りでは余興にぎやかに行われる。料金を払えば、魔法や呪いをかけたり、薬草で病気を治してもらったりできる。

旅のヒント　毎年3月の最初の金曜日に魔女会議が開催される。夜通しの祝祭はその前の木曜夜から始まる。
www.catemaco.info/brujos（英語）

❸ 大みそかの祝祭（ブラジル リオデジャネイロ）

大みそかの夜、コパカバーナ海岸に大勢の人が集まり、花火を眺めたり、サンバを踊ったりする。真夜中近く、白づくめの衣装の人々が、海の女神イエマンジャに捧げ物をする。香水、花、米などを入れた紙の小舟が海に流され、何千本ものろうそくが夜空を照らす。

旅のヒント　海岸はリオデジャネイロ中心部から近く、電車やバスで行ける。
www.brasemb.or.jp（駐日ブラジル大使館）
www.ipanema.com（英語）

❹ 秩父夜祭（日本 埼玉県）

祭りに登場する6基の屋台はそれぞれ異なる守り神を祭ったもので、提灯や彫刻、錦でまばゆいばかりに飾られ、何百人もの引き手がかけ声を合わせて引く。通りは混雑し、軽食や酒を売る屋台が並び、夜空を華やかな花火が彩る。

旅のヒント　12月2日から3日。秩父は東京から電車で90分。
navi.city.chichibu.lg.jp（秩父観光なび）

❺ 提灯祭（中国）

旧暦で新年最初の月の15日には、中国全土の町や村が提灯の光で埋め尽くされる。赤くて丸い伝統的な提灯のほかに、チョウや竜、鳥の形の提灯が出る。それぞれに謎かけが書かれていて、答えを当てた者は賞品をもらえる。

旅のヒント　提灯祭は毎年2月に中国各地で行われる。www.cnta.jp（中国国家観光局）、www.chinavoc.com/festivals/lantern.htm（英語）

❻ テト（ベトナム）

テトはベトナムの旧正月。ベトナムでは、テトの前日の大みそかはすべてが新しくなる日であり、人々は期待で胸をふくらませながら日付が変わるのを待つ。家はきれいに清められ、美しい花で飾られる。家で祖先に祈りの言葉を捧げる人もいる。公園では花火が打ち上げられる。この日、1年間の災厄をすべて忘れるのだ。

旅のヒント　テトは旧暦に基づくため日程は毎年変わるが、だいたい1月後半から2月初旬にかけて。公式の祝日は3日間だが、実際はもっと長く続く。
www.vietnamtourism.com（ベトナム政府観光局）
www.thingsasian.com/stories-photos/1253（英語）

❼ レイラトゥル・バラー（パキスタン）

イスラム暦で8番目の月シャバーンにレイラトゥル・バラー（救済の夜）が訪れる。アラーに自分の罪の許しを請う日だ。この夜、人々はモスクにこもってひたすら祈りを捧げたり、墓地で死者のために祈ったりする。この日は断食する。

旅のヒント　レイラトゥル・バラーはイスラム世界で広く行われる。
worldupdates.tripod.com/newupdates10/id69.htm（英語）

❽ ジャニ（ラトビア）

ラトビアの古都クルジガの人々は、夏至の日、裸で通りを走り回る。花やオークの葉でつくった冠をかぶり、ジャニという薬草とかがり火で祝う所もある。かがり火は日暮れ前につけられ、夜明けまでずっとたかれている。邪悪な霊を払うための、わらでつくったいまつも用意される。

旅のヒント　かがり火は夏至前夜に点火され、祭りは2日間続く。
latviatourism.lv（英語ほか）
www.culture.lv/en/icons/14（英語, ラトビア語ほか）

❾ サン・フアン祭（スペイン）

スペインのサン・フアン祭では、町全体が、かがり火と音楽で包まれる。午後いっぱいかけてたきぎを組み上げ、それを夜通したき続けて夏の到来を祝うのだ。サン・フアン祭の夜、かがり火を3回飛び越せば、災厄も燃えてしまうという。

旅のヒント　日程は地域によって異なるが、6月23日前後。
www.spain.info/JP/TourSpain（スペイン政府観光局）
www.donquijote.org/culture/spain/fiestas/sanjuan.asp（英語）

❿ 夏至祭（英国イングランド）

グラストンベリーの丘は、1000年以上昔から神聖な場所であり、アーサー王時代の伝説も残っている。平地にいきなり現れる不思議な丘は、ドルイドの聖地として夏至の儀式が行われる場所だ。夏至の前夜、人々はこの丘の上で輪になる。子どもたちが花びらをまき、聖水が振りかけられ、たき火で祝福する。

旅のヒント　グラストンベリーの丘はナショナル・トラストが管理しているが、入場料や入場時間などの制限はない。
www.visitbritain.jp（英国政府観光庁）
www.nationaltrust.org.uk
www.glastonburytor.org.uk（英語）

次ページ：リオデジャネイロ、コパカバーナ海岸に夜が訪れると、人々は1年間の幸せを祈りながら、女神イエマンジャへの花の捧げ物を海に流す。

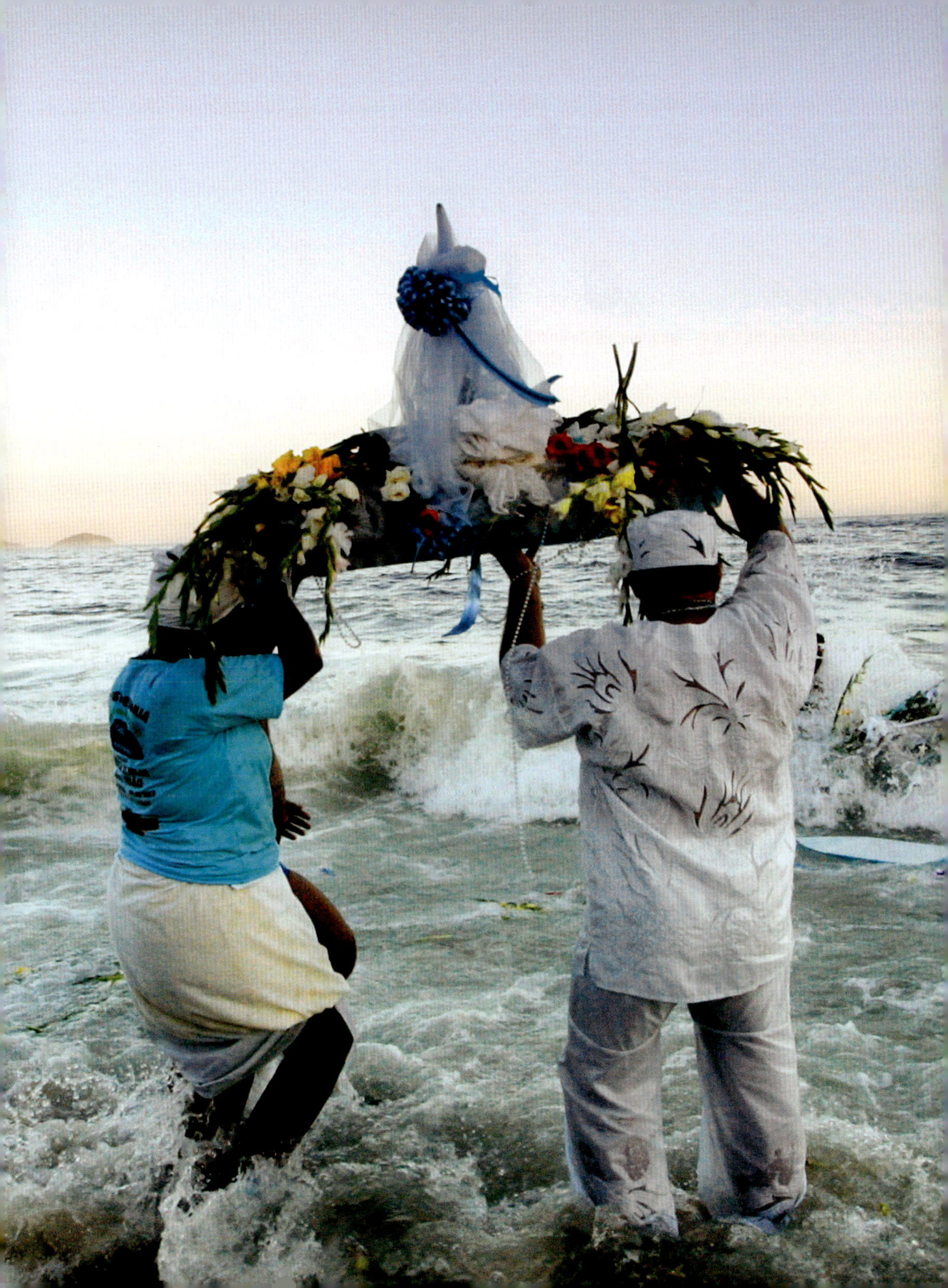

日本　青森県

ねぶた祭

規模と勇壮さにかけては日本でも屈指の祭り。
けがれを流す清めの儀式から、大がかりな祭りへと発展してきた。

アジア

青森市は、毎年8月になると300万人もの人出でにぎわう。この時期に、武者や鬼などをかたどったいくつもの巨大な張り子の人形に明かりを灯し、町中を威勢よく練り歩く、ねぶた祭が行われるからだ。

青森のねぶた祭はその昔、七夕の行事として、人形にけがれを託して川や海に流した風習が原型とされる。それが戦後に観光化し、日本有数の祭りとなった。

また、この祭りは東北地方の短い夏の終わりを告げる風物詩でもある。何百個という電球を内部に仕込んだ20基ものねぶたが、毎夜約3キロのコースを引き回される光景は、勇壮そのものだ。

ねぶたは、大きなものでは高さ8メートル、幅15メートル、重さ4トンにも達する。まず、木と針金で骨組みをつくり、その上に紙を張って、鮮やかな色を塗る。

巨大な英雄や戦士が躍動するねぶたの下には、「はねと」と呼ばれる踊り手たちが、笛や太鼓を鳴らし、勇ましいかけ声に合わせて踊る。

ベストシーズン　前夜祭の8月1日から8月7日まで。最初の2日は子どもねぶたで、最高潮に達するのは8月4日と5日。

旅のヒント　青森市へは、飛行機、フェリー、バス、鉄道で行ける。
市の中心部にはビジネスホテルが多数あるが、手頃な価格の宿は少ないので、近くの弘前市に泊まる手もある。祭りの期間中の宿泊は、早めに予約すること。
地元の店では、はねとの衣装をレンタルして踊りに加わるには、行進が始まる30分前から待機すること。

ウェブサイト　www.nebuta.or.jp（青森ねぶた祭）

見どころと楽しみ

■**ねぶた**は有名な武将や歴史上の人物、歌舞伎の登場人物を題材にしているが、デザインはオリジナル。制作には手間ひまがかかるため、祭りが終わるとすぐ翌年のねぶたづくりが始まる。

■最終日の夜には上位3基のねぶたが船に乗せられ、盛大に花火が打ち上げられる中、**青森湾を一周**する。これは、ろうそくを灯した灯籠を海に流して、病気や悪運を退散させ、豊作を祈願したのが始まりだろう。

青森市の通りを、まばゆいばかりの巨大なねぶたが練り歩く。

三社祭の2日目、精巧に飾られた神輿が、おはらいを受けるために浅草神社へと向かう。

日本 東京都

三社祭

東京でも有数の歴史を誇り、3体の神が祭られる浅草神社。三社祭の3日間に、浅草には幸運が呼び込まれるとされ、風情のある街並みは喧騒に包まれる。

今から1300年前、3人の漁師の網に観音像がかかったという。その観音像を安置するために建てられたのが東京の浅草寺だ。明治の神仏分離まで浅草寺と一体だった浅草神社には、3人の漁師が祭られている。

三社祭は、この浅草神社の例大祭。期間中は150万人もの人出がある。人であふれる浅草の街を、金と漆で飾られた神輿が移動する。神輿は神の乗り物であり、その担ぎ手に選ばれるのは大変な名誉だ。

祭りの初日の金曜日、神輿は、全員そろいの白い法被を着た担ぎ手に担がれて浅草の三つの地域を巡回する。笛や太鼓を使った祭ばやし、手拍子、かけ声などで騒然となり、酒の勢いも手伝って、見物人も騒ぎに加わったりする。

2日目、神輿は神社の境内に入っておはらいを受けて、街を練り歩く。3日目は、本社神輿3基が通りを練り歩き、人々に祝福を授ける。祭りの興奮は最高潮に達し、神輿の担ぎ棒の奪い合いが始まる。神輿が激しく上下に揺れれば揺れるほど、幸運が周囲に振りまかれるという。

ベストシーズン　祭りは5月の第3金曜日からの3日間。毎日異なる催しがある。大混雑するが、3日間すべて見物することをおすすめする。

旅のヒント　車で行くと大混乱に巻きこまれるので、電車で早めに行って見物場所を確保しよう。銀座線と都営浅草線の浅草駅が最寄り。祭りの衣装などは専門店で一通りそろえられる。土曜または日曜には、浅草芸者の行列も見られる。

ウェブサイト　www.sanjasama.jp（浅草神社奉賛会）

見どころと楽しみ

■ 金曜日は腹に響くような**太鼓の音**とともに行列を眺め、土曜日は境内での催しを見物する。催しは最後の神輿が神社を出た後に始まる。

■ 土曜日には、そろいのはんてんを着た**子どもたち**が小さい神輿を引く。

■ 男たちが上半身の**入れ墨**を見せながら大きい神輿に乗り、笛や太鼓の音に合わせて踊る。入れ墨模様が一面に入ったシャツも売っている。

■ 祭りならではの**食べ物**も楽しみ。目の前で焼いてくれるせんべい、たこ焼き、お好み焼きは神社近くの屋台で買える。

アジア

伝統衣装で着飾った女性たちが、提灯行列に参加するために急ぎ足で会場に向かう。

韓国
ブッダの生誕を祝う 燃灯祝祭

韓国の首都ソウルでは、色とりどりの提灯をもった人々が
通りを練り歩き、ブッダの誕生日を盛大に祝う。

　東アジア地域では、人々は2500年以上も前から仏教の開祖であるブッダの誕生日を祝ってきた。中でも規模が大きく、華やかなのがソウルの燃灯祝祭で、伝統的な紙の提灯を掲げて練り歩き、祈りを捧げる。

　この祭りは地元では「ブッダが到来した日」と呼ばれ、さまざまな祝賀行事や行列、展示などが行われ、海外からも仏教徒や観光客が見物にたくさんやって来る。禅宗の座禅1日レッスンや、提灯づくり、韓国の古典的な文様づくりといった参加型の行事も目白押しだ。

　午後になると子どもたちが時代劇を演じて、歌ったり踊ったりする。曹渓寺(そうけいじ)では僧侶たちによる韓国仏教独特の舞踊と楽器演奏が披露される。

　夕暮れ時になると、通りを10万個以上の提灯が埋め尽くす行列が見られる。ハンボクという伝統衣装を着た僧侶や尼僧も、一般市民や観光客とともに行進する。提灯は全部で70種類ある。ハスの花とチョウをかたどった、片手で持てるぐらいのものから、竜の形をした数人がかりで運ぶもの、ゾウとブッダの姿を再現したものなど、それぞれに異なる願いが込められている。

　東大門から出発する行列は、約90分かけて曹渓寺に到着する。

見どころと楽しみ

■ 昼間の**ストリートフェスティバル**が次第に盛り上がって、提灯行列へと続く。観光客も韓国伝統の紙工芸、韓紙に挑戦して自分の提灯をつくることができる。

■ 祭りが始まる前の週、**奉恩寺**(ほうおんじ)ではさまざまな**提灯**が展示される。また、近くにあるソウル市庁前広場では、巨大な蓮華灯が点灯する。

■ 祭りの前夜、**曹渓寺**では巨大な提灯が展示されてお祭り気分が盛り上がる。

■ 提灯行列の最後を飾る**仏教儀式**には、韓国全土の寺院代表者が集まる。

アジア

ベストシーズン　日本ではブッダの生誕を祝う灌仏会は西暦4月8日だが、韓国では旧暦4月8日に祝う。

旅のヒント　祭りは3日間にわたり、提灯行列でクライマックスを迎える。この時期、ソウルには数万人が見物に訪れるので、早いうちに宿を確保しておくこと。祭りの間、ソウル市内の仏教寺院では簡単な食事を無料で提供してくれる。

ウェブサイト　japanese.visitkorea.or.kr (韓国観光公社)、www.llf.or.kr (燃燈祝祭公式サイト)

フィリピン
十字架の道

首都マニラの北西にあるサン・フェルナンドで毎年行われる受難劇。
信者たちが実際に十字架にはりつけになる、珍しい行事だ。

聖 金曜日の朝6時。サン・フェルナンド郊外のサン・ペドロ・クトゥドの通りを苦行者たちが埋め尽くす。彼らは、竹の先にひもをつけた「ブリリョ」と呼ばれる責め具で自分の背中をむち打つ。この儀式に参加できるのは男だけで、10歳の少年も年長者に交じり、自らの罪を悔い、神の加護を得られると信じて体を痛めつける。

正午が近づくと、通りでビア・クルシス(十字架の道)という劇が始まる。参加者が実際に十字架にはりつけにされるという、世界に例のない受難劇だ。始まりは1950年代だが、現在の形になったのは1962年。地元のアーティスト、アルテミオ・アニョーサが、自らはりつけを志願したのがきっかけだった。

イエスの捕縛、裁判、むち打ち、判決といった場面が演じられ、イエス役に扮した参加者たちは、処刑場までの3キロの道を歩く。彼らの後に、自分をむち打つ者、十字架を背負う者などたちが続く。儀式では3人がはりつけになり、数秒から10分間ほどそのままにされる。十字架の下では、担架が待機している。

ベストシーズン 復活祭は毎年変動するが、だいたい3月から4月の間。観光もするなら、祭りの前後に数日間滞在を延長しよう。

旅のヒント 聖金曜日当日は各地のバスターミナルが閉鎖になるので、その前に町に入ること。ケソン市のクバオから、1時間ごとにビクトリー・ライナーのバス便がある。バクハンの観光案内所でバスを降り、ジープニーというバスで5分行けばサン・フェルナンドに着く。サン・フェルナンドは宿泊施設が少ないので、近くのクラークが便利。車で15〜20分だし、宿も多い。暑い日には気温が40℃近くになる。屋外で長時間過ごすことになるので、帽子と水、日焼け止めを用意しよう。

ウェブサイト www.premium-philippines.com(フィリピン政府観光省)

見どころと楽しみ

■ 復活祭前の1週間は、**サン・フェルナンドの伝統的な儀式**がいろいろ行われる。パション・ニ・クリストはキリストの受難、死、復活を描くアカペラの詠唱。受難像のもとで人々は厳粛な瞑想を行う。ほかにも行列や、癒やしの儀式などが見られる。

■ **聖金曜日の夜の行列**では、哀悼の印として黒い服を着せられた聖人像が、花と電球で飾り立てた山車で運ばれる。

■ 復活祭の日曜日、メトロポリタン大聖堂では**イエスとマリアの再会場面**が上演され、その後、キリストの復活を祝うミサが行われる。

刑場に連れていかれるイエスの後に、罪の許しを願う黒ずきんの苦行者たちが続く。

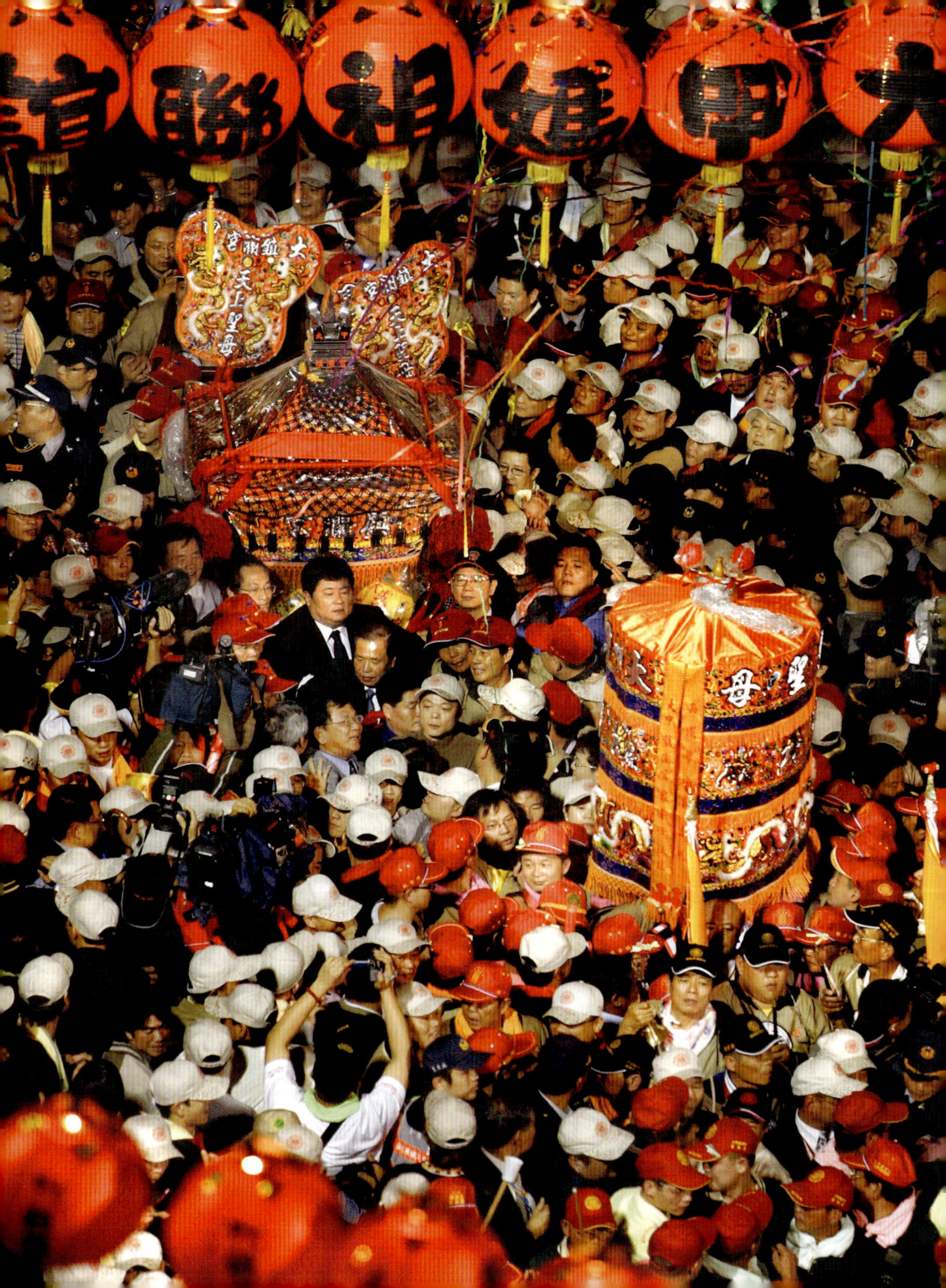
大甲媽祖聯
大鎮瀾宮
天上聖母
聖母

中国 福建省／台湾
海の女神 媽祖生誕祭

中国南部と台湾で崇められる道教の女神、媽祖。
その誕生日を祝う祭りに、歌、銅鑼、爆竹の音が華を添える。

媽祖とは、漁師や船乗りの守り神のことで、林黙娘という伝説的な女性に由来する。

林黙娘は、激しい嵐に見舞われ、海でおぼれていた兄弟に手を差し出して彼らの生命を救ったのだという。そんなことができたのは、彼女が催眠状態に陥っていたからなのか、深い夢を見ていたからなのかはわからない。

だが、媽祖のこの話が広まったため、海の男たちの間で媽祖は、神として崇められるようになった。そして、今でも中国および台湾で彼女の誕生日を祝う盛大な祭りが行われているというわけだ。

媽祖を祭る祭礼に参加する者たちは、船を色鮮やかな旗やリボンで飾り立てる。媽祖生誕祭の中でも特に規模が大きいのは、生前媽祖がすんでいたとされる中国の福建省、媚洲島のもので、祭礼には毎年10万人以上が訪れる。

媽祖には、この島の山にすむ仙人に呼ばれて雲に吸いこまれていったという言い伝えがあり、その山の頂上には高さ15メートルの媽祖像が建てられている。

各地の媽祖生誕祭では、その場所ごとの芸術や工芸はもちろん、民族音楽や舞踊も披露される。中心となるのは廟や宮だが、周辺の通りで繰り広げられる催しがにぎやかで、やかましいほどだ。花火、シンバルや銅鑼を打ち鳴らす竜踊り、凧あげ、書道、工芸、伝統料理などのパフォーマンスが、あちこちで見られる。

ベストシーズン 生誕祭は旧暦の3月23日前後で、新暦では4月半ばから5月半ばになる。ちなみに2011年は4月25日。媽祖の死を悼む祭礼は旧暦の9月9日（新暦では8月から9月初旬）だが、こちらは控えめな祭りだ。

旅のヒント ほとんどの生誕祭は1日限りだが、媚洲島の祭りと台湾の一部の生誕祭は1週間かそれ以上続く。媚洲島は福建省中部の沿岸、泉州と莆田の間の海に浮かぶ。どちらの町からもフェリーが出ている。

ウェブサイト www.go-taiwan.net（台湾観光協会）
www.chinahighlights.com/travelguide/festivals/mazu-festival.htm（英語）

アジア

見どころと楽しみ

■ 媽祖像を廟や宮まで運ぶ**行列**が祭りのクライマックス。到着した像は、耳をつんざくばかりの爆竹と歓声で迎えられる。

■ 生誕祭は、中国南部の海洋文化に触れるまたとない機会だ。多彩な**工芸や演芸、民族芸術、行列**が披露される。

■ **台湾**の人々は、中国の神々の中でも、とりわけ媽祖を信仰しており、1000以上の廟がある。特に大規模なのが**北港の朝天宮**で行われる生誕祭。台中の大甲にある宮も有名で、祭りは活気にあふれる。

■ **香港**では、西貢にあるジョス・ハウス・ベイの生誕祭が有名。**幻想的な装飾が施された漁船**が海に浮かぶ。竜の踊りや太鼓の演奏があって、ことのほかにぎやかだ。天后廟は海辺にあるので、祭りの全容を見物するならば、港から船で眺めるのが最も良い。

前ページ：台湾・大甲での生誕祭。媽祖像を廟から運び出す人々の中には、政治家や役人もいる。上左：戦士に扮した祭りの参加者。上右：香港の生誕祭。旗で飾り立てた漁船が港に集結する。

儀式と祝祭 | 285

背中にたくさんのライムを引っかけ、行進する苦行者。ムルガン神をたたえながら、クアラルンプール近郊のバトゥの洞窟まで歩いていく。

マレーシア
苦行の祭り タイプーサム

**マレーシア各地で行なわれるヒンドゥー教の奇祭。
人々は、ムルガン神の誕生日を祝って体を痛めつける。**

タイプーサムは心臓の弱い人にはおすすめしない。マレーシア各地で開かれるタミル人の祭りで、ヒンドゥー教のムルガン神(スブラマニアム神)をたたえ、善が悪に勝利することを祝う。

祭りは、女神パールパティから無敵のやりを与えられたムルガン神が、邪悪な悪魔を倒したとされる日に開かれる(この日はタミル系ヒンドゥー暦で、十番目の月の満月にも当たる)。毎年1月末には、クアラルンプールだけで100万人が集まる。

女性と子どもたちは、ヤシの実、花、クジャクの羽根などの捧げ物を持ち、男性は自分の皮膚に刺した針金に果物をつるす。カバディスと呼ばれるクジャクを思わせる祭壇を両肩にのせている者もいる。カバディスは華やかに飾られた金属の枠で、内側に無数の串がついていて、それをほおや舌、上半身の皮膚に刺して支える。カバディスをかつぐ者はトランス状態になり、時に超人的な技をやってのける。

彼らは踊ったり歌ったりしながら、市内の中心部にあるスリ・マハマリアマン寺から13キロ離れたバトゥの洞窟まで、約8時間もかけて歩くのだ。洞窟へ行くまでの間にある272段の階段で、タイプーサムは最高潮に達する。

ベストシーズン 1月末から2月初めにかけて。

旅のヒント タイプーサムはペナンでも行われ、約50万人の信者や観光客がジョージ・タウン各地の寺院からウォーターフォールの山上の寺を目指す。クアラルンプールからジョージ・タウンまでは国内線の飛行機がある。バスでも半日。どちらの都市も格安から高級までホテルがそろっているが、タイプーサムの期間に泊まるなら、数カ月前から予約した方が良いだろう。クアラルンプールではゴールデン・トライアングルと呼ばれる商業地域、ジョージ・タウンでは歴史のある商業地区に滞在すると、その雰囲気を満喫できる。

ウェブサイト www.tourismmalaysia.or.jp(マレーシア政府観光局)
www.tourismpenang.gov.my(英語)

見どころと楽しみ

■ タイプーサムの前夜、クアラルンプールにあるスリ・マハマリアマン寺ではムルガン神の入浴の儀式が行われる。供物や色とりどりの花で飾られたムルガン像を銀の馬車に乗せ、2頭の雄牛に引かせて、バトゥの洞窟まで運ぶ。

■ ペナンではタイプーサムの日の夜、やはり銀の馬車に乗せられたムルガン神の像が、ウォーターフォールからジョージ・タウンまで一晩かけて戻っていく。この**行列**は1857年以来、タイプーサムの締めくくりとして行われてきた。うねるような音楽が鳴り響く中、信者は馬車に群がって供物を捧げ、子どもたちは祝福を受けるために肩車される。像の前でヤシの実を割る慣わしもある。

アジア

インドネシア
ブサキ寺院のオダラン

1年を通して何かしら祭りが行われるブサキ寺院は、バリ島ヒンドゥー寺院の総本山。寺院の創立を祝う祭礼「オダラン」は最も華やかだ。

毎日のようにどこかで祭りがあるバリ島は、まさに祝祭の島である。中でも有名なのが、ヒンドゥー教寺院の創立記念日を祝うオダランという祭礼だ。

バリで使われているヒンドゥー暦ウクで6カ月に相当する210日ごとに行われるオダランは、供え物を捧げる厳粛な儀式と祈りの場であると同時に、華やかな行列、ごちそうと音楽、踊りで真夜中過ぎまで大騒ぎをする機会でもある。

オダランは田舎の農村だと1日だけのこともあるが、標高980メートルの位置にあるバリ島ヒンドゥー寺院の総本山ブサキ寺院など、大きな寺では数日間続く。

ブサキ寺院があるアグン山麓は、バリの神々がすむ所とされ、ヒンドゥー教がバリ島に入る前から、呪術の儀式が行われた。ブサキ寺院を構成する22の寺院には、14世紀以来の歴史を誇るところもあり、バリ島の信仰の源といえる。

これらの寺院がそれぞれに祭りを行うので、ブサキではほとんど毎週のようにオダランが開かれていることになる。

ベストシーズン　バリ島は熱帯性気候で気温も湿度も高く、午後はスコールがあるが、ブサキ寺院はとても涼しい。6月から9月の乾期は青空になることが多い。

旅のヒント　ブサキの寺院巡りとオダラン見物だけなら1日で良いが、山麓を歩いて回るなら1週間は必要。ブサキのオダランを見逃しても、崖の上のウルワトゥ寺院、海に浮かぶタナ・ロット寺院、火山湖を見下ろすウルン・ダヌ・バトゥール寺院といった寺院のオダランをねらおう。オダランの参列者はサロン着用で、ショートパンツは禁止。また儀式の邪魔をしないように。

ウェブサイト　www.visitindonesia.jp（インドネシア共和国文化観光省）、www.balistarisland.com（英語）

見どころと楽しみ

■ブサキ寺院の中心的存在である**プナタラン・アグン寺院**は、ヒンドゥー教のシバ神を祭る巨大な寺院で、6段の土壇が石の階段で結ばれた構造になっている。最も低い壇は音楽や踊りのための場所。2番目は毎日の祈りの場所で、僧侶が聖水を用意する所や、パドマティガ（三つのハスの玉座）を備えた祠がある。

■ビシュヌ神に捧げられている**バトゥ・マデグ寺院**は「立っている石の寺」という意味で、神聖な巨石のそばにあり、ブサキ寺院の中で最古。ほかの主要寺院と同様に、北を向いていて、神聖な色である黒に塗られている。

鮮やかな衣装をまとった女性たちが、食べ物や花などの供え物を頭に載せてブサキ寺院のオダランに向かう。

「第2のブッダ」グル・リンポチェの生涯と、悪に対する勝利を描いたツェチュの踊り。

ブータン
ツェチュ祭

ブータンでは、第2のブッダとして知られるグル・リンポチェ。
彼をたたえる、華やかな踊りの祭典が開かれる。

　仮面をつけた踊り手が玉石の上で踊る。金糸と絹の衣装に頭蓋骨を連ねた首飾りやクジャクの羽根をつけ、香をくゆらす。ヒマラヤのブータンでは、パロの町にあるゾンと呼ばれる寺院をはじめ、国中の多くの寺院が年に1度の聖者グル・リンポチェをたたえる祭り、ツェチュで盛り上がる。

　晴れの服を着こんだ村人たちは、時には何日も歩き続けて寺院に集まる。靴も良いものを履いていないと、門前で警官にイラクサでたたかれるかもしれない。

　寺院の中庭では一族郎党が集まってごちそうを囲み、少年僧は声を上げて笑う。高僧も笑顔を絶やさない。道化は男根を模したロープをぶらぶらさせ、少女たちをからかう。祝福や聖水を受ける時はみんな真剣だが、道化の悪ふざけには大笑いする。悪魔や死の仮面に真っすぐ見据えられると、恐ろしくてどきどきするだろう。無数の祈りと宗教の物語が罪を洗い流してくれるのだ。

ベストシーズン　最適なのは春か秋。ツェチュは1年を通じて国内のどこかで行われているので、日程を確認してから、計画を立てよう。

旅のヒント　ツェチュは長くて5日間。少なくとも丸1日は見物したい。ブータンを観光するには、登録旅行業者に申しこむ必要がある。公定の料金には、ホテル代、ガイド料、国内移動の交通費、それに各種入場料が含まれている。長期滞在や団体の割引もある。

ウェブサイト　www.tourism.gov.bt、www.bluepoppybhutan.com（英語）

見どころと楽しみ

■ 祭りの中心は、**グル・リンポチェの八変化の踊り**。僧侶や一般信徒が豪華な衣装をつけて踊るその踊りは、1000年以上変わらない。

■ パロやトンサの大きなゾンでは、祭りの最後の日の夜明けに、**グルの大きな布絵**が広げられる。人々は供え物を捧げ、祈りを唱えながら平伏する。この絵を見ると、魂が浄化されるという。

■ 祭りでは、**人間観察**もまたおもしろい。赤ん坊に乳を含ませる母親、風船ガムをふくらませる僧侶、ビンロウをかむ老人。道化がコンドームの大切さを訴えると、見物人から笑いが沸く。啓蒙と娯楽と宗教が一体となった独特の雰囲気だ。

■ ブータンでは、**男はゴ、女はキラ**という民族衣装を着る。手織りで、凝った模様が織りこまれているものも多い。労働もまた信仰の一つと考えるブータン人は、手仕事をとても大切にする。

アジア

インド
春の到来を祝う ホーリー祭

ヒンドゥー教の神、クリシュナが少年時代を過ごしたという、
ウッタル・プラデーシュ州のブリンダバンで、男女が色粉をかけあって春の到来を祝う。

若き神クリシュナは、自分の肌の浅黒さを気にしていた。そして色白の恋人ラーダーをうらやみ、嫉妬から、彼女の顔に赤い粉を塗ったという。

今も毎年ホーリー祭の時、男は皆クリシュナになり、女はラーダーになる。ドーラクという太鼓のリズムやかけ声に合わせ、グラルという色粉やカラースプレーを互いにかけ合い、愛し合う神々の姿を伝統的な踊りで表す。

男たちは顔の色を目立たせるために真っ白な服を着る。女たちは鮮やかな色の衣装で、春の訪れと若さを表現する。もちろん見物人もスプレーの標的となる。

祭りが近づくと、各家庭では銀皿で色粉を調合し、菓子や軽食を準備する。祭りの前夜に、女の悪魔ホーリカを象徴するたき火で、善が悪に打ち勝つことを祝う。炎の中で小枝がはじけると、春が冬を追い出すと人々は信じている。

ラーダーとクリシュナの像の顔に、赤いグラルを塗る儀式が、祭りの本格的な開幕となる。これ以外に宗教的な儀式はないが、すべての人にとって身近な存在であるクリシュナは、心の壁を壊して皆で一つになろうと呼びかけている。

ベストシーズン ホーリー祭は毎年3月に行われるが、満月の日が基準になるので事前に調べておくこと。ヒンドゥー暦では、パルガンの月の満月の日に始まることになる。祭りの雰囲気に浸り、クリシュナが奔放な青春時代を過ごしたとされる周辺の村々も訪ねるなら、祭りの1週間前から滞在したい。

旅のヒント デリーからマトゥラーまでは鉄道、そこからブリンダバンまではタクシー。ホーリー祭の開催中は、ブリンダバンはかなりの人出になるので、旅行代理店で宿を確保しよう。安いロッジは、旧市街のラーダー・ラマン寺院周辺がおすすめ。

ウェブサイト www.embassyofindiajapan.org（在日インド大使館）
www.holifestival.org（英語）

アジア

見どころと楽しみ

■ナンドガオンというクリシュナゆかりの村の男たちは、ホーリー祭には、マトゥラーから40キロ離れた**ラーダーの村バルサナ**に繰り出す。これはクリシュナがラーダーを訪ねていった故事に基づく。バルサナの村の旗を立てようとして、女たちに捕まったナンドガオンの男は、女の格好をさせられ、歌と踊りを捧げなくてはならない。

■ホーリー祭前夜、ファレン村では**巨大なかがり火**がたかれ、悪に対する善の勝利を祝う。地元の僧侶たちは火の中を走り抜けるが、やけど一つ負わない。

■500年前に建てられた**ラーダー・ラマン寺院**は、クリシュナを祭る多くの寺院の中でも、とりわけ歴史を感じさせる。

ウッタル・プラデーシュ州ブリンダバンのホーリー祭。人々が動くたびに色粉がまき散らされ、空気までうっすら色づいている。

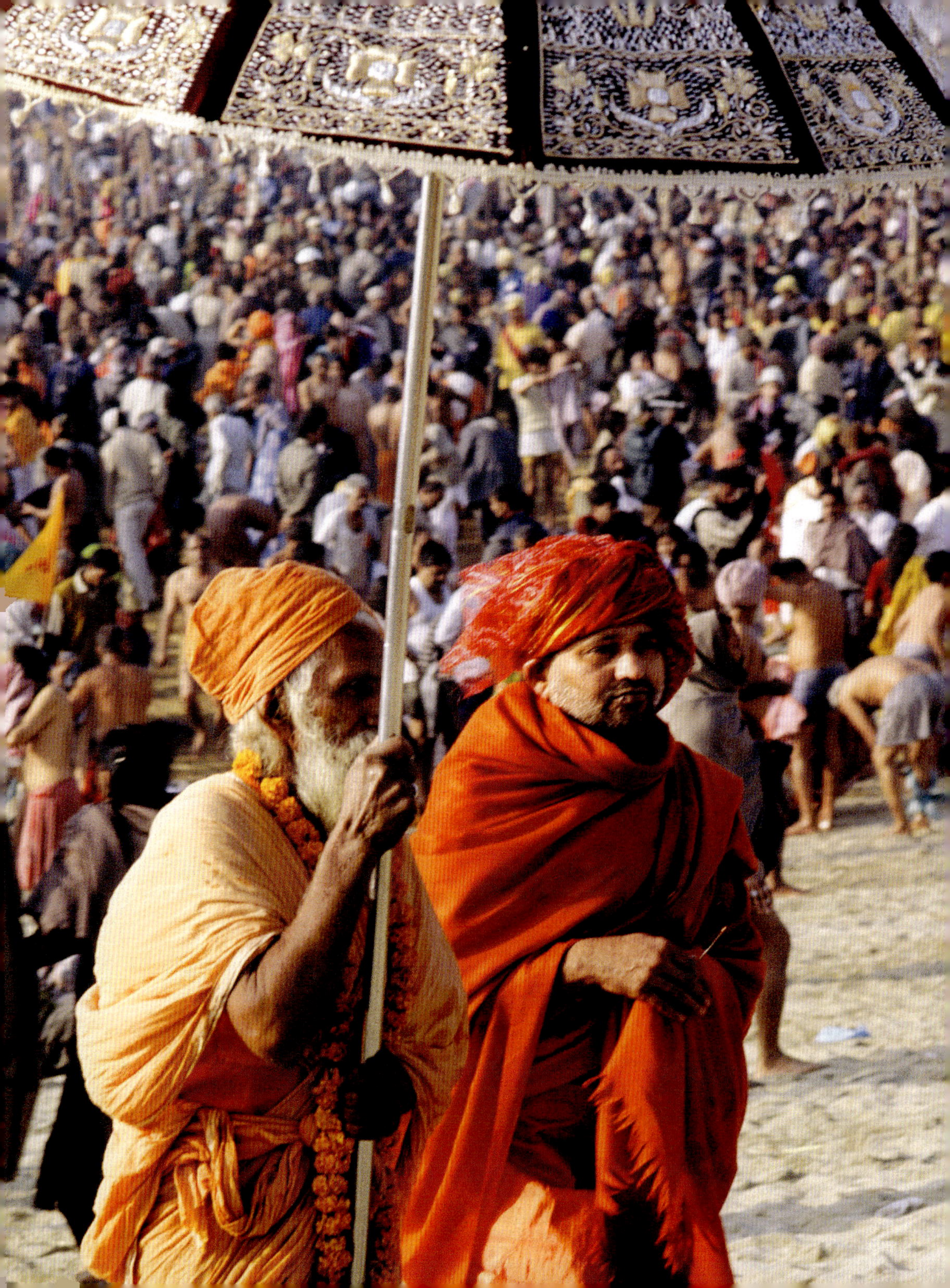

世界最大級の祭典 クンバ・メーラ

インド

地球上で最も多くの人が集まる祭典、クンバ・メーラ。3年に1度、インド四大聖地の一つを舞台に、ヒンドゥー教徒たちが祈りを捧げる。

不老不死の霊薬が入っていた水差しにちなんで名付けられたクンバ・メーラの祭りは、アラーハーバード、ハリドワール、ウッジャイン、ナーシクの四大聖地が持ち回りで開催する。伝説では、霊薬の入った水差しを神々が悪魔から取り返した際、中身がこの4カ所にこぼれ落ちたという。

クンバ・メーラには世界中から数千万人が集まり、その顔ぶれもサドゥという修行僧、説教者、賢人、信者、マスコミ、政治家とさまざまだ。もちろん庶民も数多くやって来るし、占星術師、手相見、ヘビ使い、床屋（水に入る前に頭をそることが神聖な行いとされる）、食べ物売りも、金もうけの機会を見逃さない。

夕暮れになると、あちこちで煮炊きが始まるので、その周辺は煙だらけになる。群衆のざわめきは、耳を覆いたくなるほど騒々しい。見物人を集めるのが、ナーガ・サドゥと呼ばれるヒンドゥー教の一派で、ドレッドヘアの彼らは裸身に灰を塗りたくっている。彼らが神聖な川に入ると、人々もそれに続く。

ウッジャインでクンバ・メーラが行われる時は、星の巡りから、シプラ川の治癒力が最大になると言われている。占星術師は沐浴に適した日を5日間決めるのだが、最後の日は満月と決まっている。人々はその間に川の水につかり、罪を洗い流して、魂の救済にまた一歩近づくのだ。

ベストシーズン 次のクンバ・メーラは2013年1月から2月、アラーハーバードにて。祭りは約41日間続く。

旅のヒント 気候は場所と季節で大きく異なる。1月初旬に開催される場合、夜はかなり気温が下がる。巡礼者用のトイレが用意されているが、数は足りないのでそれなりの準備をすること。祭りでは長時間歩くことになるが、座れるような場所はない。休みたい場合は地面にそのまま腰を下ろすしかない。サドゥや苦行僧が特殊なパイプでマリファナを吸っていても驚かないように。迷子になりやすいので、連れとはぐれた時の対処も考えておこう。携帯電話があればいくらか心強いが、うるさすぎて会話にならないかもしれない。

ウェブサイト www.embassyofindiajapan.org（在日インド大使館）
www.kumbhamela.net（英語）

見どころと楽しみ

■ 参加者はグループで祈りを捧げたり、議論に興じたりしているが、1人で何時間、時には何日も**祈り続けている人**も珍しくない。

■ 祭りでは、**徹底して信仰を実践する**人々を目の当たりにする。27年間片手を挙げたままのサドゥ、沈黙の誓いを守り続けている者、砂に埋もれて眠る者、何年も片足立ちを続けている者と、いろいろだ。

■ インドの演劇集団が、美しい衣装を身にまとい、仮設舞台で**宗教的な舞踊や古典劇**を披露する。

■ 川で沐浴を済ませた女性たちが、**色とりどりのサリー**を広げて乾かす光景は、とても美しい。

前ページ：ガンジス川のそばで行われる儀式の間、日傘で強い日差しを避ける聖職者。**上左**：ウシのふんを並べて燃やし、白い布をかぶってひたすら祈る人々。**上右**：ウッジャインは、ジュナ・アカラ派の新しい信徒が入信の儀式を受ける場所でもある。彼らは川の中でいったん死に、生まれ変わるのだ。

インド
神々が乗る プリーの山車祭り

燃えるようなインドの太陽の下、ヒンドゥー教で宇宙をつかさどる
ジャガンナート神が、高くそびえる山車に乗って避暑地へと向かう。

アジア

寺の鐘が鳴り響き、香と花の香りでむせ返る中、ジャガンナート（クリシュナ神の化身）、妹のスバッドラ、兄のバラバッドラの3神をたたえる祈りの声が沸き上がる。

ここはベンガル湾に面した港町プリー。ジャガンナート寺院を出た三つの神体は、3キロ余り離れたグンディチャ寺院に運ばれ、そこにしばらくとどまる。耳をつんざく銅鑼（どら）の音とともに、花で飾られた神体を僧侶が運び出して巨大な山車に乗せると、集まった人々は歓喜の声を上げて山車に押し寄せる。

何百もの手がバラバッドラの山車の綱を引くと、山車は前に傾きながらゆっくり動き出す。スバッドラの山車に続いて、いよいよジャガンナートの山車も前進を始める。それぞれの山車は派手に飾り付けられている。この儀式では、移動の道のりが人生そのものだ。熱心な信者たちは、ここで死ねば救われると信じており、過去には山車の前に身を投げ出した者もいた。

19世紀初頭、インドを支配していた英国人が、圧倒的な破壊力のことを「ジャガーノート」と呼んだが、それはこのジャガンナート神に由来している。

ベストシーズン 祭りが行われるのは、ヒンドゥー暦アーサール月の満月の日（6月〜7月）。

旅のヒント オリッサ州の州都ブダネスワルまでは飛行機、鉄道、バス便あり。プリーはブダネスワルから64キロの距離にあり、バスかタクシーで行く。高級ホテルから格安ホテル、ロッジ、ダルマ・シャラという信者向け無料宿泊所、ユースホステルなどが海沿いに並ぶが、人出も相当なので、宿は早めに確保しよう。山車の移動ルート沿いに観覧席が設けられていて、チケットやバスで座席をとることもできる。

ウェブサイト www.embassyofindiajapan.org （在日インド大使館）
www.orissatourism.org （英語）

見どころと楽しみ

■ 高さ65メートルを誇る**ジャガンナート寺院**は、男女や動物の精緻な彫刻が美しい。典型的なオリッサ様式の建築で、インドの古典舞踊オリッシの影響も見てとれる。

■ 近くの高い建物の屋上に上がれば、ゆっくりと動く山車はもちろん、驚くほど多くの見物人も一望できる。

■ この地域の名物である**工芸品**を土産にしよう。ジャガンナート神の生涯など、宗教的な場面を描いた小さな絵（パッタ・チトラ）、石の彫刻、銀線細工、金属細工などがある。

インド全土はもちろん、世界各地から集まった人々が、左からバラバッドラ、スバッドラ、ジャガンナートの神体を乗せた山車を囲む。

カーストも年齢も関係なく、マハラシュトラ州各地からパンダルプルを目指す巡礼者たち。道すがら賛歌を歌い、楽器をかき鳴らす。

インド
パンダルプルのビトーバ神祭り

**普段は静かな村が、祭りの時は活気づく。クリシュナの化身、
ビトーバ神の像にお参りするために、巡礼者が集まって来るからだ。**

稲光と雷鳴に続くにわか雨。それが止むと、むせ返るように暑くなるのがモンスーンの季節だ。それでも巡礼者は、歌ったり踊ったり、祈りを唱えたりしながら、3週間も歩いてやって来る。

　彼らは旗を掲げ、聖者のかごを運び、歌に合わせてシンバルや太鼓を鳴らす。女たちは水や食べ物のほか、トゥルシという神聖な植物を頭に載せている。熱狂は人々に伝染し、長旅の間、静まることはない。これも何世紀も続いてきた儀式の一部なのだ。途中、巡礼者たちは別の宗教の信者たちからも歓迎される。彼らが目指すのは、ビーマ川沿いに建つ寺院。そこでビトーバ神の祭りが開かれる。

　寺院内の聖所に安置されているビトーバ神は、両手を腰に当てたポーズで台座の上に立ち、そばには妻のルクミニが寄り添う。

　ワルカリと呼ばれる徒歩の巡礼者は25万人、祭りの参加者は70万人にもなる。彼らはビトーバ像の足元にひれ伏して祝福を受ける。高さ1メートルほどのこの像は約5000年の歴史があり、黒い石から自然にこの姿になったという。供え物をし、神像に衣装を着せてその前で明かりを揺らすという儀式は毎日行われる。

ベストシーズン　祭りが行われるのは6月か7月。正確な日程は事前に確認。
2日間あれば、熱気を帯びた祭りの雰囲気を味わい、村を見て回ることができる。

旅のヒント　最寄りの国際空港は400キロ離れたムンバイ空港。国内線なら200キロ離れたプーナ空港がある。パンダルプルまではムンバイから直行列車やバスが毎日出ている。宿代を節約するなら、ビルラというコテージ（巡礼者は無料）や、ダルマ・シャラという無料宿泊所に泊まる。パンダルプルは15世紀からほとんど変わっていない村なので、近代的な設備は期待できない。貴重品や金銭、カメラなどの荷物に注意して、身軽な旅を心がける。

ウェブサイト　www.embassyofindiajapan.org（在日インド大使館）

見どころと楽しみ

■ 寺院に通じる六つの門は、それぞれ聖者や神の名前がついている。素朴な信仰心をうかがわせる風変わりで感動的な逸話も残っているので、全部くぐってみよう。

■ 寺院内では、「**4本柱の間**」と「**16本柱の間**（ソルカンビ・マンダパ）」が必見。柱には王族やヘビの神、スイレン、ゾウなどが彫刻されているが、銀で覆われた内側の柱が特に見事。集会場では、人々が時折集まって祈りの歌を歌っている。

■ 村には24の寺と18の隠遁所、八つの沐浴場に五つの館があり、それぞれインド国内でもほかに**例のない趣**がある。

アジア

イスラエル
プリム祭のパレード

プリムはユダヤ教で最も喜びにあふれた祭り。
イスラエルでは、ハロウィーンとマルディ・グラが一つになったような華やかさだ。

激しい太鼓のリズムと、つんざくような音楽にのせて、テルアビブ・ヤフォの南にあるホロンの町では、何万人もの信者が通りを埋める。

巨大な山車が続々と現れ、踊り手たちが回転しながら行進する。それに、何千人もの人々が、羽根やスパンコール、風船などで、派手に飾り立てて続く。彼らはユダヤ教の祭り、プリムを祝っているのだ。これは2500年前、ユダヤの民が古代ペルシャで全滅しかけたところを救われた故事に由来する。

プリムの日、ユダヤ教徒はごちそうを食べ、由来となった出来事を語る。そして歌い騒ぎ、コミカルな寸劇を上演し、仮装をし、大酒を飲むのが、伝統だ。

男も女も、そして子どもたちも華やかな衣装に身を包み、パレードやカーニバル、露天市に繰り出す。こうした祝祭行事はアドロヤダと呼ばれる。これはヘブライ語で「わからなくなるまで」という意味で、酒を飲んで正体をなくすことを示している。この日ばかりは善悪が判別できなくなるまで飲もう。

ベストシーズン　プリムはユダヤ暦でアダルの月の14日、西暦では3月になる。アドロヤダのパレードをはじめとする行事は、前後に行われることも多い。

旅のヒント　ホロンのアドロヤダのパレードは正午頃に始まるが、その前からすでにさまざまな野外イベントが行われている。催しは午後から夜になっても続く。ホロンはテルアビブ・ヤフォから容易に行ける。見物場所を確保してパレード前のイベントを楽しむには、10時や11時頃には着いていたほうが良い。現在パレードはソコロフ通りとワイズマン通りから市庁舎に向かうルートだが、年によって変わる可能性がある。

ウェブサイト　tokyo.mfa.gov.il（駐日イスラエル国大使館）

アジア

見どころと楽しみ

■ **ホロンのアドロヤダ**は毎年テーマが決まっているが、その内容はおとぎ話や漫画のキャラクター、民族衣装、心の平和などさまざま。

■ ユダヤ教寺院を訪れて、**メギラ**、すなわちエステル記のヘブライ語による詠唱を聞いてみよう。女王エステルとその叔父モルデカイが、ユダヤ人を全滅させようとするハマンの悪だくみを阻止する物語だ。ハマンの名が出るたびに、人々は大声を出し、グラッガーと呼ばれる鳴り物を盛んに鳴らす。

■ プリムのごちそうの一つ、**ハマンタシェン**（ハマンのポケット）は、オズネイ・ハマン（ハマンの耳）とも呼ばれ、甘い詰め物が入った三角形のペストリー。

おそろいの衣装をつけた少女たちのパレードで、通りは鮮やかな黄色の海になった。

身体が回転するたびに、無私の愛に至るための魂の旅が前進するとされている。

見どころと楽しみ

■ セマーの時に演奏される悲しげで耳から離れない**音楽**は、歌の内容がわからなくても胸に迫ってくる。

■ 夜空を巡る星のように、修道者たちがゆっくりと滑らかに**動き続ける様子**に、観客はうっとりと夢心地になるだろう。

■ **メブラーナ博物館**は、メブレヴィー教団が活動していた修道院にあり、ルーミーをはじめ、その父、息子など指導者たちの墓もある。

■ 新石器時代の世界最古の集落跡である**チャタルヒュユク遺跡**は、紀元前7500年頃のものとされ、コンヤの南東48キロの所にある。

トルコ
旋回舞踏の儀式 セマー

800年前から続く旋回兄弟会の修道者は
神との神秘的な融合を求めて、ひたすら回り続ける。

この有名な儀式の舞台は、トルコ中部のコンヤだ。13世紀、イスラム神秘主義者メブラーナ・ルーミーは、ここコンヤでメブレヴィー教団を開いた。その息子が創設した旋回兄弟会は、ルーミーが喜びのあまり、通りでくるくる回ったという故事にちなみ、独特の舞踏を行うことで知られる。

旋回舞踏の儀式はセマーと呼ばれ、修道者は自我を覆い隠すことを意味する白の長いローブに黒の外とう、現世の墓や墓石を表す円錐形の帽子という姿で現れる。

修道者はホールを3周した後、黒い外とうを脱ぐ。それは、現世のしがらみを捨てることを意味するという。彼らは1人ずつフロアに出て旋回を始める。両腕を胸の前で組み、頭は左右どちらかを向く。回転が速くなるにつれて、修道者は腕を高く差し出す。そして、右手のひらを上にし、天からの祝福を受けとり、左手のひらを下に向けて、その祝福を大地へと伝えていくという。

一連の舞踏は4回繰り返され、コーランの朗読ですべての儀式が終了する。

アジア

ベストシーズン 祭りの期間は、毎年12月半ばの1週間。12月17日に最高潮に達する。

旅のヒント コンヤはアンカラから南に240キロ。コンヤまでの空の便とホテルは、少なくとも1年前に予約しておくこと。コンヤのメブラーナ文化センターで行われる儀式をメインにした、少人数のツアーも催行されている。この時期はほかの場所でも旋回舞踏を見ることができる。儀式の写真撮影は禁止。

ウェブサイト www.tourismturkey.jp（トルコ政府観光局）、www.hellotturkey.net/konya.html（英語）

儀式と祝祭 | 295

INRI

ドイツ

小さな山村の キリスト受難劇

アルプス山脈にひっそりと寄り添うのどかな村、オーバーアマガウ。
ここでは10年ごとにイエスの生涯を再現した劇が上演される。

オーバーアマガウの静かな通りを歩くと、両側にペンキがきれいに塗られた家々が並ぶ。それはまるで、おとぎ話の世界からそのまま飛び出したかのような光景だ。

家の壁には、宗教的な内容の野外絵である、ルフトマレライと呼ばれるフレスコ画が描かれている。それも、世界的に有名なキリスト受難劇が上演される村だから、少しも不思議はない。

この受難劇の始まりは1633年にさかのぼる。オーバーアマガウに疫病がはびこり、村は全滅寸前になった。わずかに残った村人たちは、「村を救ってくれるならば、我らが主イエス・キリストの苦痛と死、そして復活の劇を定期的に上演する」と神に誓う。そして、村は救われた。翌年、村人たちは神への約束を果たすため、疫病の犠牲者が眠る墓地で、最初の受難劇を演じることにした。

現在は、10年に一度、西暦の一の位が「0」の年に行われる。演出だけはプロが担当するが、演じるのはもちろん、音楽や裏方まですべて村人が行う。1999年に改めて行われた疫病の誓いに続く2000年の公演では、村の半数を超える2000人以上が参加した。だが、最大の変更は、はりつけ刑の場面が夜になるよう上演時間が変更されたことだろう。よりドラマティックな照明効果を考えてのことと思われる。受難劇は5カ月間毎日上演されるが、チケットはすべて売り切れる。観客はキリスト教の根底をなす物語に、改めて感動を覚えるのだ。

ベストシーズン 5月から10月まで上演は毎日ある。2010年の次は2020年に行われる。
旅のヒント 予約は2年前から受け付ける。受難劇鑑賞の前後も余裕をもって滞在し、アルプス山麓の風景を楽しもう。近くのガルミッシュ・パルテンキルヒェンからハイキングや登山もできる。
ウェブサイト www.visit-germany.jp（ドイツ観光局）
www.oberammergau-passion.com（ドイツ語、英語）

見どころと楽しみ

■ 大規模でありながら内容の濃い舞台を見ていると、**虚構と現実の区別がつかなく**なる。役者たちは、予想外のことが起きても役柄からけっして離れない。2000年の上演では、エルサレム入城の時に、イエスが乗っていたロバが妊娠していて、舞台上で**出産**してしまい、ロバの赤ん坊までが"出演"することになった。

■ 新しい台本には、**イエスの教え**が多く盛りこまれており、新約聖書とイエスの人間像に重点が置かれている。

■ オーバーアマガウは**木彫り**でも有名で、工房が村に点在する。手彫りの精巧な人形は必見だ。

■ 近くの**リンダーホフ城**は鏡の間で知られる。こぢんまりとしたこの城は1878年に完成し、気分屋のルートビヒ2世もお気に入りだったという。

前ページ：空と山々を背景に行われる受難劇は、イエスの裁判と死の場面が特に印象的だ。**上左**：村人の信仰心を物語る壁のフレスコ画。**上右**：最近の舞台では、幻想的で斬新な要素が取り入れられている。

儀式と祝祭 | 297

ギリシャ
ギリシャ正教会の復活祭

復活祭の土曜日、深夜0時を回ると、アテネのリカビトスの丘では
無数のろうそくがつくる光の列と花火で、キリストの復活を祝う。

丘の上に建つ小さな聖ゲオルギウス教会に集まった何千もの人々は、「クリストス・アネスティ（キリストは復活せり）」という言葉を受け、「アネスティ・エネイ（まこと復活せり）」と声をそろえる。彼らは教会に灯される神聖な火を小さなろうそくに移して、家に持ち帰る。

その火は、各家庭のイコンを照らすのに使われ、翌朝には玄関の上に、すすで十字架を描く。ギリシャの復活祭は、ギリシャ正教会の重要な祝祭行事で、ビザンティン帝国の時代からほとんど変わらない。

復活祭は、聖金曜日に始まる。それまで1週間ほど断食を続けてきた信者たちは、地元の教会を訪れ、キリストのイコンが十字架から降ろされて亜麻布で包まれ、こしに載せられる様子をじっと見守る。それからイコンは、町を練り歩く。

土曜日は祈りの日。夜中の鐘とともにろうそくを灯し、花火を打ち上げる。その後、家で静かに食事をする。次の日曜日はごちそうの日。赤い固ゆで卵と、松脂風味のワイン、レツィーナで始め、子ヒツジや子ヤギの丸焼きを味わう。

ベストシーズン ギリシャの復活祭の日は毎年変わるが、おおむね4月から5月初旬にかけて。
旅のヒント 最低でも5日間は滞在しよう。宿と交通手段は早めに確保すること。この時期は海外に住むギリシャ人が帰国し、また故郷や父祖ゆかりの地に帰省する人も多いので、運賃は割高になる。アテネに限らず、ギリシャの都市はホテルやゲストハウスがたくさんあり、種類も素朴なペンションから高級ホテルまで幅広い。日中の気温は18～25℃と過ごしやすいが、夜になると冷えこむ。強い雨が降ることもあるので、雨具を忘れないように。
ウェブサイト www.visitgreece.jp（ギリシャ政府観光局）

ヨーロッパ

見どころと楽しみ

■ 標高277メートルのリカビトスの丘は、アテネの最高地点。頂上からは、近代的な街並みに**アクロポリスがそびえる景観**を一望できる。丘の名前は「光の道」という意味で、復活祭の光の行列に由来すると思われる。これはキリスト教が入ってくる前からの伝統だ。

■ ギリシャの復活祭の祝い方は、規模こそ違うものの、どんな都市や村でもだいたい同じ。コルフ島では、奇跡を起こしたとされる守護聖人スピリドンの**ミイラを運ぶ行列**がある。

■ クレタ島では大きなかがり火をたいて、ユダの像を燃やす。この島で打ち上げられる**花火**は、ギリシャ随一の華やかさと評判だ。

アテネの聖ゲオルギウス教会。復活祭の土曜日、イエスの復活が迫ると、信者はろうそくに火を灯す。

イタリア北部の村ゾアーリ沖の海底に立つマリア像をたたえ、美しい夜の儀式が繰り広げられる。

見どころと楽しみ

■ リグリア海沿岸では夏の間ずっと、こうした祭りが開かれる。ほとんどは聖母マリアをたたえるものだが、中にはイエスの祭りもある。**カモーリの夜祭り**は、たいまつを灯した船が行進し、海中に立つクリスト・デリ・アビッシ(混沌のキリスト)像に花輪をかける。この像はダイバーたちの守り神でもある。

■ 海藻と岩の中に立つゾアーリのマリア像は、ダイバーに大人気の撮影スポット。**海中撮影講座**も開かれているので、挑戦してみてはどうだろう。

■ ラパッロなどの町では、**花火コンテスト**も開かれる。モルタレッティという伝統的な爆竹も登場し、強烈な音と煙に包まれる。

イタリア
海の聖母祭り

リグリア海沿岸の漁村や入り江には、船乗りの守護者として
聖母マリアを信仰する風習が今も残っている。

　ジェノバから東のリグリア海沿岸には、独特の聖母マリア信仰が息づく。小さな入り江に面したゾアーリ村では、毎年8月、厳粛なミサの後、たいまつの行列が海へと向かう。水深9メートルの海底には、ブロンズ製のマドンナ・デル・マーレ(海の聖母)像が安置されていて、祭りの時には、その辺りの海面に小さなランプを浮かべて、聖母をたたえ、日頃の加護を感謝する。

　人魚のふるさとだという伝説が残るセストリ・ラバンテの村では、マドンナ・デル・カルミネ(カルメル山の聖母)の祭りが盛大ミサとともに行われる。ミサの後、まばゆい宝石とブドウで飾られた金色の聖母像が、男たちに運ばれて通りを進む。願いがかなえられた信者たちは、宝飾品や結婚指輪などを捧げ、感謝の気持ちを表す。夜になると、真っ暗な空に花火が打ち上げられ、海は鮮やかに光り輝く。

ヨーロッパ

ベストシーズン　祭りのシーズンは7月から8月。地元信者のための催しなので、観光客向けのガイドには書かれていないことも多い。ゾアーリのマドンナ・デル・マーレ祭は8月6日の夜、クリスト・デリ・アビッシ祭は7月最後の土曜日、マドンナ・デル・カルミネ祭は7月16日。

旅のヒント　祭りの日は終日、村に滞在しよう。地元の人が一族総出でごちそうを食べにやって来るので、昼食はトラットリアのテーブルを予約した方がいい。リグリア州の町の多くは険しい丘の斜面にあるので、本道に車を止め、船に乗り換えて海から町に入るのが最適。ピサーラ・スペツィアとジェノバを結ぶ鉄道は、これらの町をほぼ通る。道路は狭く、駐車場も限られているので、車よりも鉄道で行くのが賢明かもしれない。

ウェブサイト　www.enit.jp (イタリア政府観光局)、turismo.provincia.genova.it/node/2462 (イタリア語)

収穫祭
トップ10

騒々しいほど威勢のいい祭りもあれば、
豊かな実りに感謝を捧げる厳粛な祭りもある。

❶ 感謝祭（米国マサチューセッツ州）

11月の第4木曜日の感謝祭は、米国の祝日にもなっている。1621年秋、新大陸にやって来た英国の清教徒たち、ピルグリム・ファーザーズが小麦の栽培に成功し、豊かな収穫があったことを祝った3日間が由来だ。彼らはウズラ、野生の七面鳥、魚の料理を用意して、ワンパノアグといった先住民と食事をともにしたという。1863年、リンカーン大統領が感謝祭を国の祝日と定めた。

旅のヒント 17世紀の英国人入植地を再現したプリマス・プランテーションでは、インディアン・プディングや野生の七面鳥のローストなど、典型的な感謝祭の料理が楽しめる。www.plimoth.org（英語）

❷ ベンディミア（アルゼンチン メンドーサ）

2月の最終日曜、メンドーサ大司教がその年最初に収穫されたばかりのブドウに聖水をふりかけ、神に捧げる。それを皮切りに、アルゼンチンのメンドーサ地区では1カ月におよぶブドウの収穫祭ベンディミアが幕を開ける。美女を乗せた山車行列を見ようと、人々は通りを埋め尽くす。祭りのクライマックスは、円形劇場での催しだ。楽士や芸人、踊り子たちがステージをにぎわし、盛大に打ち上げられる花火を背景に、収穫の女王が決まる。

旅のヒント メンドーサは、季節が北半球と逆。夏は暑いが、夜はぐっと涼しくなるので、上にはおるものを持っていこう。
www.mercosur.jp（メルコスール観光サイト）
www.greatwinecapitals.com（英語ほか）

❸ 米の収穫祭（インドネシア バリ島）

稲作が盛んなバリ島では、米の女神であるデウィ・スリがあつく信仰されている。収穫期の村々は旗で飾られ、稲田の中で最も神聖とされる川の上流には、女神に捧げる竹の祠堂が組み立てられる。米倉には、わらでつくった小さなデウィ・スリ像が奉納される。

旅のヒント バリ島は稲作に適した気候で、1年に複数回収穫できる。収穫祭が多いのは4月と秋。www.visitindonesia.jp（インドネシア共和国文化観光省）、www.2indonesia.com（英語）

❹ チャンタブリの果物祭（タイ）

宝石の産地として有名なチャンタブリは、色鮮やかな果物が豊富に実る土地でもある。夏の収穫期に行われる果物祭では、ドリアン、ランブータン、リュウガン、マンゴスチンといった珍しい果物が仏教のマンダラさながらに美しく並べられる。果物の品評会やアート作品の展示のほか、初日を飾るパレードは、熱帯の果物と野菜でつくった山車が名物。

旅のヒント 果物祭が開かれる月は、果物が熟す時期によって異なる。詳細はタイ政府観光庁に問い合わせを。
www.thailandtravel.or.jp（タイ国政府観光庁）

❺ 仮庵の祭り（イスラエル エルサレム）

仮庵の祭りは豊かな実りに感謝するとともに、イスラエルの民が砂漠を放浪した過去をしのぶもの。家々ではスッカーという屋根のない仮庵をつくり、ここで7日間食事をし、時には寝ることもある。その間大地の恵みを感謝して、ヤナギ、ミルトス（ギンバイカ）、ヤシの枝とシトロンを毎日四方に向けて振るのが決まりだ。

旅のヒント 仮庵の祭りは9月または10月、あがないの日の後に行われる。この時期には、毎年エルサレムを多くの巡礼者が訪れる。
tokyo.mfa.gov.il（駐日イスラエル国大使館）

❻ 海の公現祭（ギリシャ）

三賢人が幼子イエスを訪れたことを記念する公現祭で、地元の教会を出発した行列は海に向かう。聖職者が金の十字架に祝福を与えて海に投げこむと、男たちは先を争って飛びこむ。見事十字架を手にした者には神の恩恵があり、古い霊を追い払って、新しい年を迎えられるという。

旅のヒント 公現祭は1月6日。ギリシャ全土で祝われるが、アテネ近くのピレウスのものが特に華やかで有名だ。
www.visitgreece.jp（ギリシャ政府観光局）、www.greeka.com（英語）

❼ オリバガンド（イタリア マジョーネ）

イタリア中部の町マジョーネで11月に行われるオリバガンドは、聖クレメンスとオリーブの収穫の両方を祝う祭り。オリーブ油祭りとも呼ばれ、聖職者がその年の新しいオリーブ油を祝福し、12世紀の城で中世の豪勢なごちそうが振る舞われる。

旅のヒント 中世風晩餐会はマルタ騎士団の城で開かれる。予約は早めに。
www.enit.jp（イタリア政府観光局）、www.bellaumbria.net（英語ほか）

❽ ラマス祭（英国）

ラマスは収穫期、つまり食べ物が豊かにあり、昼間の時間が少しずつ短くなる季節の始まりを告げる。かつてブリトン人はその年最初の収穫で焼いたパンを教会の祭壇に供え、ごちそうを並べた食卓にトウモロコシでつくった人形を飾った。

旅のヒント 現在、ラマスはケルトの祝日になっている。イングランド南部のイーストボーンは海辺で行われるラマスが有名。
www.visitbritain.jp（英国政府観光庁）、www.lammasfest.org（英語）

❾ マデイラ島の花祭り（ポルトガル）

北大西洋に浮かぶマデイラ島、フンチャルの4月は花の香りに包まれ、春の訪れを実感させてくれる。子どもたちが持ち寄った花で飾られた壁や通りに敷かれた花のカーペットは必見。

旅のヒント マデイラ島周辺の海は1年中泳げる水温なので、水着を忘れずに。
www.visitportugal.com（ポルトガル政府観光局）

❿ インクワラ（スワジランド）

アフリカ南部のスワジランドでは、12月下旬、男たちが海に出て海水を集め、インクワラと呼ばれる新年を迎える儀式の準備をする。聖なる枝を編んで王のあずまやをつくり、王が新年最初の果物を口にしたのを合図に、人々もごちそうを食べ始める。

旅のヒント 観光客も儀式に参加できるが、写真撮影は許可を得ること。
www.gov.sz（英語）

次ページ：エルサレムの市場で、仮庵の祭りのためにエトログ（シトロン）を選ぶ正統派ユダヤ教徒。このシトロンや、ミルトス、ヤシ、ヤナギが、祭りの間、たくさん使われる。

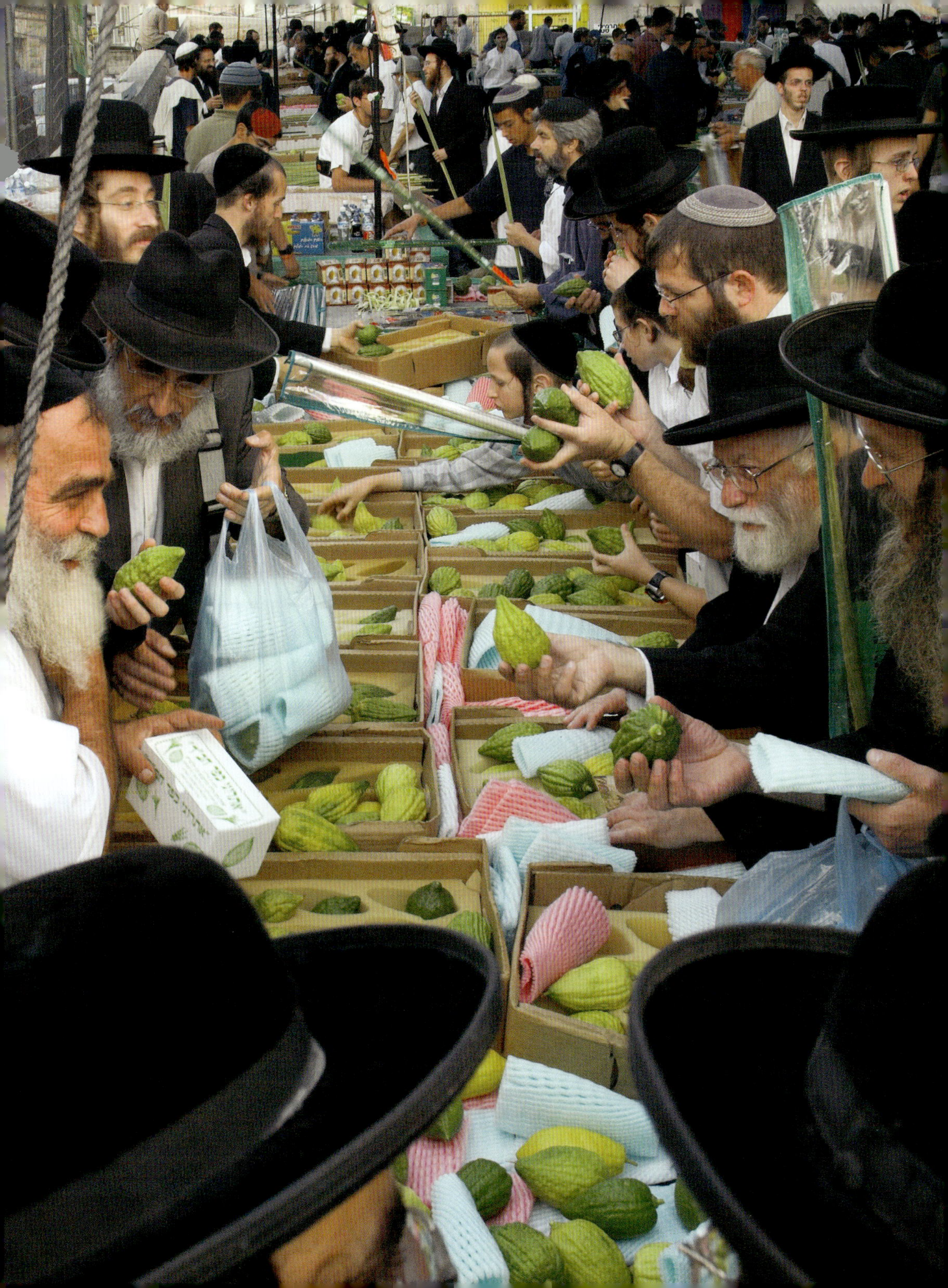

イタリア
ベネチアの聖夜のミサ

ベネチアにあるビザンティン時代の遺産、サン・マルコ大聖堂では
キリストの降誕を祝うカトリックの豪華な盛式ミサが行われる。

　キリストが誕生した聖なる夜に、サン・マルコ大聖堂の鐘が街に響き渡り、ミサの始まりを告げる。幾何学模様の大理石の側廊には、1時間も前から集まっている信者をはじめ、次々と大勢の人々が押し寄せる。観光客や地元の人、駆け回る子どもたち、親の腕に抱かれて眠る赤ん坊とさまざまだ。

　黄金色に塗られた壁とドームを飾る、圧倒的な迫力のモザイク画が、祝祭に東方の香りを添える。これは、ベネチアがギリシャ正教会と深いゆかりがあった名残だ。中央にある昇天のドームから、キリストのモザイク画が見下ろし、1000本ものろうそくの炎が大聖堂をやさしく照らし出している。

　ベネチアの総大司教が執り行うミサは、真夜中の1時間前に賛美歌と朗読で幕を開け、古代の元日祭を祝う歌が、キリストの誕生以前の時代へといざなう。

　クライマックスは、助祭長が差し出すキリストの幼子像に、総大司教が栄光の賛歌を歌いかける場面だ。神の聖なる光を象徴する雰囲気が醸し出される中、キリスト生誕の重要性が説かれる。この秘跡に立ち会えるのはカトリック教徒だけだ。

ベストシーズン　ベネチアのクリスマスを堪能するなら、数日前に到着しよう。その後は好きなだけ滞在を!

旅のヒント　聖夜のミサは入場自由だが、22時30分までには入った方がいい。入り口は寺院の北側にある。ラテン語の唱和はあらかじめ練習するので、誰でも参加できる。観光客向けに、聖歌を英語、フランス語、ドイツ語に翻訳した紙も用意されている。非礼にならないような、暖かい服装で出かけよう。手荷物は持たない方が良いだろう。写真とビデオ撮影は禁止。この時期は多くの教会で演奏会が開かれており、ベネチアのあちこちで告知が見られる。クリスマスの日は休業するレストランが多いので、調べておこう。

ウェブサイト　www.enit.jp（イタリア政府観光局）、www.basilicasanmarco.it（イタリア語、英語）

ヨーロッパ

見どころと楽しみ

■ 通常は立ち入り禁止の場所にも入れるので、サン・マルコ大聖堂の**黄金のモザイク画**をじっくり眺めるには最適の機会だ。

■ クリスマスのこのミサは独特で、教会の**複雑な歴史**が背景にある。総大司教がまとう金糸・銀糸で刺繍されたロープは、1690年頃、教皇アレクサンデル8世が寺院に寄贈したもの。

■ ベネチアでは迷子になるのも楽しみの一つ。狭く曲がりくねった道を気ままに歩いて、観光客と物売りだらけのベネチアの素顔に触れるのもおもしろい。カンポ・サント・ステファノなどで開かれる**クリスマス市**は必見。

サン・マルコ大聖堂の壮麗なドームは、旧約・新約聖書の場面を描いた11世紀から16世紀のモザイク画で彩られている。

2007年の復活祭の様子。サン・ピエトロ大聖堂の柱廊から、ローマ教皇ベネディクト16世が世界に向けてメッセージを伝える。

バチカン市国

復活祭のミサ

ローマ市民、巡礼者、観光客がそろって、カトリック教会で
最も喜ばしい日を祝う。復活祭のクライマックスだ。

　真珠のようにつややかな空が青く染まる早朝から、カトリック教会の総本山サン・ピエトロ大聖堂前の美しい広場には、10万人もの人が集まる。その全員がカトリック教徒ではないが、あらゆる国籍、年齢の人がそろった大群衆が、ざわめきの中で期待をふくらませて待っているのがわかる。

　午前10時30分、とどろくような鐘の音と聖歌の歌声に合わせて、ローマ教皇がサン・ピエトロ大聖堂の階段に姿を現し、群衆にあいさつをする。

　前ローマ教皇ヨハネ・パウロ2世が復活させた古い習慣にのっとり、教皇がキリスト像をたたえると、復活祭の幕が開く。巡礼者も観光客も、そして聖歌隊も典礼の言葉を唱和する中、信心深い人は自分だけの祈りの言葉を唱える。

　正午になると、中央バルコニーに教皇が姿を現し、「ウルビ・エト・オルビ(ローマ市と全世界へ)」というラテン語の祝福の言葉を厳かに述べる。教皇はこの場で世界情勢について話す。最後に教皇は両腕を差し出し、集まった人々のために何十もの言語であいさつをし、祝福を与える。

見どころと楽しみ

■ 日曜日のミサは、聖木曜日の夜から復活祭の日曜日までの聖なる3日間のクライマックス。事前に計画しておけば、聖木曜日の夜にラテラノの聖ヨハネ大聖堂で行われる**主の晩餐のミサ**に参列できる。ここでは、最後の晩餐でのイエスの謙虚なふるまいをしのび、教皇が12名の聖職者の足を洗う洗足式が行われる。

■ 聖金曜日には、教皇は十字架崇拝のミサをはじめとする午後のミサを何度か行った後、夜にはコロセウムでイエスの受難をしのぶ**十字架の道行き**の儀式を行う。聖土曜日の夕べでは、サン・ピエトロ大聖堂での真夜中のミサもあり、教皇と上級枢機卿が祝福を行う。

■ **バチカン博物館**には、ぜひ別に時間をとって行ってみよう。この時期は、いつも以上に混雑するし、復活祭の日曜日と月曜日は休館。

ヨーロッパ

ベストシーズン　復活祭の週末より数日早く到着して、歴史ある美しい町を満喫しよう。カトリックの復活祭は3月初旬から4月下旬のどこかで行われる。

旅のヒント　この時期の航空便は運賃が高く、またホテルも満室になるので、予約はかなり早くからしたほうがいい。サン・ピエトロ広場のミサ会場の席は無料だが、チケットを手に入れるには地元のカトリック司教区に申しこむ。
立ち見なら、早めに会場に入ればチケットは不要。教皇が行う他の儀式やミサは予約が必要になる。行列に並ぶのがいやなら、バチカン博物館ツアーに参加するといい。

ウェブサイト　www.vatican.va (英語、イタリア語ほか)

儀式と祝祭 | 303

四旬節前の祝祭 トップ10

復活祭の46日前から始まる四旬節は、キリスト教徒にとって、節制の時。この禁欲期間を前に、人々は饗宴に酔いしれる。

❶ マルディ・グラ（米国ルイジアナ州）

フランス領だったルイジアナ州では、フランスの伝統が今でも残っている。その代表がマルディ・グラで、今やニューオーリンズの代名詞とも言えるにぎやかな祭りとなっている。公現祭の仮面舞踏会（1月6日）で幕を開けるマルディ・グラは、5日間に及ぶどんちゃん騒ぎで最高潮を迎え、四旬節まで続く。

旅のヒント　「クルー」と呼ばれる私的クラブが出すマルディ・グラの山車には、観光客も乗ることができる。コープス・ド・ナポレオンというクラブは、部外者でも受け付けてくれる。
www.mardigras.com、www.napoleonparade.com（英語）

❷ トリニダードトバゴのカーニバル（トリニダードトバゴ）

トリニダードトバゴのカーニバルは、商業ベースに乗せられた大規模なショーではなく、地元民が主役のパーティーだ。華やかな衣装の人々が町に飛び出してパレードやダンスショーを繰り広げ、フードフェスティバルやスチールドラムのコンテストが行われる。18世紀後半にフランス人が始めた頃は、上流階級の仮面舞踏会だったが、すぐに町の催しに変わった。さまざまな宗教の移民たちも加わり、今や多文化がはじける一大饗宴だ。

旅のヒント　カーニバルの週には、2大コンテストの決勝も行われる。一つがスチールドラムのバンドを対象としたパノラマで、もう一つはアイドル発掘コンテストのディマンシュ・グラだ。どちらも40年以上の歴史がある。
www.gotrinidadandtobago.com（英語）

❸ マルティニクのカーニバル（仏領マルティニク）

カリブ海に浮かぶマルティニクにカーニバルが近づくと、悪魔がやって来て、四旬節前の祝祭でいたずらを働くという。5日間にわたって繰り広げられるパーティーや行列では、男性がウェディングドレスを着て女装するのがお約束。「ざんげの火曜日」は赤い悪魔の日となり、赤と黒の衣装をつけた悪魔たちがフォール・ド・フランスの通りを支配する。カーニバルが最高潮に達するのは、「灰の水曜日」、ババルというカーニバル王の弔いだ。山車や性悪女たちのパレードとともに、ババル像がまきで焼かれる。王の死とともに、その年のお祭り騒ぎも終わりを告げるのだ。

旅のヒント　カーニバルに先立って、1月初旬から毎週末パーティーが開かれる。四旬節の半ばにもミニ・カーニバルがある。www.martinique.org（英語）

❹ 花と果物の祭り（エクアドル アンバト）

雪をかぶったアンデス山脈を背景に、アンバトの花と果物の祭りは豊かな実りに感謝を捧げる。華やかな衣装と豪華な山車、花火が祭りを盛り上げ、桃のフレーバーのワインが振る舞われる。四旬節前の土曜日には、アンバトの白い聖堂の外でミサが行われる。

旅のヒント　祭りが行われるアンバトの町は首都キトから南へ自動車で2時間のところにある。www.ecuador-embassy.or.jp（在日エクアドル大使館）、www.ecuador.travel（英語、スペイン語）

❺ リオデジャネイロのカーニバル（ブラジル）

世界で最も有名なカーニバル。「ざんげの火曜日」までの4日間に華やかな祭典が繰り広げられるが、ハイライトは、7万人収容のサンボドロモ・スタジアムで行われるリオのサンバパレードだろう。

旅のヒント　サンボドロモでのパレードのチケットはすぐに売り切れるので、予約は早めに。www.brasemb.or.jp（駐日ブラジル大使館）www.rio-carnival.net（英語）

❻ パトラスのカーニバル（ギリシャ）

神話と現実が出会うパトラスのカーニバルは、古代ギリシャ、それもワインの神であるディオニュソスから着想を得ている。聖アントニウスの日（1月17日）からカーニバルシーズンが正式に幕を開け、3月初旬の豪華なパレードと凧あげコンテストで終了する。

旅のヒント　パトラスは、オリンピアやデルフォイといった古代遺跡巡りの拠点としても最適。www.carnivalpatras.gr（ギリシャ語、英語）

❼ ベネチアのカルネバーレ（イタリア）

世界中のカーニバルに影響を与えたベネチアのカルネバーレは、13世紀に始まり、ルネサンス期に退廃的な華やかさが絶頂を迎えた。カトリック信仰に根ざしているものの、世俗的なお祭り騒ぎはつきもので、ベネチア人は仮装をして、普段できないことをやってのける。

旅のヒント　カルネバーレの時期は寒く、雪が降ることもある。仮面だけでなく、暖かい服装も用意しよう。www.enit.jp（イタリア政府観光局）

❽ ファッシング（ドイツ）

ドイツ南部で広く行われる6日間のファッシングは、とても楽しい祭りだ。村や地域ごとに個性的な衣装があって、クモと魔女、動物とピエロなど、種類も驚くほど多い。「灰の水曜日」の前の月曜が最高に盛り上がり、道化たちの騒々しい行列の後、朝まで舞踏会が続く。

旅のヒント　湖畔のフリードリヒシャフェンを拠点にして、レンタカーで各地のパレードを見て回ろう。www.visit-germany.jp（ドイツ観光局）www.friedrichshafen.ws（ドイツ語、英語）

❾ ケルンのカルネバル（ドイツ）

ケルンのカルネバルは11月11日に始まり、四旬節前夜まで冬の間ずっと続く。ケルンだけでも、パレード、舞踏会、演奏会、伝統的なバラエティショーなど、500以上の催しが行われる。

旅のヒント　四旬節直前のバラの月曜日は大パレードの日。歴史を知りたいなら、カルネバル博物館に足を運んでみよう。www.visit-germany.jp（ドイツ観光局）、www.koelnerkarneval.de（ドイツ語、英語）

❿ シッチェスのカルナバル（スペイン）

シッチェスは、普段は静かな海沿いの町だが、1週間のカルナバル期間中だけは楽園に変わる。初日の「脂の木曜日」には、カルネストルテス王を墓からよみがえらせる儀式が海辺で行われる。締めくくりは、中世の面影を残す地区を練り歩く数千人の行進だ。

旅のヒント　日曜と火曜の夜のパレードは特に見もの。民族舞踊や伝統的なごちそうを楽しめる。www.spain.info/JP/TourSpain（スペイン政府観光局）、www.sitgestur.cat（スペイン語、英語ほか）

次ページ：リオデジャネイロのカーニバルで山車に乗るサンバ・スクールのメンバー。最も想像力豊かなスクールが表彰される。

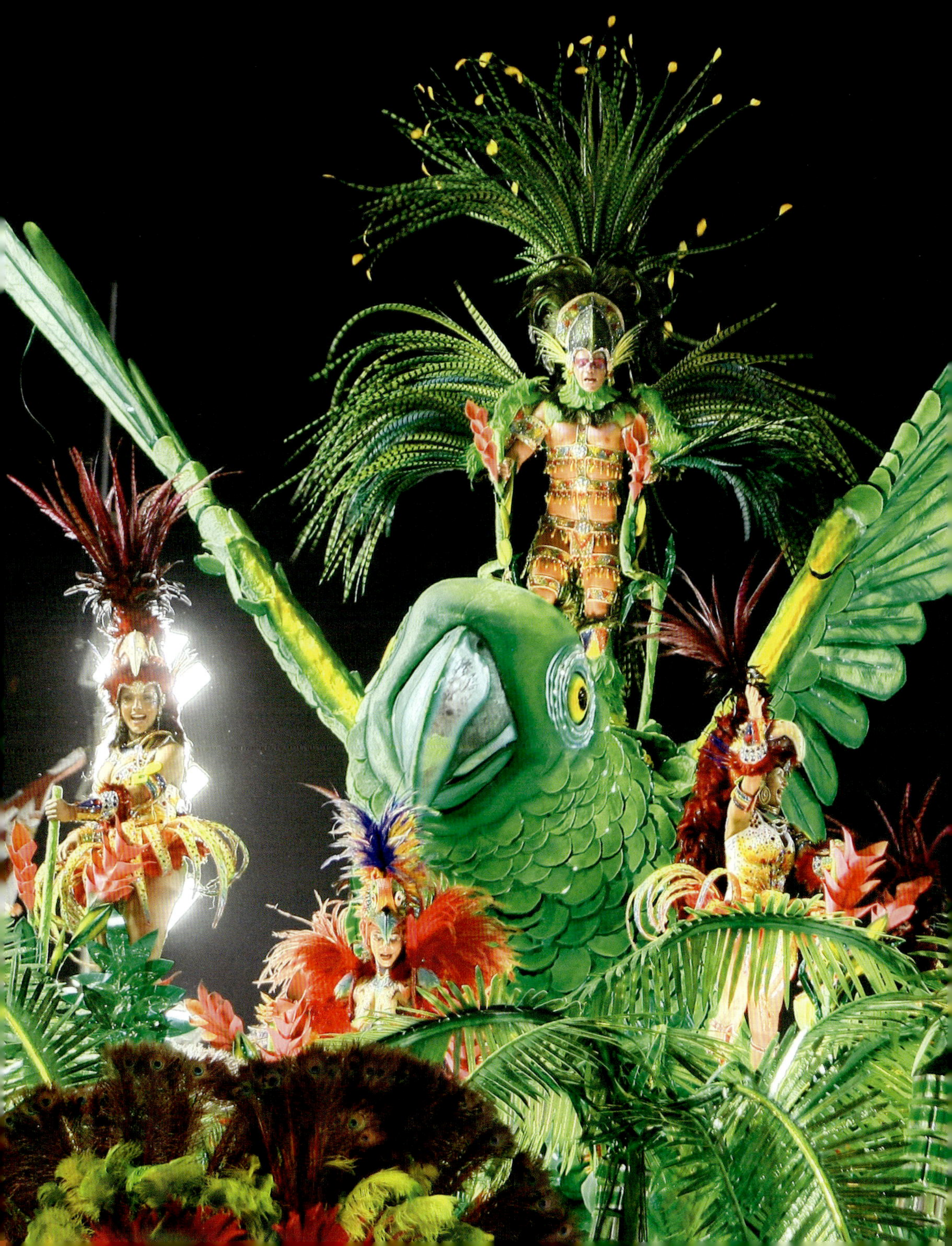

復活祭前日の土曜日、神秘の行進を終えた担ぎ手たちが、キリストの生涯を描いた木像をトラパーニの教会まで戻す。

イタリア
トラパーニの聖金曜日

**キリスト教徒にとって、最も厳粛な日である復活祭前の金曜日。
シチリア島のトラパーニの町では、受難をしのぶ儀式が丸1日かけて行われる。**

聖 金曜日の午後2時、街の中心部にある煉獄（れんごく）の教会の扉が開き、マッサーリと呼ばれる担ぎ手が大きな木像を次々と運び出す。そして、葬送行進曲の調べにのって歩き始めるのだ。

　木像は、イエスの捕縛から受難を経て復活までをしのぶ「十字架の道行き」を象徴している。これがトラパーニの神秘の行進の始まりだ。この後24時間、マッサーリたちは、聖書の場面を表した木像を肩に担いで、トラパーニの町を歩き続ける。

　木像の数は全部で20体。1体を10人ほどの男たちが運ぶ。彼らはチャックラという打楽器をたたくリーダーの指示に従い、歩みを進める。彼らの前をずきんをかぶった葬送の男たちが歩き、その後ろには葬送の音楽を鳴らす楽隊がつく。

　この行進は400年以上前から続いているが、現在の木像は18世紀から19世紀につくられたものだ。苦しみと苦痛にゆがんだ表情が真に迫っている。

　木の台に載せられた木像は、銀の宝飾品や花で飾られる。トラパーニの通りは、この行列を見物する大勢の人で埋まり、沿道のバルコニーからは花びらがまかれる。翌日の土曜日には、行進を終えた木像が教会に戻り、復活祭を祝う行事が始まる。

ベストシーズン　復活祭の週末。春はシチリア島を訪れるのに最高の季節。気候は温暖で、野の花やアーモンドの花が満開になる。

旅のヒント　パレルモ空港でレンタカーを借りるか、シャトルバスでパレルモ市街まで出る。パレルモからトラパーニは鉄道やバスもあるが、バスの方が本数が多いので効率的。トラパーニの鉄道駅とバス停は町はずれにあるが、町が小さいので十分歩ける。国内線用の小さい空港もあり、港から近隣の島までフェリーで行くこともできる。復活祭は観光シーズンなので、交通と宿の予約は早めにしておこう。

ウェブサイト　www.enit.jp（イタリア政府観光局）、www.sicilynet.it（英語）

見どころと楽しみ

■ **路地裏の小さなレストラン**では、同業組合の男たちが食事をしに駆け込んでくる。テーブルに着くやいなや、山盛りのパスタが出されるが、彼らは15分で胃袋に収めて、また木像担ぎの苦行に戻る。究極の早食いだ。

■ **夜の行進**は、いっそう幻想的な雰囲気に包まれる。葬送の暗い音楽は、悪い夢に出てきそうだ。

■ 山の上にある**中世の町エリチェ**では、晴れた日は80キロ先のチュニジアとエトナ山が望める。トラパーニからはケーブルカーが通っていて、古代の城壁に囲まれた、迷路のような石畳の通りに風情を感じる。

ヨーロッパ

フランス
聖女をたたえる ロマの巡礼

波に洗われる南仏カマルグのサント・マリー・デ・ラ・メールには、
かつてジプシーと呼ばれていた人々が毎年何千人も集結する。

ヨーロッパ全土から、かつてジプシーと呼ばれたロマの人々が、フランス南部の海辺の町に集まる。聖母マリアの異母妹でイエスの叔母といわれるマリア・ヤコベと、ヤコブおよび伝道者ヨハネの母親であるマリア・サロメという2人の聖人をたたえるためだ。ロマの守護聖人サラの祭りでもある。

ロマだったとも考えられるサラは、2人のマリアとマグダラのマリアなどとともに、キリストにかかわる迫害から逃れ、この海岸から船出したと伝えられている。彼女たちの船には帆もかじもなかったが、神の意志で安全な岸にたどり着いたという。2人のマリアとサラはそこに留まり、マグダラのマリアは祈りのために洞窟に入った。この町にあるノートルダム教会の地下室には、聖女サラの遺物が安置されている。祭りの期間中は巡礼者が訪れるだけでなく、洗礼や婚礼も行われる。

聖サラの彫像と、2人のマリアの像を乗せた小さい茶色の船が教会から海まで運ばれるのは、奇跡の漂着を象徴している。白馬に乗ったカマルグ地方の騎手が旗を持って進み、その後をプロバンスの民族衣装を着た女たちが続く。

ベストシーズン 祭りは5月24日から26日だが、それより長く滞在する人が多い。10月半ばには、とても華やかでより地元色の強い2度目の祭りがある。教会でのミサ、海への行進、伝統的な衣装はこの祭りの大きな特徴だ。時間があれば30キロも続く砂浜でリラックスしよう。

旅のヒント サント・マリー・デ・ラ・メールへは車で行くか、アビニョンからアルルまで鉄道を使い、そこからバスで45分。車中、水田やわらで屋根をふいた独特の家々が見える。バスは1日3本しかないので、時刻表はアルルのビジターセンターで確認すること。

ウェブサイト www.saintesmaries.com（フランス語、英語ほか）

ヨーロッパ

見どころと楽しみ

■5月後半の10日間ほど、巡礼にやって来るロマたちの**自動車や馬車のキャラバン**が町の周りを埋め尽くす。

■祭りの期間、ロマの人たちは地元の詩人で畜産家だったフォルコ・マルキス・デ・バロンセル・ヤボン（1869～1943年）をしのぶ。彼はこの祭りの知名度を高め、ロマの権利拡大に尽くした。ロマたちは彼の墓に参り、町中で**雄牛レース**を行い、功績をたたえる。

■**牧場**に出かけてみよう。ガルディアンと呼ばれる牛飼いたちが、黒牛とカマルグ特産の白馬を育てている。白しっくいの壁にアシでふいた屋根という、伝統的な建物もまだ残っている。

ロマの行進にはカマルグ地方の騎手たちも参加し、聖女サラの像を海に運び、また教会に持ち帰る。

10月の祭りでは、民族衣装に身を包んだ若い女性たちが、聖母への美しい捧げ物を運ぶ。

スペイン
サラゴサのピラール祭

スペイン北東部の都市サラゴサで毎年10月に行われるこの祭りでは、
碧玉の柱に置かれた聖母が花々で飾られる。

紀元40年、使徒聖ヤコブがアラゴンのエブロ川の岸で祈っていると、聖母マリアが目の前に現れ、自分の彫像と碧玉の柱（スペイン語で「ピラール」）を与え、これを中心に教会を建てるように告げたという。

それから何世紀もの時間を経て、サラゴサのピラール広場には美しい大聖堂がつくられ、聖母像をいただいたピラール（柱上の聖母像）が安置された。10月に行われるピラール祭は、サラゴサのみならず、スペイン全土の守護聖母として崇められる柱上の聖母を祝福する祭りです。参加者は驚くほど多くの花と果物を聖母に捧げる。紙でつくられた張り子の巨大な人形が街を練り歩き、祭りを盛り上げる。

スペインらしさは祭りのあちこちで見られる。音楽と踊りが、通りという通りを埋め尽くし、スペインらしく闘牛や演劇も彩りを添える。

ベストシーズン　祭りは10月12日の直前の土曜日から9日間続く。ピラール広場は音楽や演劇、サーカスで大にぎわいになる。

旅のヒント　サラゴサへは空路、陸路、鉄道がある。市内および周辺を結ぶバス路線もあるが、レンタカーのほうが便利。旧市街の中心部はエブロ川の南で、ピラール広場、大聖堂、教会、記念碑、ホテル、レストランが集まっている。祭りの期間は観光客も多く訪れるので、宿は早めに予約しておこう。

ウェブサイト　www.spain.info/JP/TourSpain（スペイン政府観光局）
www.zaragoza.es/ciudad/fiestaspilar（スペイン語、英語ほか）

見どころと楽しみ

■ **音楽**は祭りの重要な要素。民族音楽からポップス、レゲエ、タンゴ、ジャズなどが、町のあちこちで聞かれる。

■ タンゴが踊れない人は、アラゴン地方の伝統舞踊、**ホタ**に挑戦してみよう。この民謡風の音楽と踊りは、ピラール広場のフエンテ・デ・ゴヤで毎日行われる。

■ 祭りの期間中、夜には必ず**花火**が打ち上げられる。最終日、川岸のバルケ・デ・マカナスで上がる花火は特に華やか。

■ バルケ・プリモ・デ・リベラでは、毎夜**音と光と水のショー**が行われる。

■ バルケ・デ・アトラクシオーネスでは、祭りの期間中、昼夜関係なく**ビール祭**が開催される。

ヨーロッパ

スペイン
セビリアの聖週間

スペインの聖週間にはパレードがつきものだが、
南部セビリアのパレードはまさに一大スペクタクルだ。

毎年春の8日間、古都セビリアは壮麗な山車の巡行で活気づく。「棕櫚の聖日」から復活祭の日曜日まで、町の信者組織に属する約5万人が、59の行列を仕立てて、それぞれの教区から大聖堂へと向かうのだ。

ほとんどの組織は派手に飾った山車を2基所有している。そのうち1基はイエスの受難と復活を象徴しており、残りは聖母マリア像が載っている。

彫像は王冠をかぶり、ベルベットと金らんのローブをまとい、山車の枠組みも銀細工だ。山車は重さ2トンを超え、巡行は最高8時間に及ぶ。山車に近寄ると、地面まで垂れた布の内側から、担ぎ手のうめき声が聞こえるはずだ。

山車の後に続くのが、白い祭服に先のとがったずきんで顔を覆った悔悛者たち。その身元は神のみぞ知る。彼らは大きな十字架や旗、ろうそくを掲げている。バルコニーにいる歌い手たちは、情熱的なフラメンコの歌を歌い続ける。聖金曜日の早い時間に祭りは最高潮に達し、立派な山車が石畳の狭い路地を通っていく。2日後、イエスの復活を祝って、セビリアは歓喜に包まれる。

ベストシーズン 復活祭までの1週間ずっと滞在できない人は、聖金曜日の早朝のセレモニーをねらおう。正確な日程は毎年変わるが、3月か4月のどちらか。

旅のヒント 聖週間の行列は100万人の人出があるので、宿はすぐにいっぱいになる。快適な眠りを確保したいなら、予約はできるだけ早くとろう。地元紙には、信者組織の行列の内容と、それぞれ地元の教会を出発する時刻が掲載される。一度に10の組織が同時に巡行するので、町の地図と歩きやすい靴は必須。曲がりくねった通りを利用して近道するのが賢明だが、巡行にぶつかると前には進めなくなる。

ウェブサイト www.spain.info/JP/TourSpain（スペイン政府観光局）
www.semana-santa.org（スペイン語）

見どころと楽しみ

■ 祭りの数日前からセビリア入りするなら、**教会**に行って信者組織が準備する様子を見せてもらおう。

■ 聖週間の行進は、厳粛な宗教行事でもある。だがセビリアっ子は飲んで騒ぐのが大好き。巡行のルート途中にある**バール**はどこも大にぎわいなので、ぜひ立ち寄って、対照的な雰囲気を楽しもう。

■ 復活祭名物**トリーハス**は、卵とワインとハチミツを使った一種のフレンチトースト。

復活祭の日曜日の行進のためにサンタ・マリア・ラ・ブランカ教会に集まった、復活信者会の悔悛者。

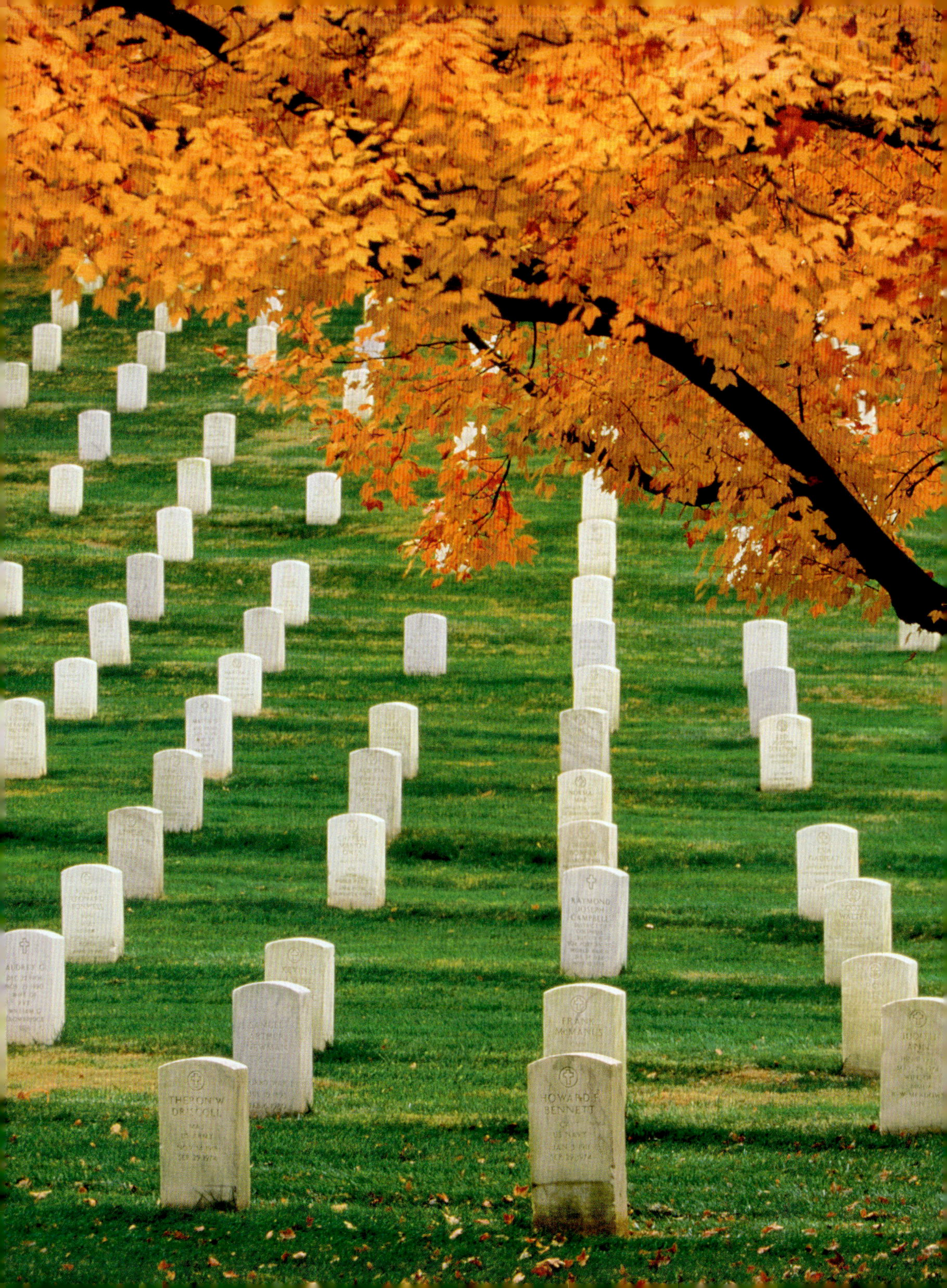

9 忘れえぬ人々

人々の信念や価値観を理解するには、亡くなった人に対してどのように敬意を表しているかを知るのが良いだろう。どんな社会にも、先に旅立った人を大切にしのぶ場所がある。厳粛でしめやかな場所もあれば、活気にあふれ、喜びさえ感じさせる場所もある。雰囲気がいかに違おうと、どんな場所にも亡き人にまつわる大切な物語がある。

エジプトの王家の谷では、3000年も前に死んだファラオの生活が再現されているし、中国には、清朝歴代の皇帝たちが眠る広大な陵墓がある。パリのペール・ラシェーズ墓地には、熱烈な愛を育んだ恋人たちが仲良く眠る。米国のアーリントン国立墓地は、国のために戦い、命を落とした兵士たちをたたえる場所だ。

故人だけではなく、時代を物語る記念碑もある。広島の平和記念公園や、ホロコーストで死んだユダヤ人をしのぶエルサレムのヤド・バシェムは、暴虐と恐怖にさいなまれた現代を象徴している。一方、ルーマニアにある「陽気な墓地」は、墓碑に飾りと彩色が施され、明るい雰囲気を醸し出している。

左：南北戦争の戦没者のための墓地として築かれたアーリントン国立墓地。米国で軍が管理する国立墓地はここのほかにあと1カ所だけ。墓碑のそばでは、毎週100回を超えるミサが行われ、死者を悼む。

カナダ
ランス・アムールの塚

都会から遠く離れた小さな集落にある古代の埋葬地。
この地の神秘的な雰囲気に引かれ、自然や孤独を求める人が数多く訪れる。

　その若者は、約7500年前に現在のカナダ北東部で死んだということ以外、正確な年齢も、性別さえもわからない。そして、深い穴に頭を西向きにして、うつぶせに安置され、その上に樹皮をかぶせられた。弔いの気持ちを表すため、背中には黄土がかけられていた。亡骸のそばには、石器や武器が置かれ、遺体の周りで火を燃やした後、穴はたくさんの岩で埋められた。

　これほど手のこんだ埋葬をするということは、この若者はかなりの有力者だったとも考えられる。この岩で埋められた直径8メートルほどの円形の塚は、北米大陸では最古の埋葬地だ。この時代、北米の大西洋沿岸では、先住民が海にすむ哺乳類を捕獲して生活していた。

　ラブラドル半島の南端、小さな漁村ランス・アムールの近くにあるこの塚は1974年に発見され、その後復元された。

北米

ベストシーズン　6月から9月が最適。自転車でのツーリングやハイキングで灯台を訪ねるのもおもしろい。ハイウェー510号線のドライブは、海岸の絶景が楽しめる絶好ポイント。

旅のヒント　塚と博物館、灯台を回るだけなら1日で十分。16世紀のバスク人の捕鯨基地であるレッドベイ国立史跡を見るならもう1日増やす。ランス・アムールまでは、ケベック州ルルド・ブラン・サブロン空港からレンタカーで東に30分。ライトハウスコーブ・ベッド・アンド・ブレックファストという宿は塚から徒歩20分だが、部屋数は三つ。ランス・アムールの宿泊施設はここだけなので、事前に予約したい。

ウェブサイト　jp.canada.travel（カナダ観光局）、www.destinationlabrador.com
www.labradorstraitsmuseum.ca（英語）

見どころと楽しみ

■ 6月中旬から10月中旬までなら、1857年建設の**アムール岬灯台**に行ってみよう。カナダ第2の大きさを誇る灯台で、大西洋沿岸では最も高い。

■ **ザトウクジラ**や**万年氷河**を見るには双眼鏡が必要。トレッキング好きなら、ランス・アムールのスプーナー入り江、バッテリー、オーバーフォール・ブルックなど、初級から中級までのルートがそろっていて、楽しむことができる。

■ **ラブラドル海峡博物館**では、この地域の入植初期の生活と、過去150年の発展に女性が果たしてきた役割を学べる。また、古代の出土品のレプリカも見られる。

アムール岬灯台は航路を示すだけでなく、海洋博物館でもある。128段の階段を上れば、大西洋の絶景が楽しめる。

ジョン・F・ケネディ元大統領の墓には永遠の炎が燃え続ける。

米国 バージニア州
アーリントン国立墓地

30万人あまりの軍人とその家族が眠っている。
ここは、米国人の心のよりどころで、年間400万人以上が訪れる。

花崗岩の柱がそびえ立つ半円形をした入り口の壁には、翼を広げたワシを描いた合衆国の国章が掲げられている。ここは数々の戦いで死んだ軍人たちが眠る場所だ。鋳鉄の門にある六つの星と軍の紋章がそれを思い出させる。

広大な墓地は厳かな静けさに包まれ、簡素な白い墓標がどこまでも続いている。一列に木々を植えた敷地にある大理石の墓には、米国のこれまですべての戦争で命を落とした、身元不明の兵士たちが眠る。この無名戦士の墓は、常に守られている。

ギリシャ様式の荘厳な建物があるアーリントン・ハウスのすぐ下の斜面には、35代大統領ジョン・F・ケネディが眠る。彼の墓には、永遠の火が燃えている。

アーリントン国立墓地には第二次世界大戦中の硫黄島上陸記念碑や、名誉勲章を受けた367人の墓、さらに殉職した宇宙飛行士の墓もあり、墓標を見て歩けば、そのまま米国史をたどることができる。しかし、その多くが無名の市民なのだ。

見どころと楽しみ

■ ガラスの銘板をはめたアーチが水面に映えるのは、**米軍従軍女性記念碑**。看護師をはじめ、米国を守るために従軍した200万人近い女性をたたえるもので、こうした記念碑は珍しい。

■ アーリントンには、1986年と2003年に起きた**スペースシャトルの事故**（チャレンジャー号とコロンビア号）で命を落とした14人の宇宙飛行士（アメリカ人13人とイスラエル人1人）をしのぶ記念碑もある。

■ 5月最終月曜の戦没将兵記念日と11月11日の復員軍人の日、復活祭の日曜日の夜明けには、大々的な**記念ミサ**が行われ、誰でも参列できる。

■ 19世紀に建てられた**アーリントン・ハウス**は初代大統領ジョージ・ワシントンを記念するもので、ロバート・E・リー将軍がすんだこともある。隣接する土地が1864年に国立墓地になったため、議会は1883年にリー将軍の息子から邸宅も買いとった。

北米

ベストシーズン 墓地は通年で8時～17時に開いている。ただし4月から9月は19時まで。
旅のヒント 253ヘクタールもあるので、一周するだけで2～4時間かかる。エントランスにはビジターセンターがあり、書店もある。車いすやベビーカーの貸し出しはなく、自動車での乗り入れも通常は禁止。メモリアル・ドライブからアクセスできる駐車場はたくさんある。ツアーモービルの音声ガイド付きツアーも、ホワイトハウスなどワシントン市内の名所も回ってくれる。墓地なので訪れる際はうやうやしい態度で。
ウェブサイト www.nps.gov/arho、www.washington.org（英語）

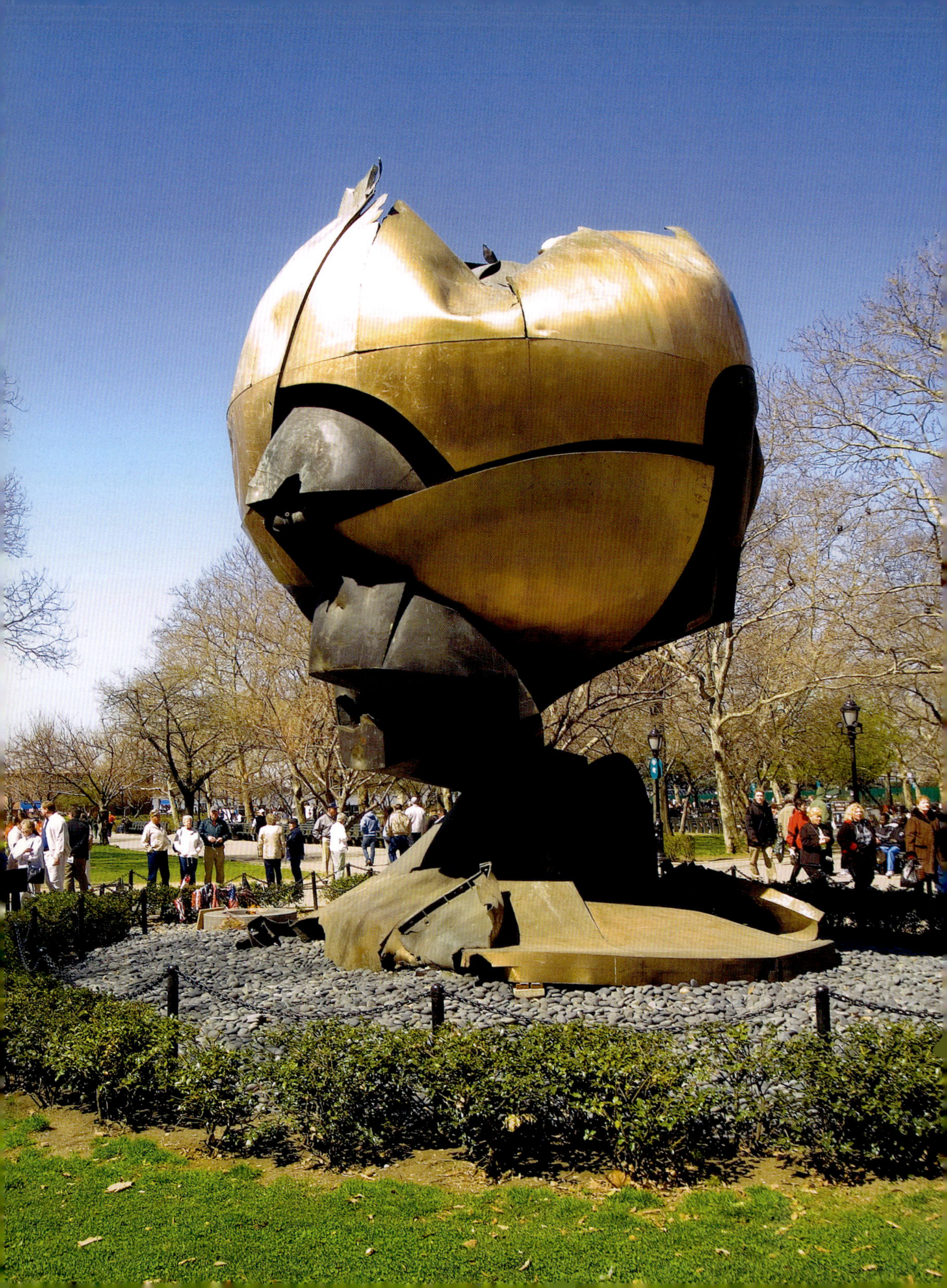

米国ニューヨーク市
9.11テロの記憶 グラウンド・ゼロ

米国同時多発テロで無残に崩れ落ちた世界貿易センタービル。
数年におよんだ議論の末、その跡地に事件を悼む博物館が建設されることになった。

巨大なクレーンがそびえ、重機が轟音を立てて動き回る。一見すると、ただの建設現場のようにも思えるが、大都会ニューヨークでグラウンド・ゼロほど神聖な場所はないだろう。ここは世界貿易センタービルが建っていた場所だ。

2001年9月11日、米国本土が歴史上初めて外国からの本格的な攻撃を受け、2980人が犠牲になった。テロリスト組織アルカイダによるテロ事件で、犯人グループが米国の航空機を乗っ取り、ニューヨーク市で最も高いツインビルに激突した。その後発生した火災の猛威で鉄骨が溶け、ビルは完全に崩壊した。

そして今、ビルの跡地では、新たなビル群が建設されている。高さ541メートルでニューヨーク随一の高さとなるフリーダム・タワーや3棟のオフィス・タワーのほか、9月11日のテロ事件を語り継ぐための記念碑と博物館も建設される。

建設に当たっては、全米50州はもとより、海外30カ国の政府、また個人や団体からも寄付が寄せられている。2008年現在、建設費用3億5000万ドルのうち3億2500万ドル以上が集まっているという。

建物が完成するまでは、隣接するトリビュートWTCビジターセンターで事件に関する展示や解説ツアーが行われる。あの日の事件をもっと知りたい人は、事件に遭遇した人から話を聞くこともできる。

ベストシーズン グラウンド・ゼロとトリビュートWTCビジターセンターは、リバティ通り120番地にあり、いつでも訪問可能。ビジターセンターの開館時間は月曜と水曜から土曜の10時～18時、火曜日は12時～18時、日曜日は12時～17時。ビジターセンターを訪ね、周囲を歩いて見て回ると2時間くらいかかる。

旅のヒント ビジターセンターではウォーキングツアーも開催している。月曜から金曜は11時、13時、15時の3回、土曜日は11時、12時、13時、14時、15時の5回。

ウェブサイト www.tributewtc.org（英語）

北米

見どころと楽しみ

■9.11の生存者が案内する**ウォーキングツアー**は、事件とその後のことを知る貴重な機会で、とても感動的だ。

■**周囲の歩道**から眺めると、ビル跡地の広さが実感できるだろう。

■**トリビュートWTCビジターセンター**には五つのギャラリーがあり、写真や映像、録音やゆかりの品々などを通じて、9.11当日とその前後の世界貿易センタービルの様子をたどれる。

■かつて世界平和の象徴として2棟のビルの間に置かれていたフリッツ・ケーニッヒの彫刻「**スフィア**」は、無残に変形してしまった。テロ攻撃による破壊の生き証人であり、犠牲者をしのぶ記念碑でもある。直径4.6メートル、重さ2041キロのブロンズの彫刻は、落下してきた建物の破片で激しく損傷した。現在はグラウンド・ゼロから南に数ブロック行ったバッテリー・パークに移され、事件の無残さを伝えている。

前ページ：9.11テロで変形したフリッツ・ケーニッヒ作「スフィア」は、現在バッテリー・パークに置かれている。上左：世界貿易センターの記念碑および博物館の建設は2006年に始まった。上右：9.11の2日後に世界貿易センタービルの残骸から見つかった十字架の形をした鉄骨。今は記念碑として台座に据えられている。

米国オハイオ州

サーペント・マウンド

オハイオ州の丘陵地に大きくうねる「巨大なヘビ」は、
その昔、死者を埋葬した墓地であり、今も神秘と謎に包まれている。

オハイオ州に広がる緑豊かな田園地帯に、木々が生い茂った小高い丘陵地がある。その丘に沿うように、全長400メートルを超す巨大なヘビがのたくっているのが見える。これは、動物などをかたどった墳墓としては世界最大のサーペント・マウンド(ヘビの塚)だ。

周囲の草地には点々と木が生え、小道が墳墓を囲む。小道はとぐろを巻いたヘビの尾から始まり、大蛇の胴体のうねりに合わせて延び、楕円形の頭部へ続く。

どんな古代文明が、どんな理由でこの墳墓をつくったのかは長く論争の的になってきたが、その謎は徐々に解き明かされつつある。これまでの研究で、つくられた時代は、西暦1000年か、それ以前と考えられる。サーペント・マウンドの頭部は夏至の日に太陽が沈む方向に向き、胴体のうねりは、月と太陽の至点と分点を表す。このことから、天文学の知識がある者がその造営に関与したらしい。ヘビの形の墳墓には、神話と占星術が深くかかわっているようだ。

ベストシーズン 晩夏と初秋の気候が快適だが、博物館は週末しか開館しない。夏は蒸し暑いので、涼しい朝がおすすめ。オハイオ州シンシナティやコロンバスから出発して、墳墓と博物館を回る日帰りツアーもある。

旅のヒント サーペント・マウンドは、シンシナティの東130キロ、コロンバスの南160キロのアダムス郡にある。メモリアルパークはベインブリッジの南30キロで、州道73号線沿い。墳墓は年間を通じて水曜から日曜まで開いている。博物館の開館時間は時期によって異なる。11月から3月は閉館。

ウェブサイト www.ohiohistory.org、www.adamscountytravel.org（英語）

北米

見どころと楽しみ

■ **博物館**では、この地域の特異な地質、サーペント・マウンドの天文学的な意味、造営した古代民族について学べる。

■ とぐろを巻いたヘビの尾の中心から頭部までを結ぶ線は、**真北**を向いている。

■ **展望タワー**からは、曲がりくねったサーペント・マウンドの全体像が一望できる。1000年以上前にここに暮らしていた人々の創造力にはただただ驚かされるだろう。

サーペント・マウンドがいつ、どのように誕生したかは、いまだ謎に包まれている。

ベトナム戦争の戦没者を悼む記念碑。厳選されたインド産の黒御影石が使われている。

米国ワシントンD.C.
ベトナム戦争戦没者慰霊碑

戦争そのものの是非が問われ、慰霊碑の建立にも賛否が分かれた。
しかし、「ウォール」と呼ばれる碑は時代とともに米国人に受け入れられてきたようだ。

首都ワシントンD.C.の中心を貫くナショナル・モールに、数多くの名前を刻んだ黒御影石が並ぶ一角がある。奥へと進んでいくうちに、街の喧噪(けんそう)は遠くに消え、しめやかな雰囲気が漂う。「ウォール(壁)」と呼ばれる慰霊碑はV字形に配され、そこには、ベトナム戦争で死亡または行方不明になった人々の名前が刻まれている。

ベトナム戦争は政治的な戦争だったが、長さ75メートルの2列の「壁」には、政治的なメッセージが一切ない。戦争に従軍し、亡くなった人の栄誉をたたえているだけだ。この慰霊碑に刻まれた5万8256人の名前は、死亡や行方不明になった日付順に並ぶ。名前の大きさは同じで、階級は問わず、装飾もない。彫られた名前を紙に写したり、花や思い出の品、手紙を供える人もいれば、立ち止まって見つめるだけの人もいる。名前から、その人の姿が心によみがえるのだろう。

V字の先端部分は高さ3メートルを超え、長く続いた戦争の犠牲者の名前はここで終わる。壁が低くなるにつれて、生者の世界に戻っていくようだ。

碑の建立自体、激しい論議の的になった。設計したのは当時イェール大学の学生だったマヤ・リンだが、この碑のデザインそのものも非難の対象だった。しかし、しだいに米国人はこのウォールを受け入れるようになってきたようだ。

ベストシーズン 慰霊碑には365日24時間訪れることができる。秋も美しいが、おすすめは桜の花が満開になる春。御影石に刻まれた名前を眺め、点在する彫刻を見て回ると35〜45分かかる。

旅のヒント 碑があるのはヘンリー・ベーコン・ドライブとコンスティテューション街の交差点。メトロではフォギー・ボトム駅が最寄り。9時30分から23時30分まではレンジャーが常駐、質問に答えてくれる。

ウェブサイト www.nps.gov/vive、www.viewthewall.com、www.thewall-usa.com(英語)

見どころと楽しみ

■「ウォール」が完成したのは1982年だが、その後戦争にかかわったすべての人を記念するために、**3人の兵士像**や**ベトナム女性慰霊碑**、**イン・メモリー・プラーク**が建設された。

■ウォールに刻まれた名前は日付順とアルファベット順だが、数が多いので探し出すのは難しい。ウォールの端に**名簿**があり、探すのに便利だ。行方不明者には「+」記号がついている。

■11月11日の復員軍人の日には記念式典が行われる。花輪を供え、音楽とスピーチが捧げられる。

北米

忘れえぬ人々 | 317

戦争記念碑
トップ10

祖国のために戦い、命を落とした人々は、
その国にとって特別な存在となる。

❶ 戦没者記念碑（カナダ）
オタワのシンボルである国会議事堂のほど近くにあるコンフェデレーション広場。その中央に、御影石の高いアーチがそびえ、さまざまな軍服姿の22体のブロンズ像が立っている。この記念碑は、第一次世界大戦で戦死したカナダ人を追悼するもので、1939年に除幕された。現在は、国のために犠牲になったすべての人をしのぶ場所となっている。

旅のヒント コンフェデレーション広場は、オンタリオ州オタワの中心部にある。11月11日の英霊記念日には国主催の追悼式典が行われる。
jp.canada.travel（カナダ観光局）
www.vac-acc.gc.ca（英語、フランス語）

❷ 朝鮮戦争戦没者慰霊碑（米国ワシントンD.C.）
ワシントンD.C.の中心にあるナショナル・モールに現れた19人の兵士像が、ビャクシンの茂みや、御影石を踏み分けて進んでいく。ステンレス鋼でつくられたこれらの像は、太陽の下では生身の人間のようだが、日が落ちると亡霊のように見える。1950年から53年の朝鮮戦争に従軍し、戦死した米兵を追悼する記念碑だ。

旅のヒント 19体の兵士像はフレンチ・ドライブ沿いにある。メトロで行くなら、フォギー・ボトム駅が近い。www.nps.gov/kowa（英語）

❸ リバティ・メモリアル（米国ミズーリ州）
カンザス・シティにある勇気、名誉、愛国心、犠牲を象徴する4体の石像が彫りこまれた、高さ66メートルの塔、リバティ・メモリアル。塔の装飾壁には、戦争から平和へと時代が変化する様子が描かれている。この塔は第一次世界大戦を記念してつくられた。その後2002年に修復、06年には博物館も開館した。

旅のヒント 開館日は火曜日から日曜の10時〜17時。ペン・バレー・パークのケスラー・ロード沿いにある。www.missouri-japan.org（ミズーリ州政府経済開発局駐日事務所）、www.theworldwar.org（英語）

❹ リトル・ビッグホーン戦場跡（米国モンタナ州）
先住民のラコタ、シャイアン、アラパホの連合軍が、1876年6月にジョージ・A・カスター率いる第7騎兵隊を全滅させた。米政府は1879年にこの戦場跡を国立墓地に指定したが、1991年になるまで公式な記念式典は行われなかった。現在この場所は死者を悼むとともに、先祖伝来の土地を守ろうとした先住民の強い思いを伝えている。

旅のヒント 戦場跡は通年で入場できるが、1月1日、感謝祭（11月第4木曜日）、クリスマスは閉鎖。夏期はビジターセンターで1876年の戦いに関するシンポジウムが行われる。www.bigskyjapan.com（モンタナ州政府駐日代表事務所）、www.nps.gov/libi（英語）

❺ 戦艦アリゾナ記念館（米国ハワイ州）
日本の真珠湾攻撃をきっかけに、米国は遅ればせながら第二次世界大戦に参戦することになった。真珠湾に沈む戦艦アリゾナの内部には、犠牲となった1177人の遺骨が今も眠っている。

旅のヒント 入場券の予約はできない。到着順に入場する。待ち時間が長くなりそうなら、真珠湾記念博物館を訪ねよう。
www.pearlharbormemorial.com（英語）

❻ アンザック戦没者慰霊地（トルコ）
第一次世界大戦中、トルコのガリポリ半島を巡る戦いで連合軍側に甚大な犠牲が出た。その中には、アンザック（ANZAC）と呼ばれた、オーストラリア兵8709人とニュージーランド兵2721人も含まれた。慰霊地には彼らの活躍ぶりを伝える展示があり、戦場ツアーも行われる。毎年4月25日には記念式典が開かれる。

旅のヒント 観光客の多くは、ガリポリ半島からフェリーで30分のチャナッカレを拠点にする。
www.anzacsite.gov.au、www.anzac.govt.nz（英語）

❼ ワルシャワ蜂起記念碑（ポーランド）
第二次世界大戦中の1944年、ナチスに対して起きたワルシャワ蜂起では、ポーランド人数千人が殺され、町が破壊された。この記念碑は、反政府暴動のグループや地下水道に逃げこんだ負傷兵など、多くの英雄をたたえている。

旅のヒント 記念碑はワルシャワのクラシンスキ広場にある。
www.poland.travel（ポーランド政府観光局）

❽ ノルマンディー米兵墓地と記念碑（フランス）
オマハ・ビーチを見渡す高台に、第二次世界大戦で命を落とした米兵の墓が広がる。そのほとんどは1944年6月6日のDデーの戦死者だ。「行方不明者の壁」には1557人の氏名が刻まれ、中央に立つブロンズ像は「米国若人の魂」と名付けられている。

旅のヒント 墓地があるのはバイユーに近いコルビュ・シュル・メール。
www.abmc.gov（英語）

❾ チープバル記念碑（フランス）
第一次世界大戦のソンムの戦いで命を落とした英兵と南アフリカ兵を追悼する記念碑。英国が建立した戦争記念碑としては世界最大で、7万2085人の名前が記されている。

旅のヒント 記念碑はアミアン近くにあり、ビジターセンターは通年で開いている（クリスマスと1月1日を除く）。www.thiepval.org.uk（英語）

❿ セノタフ（英国ロンドン）
ロンドンの中心部ホワイトホールにある戦没者記念碑。エドウィン・ラチェンズ卿の設計。1919年、第一次世界大戦の戦没者を追悼して建てられた。英霊記念の日曜日には、王室や公人が花を供え、退役軍人や英国軍がパレードをして、1914年以降、戦没した全英連邦の全兵士に敬意を表する。

旅のヒント 最寄りの地下鉄駅はチャリング・クロスかウエストミンスター。記念式典は第一次世界大戦の休戦記念日に最も近い11月第2日曜の11時から。
www.visitbritain.jp（英国政府観光庁）
www.roll-of-honour.com（英語）

次ページ：1941年12月7日の真珠湾攻撃で日本軍に沈められた戦艦アリゾナ。記念館は戦艦をまたぐように建てられた。

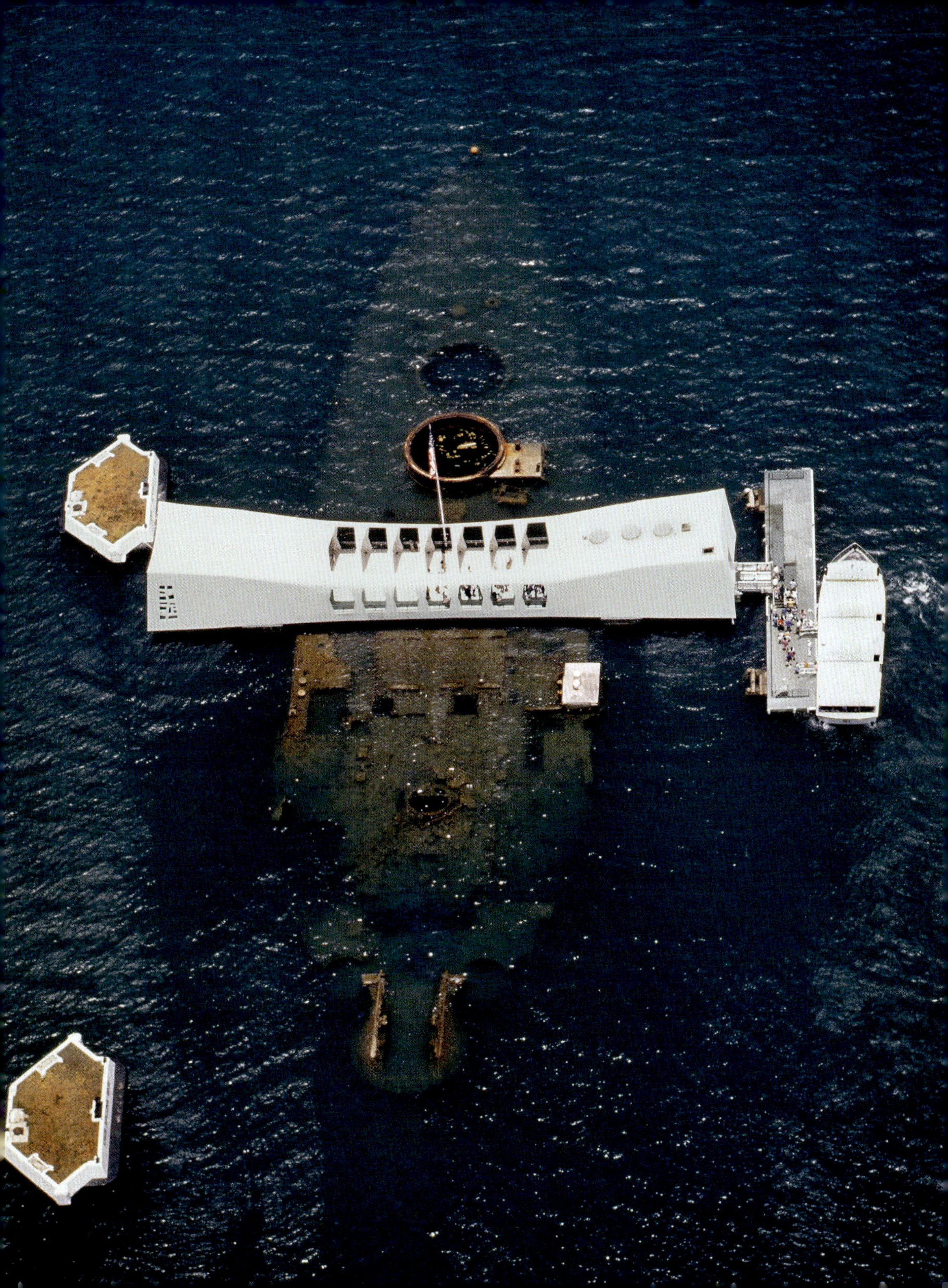

1903年、生き残った親族やスー族の仲間たちが、1890年の虐殺の犠牲者を悼む碑を立てた。

米国サウスダコタ州
ウーンデッド・ニーの虐殺地

見渡すかぎりの大草原に風が吹きぬける。
この荒涼たる風景は、ラコタ族を襲った悲劇の記憶をとどめている。

人里離れた小さな丘の上に、飾り気のない石碑が立つ。石碑の四面には、チーフ・ビッグ・フット、ハイ・ホーク、シェイディング・ベア、ロング・ブルといった名前が刻まれている。1890年12月29日、ウーンデッド・ニーと呼ばれるこの場所で、先住民のラコタ族が虐殺された。

それまで暮らしていたバッドランズを追われたラコタ族300人は、ここパイン・リッジ居留地での平和な生活を望んでいた。だが彼らを待っていたのは、大砲や機関銃で武装した第7騎兵隊だった。武装解除を求められたラコタ族が武器の供出を拒んだため、銃撃が始まり、多くの先住民が殺された。この虐殺は「最後のインディアン戦争」とも呼ばれ、一つの部族がほぼ全滅。今は小さな墓があるだけだ。

平原の青空はどこまでも青く、殺された者の祈りや歌、叫びを物語るようだ。

ベストシーズン ウーンデッド・ニー博物館は5月下旬から10月上旬まで開館。

旅のヒント 夏は気温が38℃に達し、乾燥する。天気は変わりやすく、気温が急激に下がったり、雷雨になったりすることもある。パイン・リッジ居留地まで行く時は、調節できる重ね着をして、丈夫なウォーキングシューズを履くこと。日焼け止めと飲み水も必携。ウーンデッド・ニー博物館は、ラピッド・シティの東89キロのウォールという町にあり、虐殺地の情報が得られる。見学用の地図あり。早朝に出発すれば、博物館をゆっくり見学し、ウォールで昼食を済ませてウーンデッド・ニーに行くことも可能。

ウェブサイト www.uswest.tv/southdakota（アメリカ西部5州政府観光局）
www.woundedkneemuseum.org（英語）

見どころと楽しみ

■ **ウーンデッド・ニー博物館**には、虐殺の模様を収めた写真や、虐殺地の模型、当時の目撃証言や新聞の切り抜きが展示されている。虐殺を免れたラコタ族の戦士、デューイ・ベアードの声が録音されていて、聞くことができる。

■ 丘の上には4基の大きな**オチキス機関銃**が今も残る。騎兵隊はこの銃でラコタ族を無差別に殺害した。

■ **ウォール・ドラッグストア**は1936年の創業以来、派手な看板と飲み放題の冷たい水で多くの客を集めている。飾り立てられたショッピングモールは、年間200万人の観光客が訪れ、町の人口の3分の1に当たる800人が働く。

米国ルイジアナ州
ニューオーリンズの墓地

ミシシッピ・デルタに位置するニューオーリンズでは、
土地が低く洪水がたびたび起こるため、独特の墓がつくられるようになった。

ニューオーリンズの住民は、市内にある多くの墓地を「死者の町」と呼ぶ。なかなか言い得て妙だ。背が高く、凝った装飾の墓が所狭しと並ぶ様子は、死者たちが今もそこで暮らしているように思える。

一族の墓ともなると鉄のフェンスで囲まれ、文字通り、家のようだ。休日になると、墓参りに来た人たちが供えるろうそくが、光の列をつくる。

米国の一般的な墓は地面を掘って、棺を入れ、目印となる墓標などを地上に立てるが、ニューオーリンズは海抜が低く、洪水が多いため、地下は死者にとって安らぎの場所ではない。

地上埋葬が定着したのは、1789年にセント・ルイス1号墓地ができてからで、ここでは地上につくられた墓に遺体が安置された。一族の墓は、埋葬者の数も多くなるが、スペースがなくなるという心配はいらない。亜熱帯性気候は、墓の内部温度をオーブン並みに上げ、遺体は約1年で腐敗して骨だけになるという。

墓地の管理人が遺骨を脇にどけて、新しく遺体の置き場所をつくる。そして、銘板や墓石には、新しく入ってきた者の名前と命日が刻まれる。

ベストシーズン ニューオーリンズを訪れるなら10月から4月中旬がおすすめ。それ以外の時期は暑さと湿気で耐えがたい。いくつかの墓地を訪ねる1時間程度のツアーもある。
旅のヒント 墓地の歴史と伝統を深く理解したいなら、ガイド付きツアーを選ぼう。安全面でもそのほうが望ましい。墓地の通路は狭く、背の高い墓は格好の隠れ場所で、強盗が出没するからだ。
ウェブサイト www.saveourcemeteries.org（英語）

北米

見どころと楽しみ

■ ニューオーリンズの有名な**黒魔術師**マリー・ラボーはセント・ルイス1号墓地に埋葬されている。信奉者は彼女の墓に供え物をしていく。この墓の前で秘密儀式が行われているといううわさもある。

■ **ラファイエット1号墓地**はさまざまな映画の舞台となり、観光客にも人気。ニューオーリンズ出身の作家アン・ライスの『ヴァンパイア・クロニクルズ』にも登場する。

■ **セント・ロック墓地**は、聖人ロックのおかげで病気が治った人が供えた品がずらりと並ぶ。聖人ロックは18世紀に黄熱病が流行した時、多くの人の命を救ったとされる。

地下水面の高いニューオーリンズでは、地上埋葬が定着するまで、嵐のたびに棺が流れ出していたという。

忘れえぬ人々 | 321

謎に包まれた シパン王の墓
ペルー

ペルー北部の荒涼とした砂漠の一角に王は眠っている。かつてこの地に君臨した
シパン王の墓には、数多くの生けにえと豪華な装飾品が埋められた。

　シパンの地名を聞いて胸を躍らせるのは、よほどの考古学好きだろう。ペルー北部の砂漠地帯にある小さなシパン村は、古代の聖地として数々の財宝が出土しており、その全容はいまだ解明されていない。

　シパンはモチェ文明の文化的・精神的な中心として、3世紀から6世紀に繁栄した。村の指導者は聖職者であろうとなかろうと、大きな日干しレンガのピラミッドの近くの塚に埋葬された。南北米大陸にあるコロンブス以前の他の遺跡と異なり、このモチェ文明の墓所は、金銀の宝飾品とともに1400年以上も忘れられていた。

　最初の墓は1987年に発見され、埋葬されていた身分の高い貴族はシパン王と名づけられた。その後さらに10以上の墓が見つかり、高位の神官だったシパン大王のものもあった。彼はシャーマンを助ける立場にあり、戦士でもあったようだ。

　一般公開されている墓の中で最も魅力的なのはシパン王のもので、出土した黄金の装身具のレプリカや、死者があの世で食べる食料を入れた土器の壺、王の印を入れた日干しレンガなどを見ることができる。

ベストシーズン　ペルー北部の砂漠地帯は、夏(12月~2月)には気温30℃を超える。
それ以外の季節は気候が穏やかで、空は澄みわたり、雨はほとんど降らない。

旅のヒント　シパン観光の拠点として便利なのが、南東35キロにあるチクラヨの町だ。ここからは、日干しレンガでできた広大なトゥクメ都市遺跡にも行ける。サボテンが生えた土地に26ものピラミッドがそびえている。シパン王墓は2時間もあれば見られるが、ペルー北岸の有名な遺跡を全部見て回るなら数日は必要。

ウェブサイト　www.peru-japan.org（ペルー観光情報サイト）、www.peru.info（スペイン語、英語ほか）

南米

見どころと楽しみ

■シパン遺跡の中心は、日干しレンガの大きな2基の**ピラミッド（ワカ）**だ。大きい方に登ると、遺跡全体を一望できる。小さいピラミッドは王宮、大きいピラミッドは宗教的な施設だったと考えられている。

■チクラヨという町のはずれにある**シパン王墓**には、出土した品々が数多く展示されている。特に豊富なのが**モチェ陶器**で、表面には、日常生活のさまざまな場面が描かれている。

■チクラヨの中心にあるメルカード・モデロは「**シャーマンの市場**」という意味で、ヘビの皮、オオハシのくちばし、ブードゥーの人形、十字架、媚薬、幻覚を誘発する植物など、シャーマンが使いそうなものが売られている。

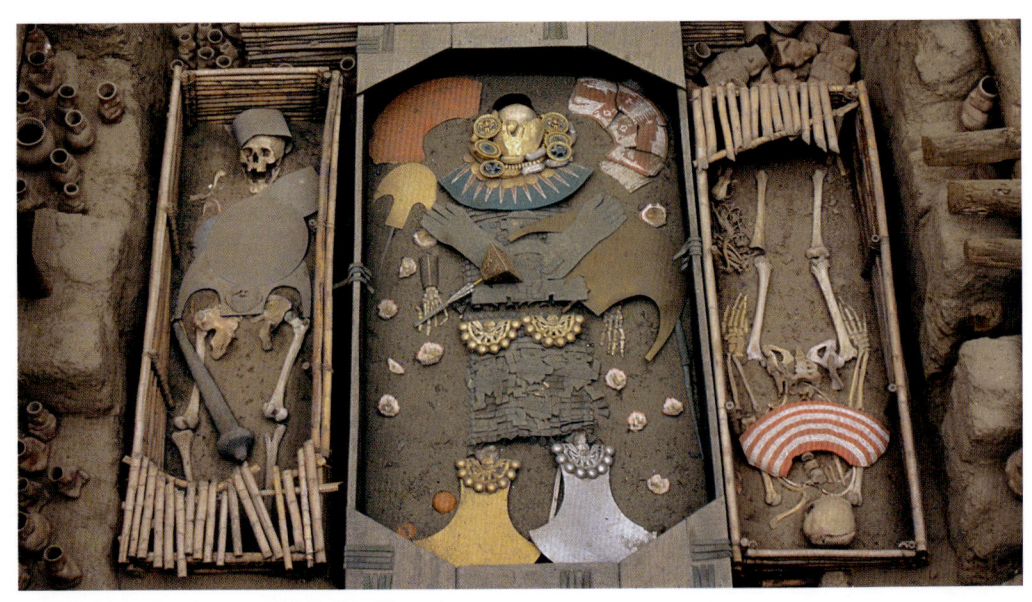

シパン王は黄金の宝飾品に飾られ、従者を左右に従えて眠っている。

原爆の子の像は、被爆がもとで白血病になり命を落とした少女をしのんで建てられた。

見どころと楽しみ

■ 慰霊碑の前で地元の住民とともに世界平和の祈りを捧げよう。幼い子と家族がひざまずく姿には胸を打たれる。

■ **平和記念資料館**には、原爆で黒こげになった遺品の数々や写真、広島再建の様子が展示されている。

■ 慰霊碑を正面から撮影すれば、**平和の火、原爆ドーム**を1枚の写真に収められる。

■ **平和の鐘**を鳴らしてみよう。鐘の表面には、国境のない世界地図が彫られている。「世界は一つ」であることを表現しているという。

日本 広島県

広島平和記念公園

未曾有の悲劇に見舞われた広島は、1946年に平和都市宣言をした。
悲劇を繰り返してはならないという、未来への願いが込められている。

　世界最初の原子爆弾が、1945年8月6日の朝、広島を一瞬にして灰にした。焼け野原となった町に残った産業奨励館の建物は、原爆ドームと呼ばれるようになり、その無残な姿は、広島の惨禍を物語っている。

　平和記念公園は、原爆ドームと元安川をはさむ対岸にある。柱が並ぶ大きな橋が両者をつなぎ、そのまま進むと原爆の子の像が見えてくる。少女が折り鶴を両手に高く掲げた像がてっぺんに立ち、台座にも少年と少女の像がある。碑文には、「これはぼくらの叫びです／これは私たちの祈りです／世界に平和を築くための」という言葉が刻まれている。記念碑の周囲には色とりどりの千羽鶴が供えられている。この記念碑は、白血病で亡くなった佐々木禎子という少女をしのぶものだ。

　石畳の広い舗道と生け垣をたどりながら公園内を歩く人々は、話す声も控えめだ。原爆死没者慰霊碑に灯された火は、世界から最後の核兵器が廃絶される日まで燃え続ける。「安らかに眠って下さい／過ちは繰り返しませぬから」という言葉が刻まれた慰霊碑の前で、人々は静かに頭をたれる。

アジア

ベストシーズン　気候は春(4月初旬)か秋(10月頃)が最も快適。
8月6日の原爆記念日に訪れると過去の悲劇が胸に迫る。

旅のヒント　じっくり見るには1〜2日はかかるだろう。
公園の観光案内所で地図とパンフレットをもらおう。

ウェブサイト　www.hiroshima-navi.or.jp (ひろしまナビゲーター)

神聖な庭園
トップ10

静寂が支配する深い瞑想の庭は、ストレスだらけでわずらわしい日常生活を、忘れさせてくれるだろう。

❶ 聖墳墓山修道院（米国ワシントンD.C.）

ワシントンD.C.の政治的な空気に疲れたら、都心にある修道院の庭園で心休まるひと時を。美しい屋根のあるポーチや、イエスとマリアの生涯をたどる15の礼拝堂を散策したり、木々や花々が生い茂る小道を歩くのもいいだろう。

旅のヒント　毎日、10時～17時に入れる。修道院の地下室にある不気味なカタコンベは必見。www.myfranciscan.org（英語）

❷ サンフランシスコのジャパニーズ・ティー・ガーデン（米国カリフォルニア州）

日本人庭師の萩原眞が設計し、1895年から亡くなる1925年まで維持してきた。萩原の死後は家族が守り続けたが、第二次世界大戦中、日系人が強制収容されたため、一時荒れ放題となった。

旅のヒント　美しい茶室では、静かにお点前をいただくことができる。www.sf-japan.or.jp（サンフランシスコ観光局・サンフランシスコ国際空港）

❸ ヒンドゥー教寺院の庭園（米国ハワイ州）

カウアイ島の火山の麓近くにある「神への道」を進むと、185ヘクタールの耕作地の真ん中に、高さ1.8メートルもある200年前に制作されたシバ神像が立っている。寺院の庭園にはインド古来の治癒法に用いる植物や珍しい花、それに、サンスクリット語で「神の涙」を意味するルドラクシャの森があり、僧侶が手入れをしている。ルドラクシャの実は数珠の材料になる。

旅のヒント　毎日9時と11時に、僧侶によるツアーが行われる。無料だが志を渡すのが望ましい。Tシャツや短パン、タンクトップは禁止。jp.kauaidiscovery.com（カウアイ観光局）

❹ オアハカ民族植物園（メキシコ）

メキシコ南部オアハカ市のサント・ドミンゴ文化センター内にある民族植物園は、高い塀に閉ざされ、地元固有の1300種以上の植物が育てられている。サボテンやリュウゼツランのコレクションは膨大で、ガイドがさまざまな植物の効用を教えてくれる。

旅のヒント　火曜、木曜、土曜に、ツアーがある（英語）。参加者は当日申し込みをする。www.visitmexico.com（メキシコ政府観光局）

❺ 龍安寺石庭（日本 京都府）

枯山水の方丈石庭は15世紀後半につくられたもので、シンプルだが不可解さが見る者の心をとらえる。熊手できれいに筋がつけられた砂利の上に、15個の石が抽象的に配置されている。だが、どこから眺めても、石は14個しか見えない。悟りに達すると、15個すべてが見えるようになるともいわれている。

旅のヒント　龍安寺は京都市右京区にある臨済宗の寺院。年間を通じて拝観できる。www.ryoanji.jp（大雲山龍安寺）

❻ 大仙院の枯山水庭園（日本 京都府）

京都の禅寺、大徳寺にある大仙院庭園は室町時代の代表的な枯山水庭園。北東側の隅に木と石でつくられた小風景は、石の橋や砂利の滝があり、滝はゆるやかな曲線を描いて、熊手で筋がつけられた「海」へと流れ込む。海から盛り上がる円錐形の二つの山は、見る人次第で、違った世界を見せてくれるだろう。

旅のヒント　静かに庭を眺めたければ早い時間をねらおう。拝観時間は3月から11月が9時～17時、12月から2月が9時～16時半。www.b-model.net/daisen-in（大徳寺大仙院）

❼ 王宮の庭園跡（イラン パサルガダエ）

紀元前6世紀、アケメネス朝ペルシャの中心部にキュロス大王がつくらせたパサルガダエの庭園は、古典的なペルシャ様式だが、今では、跡しか残っていない。それでも、四分円のレイアウトと、石づくりの灌漑水道はかろうじて確認できる。心眼を駆使して、ザクロやバラが咲き乱れていた往時を想像しよう。

旅のヒント　パサルガダエ遺跡は、シーラーズ近郊、ペルセポリスの北東にある。旅行でイランに入る場合は、事前に政府の旅行機関と相談すること。www.gardenvisit.com/garden/pasargadae（英語）

❽ ジャハーン・ナーマ庭園（イラン シーラーズ）

最近修復を終えたジャハーン・ナーマ庭園は、13世紀の造営で、壁で囲まれた典型的なペルシャ庭園だ。石づくりの建物と噴水が中央にあり、そこから四隅に広い道が延びている。あちこちにベンチが置かれ、道沿いに植えられたオレンジやバラ、イトスギが良い香りを漂わせる。特に夕暮れ時の憩いの場所として人気が高い。

旅のヒント　シーラーズの中心部近くにある、詩人ハーフィズの墓から歩いて2分ほど。ほぼ通年で開いている。www.gardenvisit.com/garden/jahan_nama_garden（英語）

❾ ゲッセマネの園（イスラエル エルサレム）

庭園に生える8本のオリーブの古木は、こぶだらけの幹が痛々しくよじれ、キリストの苦悩を物語っているようだ。ゲッセマネとはヘブライ語で「搾油機」を意味する「ガトシェマニム」に由来する。イエスはここで苦悶の一夜を過ごし、ユダに裏切られ捕縛された。古木が樹齢1000～2000年であることは、専門家も認めている。

旅のヒント　イエスが裏切られた夜である「洗足木曜日」には、庭園に祭壇がつくられ、野外ミサが行われる。tokyo.mfa.gov.il（駐日イスラエル国大使館）www.goisrael.com（英語ほか）

❿ ヘネラリフェ庭園（スペイン グラナダ）

数々の中庭と小道、噴水が配されたこの庭園は、グラナダの支配者だったイスラムのスルタンのためにつくられた。乾燥地帯の出身だったスルタンたちはことのほか水を珍重したので、ヘネラリフェでもあらゆる所で水が出てくる。パティオ・デ・ラ・アセウア（水道の中庭）や、手すりの代わりに水が流れ落ちる不思議な階段、エスカレーラ・デル・アグアは有名。

旅のヒント　ヘネラリフェ庭園は、隣接するアルハンブラ宮殿と一緒に訪れるのが良い。どちらも12月25日と1月1日を除き通年で開いている。www.spain.info/JP/TourSpain（スペイン政府観光局）www.alhambra.org（スペイン語、英語ほか）

次ページ：グラナダにあるヘネラリフェ庭園。もとはスルタン、ムハンマド3世の時代につくられた。現存する最古のムーア風庭園で、イスラムの造園技術の最高傑作とされる。

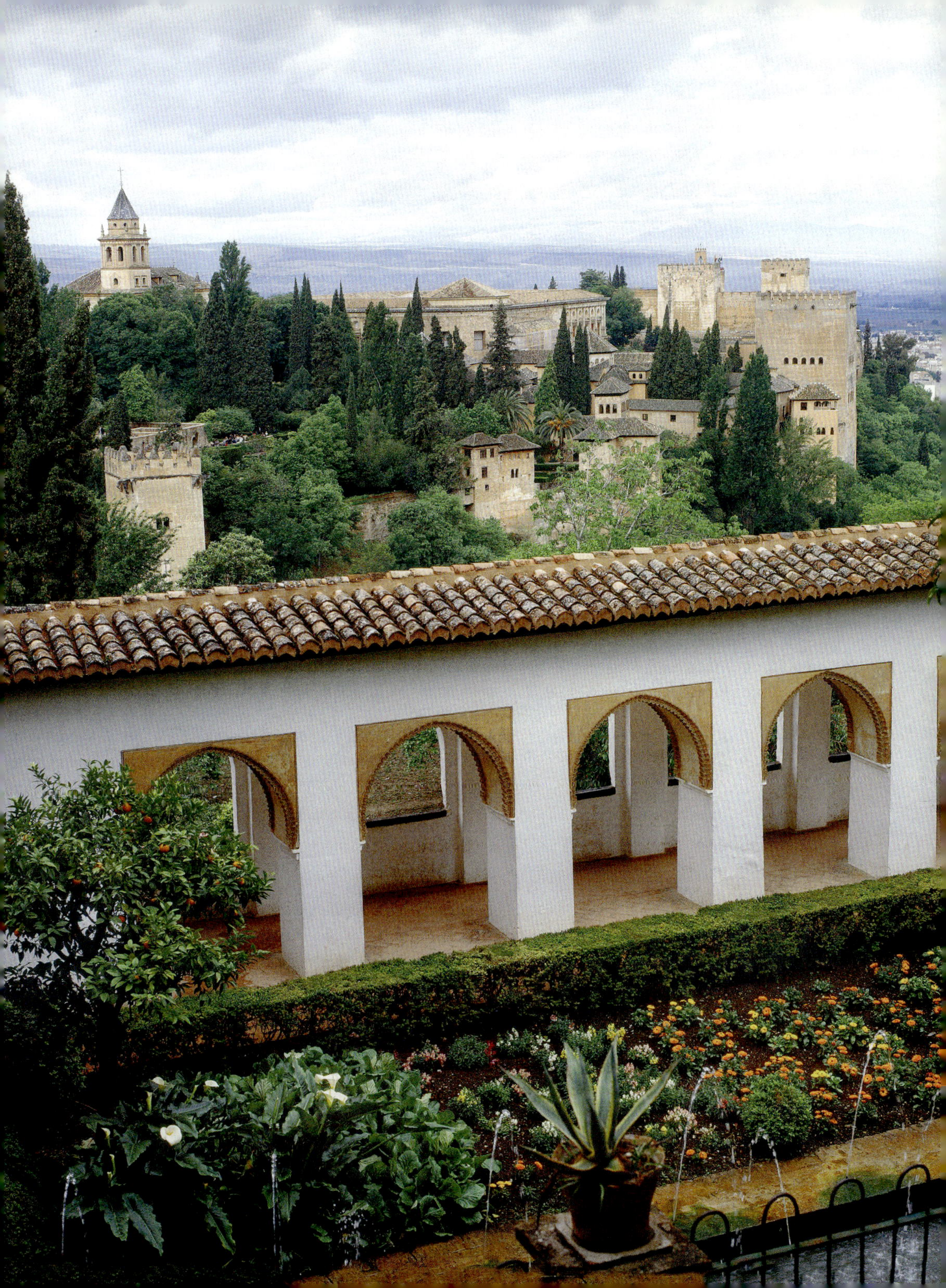

近代的な都市に囲まれながらも、紀元5世紀につくられたとされる大仙古墳の堂々たる姿が、古代の謎を今に伝える。

日本 大阪府
大仙古墳

**日本国外ではあまり知られていないが、大仙古墳は世界最大級の王墓。
これまで発掘調査は行われておらず、謎が多い。**

幅の広い堀の中に、鍵穴型の巨大な墳墓がある。この大仙古墳がただならぬものであることは、ひと目見ただけでわかるはずだ。

長さ486メートル、高さ35メートルという大きさは、面積では、エジプトのギザにある大ピラミッド底部の面積のゆうに2倍以上はあり、世界一だ。この巨大な古墳は仁徳天皇を葬っているとされるが、これほどの存在感にもかかわらず、観光客が内部を見学できる場所ではない。発掘調査さえ禁じられている。

大仙古墳は、日本全国に1万カ所以上も存在する古墳の一つだ。日本の古墳で古いものは、紀元3世紀頃までさかのぼり、形状も鍵穴形の前方後円墳、四角形の方墳、円形の円墳、さらに珍しいものでは八角形のものまである。

古墳は、古代の大王や豪族といった高貴な人物を埋葬した墓所で、考古学者たちの中には、前方後円墳は天皇を埋葬するためのものだと考える人もいる。しっかりとした石室がつくられ、そこに古代の天皇が眠っているというのだ。

墳墓を縁取り、入り口を守っているのが、動物や人間、武器などをかたどった埴輪だ。どのような目的でこうした埴輪がつくられ、埋葬されるようになったのかはまだ解明されていないが、生き埋めにされていた家臣の身代わりという説もある。

ベストシーズン 春（3月～5月）または秋（9月～11月）が良い。

旅のヒント 大阪または奈良に2日ほど滞在して、近畿地方の古墳巡りをしよう。事前に、近くにある博物館を調べておくと、詳しい情報が手に入るし、出土品を見ることもできる。非公開の古墳や、事前に見学許可が必要な古墳もある。完全に掘り返された古墳や、調査後、土で覆われた古墳もある。大仙古墳は大阪中心部から電車で20分ほど。JR阪和線百舌鳥駅から徒歩5分。

ウェブサイト www.city.sakai.lg.jp/kofun/database/nintoku.html（堺市デジタル古墳百科）

見どころと楽しみ

■ 大仙古墳の外周は歩いて30分もかかり、その大きさが実感できる。古墳は三重の濠に囲まれているが、宮内庁の判断で考古学的な発掘調査は行われたことがなく、観光客の立ち入りも許されていない。

■ 大仙古墳に隣接する**大仙公園**には、江戸時代のため池を改修した池や芝生、博物館、茶室などがあって楽しめる。

■ 大仙古墳のある百舌鳥古墳群には、**上石津ミサンザイ古墳**（履中天皇陵）、**田出井山古墳**（反正天皇陵）がある。大仙陵古墳とあわせて訪れてみよう。

■ **堺市役所**21階にある展望ロビーからは大仙古墳が見下ろせる。入場は、9時から21時まで。

インドネシア
タナ・トラジャの断崖墓地

インドネシアのスラウェシ島の山間地帯に住むトラジャ族は、
盛大な葬式を2回行って、死者をたたえ、あの世へと送り出す。

湿気が多く、うすら寒い墓所に、腐り崩れゆく木棺や生けにえに捧げられた動物が横たわる。タナ・トラジャ（トラジャの地）の墓の奇観は人々の好奇心をそそる。不気味な墓を見ようと、多くの観光客が訪れる。

スラウェシ島中部のこの地は、周囲の水田を水牛がのんびり耕している。トラジャ族の人々にとって、墓は死後の家であり、死んだ家族が全員で一緒にすむと信じている。そのため、大きな墓地には長い間にいくつもの棺が安置される。

有名なのは、タナ・トラジャの中心的な町、ランテパオとマカレを結ぶ18キロの道路沿いだ。またレモの町には王族の墓があり、高さ98メートルの崖に長いバルコニーもある。ケテ・ケス近くの墓は、せり出した岩に棺が突き出して並ぶ。ロンダにある二つの洞窟は、入り口近くに棺や骨が積まれている。

墓地には、死者をかたどったタウ・タウという人形が置かれる。墓からは、タンコマンという伝統的住居や、アランと呼ばれる納屋など、独特の風景も一望できる。

ベストシーズン 7月から9月の葬儀シーズンがおすすめ。この時期、トラジャ族は伝統的な2度目の葬儀を華やかに行い、大いに盛り上がる。

旅のヒント タナ・トラジャへはバス便のみ。マカレとランテパオからは、スラウェシ島のあらゆる場所にバス便が出ている。マカッサルのダヤ・バスターミナルからも昼夜問わずバスが出ている。近い将来、ランテパオ近くの空港への航空便が再開されるかもしれない。安価な宿を探すなら、ランテパオが最適。観光客が祭りや葬儀に参加するには、地元ガイドに頼んで招待してもらう必要がある。ガイドをつけない場合は、近くをうろうろしていれば誰かが招いてくれるかもしれない。どちらの場合も、コーヒーやたばこ、ヤシ酒といった供え物を忘れずに。トラジャ族の儀式では、贈り物がとても大きな意味をもつ。

ウェブサイト www.visitindonesia.jp（インドネシア共和国文化観光省）、www.indonesia.travel（英語）

アジア

見どころと楽しみ

■ レモを訪れるなら、8時～9時が良い。朝日を浴びて、**タウ・タウ**がよく見える時間帯だ。

■ 祭りの季節に行われる**伝統的な儀式**や**葬儀**は必見。葬儀は数日間続き、棺を担いだ行列や闘牛、動物の生けにえ（最高で水牛24頭）の儀式などが行われた後、最終日に棺が墓に安置される。

■ 墓の入り口には、**帽子や財布**など、故人の愛用品がつるされていることもある。トラジャ族は、こうした品々が死後も使われると信じている。

■ ランテパオから21キロのカンビラは、**赤ん坊の墓**がたくさんあることで知られる。歯が生え始める前の乳児が死ぬと、家族は木の幹に穴を掘ってそこに安置する。やがて穴はふさがり、木は成長していく。

レモの墓地にはタウ・タウの数が多い。こうした像はほぼ等身大で、故人を思い出させる服を着せている。

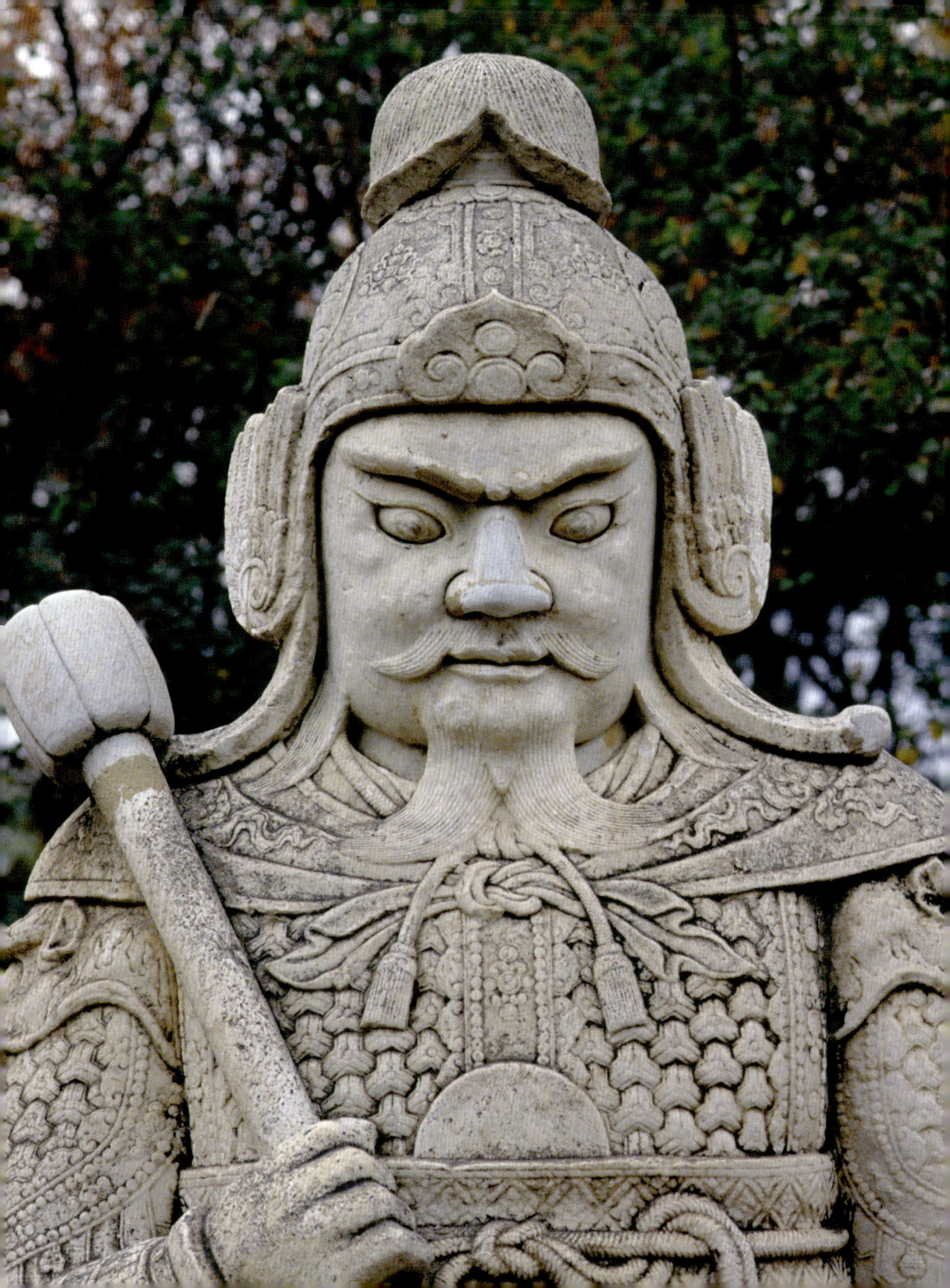

中国 河北省

西太后も眠る 清東陵

緑濃い山々の麓に、南を向いた古い豪華な建物がずらりと並ぶ。
ここは中国で最も偉大な皇帝たちが眠る陵墓だ。

満州族が建てた王朝である清は、中国を征服し、1644年、北京を支配下に収め、首都に定めた。清は、自殺した明朝最後の皇帝、崇禎帝を北京の北にある明代の皇帝や后妃の陵墓(明の十三陵)に埋葬した後、都の東125キロの場所に、自らの王朝の墓所である清東陵を建設した。

清朝の皇帝の一部は、都の南西にある別の陵墓(清西陵)に埋葬されているが、この清東陵は中国最大で、保存状態が良い皇帝陵墓である。ここには5人の皇帝、15人の皇后、136人の皇妃、3人の皇太子、2人の皇女が埋葬されている。

現在、城壁に囲まれた内側の敷地まで農地開発が進んでおり、トウモロコシやリンゴの畑が、陵墓を守るように建つ明楼(魂の塔)の間まで広がっている。それぞれの陵墓の前には、豪華に装飾されたいくつもの中庭がある。ここでは、生けにえの準備や、重要な儀式が行われた。

中でも印象深いのは、第6代皇帝、乾隆帝が埋葬された裕陵だろう。建物は紫禁城のミニチュア版を思わせ、小さな川に大理石の橋までかかっている。

多くの墓は歩いて回ることができる。神道と呼ばれる参道沿いには、人間や動物の座像と立像がずらりと並んでいる。座像は見張り役の間に配されて、立像は侵入する者を警戒しているかのようだ。

ベストシーズン 夏は湿度が高く、冬は寒くて乾燥しているので、晩春か初秋がおすすめ。
5月と10月の第1週は中国の休日で混雑が激しい。

旅のヒント 北京から日帰りで行ける距離だが、近くの農家が質素な民宿もやっている。
冷たい飲み物などはあちこちで売られているが、食堂は品数も質も期待できない。
食事は持参しよう。4月7日から10月15日の土・日・祝日には、政府による低価格のバスツアーが催行される。ツアー料金には入場料も含まれている。北京の地下鉄宣武駅近くを6時半〜8時半に出発、片道3時間で、見学時間はおよそ3時間。

ウェブサイト www.cnta.jp (中国国家観光局)

アジア

見どころと楽しみ

■清王朝第4代康熙帝(こうきてい)を埋葬している景陵へは、大理石に彫刻を施したいくつもの扉と、アーチ形の広間を通り抜ける。広間には3万字を超える仏教の経文が、チベット語とサンスクリット語で刻まれている。

■西太后を祭る定東陵(ていとうりょう)の建物は、ほかの墓ほどけばけばしくない。だが最高級の木材に竜や鳳凰が彫りこまれ、金箔が施されている。

■乾隆帝の55人の皇妃たちの墓は1カ所に集められ、手入れが行き届いていない。

■明楼の一つに上ろう。広大な敷地を眺めてみよう。

■敷地のはずれには、階級が低かった清朝皇族たちの墓がある。聞こえてくるのは鳥のさえずりと、遠くで響く**トラクター**の音だけだ。

前ページ:軍人の石像は、清東陵の参道である神道を今も見守っている。**上左**:白い大理石の大きな門は、陵墓への入り口。**上右**:展示室には、黄金の竜をあしらった冠などが展示されている。

インド
タージ・マハル

王妃への愛の証しとして建てられたこの霊廟の美しさには、
誰もが畏怖の念を抱くことだろう。

アジア

インド北部、ヤムナー川に面したアーグラの町に、タージ・マハルがある。この建物は、ムガール帝国第5代皇帝のシャー・ジャハーンが、産後に死んだ愛妃ムムターズ・マハルをしのんで建てたイスラムの霊廟だ。

建設には2万人を動員し、20年以上の歳月をかけて、1654年に完成した。門から真っすぐに延びる道の両脇には、きれいに刈り込まれたイトスギが並ぶ。そして、中央の水路には、畏怖の念を呼びおこすタージ・マハルが静かに映る。

正面から近づくと、精巧の極みといえる格子細工や、磨き上げられた白い大理石のファサードが目を引く。壁のアラビア文字は、宝石でコーランの一節を記したものだ。イスラム教徒にとって楽園のシンボルである庭園は大きく四つに分かれ、それぞれがさらに四つに区切られている。イスラム教では、4は神聖な数なのだ。

霊廟の床には神聖な幾何学模様が描かれ、壁や天井も、手の込んだ装飾で埋め尽くされている。

ベストシーズン インド特有のモンスーンや酷暑を避けるなら、10月から3月がベスト。金曜日はイスラム教徒しか霊廟に入れないので注意。
旅のヒント デリーを朝出てアーグラまで往復するエアコン付き豪華列車「タージ・エクスプレス」が毎日運行している。デリーをはじめ、インドの主要都市からアーグラ行きのバス便も多くある。アーグラには空港もあり、デリー、ジャイプル、ジョードプルから航空便が乗り入れている。
ウェブサイト www.embassyofindiajapan.org（在日インド大使館）、www.asi.nic.in（英語）

見どころと楽しみ
■**満月の夜**は閉館時間までとどまろう。やわらかな月光を浴びて大理石が輝き、建物全体が浮かんでいるように見える。

■**タージ・マハル**は、毎年2月に10日間行われる**タージ・マホトサフ**という祭りの舞台でもある。豪華な飾りをつけたゾウとラクダが行進し、古典舞踊や民族舞踊が披露される。地元の工芸品や食べ物を売る店も出る。

■中央入り口の地下にある**ムムターズ・マハル**と**シャー・ジャハーン**の墓も必見。

■赤い砂岩でつくられた豪華な**モスク**が、タージ・マハルの両側を固めている。タージ・マハル同様、ここも正面の池にファサードが姿を落とす。

タージ・マハルの前を流れるヤムナー川を、ラクダに乗った少年が渡っていく。

チフビン墓地で多くの観光客が足を運ぶのが、1893年没の作曲家チャイコフスキーの墓だ。

ロシア
アレクサンドル・ネフスキー大修道院

ロシアの歴史を華やかに彩ってきた偉大な人物たちが、
この静かで落ち着いた大修道院の墓地に眠っている。

サンクトペテルブルクの中心部を貫くにぎやかなネフスキー・プロスペクト通りを進むと、静かなアレクサンドル・ネフスキー大修道院がある。1710年にピョートル大帝が建設したこの修道院は五つの教会で構成され、その名称は13世紀の英雄にちなんでいる。

アーチをくぐって中に入ると、墓地が2カ所あり、ロシアの偉人たちが眠っている。特に有名なのが、右手にあるチフビン墓地で、見事な装飾を施された墓がいくつかある。最も奥にあるのは、作曲家チャイコフスキーの墓。翼をもった天使をあしらい、墓石には彼の胸像も立つ。レンガの小道をそのまま進んでいくと、ドストエフスキーの墓が見える。十字架をしつらえたこの墓にも、やはり彼の胸像が置かれている。

ここには、芸術家、音楽家、科学者のほか、アレクセイ1世の娘でピョートル大帝の姉妹だったナターリア・アレクセーブナといったロシア皇族の墓もある。

見どころと楽しみ

■ サンクトペテルブルクの目抜き通り**ネフスキー・プロスペクト通り**には、レストランや博物館、商店が並び、バロック様式の冬の宮殿やエルミタージュ美術館もある。さまざまな宗派の教会も集まっているので、フランスの作家アレクサンドル・デュマは「宗教的寛容さを体現した通り」と呼んだ。

■ 修道院から道を隔てた**ラザルス墓地**には、サンクトペテルブルクを代表する建築家の墓がある。飾りのない灰色の花崗岩は、議会とアレクサンドリンスキー劇場を設計したカルロ・ロッシの墓。同じくイタリア人で三つの宮殿を手がけたジャコモ・カレンギの墓も不釣り合いなほど質素だ。

■ ネフスキー・プロスペクト通りの反対側の端にある**エルミタージュ美術館**は、展示室が1000を数える世界有数の美術館。1764年に建てられた宮殿が使用されており、所蔵品は300万点を超える。

■ エルミタージュの向かい、旧海軍省の裏手に広がる**アレクサンドル庭園**を散策しよう。美しい音楽噴水は必見。サンクトペテルブルクには200以上の公園や庭園があり、緑豊かな広場も700ある。

ヨーロッパ

ベストシーズン 修道院の開門は11時～19時まで（火・土曜を除く）。夏は混雑する。夜になっても日が完全に暮れない白夜は6月中旬から7月初めまでがピーク。

旅のヒント 修道院は街の中心にあるので見つけやすい。最寄りの地下鉄駅はプローシャチ・アレクサンドラ・ネフスカーボ駅。アレクサンドル・ネフスキー広場から入って正門前でチケットを買う。ここで墓地の地図ももらっておこう。

ウェブサイト www.russia-emb.jp（在日ロシア連邦大使館）、www.saint-petersburg.com（英語）

手前にある「死守」の像はソ連軍の不屈の決意を表している。丘の上にあるのは「母なる祖国」の像。

ロシア
巨像そびえる ママエフの丘

スターリングラード攻防戦の勇者たちをたたえる公園には、
展示ホールや社会主義リアリズムの彫刻が点在する。

　第二次世界大戦中の1942年から43年まで、ドイツとソ連が繰り広げた壮絶なスターリングラード攻防戦。特に、ボルガ川右岸に広がるママエフの丘では、激しい戦闘が展開された。

　その後1967年に、この激戦地の丘にソ連軍の勝利をたたえる大規模な記念施設と彫像が完成した。「英雄の広場」には、愛国心や戦友のきずなといった軍人の美徳を象徴する高さ6メートルの彫像が20体配置されている。崩壊しかけた壁のレリーフには、戦いの様子が描かれている。「勇気の殿堂」には、スターリングラード攻防戦で生命を落とした7200名の兵士の名前が43枚の玄武岩に刻まれている。

　さらに丘を目指して進むと、ボルゴグラード(旧スターリングラード)の歴史を象徴する巨大な像が立つ。攻防戦の日々と同じ数の階段を上って頂上に着くと、そこには高さ82メートルの「母なる祖国」像が、巨大な勝利の剣を振りかざしている。彼女の足元に広がる墓地には、3万4505人の戦没者が眠っている。

見どころと楽しみ

■ **勇気の殿堂**では1時間おきに**衛兵交代**が行われる。殿堂中央では、コンクリート製の巨大な手が**永遠の炎**を掲げており、ロベルト・シューマンのピアノ曲「トロイメライ」が静かに流れる。

■ **英雄の広場**にたたずむ彫像群は、戦いの真の英雄たちを描いたもの。傷ついた戦友を支える兵士、戦場で負傷兵の救護にあたる看護師、若い兵士と老いた兵士が、ファシズムの象徴をボルガ川に投げ捨てている。

■ ボルゴグラードのボルガ川沿いにある**パノラマ博物館**には、「スターリングラードにおけるファシスト軍の敗走」場面が展示されている。これは物語を描いた絵画としてはロシア最大だ。博物館には、第二次世界大戦当時の品々も数多く展示されている。

ヨーロッパ

ベストシーズン　記念施設は無休。5月9日の勝利の日や、2月2日のスターリングラード攻防戦終結記念日など、特別な式典が行われる時には混雑する。

旅のヒント　ボルゴグラードはモスクワから南東に900キロにある。記念施設をすべて見て回るには2〜3時間はかかる。彫像が色とりどりの光でライトアップされる夜もおすすめ。

ウェブサイト　www.russia-emb.jp（在日ロシア連邦大使館）、mamayevhill.volgadmin.ru（ロシア語、英語ほか）

トルコ
ネムルート山の墳丘

トルコ東部にそびえるネムルート山の頂で、古代王の墓を守ろうと、
巨大な石像の頭がにらみをきかせている。

トロス山脈東部にある標高2150メートルのネムルート・ダー(ネムルート山)の頂上は、身を切るような冷たい風が吹きすさぶ。朝日を見ようと山へ登った人々は毛布にくるまって寒さに耐えている。

朝の暖かい光の中で見えてきたのは、高さ50メートルの墳丘の上にある、人の身長ほどの巨大な石像の頭部だ。ここは紀元前1世紀、コンマゲネという地域を支配した王、アンティオコス1世の墓所なのだ。

頭部のうち五つは、近くに残る石像の一部で、碑文からギリシャの神々アポロ、テュケー、ゼウス、ヘラクレス、それにアンティオコス自身であることがわかる。

墳丘の北側に延びる儀式の道は西側の段丘に続くが、ここは早朝にはまだ日陰なので冷えこんでいる。ここにもやはり巨大な石像が立っていたが、今はわずかに残った頭部だけが西の方向をにらんでいる。

アンティオコスがこの神々の聖域を建設したのは、「神聖なるわが魂が永遠の眠りにつく」ためだった。墳丘の下には、アンティオコスが葬られた玄室があるといわれているが、巨大な岩にふさがれており、まだ発見されていない。

ベストシーズン 5月から10月初旬が良い。冬は積雪のために頂上までの登山道が閉鎖になることもある。
旅のヒント ネムルート山はアディヤマンの東85キロ、キャンプ場があるカータ村から50キロ。アディヤマンやシャンルウルファ、マラティヤで頂上までのツアーに参加できる。駐車場から山頂まで徒歩30分。所要時間は最低3時間ほど。コンマゲネのほかの遺跡を回るツアーもある。
ウェブサイト www.tourismturkey.jp(トルコ政府観光局)、www.adiyamanli.org/mt_nemrut.htm(英語)

アジア

見どころと楽しみ

■ うねるように広がる丘陵地に、**古代からの道**が四方八方へと延びている。日の出と日没時の風景は特にすばらしい。

■ **石像頭部**は高さ1.8メートルほどで、ペルシャ風の頭飾りをつけている。**ゼウス**はひげを生やし、星のついた冠を被っている。**アンティオコス**は若い頃の顔立ちだ。

■ 獅子と星、光線のレリーフが刻まれた石柱は**世界最古の天宮図**とされ、紀元前62年7月7日の木星、水星、火星の配列が描かれている。アンティオコスが世を去り、王が神々の仲間入りをしたとされる日だ。

西側段丘に残る、アポロ、アンティオコス、ゼウスの巨大な頭部が、午後の光を受け輝く。

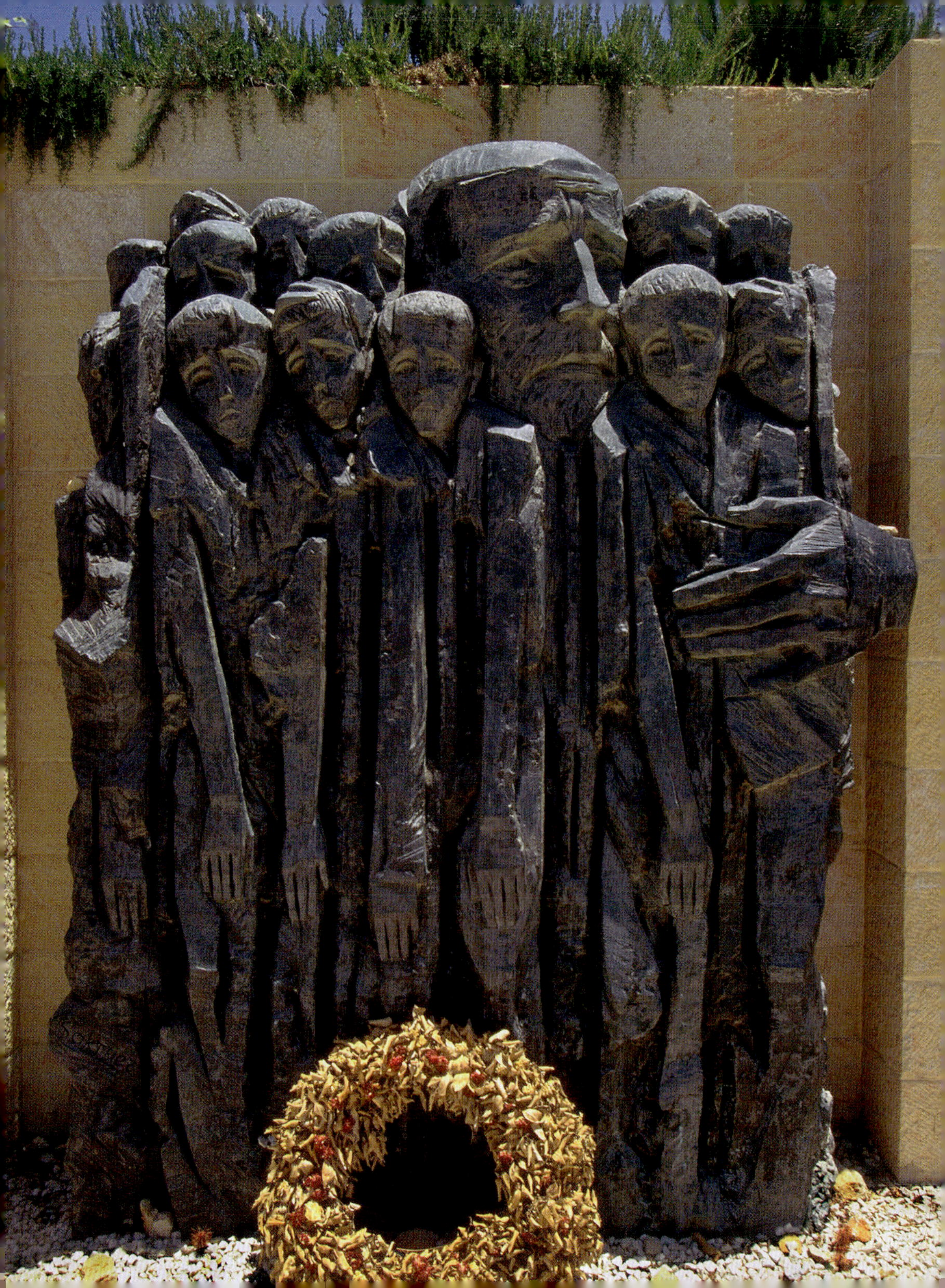

悲しみの記憶 ヤド・バシェム

イスラエル

ホロコーストの歴史を後世に伝え、追悼する国立の施設。
犠牲者一人ひとりの氏名と物語を記録している。

ヤド・バシェムとは、「記憶と名前」という意味。エルサレムのヘルツェルの丘につくられた博物館、記念碑、資料館など、ホロコーストの犠牲者や英雄を追悼するさまざまな施設の総称としては、ぴったりだと言える。

ヤド・バシェムは1953年の創設。ホロコーストの時代、自らの危険を顧みずにユダヤ人を救った非ユダヤ人を追悼したのがはじまりだった。それ以来、この丘は整備され、植樹された木々は大きく育ち、緑豊かな風景をつくっている。

「追憶のホール」という建物には、収容所などから生存者が集めた死者の遺灰が安置されている。モダンでいかめしいホロコースト歴史博物館では、ユダヤ人の視点からホロコーストが語られており、家族やユダヤ人共同体が受けた残虐な仕打ちの数々を、生存者の証言ビデオで伝える。がらんとした建物の内部には常に、犠牲者の氏名と出身地を読み上げる声が響く。重すぎる歴史に胸がつぶれ、耐えられないと思うかもしれない。そんな時はエルサレムを一望できるバルコニーに出てみよう。そこに広がるのは、陽光が降り注ぐ平和な丘陵地の風景だ。

苦悩を抱えてここにやって来た人も、ここで希望を見つけられるだろう。過去を認め、それを記憶にとどめれば、人類があのような地獄の行為を二度となすことはないだろうと。それがヤド・バシェムからのメッセージであり、イスラエルが世界に与える贈り物なのだ。

ベストシーズン ヤド・バシェムは、土曜日とユダヤ教の祭日を除き無休。日曜から木曜までは9時〜17時に開館している。ホロコースト歴史博物館は、木曜日は20時まで開館。金曜日と祭日前日は14時で閉館。

旅のヒント 入口はヘルツェルの丘の近く。エルサレム中心部などから、ヘルツェルの丘までバスが通る。開館時間中は、ヤド・バシェムまで無料シャトルバスが運行。入場無料で、団体以外は事前予約も不要。入り口のビジターセンターで地図やオーディオガイドなど、必要な情報が得られる。毎日11時から無料ツアーも行われる（英語）。プライベートのガイドツアーはオンライン予約フォームで申し込む。

ウェブサイト tokyo.mfa.gov.il（駐日イスラエル国大使館）、www.yadvashem.org（英語、ヘブライ語ほか）

アジア

見どころと楽しみ

■ ホロコースト歴史博物館にある**名前のホール**には、保管されている200万以上の「証言のページ」から抜き出した600枚の写真が展示されている。将来的には、ホロコーストの犠牲となった600万人のユダヤ人全員の氏名と生涯の記録をまとめる予定だ。

■ 地下の洞窟を利用した**子ども記念碑**は、ホロコーストで死んだ150万人のユダヤ人の子どもを追悼する施設。ろうそくの明かりが鏡で無限に反射し、空に輝く星を思わせる。死んだ子どもの名前と年齢、出身国を読み上げる声が流れる。

■ **追放者のための記念碑**には、丘から突き出すようにさびついた線路が延び、家畜運搬車が展示されている。ナチスがユダヤ人を死のキャンプに送りこむため、実際に使用したものだ。

■ **コミュニティーの谷**と呼ばれるモニュメントには、ホロコーストで破壊されたり、攻撃されたりした5000以上のユダヤ人共同体が107枚の石壁に記録されている。

前ページ：「コルチャックとゲットーの子どもたち」像は、ユダヤ人の教育者ヤヌシュ・コルチャックをたたえるもの。彼は1942年、進んで強制収容所に送られる子どもたちに同行し、収容所で死んだ。上：ナンドール・グリッド作「強制収容所および絶滅収容所の犠牲者をしのんで」が、ホロコーストの悲劇を伝える。

スウェーデン
ガムラ・ウプサラの墳丘墓

古代の王たちが眠るガムラ・ウプサラの墳丘墓は、
スウェーデンという国の歴史を物語る最古のシンボルでもある。

　ストックホルムの北部、ウプサラ郊外にあるガムラ・ウプサラ（古いウプサラ）村。その平原には、三つの大きな墳丘墓が残る。だがその昔は、この平原に2000から3000もの同じような墓があったという。

　バイキングが活躍するはるか前、ここガムラ・ウプサラはスウェーデン王の拠点であり、古代スカンジナビアの神々の信仰の場でもあった。約1500年前の墳丘墓を発掘調査したところ、焼けこげた骨や装飾的な武器と衣服、生けにえにされた供え物などが出土した。これらは古代スカンジナビアの多神教を示す。遺体を火葬にすれば、死者の魂は最高神オーディンの殿堂バルハラに入れると信じられていた。

　墓所の副葬品から、墳丘墓には古代の王たちが埋葬されていたと考えられている。三つの墳丘墓は、それぞれ東塚、中塚、西塚と呼ばれている。その間を通る細い小道を歩きながら、はるか昔のガムラ・ウプサラの光景を想像してみる。オーディンやトール、フロイといった神々を祭る神殿は金色に輝き、神聖な森では人間や動物が生けにえにされた。

ベストシーズン　スウェーデンの冬はきわめて寒い。訪ねるなら春から夏、初秋が良い。
旅のヒント　ウプサラはストックホルムから48キロ。鉄道なら45分、本数も多い。墳丘墓はウプサラ中心部から4キロで、バスで行ける。暖かい日なら徒歩や自転車で行くのも楽しい。墳丘墓および教会の入場は無料だが、博物館は入場料がかかる。入場できる時間は年によって変わるので、事前に確認しよう。
ウェブサイト　www.visitscandinavia.or.jp（スカンジナビア観光局）、www.uppland.nu（ウプサラ旅行案内）

ヨーロッパ

見どころと楽しみ

■近くにある**ガムラ・ウプサラ博物館**には、墳丘墓から出土した品々が展示されている。この一帯の地形の変化を示す模型もある。

■**ガムラ・ウプサラ教会**の最も古い部分は12世紀につくられた。ここは、古代多神教寺院のあった場所とも伝えられる。1989年、ローマ教皇ヨハネ・パウロ2世は北欧諸国を訪れた際、この教会でミサをあげた。

■13世紀に完成した**ウプサラ大聖堂**は、スカンジナビアで最大の教会。

一帯を見渡せる小高い場所に、古代スウェーデン人がつくった墳丘墓がある。

ハーラル青歯王の石（左）。ルーン文字とキリスト教のシンボルが刻まれており、デンマーク誕生を物語る石とされる。

デンマーク
イェリングの墳丘墓と石碑

**文字や模様が刻まれている2個の巨大な石は、
異教からキリスト教への改宗を物語る歴史の証人だ。**

ユトランド半島中部の静かな田園地帯に、二つの墳丘墓と、謎めいたルーン文字が刻まれた石碑、そして小さな教会がある。こうした遺跡が伝えるのは、デンマークの礎を築いた王たちの物語だ。

ここイェリングは、キリスト教を信仰する以前のデンマークの都だったが、それまで信仰してきたバイキングの神々はしだいに廃れていった。

村に向かうと、まず二つの大きな墳丘墓が見えてくる。これは、9世紀後半から958年まで生きたデンマーク初期の王ゴームと、チューラ王妃の墓である。二つの墳丘墓の間には、控えめな教会が建っている。ここにはもともと、ゴームの息子であるハーラル青歯王が建てた古い教会があり、キリスト教に改宗したハーラルが、父親をここに埋葬し直したのだ。

教会のそばに、二つの大きな石碑が立っている。小さい方には、ゴーム王が妻チューラの死を悼んだ言葉が古代の象形文字ルーン文字で刻まれている。

その隣にある大きな石碑は、父を継いで王になったハーラルが建立したもの。一面には、自らをデンマークおよびノルウェーの王とする文章が、もう一面には躍動的な獅子と大蛇が彫られている。そして最後の面には、バイキングの伝統的な装飾と、キリスト教的表現が混在して描かれている。

ベストシーズン イェリングの冬は寒く暗い印象だ。訪ねるなら5月から10月が良い。
旅のヒント イェリングはユトランド半島中部、コペンハーゲンの西に位置する。電車だと3時間。村には小さな宿屋もある。
ウェブサイト www.visitscandinavia.or.jp（スカンジナビア観光局）、www.visitdenmark.com（英語ほか）

見どころと楽しみ

■ 近くにある**王立イェリング博物館**では、この地域の歴史をたどれる。ハーラル青歯王の石碑の複製があり、つくられた当時に施されていたであろう鮮やかな色も再現されている。

■ ゴーム王が埋葬されている**教会**の壁は石灰華が使われている。内部を飾るフレスコ画は、12世紀に描かれ、19世紀に修復されたもの。

■ イェリングのすぐ南にあるファルプ湖では、毎年夏になると実物大のバイキング船**イェリング・オルム号**の航行が見られる。

ヨーロッパ

ポーランド
ベルゼク強制収容所跡

ナチスがポーランドに設置した「死の収容所」は60年もの間、悲しい歴史を抱えたまま森の中にひっそりと隠れていた。

旧約聖書ヨブ記の一節が、ベルゼク強制収容所があった敷地の入り口に掲げられている。「大地もわたしの血を覆い隠せない。わたしの叫びに安らぎの場所はない」と。さびついた鉄を組み合わせてつくった文字からは、血の涙のように赤いしずくがしたたっている。

1942年2月から12月、ナチスは「絶滅収容所」と呼ばれたこの地で50万人を殺害した。そのほとんどは、ポーランド南東部とウクライナ西部から連行されたユダヤ人だった。ガス室で殺されたおびただしい数の死体は大きな穴にまとめて埋められ、ナチスはその残虐行為の証拠を隠滅しようとした。

その後何十年間も、収容所は放置され、荒れるにまかされていたが、2004年に米国ユダヤ人協会とポーランド政府が共同で大々的な追悼式典を行った。

かつての収容所は産業廃棄物で埋め尽くされ、埋葬地も荒れ地になっていた。そこを貫く通路の突き当たりには、壁に何百もの名前が刻まれている。埋葬地を囲む通路脇には、鉄の文字で、死んだユダヤ人の出身地の名前が記されている。

ベストシーズン ベルゼク強制収容所跡は年中公開されていて日没まで入場できる。無料。野外なので冬に訪ねるのはかなり厳しい。ガイド付きツアーは記念館で申し込める。

旅のヒント ベルゼクはポーランド南東部、ウクライナ国境に近く、ワルシャワやクラクフからの日帰りは難しい。50キロ離れたザモシチはルネサンス建築が美しい町で、ホテルも多いので拠点として最適。ザモシチでは、要塞シナゴーグ跡や、美しいアーケードの市場を見よう。

ウェブサイト www.poland.travel（ポーランド政府観光局）、www.deathcamps.org（英語）

ヨーロッパ

見どころと楽しみ

■通路脇に記された**町と村の名前**は、ポーランド語とイディッシュ語で併記されている。この地域では、かつてほとんどのユダヤ人がイディッシュ語を話した。

■**記念館**は、収容所の歴史を詳細に伝える。この収容所で死んだユダヤ人は少なくとも43万4500人。ここで殺された非ユダヤ系ポーランド人とロマの死者数はいまだに不明である。

■収容所への移動や、ガス室の死体を運び出すのには貨車が使われた。1943年、この収容所を破壊することにしたナチスは、埋めた死体を掘り出し、**線路の枕木**をまきにして燃やしたという。入り口付近に置かれた線路は、そんな歴史を象徴している。

荒涼としたベルゼク強制収容所跡は、血に染まったいまわしい歴史を思い出させる。

納骨堂を所有していたシュバルツェンベルク家の紋章まで人骨でつくられている。

チェコ
セドレツ納骨堂

チェコ西部の小さな村にはとても不気味な装飾で有名な納骨堂がある。
地元の木彫職人が技術を駆使して完成させた、人骨の見事な装飾だ。

チェコ西部のセドレツ村にある聖教会を訪れ、長年使い込まれた階段を降りていく。途中にある大きな2個の杯は人骨でつくられている。さらに、その先の部屋に入ると、身の毛もよだつ光景が目に飛びこむ。それは、人骨を使った精巧な彫刻と装飾だ。おどろおどろしいこれらの作品には、隣接する墓地に眠っていた人骨4万体分が使われているという。

1500年代に、ヨーロッパ全土を襲った黒死病（ペスト）で、毎日多数の死者が出た。埋葬地が足りなくなり、古い墓を掘り返したという。掘り出した遺骨を、教会の地下にある納骨堂に移したのだ。

後にこの教会を所有したシュバルツェンベルク家は、19世紀に木彫職人のフランテーシェック・リントに命じ、納骨堂を埋め尽くす人骨で作品をつくらせた。リントは、頭蓋骨や大腿骨で花輪をつくっては天井、壁、柱などを飾り、部屋の四隅には鐘の形をした骨塚を築いた。リントは壁に、指の骨で自分のサインまで残した。

見どころと楽しみ

■ 納骨堂に飾られた人骨彫刻は、独創性と芸術性にあふれている。巨大な**シャンデリア**には、人体のすべての骨が最低1個は使われているという。

■「骨の教会」の異名をもつ万聖教会の**墓地**と**礼拝堂**にも足を運んでみよう。

■ クトナー・ホラには**銀と中世鉱業博物館**があり、ガイド付きの鉱山ツアーも催行している。五つの身廊をもつ**聖バルバラ教会**など、中世の美しい建築も必見だ。

ヨーロッパ

ベストシーズン 納骨堂は12月24日と同25日を除いて公開されている。開館時間は時期によって異なる。納骨堂だけなら30分もあれば見物できるが、教会全体を見るならば、もう少し時間がかかる。
旅のヒント セドレツはクトナー・ホラの郊外に位置する。プラハから西に70キロ。電車で行くこともできる。納骨堂はホラ・セドレツ駅から徒歩で10分ほど。
ウェブサイト www.czechtourism.com（チェコ政府観光局）、www.kostnice.cz（チェコ語、英語ほか）

シレトのユダヤ人墓地にある墓石は、東ヨーロッパでも屈指の美しさを誇る。

ルーマニア
シレトのユダヤ人墓地

ルーマニア北東部の片隅に、見事な彫刻が施された
墓石が並ぶユダヤ人の墓地がある。

後ろ脚で立つライオン、想像上の怪物グリフォン、ブドウのつる、寄進箱の金に伸びる手、花。さまざまなモチーフが墓石に彫られている。

ウクライナとの国境に近いルーマニアの静かな町に、精巧な彫刻の墓石で知られたユダヤ人墓地がある。シレトに3カ所あるユダヤ人墓地は「生者の家」と呼ばれることも多い。18世紀後半につくられ、その後整備された三つの墓地は、ユダヤ教徒が死後に集う集会場のようなものだ。墓石の数は数百にのぼり、質量ともに東ヨーロッパ随一のユダヤ文化を象徴する芸術作品ともいえる。

装飾的なシンボルは故人の名前、家系、特徴などを表現しており、その周囲をヘブライ文字の優美な墓碑銘が囲む。

ベストシーズン シレトはルーマニアでも涼しい土地だ。訪れるなら4月から9月が良い。晩春から夏にかけては墓地に雑草が茂りすぎていることもある。

旅のヒント ルーマニア北東端に位置し公共交通機関より、車が便利。シレトから車で30分ほどのラダウツィには、ユダヤ教徒の美しい墓地があり、小さなホテルも数軒ある。シレト最古のユダヤ人墓地は、町の中心部近くの高い塀の外側にある。あと2カ所は道路を渡って路地を入った所。シレトのシナゴーグを訪れる場合は、ラダウツィのユダヤ人コミュニティーに連絡する。墓地およびシナゴーグに入る時、男性は頭を覆うこと。

ウェブサイト www.romaniatabi.jp（ルーマニア政府観光局）
www.romaniatourism.com/jewish-heritage.html（英語）

見どころと楽しみ

■ 墓石によく見られるシンボルに、祝福のために掲げた両手がある。これはイスラエルの司祭の祖とされるアロンの子孫であるコヘーンの家系という意味。水差しはレビ族の子孫を表す。ライオンはレブまたはレイブという名前、または「ユダの獅子」を象徴する。

■ 墓地では、美しい燭台もよく見かける。これは女性の墓に置かれるもので、安息日にろうそくを灯して祝福するのが、女性の役割だったことに由来する。

■ シレトのシナゴーグは現在は使われていないが、黄道帯やさまざまな動物を描いた絵など、内部の装飾がすばらしい。こうした絵はタルムードの訓戒「天におわすなんじが父のご意志を成し遂げるには、ヒョウのように強く、ワシのように軽く、シカのように速く、ライオンのように勇敢であれ」を表している。

ヨーロッパ

ルーマニア
陽気な墓地

牧歌的な風景の広がるマラムレシュ地方には、色鮮やかな墓地がある。
「陽気な墓地」と呼ばれ、死んだ村人たちをユーモアと歓喜で祝福する。

ルーマニア北部のサプンツァ村には、風変わりな墓地があり、華やかな色彩に塗られた木の十字架が並ぶ。十字架に彫られた絵は総数800以上、素朴な肖像画もあれば、生前の生活の場面を描いたものもある。

埋葬されている人々は地元で昔ながらの生活を送って人生を終えた。羊を飼い、土を耕した者もいれば、パン屋、鍛冶屋、織り物職人もいて、誰もが生きる喜びを大切にしていただろう。だが、酒の飲みすぎで死んだ人の墓には酒びんが、自動車事故で命を落とした少女の墓には事故の絵が描かれていたりする。

十字架のほとんどには白いハトと墓碑銘が刻まれている。墓碑銘はリメリック（五行戯詩）であることが多い。リメリックは、全部ではないが軽快な内容で、多くが一人称なので、訪れる家族や知人に死者が語りかけているようだ。

これらの十字架の大半は、地元の木彫り職人スタン・イワン・パトラスが手掛けたものだ。彼の死後は、弟子が今でも年に10点ほどの新作をつくっている。

ベストシーズン 4月から10月。7月と8月は暑いが、ルーマニア南部ほど厳しくはない。正教会の復活祭は特におすすめ。夏には地元でさまざまな祭りが行われる。
旅のヒント サプンツァは、シゲット・マルマツィエイの北西15キロにあり、ここから1日数本バスが出ている。村の民家に泊まるには、直接交渉するか、ルーマニアの代理店に申し込む。マラムレシュ地方をくまなく見て回るには、5日はかかる。
ウェブサイト www.romaniatabi.jp（ルーマニア政府観光局）
www.romaniatourism.com/press-the-merry-cemetery.html（英語）

ヨーロッパ

見どころと楽しみ

■ 数ある墓の中でも特におもしろいのは、花咲く果樹園で犬と羊に囲まれた**羊飼い**の墓、馬と一緒にいて満足げな**農民**の墓、それに**床屋**の墓など。

■ **スタン・イワン・パトラス**は死ぬ前に自身の十字架も作成した。そこに刻んだ言葉は「陽気な墓地の創造者」だった。この墓地に埋葬されることを希望する部外者もいるが、残念ながら埋葬されるのは村人だけ。

■ サプンツァの東にあるブルサナやイェウドの**教会**は訪ねる価値あり。

サプンツァの墓地。オーク材の十字架には、この地域の伝統的な模様と、故人を物語る絵が描かれている。

カザンラクにあるトラキアの女王の墓には、馬の行進を描いた壁画がある。

ブルガリア
古代トラキア人の墓

ブルガリアの静かな田園地帯の下から姿を現したのは、
豪華に飾られた古代の王族や貴族たちの墓だった。

ブルガリアの大地に広がる牧歌的な風景の中で、トラキアを支配していた王と貴族たちが永遠の眠りについている。「モギラ」と呼ばれるその墓所は、古代文明の途方もない豊かさを物語る無数の財宝で埋まっていた。

これまでに発掘された墓は50以上。精巧な浮き彫りや躍動的なフレスコ画、埋葬の仮面、貴金属でつくられた宝飾品、杯など、多数の副葬品が発見されている。

ブルガリア中部に位置するトラキア王の谷では、いくつかの墓が一般公開されている。カザンラクにある墓は、紀元前3世紀につくられたもので、蜂の巣形をしており、絵画装飾が特にすばらしい。これらは、ブルガリアにおけるヘレニズム文化を現代に伝える最高傑作といえる。カザンラクの北西にあるオストゥルッシャの墓は、シプカ峠を通る街道沿いにあった大きなネクロポリスの一部。花崗岩でつくられた厳かな玄殿には、ギリシャ神殿との共通点が見られる。

スベシュタリにある墓は、建築物かと思うような堂々たるデザインと装飾的な彫刻が施されている。中央玄室の壁に並ぶ10本の女人像柱は印象的だ。また、プロブディフの近くには、スタロセルの墓を兼ねた神殿が残る。二つの玄室があり、黄金の花輪のほか、青銅の盾や剣といった戦闘に使われた武具が出土している。

見どころと楽しみ

■カザンラクの墓にある壁画には、トラキアの有力な統治者の人生と死が描かれている。

■墓のデザインをよく観察すると、円天井や四角い天井など細部に違いがあっておもしろい。

■地元の博物館のほか、ソフィアにある国立考古学博物館や国立歴史博物館などには、一般公開されていない墓から出土した副葬品が展示されている。

ヨーロッパ

ベストシーズン 訪れる時期は4月から9月が良い。7月と8月は暑くて乾燥しており、混雑も激しい。

旅のヒント レンタカーで墓を回るか、ガイド付きツアーに参加する。地元の代理店や、カザンラクにあるイスクラ歴史博物館といった地元の博物館に問い合わせよう。カザンラクの墓は、保護のため、通常は複製しか見学できないが、イスクラ歴史博物館を通じて事前に申し込めば、本物の墓をガイド付きで見学でき、さらに考古学者の付き添いでシプカ近くの墓巡りもできる。

ウェブサイト www.yogurtson.com/Japanese/Travel/Info/tourism_bureau.htm（ブルガリア政府観光局）
www.bulgariatravel.org（英語、ドイツ語ほか）、www.kazanlaktour.com（英語、ロシア語ほか）

ドイツ
ベルリンのホロコースト記念碑

2711個の飾りのない灰色の立方体は、ヨーロッパで殺された600万人のユダヤ人の悲しい運命を物語っている。

　そこは入り口も出口もなく、閉じられることもない。四角い敷地のどこから入っても、突然コンクリートの立方体に囲まれる。不安を誘う波打つような地形を歩いていると、立方体の高さも微妙に変化する。この立方体は表面が滑らかで、斜面の上に立っているのでどれも微妙に傾いている。大きさ、形ともに同じものはなく、高さが2センチのものも4.8メートルのものもある。立方体は約2万平方メートルの敷地に格子状に配置されており、その間を歩くと道に迷ったような心細さを感じる。

　この記念碑の正式名は「殺害されたヨーロッパユダヤ人に捧げる記念碑」。第二次世界大戦が終結して60年後の2005年5月、冷戦時代に分断されていた東西ベルリンの間につくられた。ホロコーストの恐ろしさをストレートに伝えている。

　立方体には何の特徴もなく、敷地には被害者の氏名も銘板もない（地下のインフォメーションセンターには、ホロコーストの犠牲になったユダヤ人のうち、判明している氏名がすべて収録されている）。

ベストシーズン　ベルリンは春と秋が最も美しい。敷地内の散策に1時間、インフォメーションセンターの見学に1時間はかけたい。

旅のヒント　記念碑はブランデンブルク門近くのコーラ・ベリーナー・ストラッセにある。立方体のある場所は1年中開放されていて24時間入ることができる。インフォメーションセンターは月曜休み。開館時間は10時〜20時（4月〜9月）、10時〜19時（10月〜3月）。地下鉄U2線でポツダマー・プラッツ駅かモーレンストラッセ駅下車。

ウェブサイト　www.visit-germany.jp（ドイツ観光局）、www.holocaust-mahnmal.de（ドイツ語、英語）

見どころと楽しみ

■ 地下の常設展示の一つが、ヨーロッパの**ホロコースト犠牲者**数百人の人生に焦点を当てたもの。壁に彼らの氏名と情報が投影され、生涯の足跡が読み上げられる。

■ インフォメーションセンターのロビーには、アウシュビッツから生還した**プリモ・レーヴィ**の言葉が引用されている。「それは実際に起こった。ということは再び起こる可能性がある。私たちはそのことを、声を大にして言わねばならない」

■ ベルリンのユダヤ人地区にある**新シナゴーグ**は現在、ユダヤの歴史を伝える博物館になっており、さまざまな儀式も行われる。

立方体はそれぞれ微妙に傾いているので、歩いていると方向感覚が失われるかもしれない。

マルタ
ハル・サフリエニの地下墳墓

何千年もの長い間、人知れず埋もれてきたハル・サフリエニの地下墳墓は、
新石器時代には人々が祈りを捧げる神殿でもあった。

地下墳墓は、パオラという小さな町にある。小部屋がいくつもつながった蜂の巣状の構造になっている。神のお告げを授かったとされる部屋には、石灰岩の壁に濃い赤土でらせん模様が描かれている。この模様は、至聖所と思われる場所を含め、いくつかの部屋に見られる。

この地下墳墓は1844年に一度発見されたものの、すぐに封印されて忘れられた。再発見は1902年のことだ。住宅建設のために地面を掘っていた作業員が、玄室の天井に偶然穴を開けた。最初は天然の洞窟だと思われていたが、調査を進めるうち、石を切り出してつくった、複数の小部屋と祭室、階段、長さ10メートルもの通廊が発見され、三層構造からなる地下墳墓だということが判明した。

つくられた時代は紀元前3600年から同2500年とされる。上層(前3600～前3300年)を中心に7000体分の遺骨が見つかり、同時に魔よけや土器なども出土した。2本の石柱に石を載せた巨石建造物であるトリリトンや、まぐさ石を使った戸口、受け材のついた天井といった特徴が、マルタ島に残る巨石神殿群に似ており、ここも神殿として豊穣を願う儀式が行われていたのではないかと考えられている。

ベストシーズン　見学ツアーは、主な祭日を除いて毎日行われている(解説は英語など。日本語はない)。所要時間は約1時間で、出土品見学と解説ビデオを使った説明の後、45分の内部見学をする。

旅のヒント　事前予約が必要。現地か国立考古学博物館でチケットを購入してもよいが、ツアーは1回の定員が10人で、数週間先まで埋まることもあるので、オンライン予約が確実。当日券は現地で先着順、当日正午のツアーのみで、料金は事前予約の2倍。

ウェブサイト　www.visitmalta.com (マルタ観光局)、www.heritagemalta.org (英語)

ヨーロッパ

見どころと楽しみ

■ 先史時代の**地下神殿**は世界でもほかに例がない。自然の石を石器や動物の角で掘ってこれだけの地下構造物をつくり上げた労力を想像すると気が遠くなる。

■ バレッタにある**国立考古学博物館**で、「眠る美女」を見よう。地下墳墓の最も奥にある部屋で出土した、高さ12センチの粘土製のふくよかな女性像。ほかにも彫像や首飾り、土器などが展示されている。

■ 近くの**タルジェン**にある**新石器時代の神殿群**も、地下墳墓と同じく紀元前3600年から前2500年のもの。建築の特徴に共通点がある。

石灰岩を切り出した地下墳墓の主室。巨大な蜂の巣を思わせる。

ルネサンス様式のサン・ミケーレ教会は、マウロ・コドゥッシの傑作で、潟に浮かぶ宝石といったところだ。

イタリア
サン・ミケーレ島

**ベネチアの青い空の下、著名人や無名の住民が眠る
サン・ミケーレは魅力にあふれた祈りの島だ。**

　バポレットと呼ばれる乗合ボートが、ベネチア中心部から数分の場所にある墓地の島サン・ミケーレに滑りこむ。淡褐色のレンガ壁の向こうに、こぢんまりした墓地がある。

　サン・ミケーレ教会は、ベネチア最古のルネサンス建築の一つで、白大理石のファサードがまぶしい。1469年に建設されたこの教会は、ターコイズとロイヤルブルーのモザイク画で有名だ。プロテスタント、カトリック、正教会、ユダヤ教と宗派別に区切られている墓地には回廊から出られる。

　プロテスタント区画には、米国の詩人エズラ・パウンドの墓がある。長方形の墓石は花壇のようだ。作曲家イゴール・ストラビンスキーとその妻は、正教会区画の簡素な白い墓石の下に眠っている。ロシアの芸術プロデューサー、セルゲイ・ディアギレフの墓は白い柱が並ぶ2層構造で、バレエシューズの彫刻が飾られている。イタリアの彫刻家アントニオ・ダル・ツォットの墓は、12本の柱が半円形に並び、芸術作品でもある。1996年に没した、ノーベル文学賞受賞者のヨシフ・ブロツキーの墓は、飾りのない簡素なものだが、いつも花が絶えない。

見どころと楽しみ

■ サン・ミケーレの墓地は混み合っているものの、現在も使われている。ただし埋葬後12年経つと、遺骨は共同墓地に移されるか、親族の遺骨と合葬になる。**葬儀用のゴンドラ**は黒い布で包まれる。

■ サン・ミケーレ教会の玄関の上には、島の守護聖人である**聖ミカエル像**がある。片手に天秤を持ち、もう一方の手でドラゴンを退治している。

■ サン・ミケーレ島を訪れた後は、水上タクシーで**ムラーノ島**へ行こう。この島は1291年以来、イタリアのガラス工芸の中心地だ。ガラス博物館(ムゼオ・ベトラリオ)や、今も残るガラス工房を巡ってみるのもおもしろい。

ヨーロッパ

ベストシーズン　1年中いつでも。ただし真夏は暑く、混雑も激しい。
旅のヒント　水上タクシーは高いので、バポレットが良い。41番または42番の路線でフォンダメンテ・ヌオーベからムラーノ行きに乗り、チミテッロで下船。墓地の見学は火曜から日曜は9時〜13時、15時半〜19時半、月曜は15時半〜19時半。
ウェブサイト　www.enit.jp (イタリア政府観光局)、www.veneto.to (イタリア語、英語ほか)

イタリア
古代ローマのカタコンベ

キリスト教の地下墓所としてつくられたカタコンベでは、
初期キリスト教徒たちの芸術と暮らしぶりを知ることができる。

狭い階段を通って、ローマの地下へと降りる。網の目のような通路はひんやりと湿っぽく、左右の壁には多孔質の凝灰岩を掘った長方形の穴が続いている。ローマの街の下にある、死者が眠るこの多層構造の地下都市は、地表からの深さ20メートル、面積は240ヘクタールを超えるという。

ここは紀元前150年から紀元450年頃までキリスト教徒の墓地であった。いくつもの小部屋には、洗礼式や聖餐を題材としたモザイク画やフレスコ画が描かれている。遺体を納めた埋葬室の墓石には、死者の氏名と年齢、職業が刻んである。

ローマにある60余りのカタコンベのうち、一般公開されているのは5カ所。ローマ街道の先駆けとして紀元前312年に完成した旧アッピア街道沿いに3カ所ある。

初期ローマ教会の正式な墓地だった聖カリストゥスのカタコンベは有名だ。3世紀の歴代ローマ教皇も埋葬されている。聖セバスティアンのカタコンベには、巡礼者が聖人ペテロとパウロに捧げて書いた祈りの言葉が残っている。

ベストシーズン 復活祭、クリスマス、1月1日を除いて毎日開いている。入場時間は場所によって異なるが、どのカタコンベも週1日、日中の2時間は閉じられる。冬期は修復のため1カ月閉鎖になる。カタコンベのガイド付きツアーは、場所によるがだいたい40分から1時間。

旅のヒント カタコンベごとに入場料が必要。チケットは入り口で販売している。ガイドなしで入ることも可能。旧アッピア街道沿いにあるカタコンベは特に人気が高く、かなり混雑する。ローマでは最古で、最大級の規模を誇るプリシラのカタコンベは見学者が少なくおすすめ。

ウェブサイト www.enit.jp（イタリア政府観光局）
www.catacombe.roma.it（ローマのキリスト教カタコンベ）

ヨーロッパ

見どころと楽しみ

■カタコンベでは**初期キリスト教美術**を鑑賞しよう。聖カリストゥスのカタコンベにある秘跡の埋葬室には、保存状態の良い3世紀のフレスコ画が残っている。

■**聖ドミティッラ教会**は、カタコンベの上に建てられた4世紀の聖堂で、実際の骨が見られる唯一の場所だ。ドミティッラのカタコンベは、2世紀に描かれた「最後の晩餐」のフレスコ画で知られている。

■聖カリストゥスのカタコンベには、入り口近くに3重の後陣をもつ**地上霊廟**がある。そこには、子どもの石棺など、彫刻が施された石棺が保存されている。

聖セバスティアンのカタコンベ。ここには聖ペテロと聖パウロの遺骨が一時置かれていたと伝えられている。

英国人建築家、レジナルド・ブロムフィールド卿が設計したメニン門。高さは24メートルほどある。

見どころと楽しみ

■ 第一次世界大戦と、イーペルでの3度の激戦について詳しく知りたいなら、マルクト広場に面した衣装会館内にある**フランドル戦場博物館**や、サンクチュアリー・ウッド(ヒル62)の博物館と当時のまま保存された塹壕を訪ねてみよう。

■ **追憶のホール**の正面階段には、ケシの花輪が供えられている。戦場、特にイーペルでは、戦闘で掘り返された地面に赤いケシの花がたくさん咲いたことから、戦死した兵士を象徴する花になった。この戦いに参加した親族がいる人は、追憶のホール内にある登録簿で調べることもできる。

ベルギー
メニン門記念碑

第一次世界大戦中にドイツ軍と連合軍の激戦地だったイーペルで
死んだ兵士たちを悼み、門の下で毎晩ラッパが吹き鳴らされる。

ヨーロッパ

軍葬ラッパの音が、メニン門からフランダース地方にあるイーペルの町へと響く。イーペル消防団吹奏楽隊の吹奏は、第一次世界大戦時にこの地で戦死した、英国と連邦諸国の兵士たちをたたえるもの。

1927年に英国が建造した石灰岩とレンガの巨大な門があるメニン・ロードは、多くの兵士が前線に赴いた道だ。門の東側入り口の上では、ライオンがかつての戦場をにらむ。町に面した反対側の入り口には、石棺と花輪の彫刻が置かれている。

この記念碑の一部である「追憶のホール」では、室内の壁という壁、階段、柱廊に5万4896人の名前が刻まれている。この名前は、英国および連邦諸国(ニュージーランドを除く)出身で、墓もつくられなかった戦死者たちのものだ。

パッセンデール村の近くに、タイン・コット記念館がある。ここは、イーペル第3の戦いの場所で、3万4984人の英国とニュージーランド兵の名前が記されている。

ベストシーズン メニン門は時間に関係なく訪れることができる。軍葬ラッパの吹奏は毎日20時から数分間。花輪を捧げる団体が多い時や、特別な式典の時は1時間以上続く。11月11日の休戦記念日には、11時〜20時にさまざまな式典が行われる。

旅のヒント メニン門と近くの戦場、第一次世界大戦の博物館などを見て回るには数時間はかかる。吹奏のセレモニーを見るなら、19時30分には門に到着して良い場所を確保しよう。吹奏が終わっても拍手をしてはいけない。

ウェブサイト www.visitflanders.jp(ベルギー・フランダース政府観光局)、www.lastpost.be(英語)

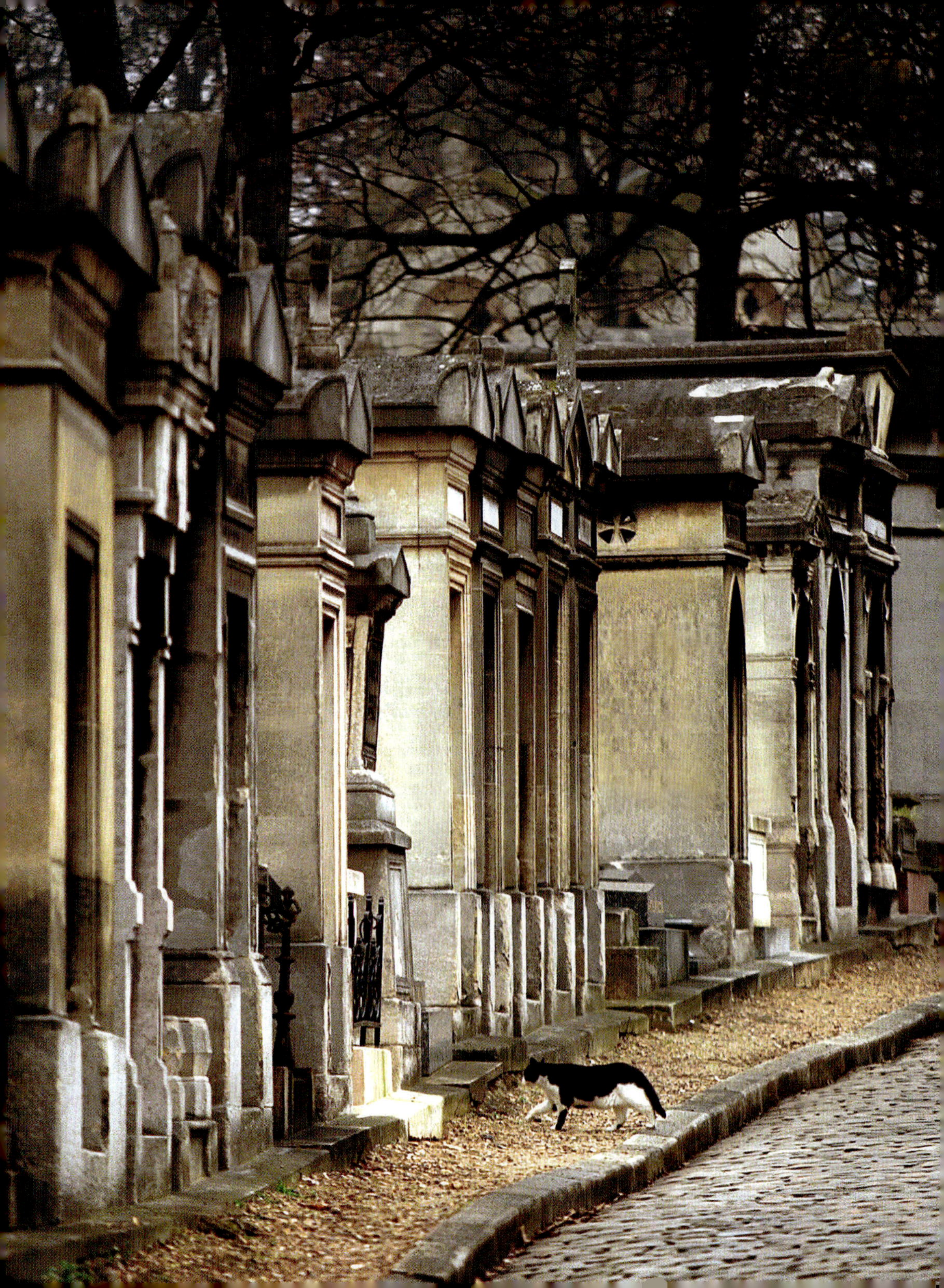

ペール・ラシェーズ墓地

フランス

パリ東部に位置する20区の丘につくられた市営の墓地。ショパンやエディット・ピアフなど、世界的な著名人の墓もあり、多くの人が訪れる。

墓地の命名者はナポレオンだ。1804年、ルイ14世の贖罪(しょくざい)司祭だったペール・フランソワ・ド・ラシェーズにちなんで命名した。パリ市内にある三つの墓地の中で最も大きく、30万の墓のほか納骨所もある。

ここに眠るのは、音楽家、画家、作家、科学者、軍人、英雄、政治家、産業界の有名人などだ。中世フランスの論理学者で弟子エロイーズとのロマンスで有名なアベラールの遺骨は19世紀初頭にここに移され、今では屋根つきの墓に2人で仲良く納まっている。カップルと言えば、俳優同士のイブ・モンタンとシモーヌ・シニョレも一つの墓に入っている。ショパンの墓には花が絶えない。人々に広く愛されたフランスの女性作家コレットの墓にも、いつも摘んだばかりの花が供えられている。墓は黒い大理石でできており、凝った装飾はない。

オースマン家やプレイエル家といった名門一族の墓は見事な彫刻が施されているが、そのすぐそばには、もう名前もかすれて読み取れない簡素な墓もある。

風の強い秋の昼下がりに、ペール・ラシェーズ墓地を歩いてみよう。ヨーロッパ史をさかのぼり、著名人にも無名人にも会える。風に吹かれた落ち葉が小道を渡る音にノスタルジーをかきたてられていると、ショベルが固い土にぶつかる鋭い音にはっとする。また一つ新しい墓がつくられるのだ。

ヨーロッパ

ベストシーズン パリ最大の墓地であるペール・ラシェーズは通年開放されている。時間は日によって異なる。48ヘクタールの広大な敷地を見て回るには、2時間は必要。
旅のヒント メトロのペール・ラシェーズ駅から直結しているポルト・デザマンディエールに案内図が掲示してある。2号線のフィリップ・オーギュスト駅、3号線のガンベッタ駅も便利。ビジターセンターでは有名人の墓が番号付きで示された地図がもらえる。
ウェブサイト jp.francequide.com（フランス政府観光局）www.pere-lachaise.com（フランス語、英語）

見どころと楽しみ

■ グアテマラ出身の作家でノーベル文学賞を受賞した**ミゲル・アンヘル・アストゥリアス**の墓はとてもモダン。古い様式のものと比較するとおもしろい。

■ この墓地の中でとりわけ落書きが多いのが米国のロックバンド、ドアーズのボーカルだった**ジム・モリソン**の墓。墓石を削って持ち帰ろうとするファンが後を絶たないので、警備員が見張っていることが多い。

■ エロイーズとアベラールが眠る墓は、**ユダヤ人の墓**が連なる通りをずっと歩いていった先にある。

■ この墓地の特徴は、文化、言語、宗教が多様なこと。世界各国の人々が、**宗教や地位**に関係なく、ここで永遠の眠りについている。

前ページ：ペール・ラシェーズとはルイ14世の贖罪司祭の名だが、宗教上の制約はない。ユダヤ教徒やイスラム教徒、仏教徒の墓もある。**上左**：画家テオドール・ジェリコーの墓には、パレットと絵筆を持つ本人の彫像がある。**上右**：歌手エディット・ピアフの大理石の墓は質素だが、鉢植えや花輪で飾られている。

12世紀に建てられたサン・トノラ教会は、殉教者の遺物を多く祭る重要な場所だった。

見どころと楽しみ

■ **古代アルル博物館**の石棺コレクションは、ローマに次いで2番目の規模を誇り、異教からキリスト教の時代へと様式や描写が変化する様子がわかる。

■ アリスカンの遊歩道の突き当たりには、教会がいくつか連なる一帯がある。廃墟となっているロマネスク様式の**サン・トノラ教会**や、6世紀の**サン・セゼール修道院**などの建物が残っている。

■ アリスカンの門から**旧城壁**までの道を歩くと、かつて墓で埋め尽くされていた土地の広さが実感できるだろう。

フランス
殉教者が眠る アリスカンの墓地

古代の共同墓地だった場所に、
ローマ時代および初期キリスト教徒たちの墓が連なっている。

　古代ローマ時代、フランス南部のアルルでは石棺職人がひっぱりだこだった。町の城壁の外にある墓地は当時広く知られており、何千という石棺の注文があったからだ。その人気の理由は、キリスト教徒の尊敬を集めていた3世紀の殉教者、アルルの聖ゲネシウスがここに埋葬されていたからだ。

　ギリシャやイタリアのカララからアウレリア街道を通って、大理石の石材が運ばれてきた。当時、墓地は城壁の外につくる決まりであったため、城門に通じる街道沿いに石棺がずらりと並ぶことになった。

　ここはヨーロッパ全土の金持ちにとってあこがれの墓地となり、場所によっては棺が三つ重ねて置かれることもあった。こうして「死後の楽園」を意味するアリスカンの墓地は数百ヘクタールもの面積に広がった。

　現在は街路樹を植えた遊歩道の左右に墓が並び、往時の面影を残している。

ヨーロッパ

ベストシーズン　アルルは5月から9月が乾燥していて暖かい。9月中旬には歴史的遺産を記念して、古代遺跡などが一般に開放される。米の収穫祭である初穂祭も9月に行われる。

旅のヒント　アリスカンはアルル中心部から南に歩いて10分。アルルは徒歩で見て回るのにぴったりの町だ。1週間滞在すれば、ローマ時代や中世の遺跡を見て、カマルグまで足を延ばすこともできる。墓地の古い道は足元が悪いので、歩きやすい靴で行くこと。

ウェブサイト　jp.franceguide.com（フランス政府観光局）

アイルランド
巨大な石造墳墓 ニューグレンジ

この世のものとは思えない巨大な石造墳墓は、
底知れぬ深い謎に包まれている。

世界最古の構築物の一つであるニューグレンジは、5300年も前のものだ。卵形の巨大な塚は高さ12メートル、幅76メートルもある。内部は大きな空洞で、玄室を思わせる空間もある。

ニューグレンジは異教の統治者の埋葬施設だという。周辺の縁石はらせん模様を描き、生と死、永遠または太陽を表現していると考えられている。

この巨大な石造墳墓は、宗教儀式が行われる聖地でもあった。特に重要なのが冬至の儀式で、毎年冬至の夜明けの17分間だけ、巨大な建築物の穴に太陽の光が差し込み、玄室の床をはうように、20メートルほどの通路の端まで達する。

だが冬至の日を待つ必要はないし、待ってもしかたがないかもしれない。というのもこの日の入場は抽選制だからだ。その代わり、冬至の様子を再現してくれるツアーがある。だがいつ訪れても、不気味に静まり返った空間に足を踏み入れるだけで、自然からのとてつもないパワーを実感できるだろう。

ベストシーズン ニューグレンジは12月24日と27日を除き、いつでも公開されている。ハイシーズンは1日の入場者が700人まで。ツアーは先着順なので、特に夏は早めに行くこと。

旅のヒント ニューグレンジ見学は、ビジターセンターで玄室の複製を見ることから始まる。ニューグレンジと展示物を見るのに1時間、近くのナウス墓所を見るならさらに1時間必要。ニューグレンジにはガイド付きツアーに参加しないと入れない。ミース郡ドアにあるブルーナ・ボイン・ビジターセンターからバスで現地に向かう。冬至の時期に行きたい人は、ビジターセンターでの抽選に参加しなくてはならない。当選した100人は五つのグループに分けられ、12月19日から23日までのどれかの日の朝に入場する。

ウェブサイト www.discoverireland.jp（アイルランド政府観光庁）、www.heritageireland.ie（英語）

ヨーロッパ

見どころと楽しみ

■ 墳墓の周囲を飾る**97個の縁石**は、不思議ならせん模様を描いている。この縁石は初期の墓の石を再利用したのではないかといわれる。特に入り口の石と、52番（入り口の反対側、北西側）および67番（北東側）の石は必見。

■ ニューグレンジの内部に入ったら、まず冬至の日に日光が入る「**ルーフボックス**」を確認。6メートルの持ち出し天井は5300年以上の間、損傷することなく、雨の侵入を防いできた。

■ ミース郡内では、点在する**37の衛星墓所**がブルーナ・ボイン遺跡を形成している。近くにあるナウスとダウスの二つの墓所も、ニューグレンジと同じくらい古い。

一見すると近未来建築のようだが、実は紀元前3200年頃につくられた墳墓だ。

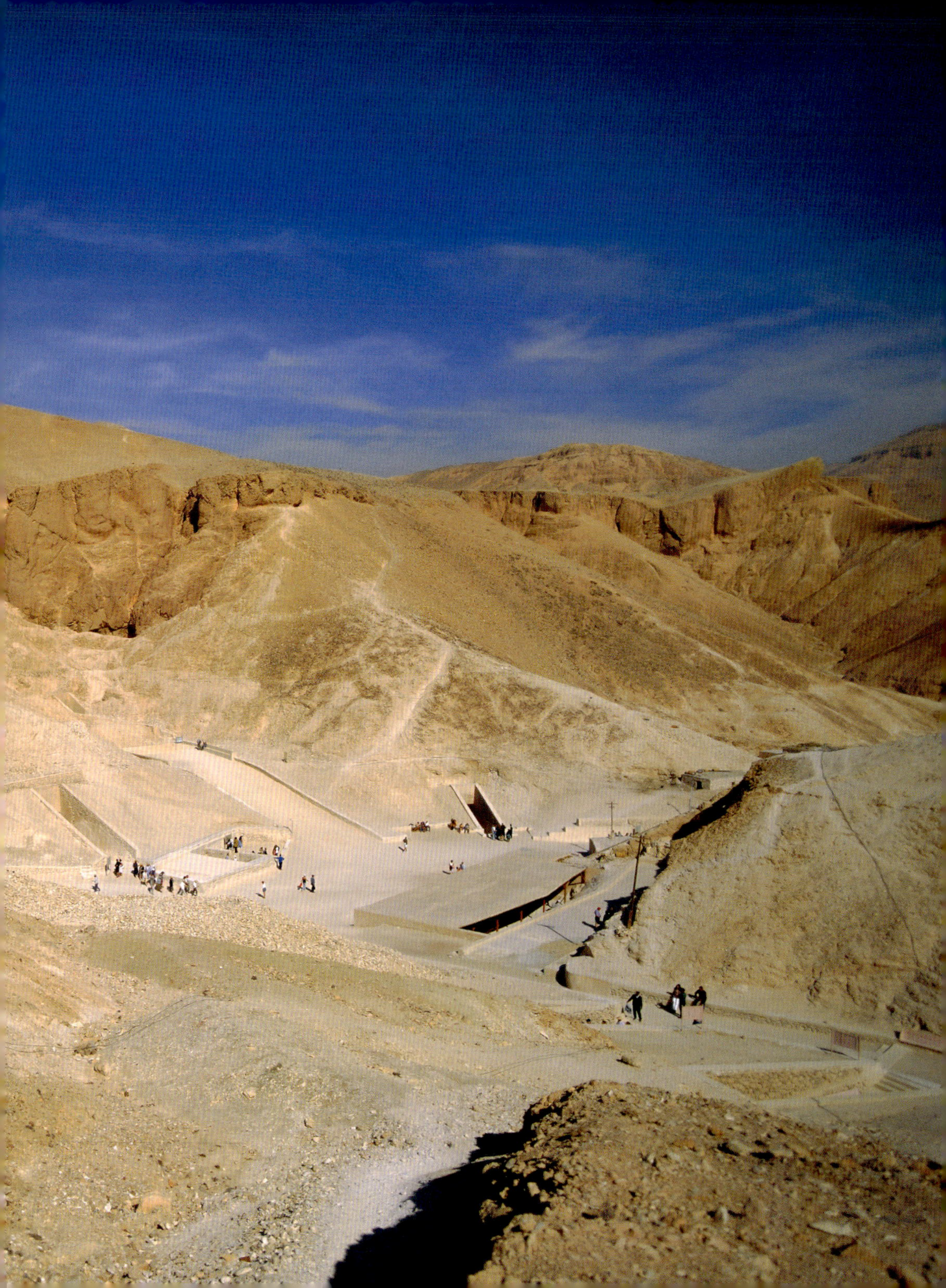

ファラオたちが眠る 王家の谷 (エジプト)

王家の谷に残る数多くの地下玄室は秘密の墓としてつくられたが、
今や世界で最も有名な墓といえる。

　先人の築いた壮大なピラミッドが盗掘被害にあったことを教訓として、エジプト新王国（前1539年頃～前1078年）のファラオたちは、砂漠の端に位置する砂や岩の下に秘密の埋葬地をつくることにした。

　その代表である王家の谷のそばには、朝日を受けて金色に輝くピラミッドのような丘がある。この谷につくられた精巧な地下玄室には、ラムセス大王やトトメス2世といった偉大な支配者も眠っている。

　埋葬の際には、死後の世界に必要と思われるものをすべて一緒に納めた。食料、衣服、家具はもちろん、「ウシャブティ」という小さな人形もあった。ウシャブティは、黄泉の国に行くと生命を得て動き出し、死者に代わってオシリス神に仕えると考えられていたのだ。だが慎重に準備されたこれらの墓も、盗掘者からは逃れられなかった。おそらくは葬儀を終えて間もなく荒らされてしまったのだろう。

　しかし1922年、英国の考古学者ハワード・カーターが、ツタンカーメン王の墓を完全な状態で発見、世界の人々は、それまで謎に包まれていた王家の谷の美しさをようやく知ることができた。王家の谷では現在も重要な発見が続いており、古代エジプトの生活を知る科学的な研究も進んでいる。

ベストシーズン　王家の谷を訪ねるなら、夏(6月～9月)は避けよう。日中の気温は38℃に達する。冬は日没後に冷えこむが、昼間は暖かい。

旅のヒント　一般公開されている墓は16カ所だが、詳細は要確認。王家の谷はナイル川西岸、ルクソールの対岸にあり、フェリーで行ける。西岸のフェリー発着所には、タクシー、ロバ、ガイドがたむろしている。ルクソールでツアーに参加しても良い。自転車で回りたいなら、ルクソールで借りてフェリーで運ぶ。入場券で、3カ所の墓を選択して入れるが、ツタンカーメン王の墓だけは別のチケットが必要。王家の谷のほか、ハトシェプスト女王の神殿や貴族の墓といった西岸の見どころを1日で回る効率的なツアーもあるが、1泊するほうが良いだろう。東岸のルクソールやカルナクの神殿を見るなら、さらに1日必要だ。

ウェブサイト　www.egypt.or.jp（エジプト大使館エジプト学・観光局）
www.thebanmappingproject.com（英語）

見どころと楽しみ

■ツタンカーメン王の墓には、今も王のミイラと石棺が置かれている。2007年からは、温度・湿度を一定に保つガラスケースに収められ、展示されている。

■ラムセス3世の墓は、通路や広間に「死者の書」や「ラーの祈祷文」、ファラオの紋章、ナイル川に浮かぶ舟、2人の盲目の竪琴弾きなどの場面を描いた絵が残っている。

■上流の狭い渓谷にひっそりとつくられたセティ1世の墓は、特徴的な装飾で知られる。壁の一部はパピルスを模して黄色く塗られ、天井は濃紺の夜空に黄色い星が浮かんでいる。入り口の間は741人もの神々で埋め尽くされ、楕円形の埋葬室には大きな巻き物を広げたように「アムドゥアトの書」が記されている。ツタンカーメンの墓が発見されるまでは、ここが最も長くて深く、また装飾もすばらしい墓として人気を集めていた。絵画の彩色は、つい今しがた塗り終えたばかりのようにみずみずしい。

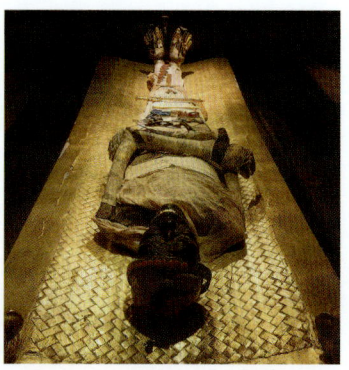

前ページ：王家の谷は、ナイル川西岸に広がる丘陵地を背にしたくぼ地にあり、60人以上の王族が埋葬されている。上左：ホルエムヘブ王の墓には、女神ハトルの姿が描かれている。上右：生前はさほど重要人物ではなかったツタンカーメンは、死後に脚光を浴びた。その墓は完全なまま発見された唯一のものだからだ。

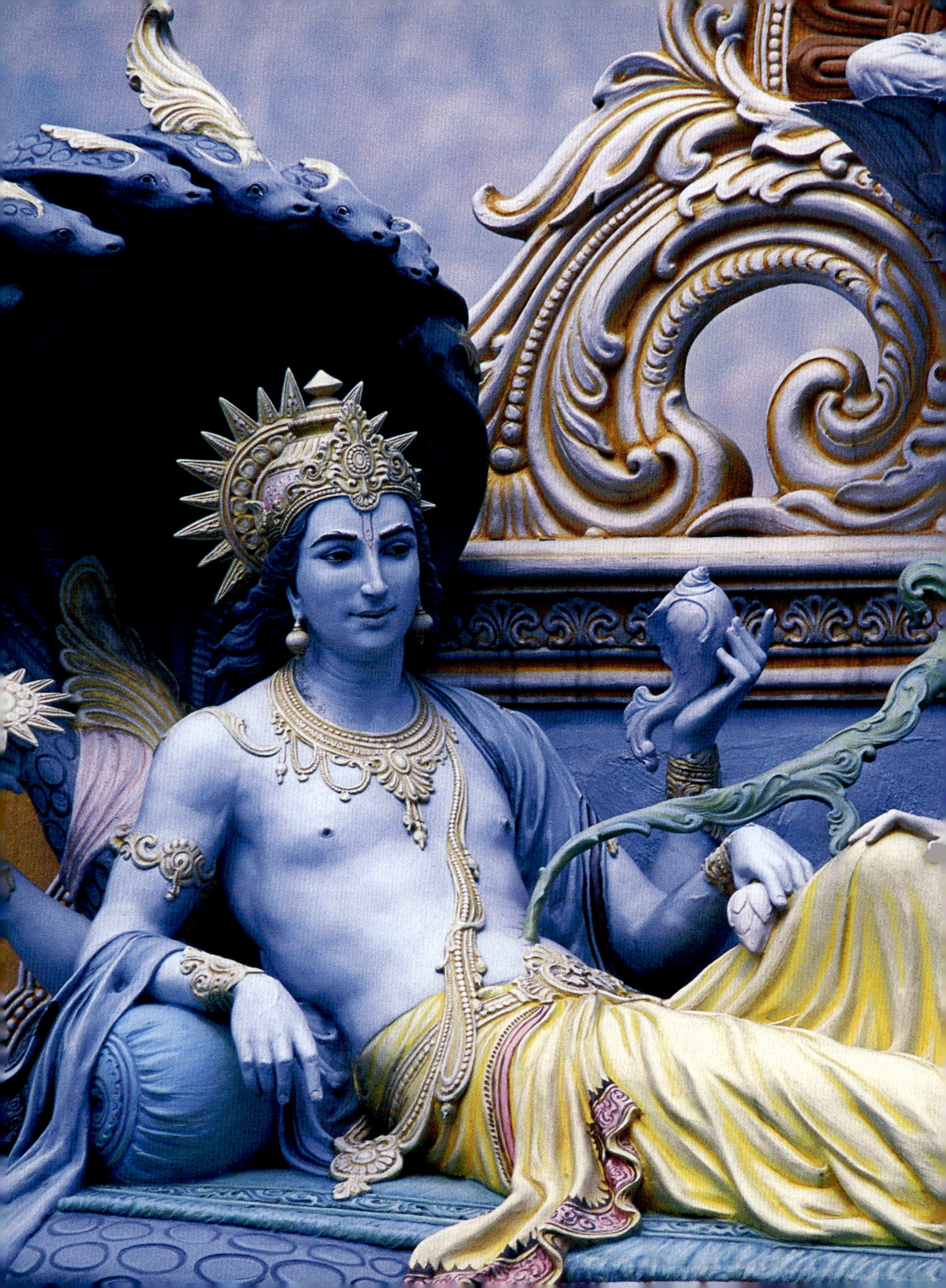

10 心を見つめて地

地球上に存在するあらゆる神聖な場所の中で、最もたどり着くのが困難なのは、自分自身の心のうちにあるのかもしれない。日々の生活の中では、じっくりと自分を省みる時間をもつことは難しい。

だがそれは、今に始まったことではない。いにしえの賢人や聖人たちも享楽的な世界を離れ、静寂にひたれる場所を求めた。瞑想を深めて魂に活力を呼び戻し、神々や自分自身の心の声に耳を傾けるためだ。

世界各地には、真実や静けさを求める人を快く迎えてくれる僧院や修道院などがたくさんある。仏教に例をとっても、アジアはもちろん、赤土が広がるオーストラリアや、風が吹きすさぶカナダのノバスコシア州にも精神修養の地がある。イタリアの山間やフランスの海岸、また英国スコットランドのアイオナやウェールズのカルデイなどの島々には、外部の人間にも修道の機会を与えてくれる修道院がある。また、スコットランドにあるフィンドホーンのように、宗教色を排し、ニューエイジ運動的な信念を実践するコミュニティーもある。

左：インドのヒンドゥー教の聖地リシケシュにある、なまめかしいビシュヌ神像。ガンジス川沿いに位置するこの町には、瞑想にふけったり、ヨガを学んだりして、悟りを目指せる場所が数多くある。

北大西洋を望むガンポ僧院の前には海氷が漂う海が広がり、ヘラジカはのんびりと草をはむ。

カナダ
ガンポ僧院

ノバスコシア州のケープ・ブレトン島には、荒々しい自然の中で隠遁生活を送り、仏教の修行を実践する場所がある。

やわらかな緑の草地に、農家と納屋がぽつんと建っている。目の前には、セント・ローレンス湾の青い海原が果てしなく広がる。

ここガンポ僧院では、えび茶色の僧服をまとったチベット仏教の僧や尼たちが、西洋的ではあるが、学習と瞑想、導きを基本とする実に穏やかな生活を送っている。厳しい労働と儀式、そして瞑想こそが、僧院での生活のすべてだ。

夕刻から翌日正午までは静寂の時間。銅鑼の響きや鳴子の乾いた音、それに僧院で「シンギング・ボウル」と呼ばれる澄んだ鈴の音が時折、静けさを破るのみ。

精神的な修行が行われる祭祀所(本堂)には、黄色い僧服姿の黄金のブッダ像があり、修行者たちは朝な夕な、ここで瞑想に励み、リズミカルな詠歌を唱える。

ベストシーズン 夏期には一般参加のツアーやプログラムが開催される。修行者は通年で受け入れているが、期間は最低半年から。

旅のヒント 6月15日から9月15日までは、平日13時30分からツアーが行われる。7月と8月には7日間または14日間の短期修行を受け入れている。個人的な隠棲や修行による滞在は通年で可能。ガンポ僧院はカボット・トレイル沿いのプレザント・ベイ村の近くに位置しており、ハリファクス国際空港から車で6時間半。仏教徒の僧服または適切な服装、室内履きを用意する。気候は1年を通じて寒く風が強く、湿度が高い。夏は暑い日もあるので、水着や軽めの服装も用意すると良い。

ウェブサイト jp.canada.travel (カナダ観光局)、www.gampoabbey.org (英語)

見どころと楽しみ

■ ビディヤーダラ・チョギャム・トゥルンパ・リンポチェが1984年に設立したガンポ僧院には、彼の遺骨を祭った**悟りの仏塔**がある。頂上にはブロンズのガンポパ像が飾られている。ガンポパは12世紀にチベット仏教カギュー派を開いた高僧で、ガンポ僧院の名は彼にちなんでいる。仏塔には、知恵や親切、共感などに関する仏教の**59の教え**が記されている。

■ 花々が咲き乱れ、野生生物が現れる草地を散策しよう。**キツネ**が走り回り、**ヘラジカ**が海のすぐ近くで草をはむ。沖合いには**クジラ**の姿も見られ、空を見上げれば**ワシ**が旋回している。小道をたどって森や海辺に出たり、草原を横切って海が見渡せる高台に上ることもできる。

■ 近くのプレザント・ベイ村で、**ホエールウォッチング・ツアー**に参加したり、ボートをレンタルすることもできる。僧院とケープ・ブレトンの海岸線を海から眺めるのは格別だ。

北米

米国ウェストバージニア州
バーヴァナ・ソサエティの修行所

ウェストバージニア州に広がる静かな森の中で、
ブッダが残した最古の教えにしたがって、瞑想修行が行われている。

　黄色やオレンジ色の、ゆったりとした僧服を身にまとった僧や尼が、穏やかな雰囲気の中で瞑想をしている。その姿は、部屋の正面の台座に鎮座する黄金のブッダ像そのものだ。

　ここはバーヴァナ・ソサエティと呼ばれる森の中の修行所で、上座部仏教の伝統に基づいた瞑想方法を実践している。ここでは、座って行う瞑想（止行）と、歩きながらの瞑想（観行）を交互に行うのが特徴だ。木漏れ日が差しこむ森の中で、鳥のさえずりやそよ風に触れながら瞑想し、心の平安に到達する人も多い。

　薄暗い森に入り、草やシダの茂る小道を行くと、赤茶けた建物や宿舎、クティと呼ばれる瞑想小屋が点在している。ほとんどの修行者は自分だけの課題をもって、1日6～8時間の瞑想を続ける。

　瞑想をしていると、時間の過ぎるのは早い。午後の光がかげるとともに、石油ランプの温かな光がクティを照らし、修行者たちは静かな夜を迎える。

ベストシーズン　修行所と修養センターは年中無休。一般向けの修養スケジュールや短期滞在プランもある。宿舎や1人用瞑想小屋（クティ）は、仏教の修行を十分に積んだ者が利用でき、数週間から1年以上滞在する人もいる。

旅のヒント　さまざまなテーマを掲げた一般向け修養は、2日間から9日間までいろいろなコースがある。修行所と修養センターは、ウェストバージニア州ハイ・ビューの近く、17ヘクタールの森林の中にある。ダレス国際空港からは1時間、ワシントンD.C.からは2時間。ゆったりして質素な服装と懐中電灯、アラーム付き時計を用意。本や楽器、ラジオの持ちこみは禁止。修行所利用にあたり、ダーナという喜捨が求められるが、特に金額の基準はない。だが施設はこうした寄付のみで運営されているので、出し惜しみしないこと。

ウェブサイト　www.bhavanasociety.org、www.wvtourism.com（英語）

見どころと楽しみ

■ 修養体験者は清掃や食事の準備などを手伝うことになる。そうした作業に従事することで、仏典の教えを超えた**洞察**を得られることもある。

■ 朝と昼は質素な食堂で**精進料理**をいただく。食事中は言葉を発さず、食べることに意識を集中させなくてはいけない。節制のため夕食はなく、その時間にはヨガを行う。

■ 中心にある建物群のすぐそばに、ブッダ像が置かれた**スイレンの池**があり、心静かに内省を深めるのにぴったり。

■ 修行僧に案内してもらい、または1人で**美しい森**を散策してみよう。野生のシカに出会えるかもしれない。

バーヴァナ・ソサエティでは、「中庸」が心の平安と知恵につながるというブッダの教えに従って瞑想を指導する。

素朴な自然と温泉を求めて訪れた人々は、ここハービンで魂が一つになる体験をする。

米国カリフォルニア州
ハービン・ホット・スプリングス

カリフォルニア州北部の丘陵地帯にひっそりと湧き出す温泉。
その癒やしの力に最初に気づいたのは、先住民のミウォク族だった。

　ハート・コンシャスネス教会が、1960年代にヒッピーたちがすみ着いたハービンを買い取ったのは1972年のこと。その後、カリフォルニア州北部のこの一角を、ホリスティック医療や、宗教や宗派を超越した普遍的な精神性といったニューエイジ運動のテーマを追求する修養体験施設につくり変えていった。今では、フラワーチルドレンの生き残りやタントラ教信者、自称仏教徒、ヌーディスト、ドルイド信者など、多様な悟りを求める人々が集まる。

　施設の売り物は七つの源泉を有し、着衣での入浴も可能な温泉。しかしそのほかにも、ホットストーン・マッサージや水指圧、ヨガや瞑想、ダンスや映画、シャーマン的なサークルなどが訪れる人を楽しませる。

ベストシーズン　5月から10月は日が長く、気候も穏やか。ほとんどの客は2泊するが、週末は料金が高い。1週間の滞在も人気があり、宿泊者はさまざまなプログラムに参加できる。5月には、クリア湖キャットフィッシュ・ダービーといった地元のイベントもある。

旅のヒント　ハービンはカリフォルニア州レイク郡にある。ドミトリー、モーテル、コテージ、それにハービン・ドームという山間のプライベートルームなどの宿泊施設があり、小川のそばのキャンプ場もある。食事はストーンフロント・レストランかカフェでとるか、ハービン・マーケットでオーガニック食品などを買う。滞在者はキッチンを使用できる。

ウェブサイト　www.visitcalifornia.jp（カリフォルニア州観光局）
www.harbin.org、www.lakecounty.com（英語）

見どころと楽しみ

■ ハービンの**温泉施設**には、屋外にある本格的な温水プールのほか、水温35℃の木陰のプール、水温45℃の屋内温泉がある。冷水風呂に飛びこんでほてった身体を冷やすこともできる。また小道の先には「秘密の滝」もある。

■ マッサージ講習やタントラ教セミナー、また愛や人間関係、セックスに関するワークショップなどの**教育**プログラムが定期的に開催される。

■ ニューエイジ運動の著名な講師、専門家、世界各地のカリスマ指導者による**講演会と映画上映会**は、「サンサン」と呼ばれる。サンスクリット語で「ともに真実へ」という意味だ。

■ カリフォルニア州最大の淡水湖、**クリア湖**では、セーリングやスイミング、カヤック、釣り、それにパラグライダーやジェットスキーなどが楽しめる。

北米

日本 大分県

別府温泉

源泉数と湧出量ともに日本一を誇る別府温泉。数多くある「地獄」が、
現代人の心と体をリラックスさせてくれる。

　白い湯気がもうもうと立ち上がり、煮えたぎる水面は泡立ち、やけどをしそうな熱い湯が勢いよく辺りに飛び散る。ここは別府温泉の「地獄」。見るだけで、入るものではない。周辺には硫黄の刺激臭が漂い、それが2800を超す源泉の地下で、現在も地熱活動が続いていることを実感させる。

　九州の北東岸、大分県にあり、山と海にはさまれた別府温泉は、「別府八湯」と呼ばれる8カ所の温泉郷を中心とする日本有数の温泉場だ。源泉の温度は、高いものでは98℃を超すといわれ、泉質も10種類とバラエティに富んでいる。

　江戸時代からの名所「地獄巡り」は、海地獄や血の池地獄など、温泉成分の違いで、さまざまな色をしている。温泉や砂風呂に入れば心も体も、そして魂もリラックスする。春には別府を囲む山々に桜が彩りを添える。温泉宿で風呂につかるのも良いが、山間の露天風呂で、白く濁った湯につかるのも野趣にあふれ一興だ。

ベストシーズン　3月から5月の春か、9月から11月の秋がおすすめ。地獄巡りの各地獄は毎日8時～17時に入場できる。

旅のヒント　別府へは電車、バス、飛行機で行ける。温泉を備えたホテルが多い。地獄巡りは1日あればできるが、いろいろな温泉を体験するなら3～4日は滞在したい。別府市内の亀の井バスが1日乗り放題になる乗車券「Myべっぷ Free ミニ」と、8地獄共通観覧券を購入すると便利だ。観光案内所は9時～17時。

ウェブサイト　www.beppu-navi.jp（別府なび）、www.beppu-jigoku.com（別府地獄めぐり）

アジア

見どころと楽しみ

■ 竹瓦温泉でぜひ**砂風呂**体験を。湯気の出る真っ黒な砂をかけてもらう。最後に風呂につかって帰ろう。

■ **泥湯**は温熱効果や美肌効果があるといわれている。

■ **蒸し湯**は、良い香りのする薬草が敷きつめられたベッドに横たわり、下から噴き出す蒸気で体を温める。

■ **地獄巡り**では、コバルトブルーや血のように赤い温泉をぜひ見てみよう。

別府では、街のあちこちから湯煙が立ち上る。源泉数と湧出量ともに日本一の温泉場だ。

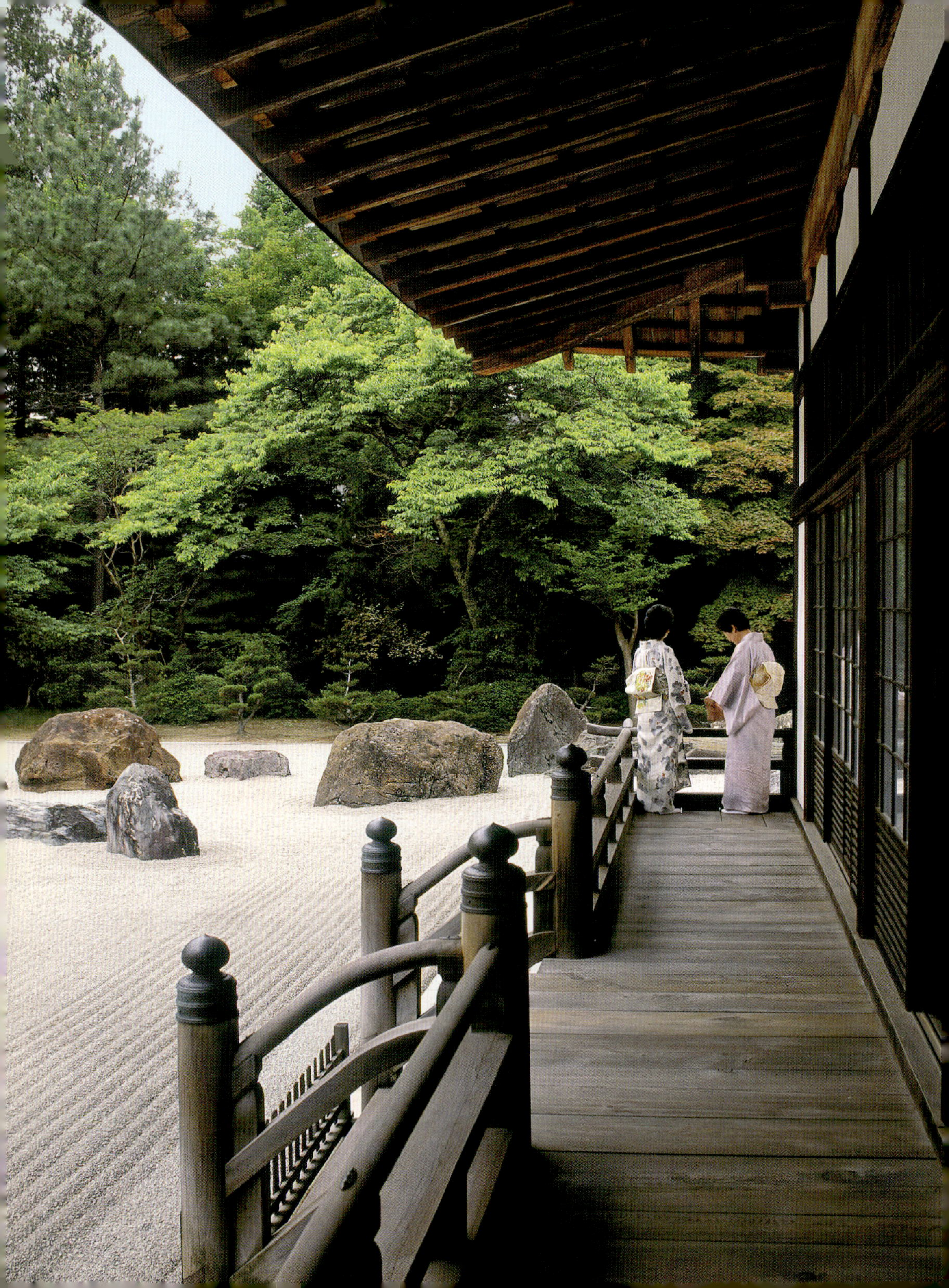

日本 和歌山県

高野山金剛峯寺

真言宗を開いた弘法大師が修業の場とした高野山。
山上の宿坊で1泊すれば、修行僧の暮らしをつかの間体験できる。

唐から帰った弘法大師（空海）は、勅許を得て、現在の和歌山県北部、1000メートル級の山々に囲まれた標高およそ800メートルの高野山に修行のための寺院を建設した。816年のことだ。3年後には最初の寺が完成して奉献され、弘法大師はここで真言宗を開く。

真言宗は儀式や象徴を重んじ、ブッダの秘密、すなわち奥義の教えに力を入れる。弘法大師は、土木工事から仮名の発明まで、さまざまな業績を残したという。

835年に弘法大師が62歳で入定した後は、信心深い者や権力者が競うように高野山に墓をつくるようになり、山は広大な墓地のごとくなった。1600年頃には、高野山の寺院は1000を超えたが、現在まで残るのは、120カ所ほどだ。そのうち約半数の60カ所が宿坊として一般客を受け入れている。

いくつもの寺や霊廟を過ぎて、きれいに刈り込まれた松並木を両側に見ながら、急勾配の道を上がっていくと、弘法大師の御廟がある奥の院に達する。ここが高野山で最も神聖な場所だ。

奥の院にある燈籠堂では、オレンジ色の衣装にしみ一つない白足袋を履いた僧侶たちが、無数のろうそくのやわらかな光の中に浮かび上がる。堂内には「消えずの火」として、祈親上人が献じた祈親燈、白河上皇が献じた白河燈、貧しいお照が大切な黒髪を切って献じた貧女の一燈などが燃え続けている。

ベストシーズン　ゴールデンウィークと盆、正月は交通機関が混雑するので避けた方がいい。夏は蒸し暑い。山頂まで歩いて登るのなら、春か秋がおすすめ。

旅のヒント　最低でも1泊はしたい。午後早い時間に到着し、翌日昼食後に出発すれば、大塔や博物館、さらに寺院も数カ所回れる。高野山までは、大阪から電車に乗り、さらにロープウェーなら山頂まで数分で着く。徒歩なら急坂を50分歩かねばならない。宿坊は人気が高いので事前に予約すること。宿坊は昼間は閉じていて、16時以降でないと入れない。

ウェブサイト　www.koyasan.or.jp （高野山真言宗総本山金剛峯寺）

見どころと楽しみ

■ 高僧が見事な太刀さばきで炎と闘う**真言宗の早朝の儀式**は、観光客も見学できる。広間は美しい装飾が施され、香がたかれ、僧侶の読経が神聖な雰囲気を醸し出す。

■ 静かで落ち着いた環境は**瞑想**にぴったりだ。寺院によっては**座禅**をさせてもらえるので、参加してみよう。

■ **精進料理**を試してみよう。特に1100年間受け継がれてきた胡麻豆腐は絶品。精進料理は中国から伝来した。中国と日本の仏教において、精進料理の追求は信仰の実践でもある。

■ こけむした松林の下、2000を超える**霊廟**や**仏塔**を巡り、静かな聖地の空気を思う存分吸いこもう。

前ページ：広大な金剛峯寺は、高野山真言宗の総本山であり、国内最大の石庭、蟠龍庭（ばんりゅうてい）をもつ。上左：根本大塔は高野山の中心に位置している。本尊である胎蔵大日如来が金剛界の四仏に囲まれて鎮座する。上右：奥の院にある英霊殿は紅葉の名所として知られている。

日本　福井県

曹洞宗の総本山　永平寺

道元禅師によって13世紀半ばに開かれた曹洞宗。
その大本山永平寺は禅宗に強い影響を与え続けている。

青銅でできた大梵鐘の深い音が山深い一帯にこだまする。ここは、福井県北部にある吉祥山永平寺。その磨き上げられた廊下を黒い僧服の僧たちが急ぎ足で通っていく。彼らはこれから座禅の場に向かうのだ。

永平寺の70以上の建物を擁する伽藍は、ブッダを象徴する形で配置されている。修行のための僧堂はブッダの頭、仏殿にある本尊(釈迦・弥勒・阿弥陀の三世仏)はブッダの心臓に当たる位置にある。境内では、太鼓の音に合わせて読経が聞こえてくる。厳かな声が山を包みこむ。

永平寺はまた日本の伝統的な建築の典型でもあり、人間と自然の調和がテーマになっている。うっそうとした杉木立の間にこの寺を開いたのは道元である。道元は修行のために宋に渡り、1244年に曹洞宗の教えをもって帰国した。永平寺では常に150人ほどの僧が修行している。一般の者もそうした修行の一端を体験できる。座禅や作務、簡素な食事など、修行僧と同じ日課で生活をして精神を鍛えるのだ。

ベストシーズン　暖かい4月から9月がおすすめ。参拝は5時～17時。毎月数日間、一般の人が禅の修行をする期日が設けられている。

旅のヒント　建物を見て回るだけなら1～2時間で十分だが、禅宗の修行を体験するなら1～4日間必要。京都から電車で福井市まで行き、別の電車またはバスに乗り替えて永平寺口を目指す。少額ながら拝観料を払う。3泊4日の参禅体験に参加するなら、座禅の心得があり、厳格な日課をこなす覚悟が必要。

ウェブサイト　www.town.eiheiji.lg.jp（永平寺町）

アジア

見どころと楽しみ

■ 参籠者向け**修行体験**は1泊2日、参禅者向けは3泊4日。

■ 1日4回の座禅の時間を知らせたり、儀式の時には**鐘**が鳴らされる。若い修行僧は青銅でできた鐘を打つたびに、ひざまずいて祈りを捧げる。

■ 傘松閣(さんしょうかく)の大広間には、花鳥風月を題材にした巨大な**天井画**がある。これは1930年代に日本を代表する画家100人以上が参加して描いた。

■ 永平寺に向かう途中、永平寺川に**半柄橋(はんえばし)**という橋がかかっている。その名前は道元が、すくった水の半分を川に戻した故事に由来する。

永平寺の建物を見守る杉の巨木。杉は昔から寺社や神聖な場所に欠かせない木だった。

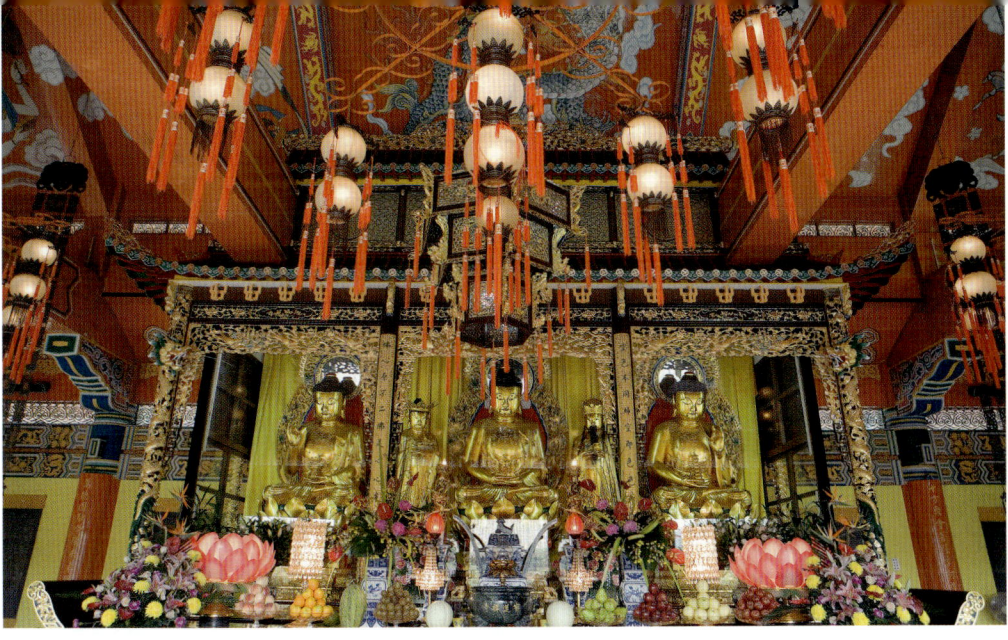

本殿である大雄宝殿には、左から過去、現在（お供が2人いる）、未来を表す3体の仏像がある。

中国　香港
大仏像が見守る 宝蓮寺

香港の西方、ランタオ島にある宝蓮寺は「貴重なハス」という意味。
眼下に広がる絶景を楽しみながら、魂の浄化を願おう。

　ランタオ島が夕暮れを迎えると、山間に建つ宝蓮寺の屋根は、オレンジと金色に輝く。この静かな場所に、禅宗の3人の僧侶が100年以上前に寺を建てて以来、宝蓮寺はアジアを代表する聖地として知られている。

　いくつもの仏塔や寺を見下ろす小高い山の上には、高さ34メートルを誇る、座像としては世界最大の仏像がある。ハスの花に座した大仏が、慈愛に満ちた穏やかな表情で、訪れる者に寛大さと強さを伝えている。

　仏像の指の長さにも満たない人間たちは、268段ある石段を上り、台座を一周して、大仏の足元に参拝する。台座は3階建ての展示ホールにもなっていて、ハスの花びらを通って中に入ると、そこにはブッダの生涯を描いた絵が飾られている。

　仏教経典や肖像が彫刻されている大きな鐘は、人間がもつ煩悩をはらうために毎日、108回鳴らされる。熱心な信者が訪れる韋駄殿は、そり返ったひさしが特徴で、廊下が複雑に折れ曲がっている。寺院の中心にある大雄宝殿には、過去、現在、未来を表す、金色に輝く釈迦三尊像が安置されている。

見どころと楽しみ

■ 晴れていれば、東涌から出ているロープウェー「昂坪360」の窓から、香港の絶景を楽しめる。宝蓮寺にほど近い昂坪駅まで25分ほどの空の旅だ。

■ 天壇大仏の別名をもつ仏像は、北京にある天壇の円形3層構造の台座をモデルにしている。歴代中国皇帝は毎年、天壇に参拝して豊作を祈願した。

■ 心経簡林（しんぎょうかんりん）に立つ38本の柱には、仏教や道教、儒教の信者が古くから唱えてきた般若心経が刻まれている。最後の柱だけ何も記されていないのは、「空虚」すなわち調和に至る道を表している。美しい小道はさらに森に入り、小川に沿うようにしてランタオ山頂に至る。庭園や小さな茶畑を見て歩くのも楽しい。

アジア

ベストシーズン　冬がおすすめ。晴れる日が比較的多いためだ。

旅のヒント　1日あれば十分に堪能できるが、標高934メートルのランタオ山頂でご来光を拝むなら、近くのユースホステルで1泊しよう。ランタオ島へは、電車で東涌駅まで行き、表示に従ってロープウェーを目指す。ロープウェーかバスで昂坪村まで行けば、寺までは徒歩で行ける。下山は歩いてもいいだろう。宝蓮寺は人気の観光地なので、静かな雰囲気を楽しみたければ小さな寺を回るか、夕方に出かける。昂坪には食堂もあるが、寺で精進料理を頼むこともできる。食券は仏像の下で販売している。展示ホールの入場料も込み。

ウェブサイト　www.discoverhongkong.com（香港政府観光局）、www.plm.org.hk（中国語、英語）

中国 浙江省
観音信仰が息づく 普陀山

普陀山は浙江省の沖に浮かぶ小島にある霊場。島には多くの寺院が建てられ、10世紀から仏教の聖地として知られてきた。

アジア

高さ23メートルもある金色の観音菩薩は、慈悲深い女神である。その像は船の舵を左の手のひらにのせ、静かな海を見守っている。

916年、中国での修行を終え、帰国途中の日本の僧を乗せた船が、この近くで嵐に遭った。風雨で船が大きく揺れる中、僧が必死に観音菩薩像に祈ると、激しい嵐は収まり、船は難を逃れた。この僧は観音菩薩への感謝を込めて漁師の家にその像を祭った。それが後の不肯去観音院だという。

中国第4の霊峰とされる普陀山を頂点として、12.5平方キロの範囲に300以上もの寺と僧院がある。寺の入り口付近には香の煙が立ちこめ、厳かな詠唱の声や鐘の響きが太鼓の深い音とともに辺りを満たしている。

深い森や、静かな参道沿いでは、オレンジ色の僧服をまとった修道僧や、黒づくめの衣装を着た尼たちが、熱心な信者に交じって叩頭の礼をしている。

ベストシーズン 4月から6月、9月から11月は涼しくて快適。旧暦2月19日の観音菩薩の生誕記念日、旧暦6月19日の成道の日、旧暦9月19日の出家日の三大法会前後は特に混雑する。3～4日の滞在が適当だが、洛迦山の寺を見て回るなら、さらに1日追加すると良い。

旅のヒント 普陀山へは、寧波と上海からフェリーが出ている。主な寺の間はマイクロバスが連絡しているが、バス停が寺の近くとは限らない。奥まった寺に行くなら徒歩が最適だ。拝観料がかかる。宿泊施設は容易に探せるが、祭りの時期は事前予約が望ましい。

ウェブサイト www.cnta.jp（中国国家観光局）

見どころと楽しみ

■ 島の中心にある**普済寺**（ふさいじ）で、早朝のお勤めと詠歌に参加しよう。入れるのは脇の入り口からのみ。これはかつて皇帝が農民と間違えられ、正門から入るのを拒否された故事にちなむ。皇帝は以後、正門を閉じさせたという。

■ **潮音洞**（ちょうおんどう）を訪ねてみよう。ここで祈り続けるうちに観音菩薩が現れたという話が多く伝えられている。かつては解脱を求めて淵に飛びこみ、命を落とした者もいた。

■ ロープウェーで仏頂山の頂上に行き、**慧済寺**（けいさいじ）に向かう。ここには古代の観音彫刻のコレクションがある。帰りは1060段の石段を歩いて下りる。

紫竹林禅寺（しちくりんぜんじ）は、島の仏教研究の拠点になっている。

クティと呼ばれる瞑想をする小屋は簡素なつくりで、四方を見渡せるようになっている。

オーストラリア
菩提樹の森僧院

ニューサウスウェールズ州のなだらかな丘陵地にあるこの僧院には、
修養施設もあり、仏教の実践を希望する人々に門戸を開いている。

暖かく湿った風に、木造のバルコニーの端に立つ鮮やかなストライプの旗がはためく。旗の色は悟りを開いたブッダの後光を表すという。

　ニューサウスウェールズ州北部、38ヘクタールのこの土地は、かつてビッグ・スクラブ（大きな低木地帯）と呼ばれ、豊かな自然が広がっていた。2005年、オーストラリア人のパンニャバロ・テラ大師が、ここに修養施設を開いた。この僧院は上座部仏教を標榜するものの、実際は宗派などにかかわらず、僧侶や尼僧、一般のヨガ修行者が集うコミュニティーになっている。トタン板でつくられた僧院の建物は、一部または全部が仏教で海と空を象徴する青色に塗られている。

　僧院の中心にあるボロブドゥール・ブッダ像は、神聖な菩提樹の木陰で瞑想している。そこからは赤土と森が広がる渓谷の風景が一望できる。

見どころと楽しみ
■ 瞑想修養に参加しよう。期間もさまざまで、週末だけ、10日間、それ以上のコースがある。ヴィパッサナー（心と身体の深いつながりを目指す）、メッタ・バーヴァナ（愛と慈悲を重んじる）といった瞑想講座が新しい瞑想ホールで開かれ、新しいドミトリーで宿泊できる。

■ 僧院では環境改善のため、これまで渓谷や渓流沿いに1500本以上の**植林**を行っている。

■ リズモアの東にある**ボートハーバー保護区**も訪ねよう。7万5000ヘクタールの原生地に、低地亜熱帯林が保存されている。こうした森は、1843年にヨーロッパ人が入植して以来、減り続けている。

オーストラリア/オセアニア

ベストシーズン　1年を通じて気候は穏やかで暖かい。
旅のヒント　菩提樹の森僧院に最も近い町はリズモア。瞑想修養会は数日から数カ月までといろいろで、寺の運営も修養参加者からの寄付でまかなわれている（寛大な行いはブッダの教えを実践する第一歩だ）。谷間の森には、一般のヨガ修行者が瞑想できるエリアが3カ所ある。修行者は指導を受け、歩行瞑想エリアにあるクティと呼ばれる小さい瞑想小屋を利用できる。
ウェブサイト　www.buddhanet.net/bodhi-tree、www.visitlismore.com.au（英語）

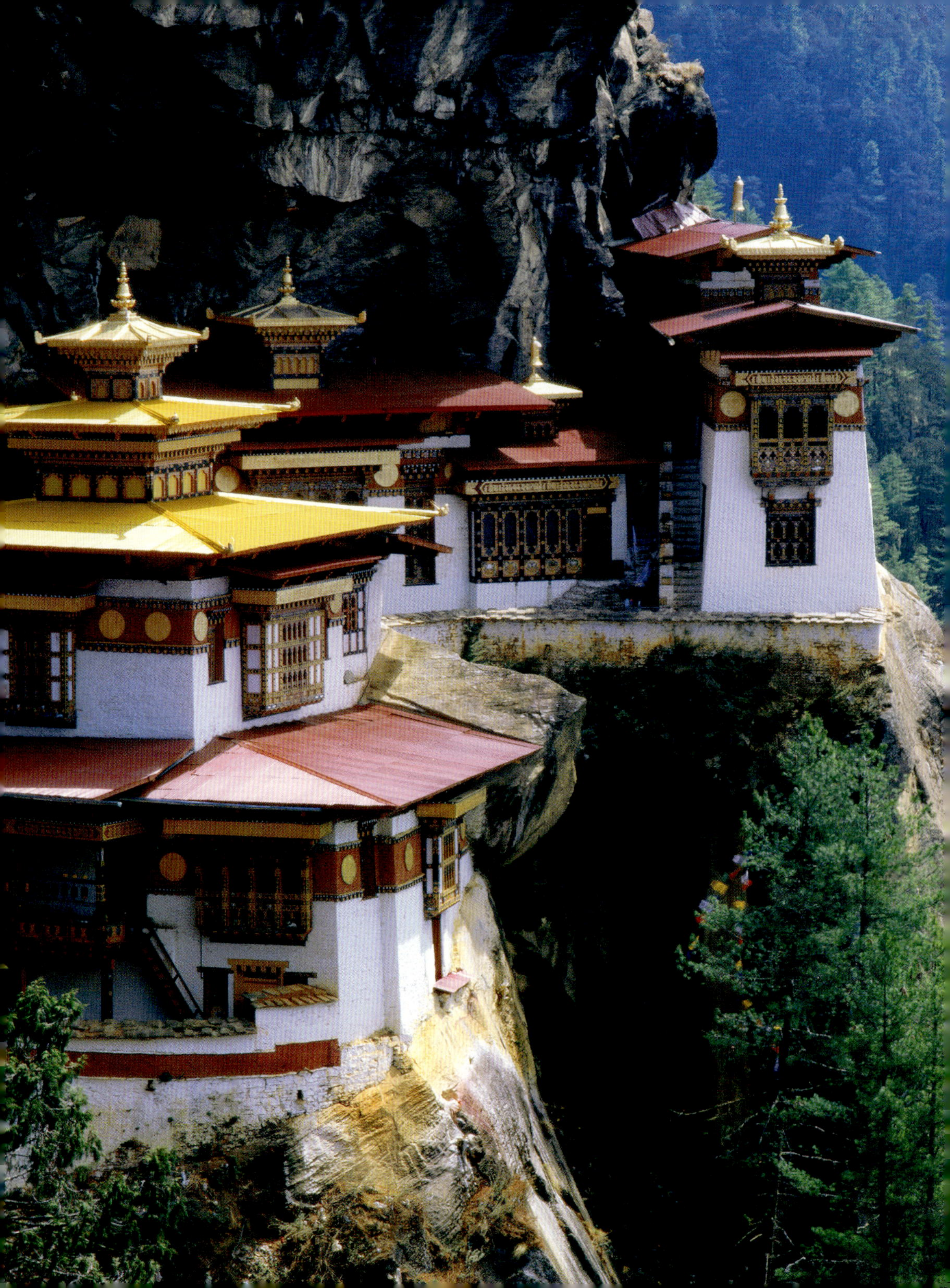

ブータン
タクツァン僧院

ヒマラヤ山中の岩壁に張りつくように建つ僧院。
ここは、ブータンに仏教が伝来したことを物語る場所だ。

ブータン西部のパロ渓谷を見下ろす高さ800メートルの岩壁にしがみつくようにタクツァン僧院は建っている。ここは地面よりむしろ空の方が近いといえるかもしれない。タクツァンとは「トラのねぐら」の意味だ。そこは、地上で生きる凡人にはなかなか近寄れない所でもある。

伝説では、8世紀にインドの聖者グル・リンポチェが、雌のトラにまたがってこの地に飛来したという。洞窟で瞑想を重ねたリンポチェは、人々を苦しめていた悪魔を退治し、一帯に仏教を広めた。この僧院はそれにちなんで建設された。

ここはブータン最高の聖地であり、多くの聖人やヨガ修行者が悟りを開いた場所である。今でも多くの巡礼者が山道を徒歩で登り、タクツァン僧院を目指す。

僧院の建物は山全体に点在し、道すがら、地衣が垂れ下がる木々を、また、神秘的な洞窟を見ることができる。

旗がたくさん立っている展望台から坂を真っすぐ下りた所に、落差60メートルの滝と神聖な池がある。最後の上り坂を越えると、鮮やかな色彩の僧院が見えてくる。ここにはグル・リンポチェが瞑想した洞窟もあり、年に1回だけ公開される。辺りには香とバターランプのにおいが立ちこめ、僧侶の詠唱が響く。崖の最上部にある修養所では、僧侶が最高7年間、たった1人で瞑想するという。

ベストシーズン 春と秋。寒さを気にしないなら冬も良い。
旅のヒント タクツァン僧院のあるパロまでは飛行機が便利。ブータンは自由旅行が禁止されているので、ガイドがすべて手配するパッケージ旅行を利用する。宿泊施設は快適なホテルから辺鄙な場所でのキャンプまでいろいろ可能。僧院訪問は徒歩や馬で1日あれば十分。高地で空気が薄いので、歩くスピードには注意しよう。変わりやすい天気にも備えること。僧院までの上りの所要時間は2時間半。内部の写真撮影は禁止。地元の習慣にならい、寺を拝観する際は寄付を忘れずに。
ウェブサイト www.tourism.gov.bt、www.bluepoppybhutan.com（英語）

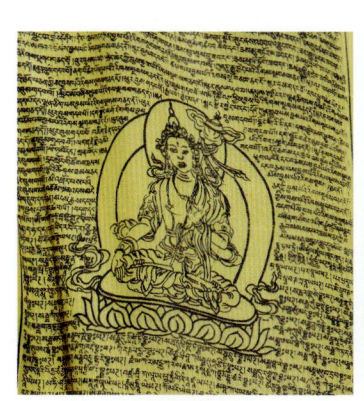

見どころと楽しみ

■ 僧院までの道は、**山と渓谷**の目もくらむような風景と、静かな空気に満たされた森林のコントラストがすばらしい。聞こえてくるのは川のせせらぎと、ポニーの鈴の音だけ。

■ 宿泊所の先に、先代の僧院長が生まれたという**洞窟寺院**があり、供物や祈りの旗で埋め尽くされている。仏塔形の小さな壺が置かれているのに気づくだろう。中には人の遺灰が入っている。

■ 神聖な岩に刻まれている**グル・リンポチェの足跡**が道しるべ。聖地には幸運の岩があり、目を閉じてその穴に親指を差しこむと、願いがかなうとされる。

■ タクツァン僧院の北に**ドゥゲ・ゾンの跡**がある。1649年に建設されたこの要塞僧院は、チベットの侵略に備えるためのものだった。晴れた日にはジョモハリ山が見える。

■ 帰り道では、**宿泊所**で暖炉と温かい食事を楽しめる。立ち寄るつもりなら、事前に予約しておくこと。

前ページ：断崖にしがみつくように建てられた僧院は、信仰を追求する者、美と静寂を追求する者がひたすら目指す場所でもある。**上左**：あちこちに立てられている祈りの旗。風にはためくと、悟りを目指す魂を高揚させてくれるという。**上右**：谷間をはるか眼下に見ながら、僧院へと向かう修行僧。

山上の僧院
トップ10

多くの宗教は地上の喧騒から逃れ、
神に少しでも近づくために、山上に修養の場を設けた。

❶ "禅の山"僧院（米国ニューヨーク州）

キャッツキル山地の森林保護区内にある、青石とオーク材を使った4階建ての立派な建物が、禅仏教「マウンテンズ・アンド・リバーズ」教団の本拠地だ。静寂に包まれた環境で禅の修行をしたい人のため、週末のみ、または長期での禅の研修が行われている。

旅のヒント 僧院では、周辺を巡るツアーも主催している。ニューヨーク市から車で2時間半、バスで3時間。www.mro.org（英語）

❷ タシルンポ寺（中国チベット自治区）

初代ダライ・ラマのゲンドゥン・ドゥプパが、1447年に創建したタシルンポ寺は、以来何百年にもわたってパンチェン・ラマの座所になっている。タシルンポとは「数多くの栄光」の意味。僧侶は参拝者を歓迎してくれる。ダイヤモンド、真珠、琥珀、サンゴなどで飾られた高さ26メートルの弥勒菩薩像は圧巻。

旅のヒント 参拝は年中可能。シガツェの町の西にあり、徒歩か輪タクで行く。www.cnta.jp（中国国家観光局）、www.travelchinaguide.com（英語）

❸ ラダックの僧院群（インド）

信仰と伝統が息づくラダック地方には、突き出した岩だなや山肌に張りつくようにして、ゴンパと呼ばれる仏教僧院がいくつも建てられている。ヘミス僧院は最大規模を誇り、夏には華やかな祭りがある。ティクセイ僧院は膨大な美術品で知られる。

旅のヒント 僧院の拝観料や開門時間はそれぞれ異なる。
www.embassyofindiajapan.org（在日インド大使館）
www.lehladakhindia.com（英語）

❹ コパン僧院（ネパール）

カトマンズのはずれ、田んぼに囲まれたコパン山。この山の象徴である菩提樹のそばで、各地から来た7歳以上の子どもたちが仏教の勉強に励む。この僧院では360人の修行僧が暮らし、外国からの訪問者も、彼らの暮らしぶりから魂の鍛錬を学べる。

旅のヒント コパン僧院はカトマンズから15キロ。最低10日間からの修養コースが用意されている。www.kopan-monastery.com（英語）

❺ シナイア修道院（ルーマニア）

ワラキア地方の王侯ミハイ・カンタクジノがシナイ山巡礼の後、1690年にこの正教会の修道院を創建した。そのレンガには、聖地から持ってきた石が混ぜられていると伝えられる。現在は、高齢となった修道士たちの住居として使われている。立地がすばらしく、19世紀に建てられた教会には王室ゆかりの品が数多くある。

旅のヒント シナイアはプラホバ県にあり、ブカレストからはおよそ120キロ。www.romaniatabi.jp（ルーマニア政府観光局）

❻ リラ修道院（ブルガリア）

隠遁者であるリラの聖ヨハネ（イヴァン・リルスキ）が、リラ川渓谷に正教会の修道院を建設したのは10世紀のこと。現在は優美な回廊と印象的な壁画が広く知られている。ヨハネの遺物も残されており、信奉者が建立した教会に展示されている。

旅のヒント 修道院博物館では、精巧な彫刻が施された「ラファエルの十字架」をぜひ見よう。www.bulgarianmonastery.com（英語）

❼ メテオラ修道院群（ギリシャ）

修道士たちが最初にこの断崖にすみついたのは、935年にトルコ軍の侵略を受けた時だった。それから数世紀の間に、24もの修道院が建設されることとなる。資材は修道士たちが担いだり、ひもにつるしたかごを巻き上げたりして断崖の上まで運んだ。現存する6カ所のギリシャ正教会の修道院を訪れるには、登山道を徒歩で登ることになるだろう。最も高い場所にある大メテオロン修道院は、最大規模で保存状態も良い。

旅のヒント 夏は強い日差しが照りつけるので、春か秋がおすすめ。最も近い都市はテッサロニキで、アテネから鉄道で行ける。一般公開されている修道院は5カ所だが、現在も機能しているのは3カ所のみ。
www.visitgreece.jp（ギリシャ政府観光局）

❽ アンデックス修道院（ドイツ）

バイエルンのアマー湖を見下ろす霊峰に、ベネディクト会のアンデックス修道院がある。ここでは中世以来、修道士によるビール醸造が続く。現在醸造所は立派な商売になっており、直営のパブやレストランでバイエルン料理とともにビールが楽しめる。

旅のヒント 修道院、醸造所、教会のガイド付きツアーがあり、ミサには一般の人も参加できる。レストランの営業は10時～23時。
www.andechs.de（ドイツ語、英語）

❾ グラン・サン・ベルナール救護所（スイス）

スイスとイタリアの国境にあるグラン・サン・ベルナール峠には、1000年近く昔から修道僧がすむ宿泊所がある。かつてこの峠は、ヨーロッパを南北につなぐ唯一のルートだった。ここで暮らすアウグスティノ会修道士は旅人への奉仕を務めとしており、セントバーナード犬が遭難者救助の手伝いをしていた。

旅のヒント 救護所はマルティニーの町から近い。現在でも宗教的な共同体として機能しており、宿泊の便宜も図っている。
www.myswiss.jp（スイス政府観光局）

❿ サン・フアン・デ・ラ・ペーニャ修道院（スペイン）

スペインのウエスカ県を見渡す断崖につくられた中世の宝石、サン・フアン・デ・ラ・ペーニャ修道院には「岩の聖ヨハネ」という意味がある。中世、ムーア人がアフリカから海を渡って北上してきた時、聖杯がこの地に避難したという。もっとも観光客を集めているのは、ベネディクト会修道院の12世紀ロマネスク様式の回廊と、そこに彫られた聖書のさまざまな場面のレリーフだ。

旅のヒント 年間を通じて入場できる。最寄りの町はハカ。
www.monasteriosanjuan.com（スペイン語、英語ほか）

次ページ：メテオラの断崖の頂に建つアギア・トリアダ（三位一体）修道院。まさに宙に浮いているようだ。訪れるには、崖に刻んだ階段を上がらなくてはならない。

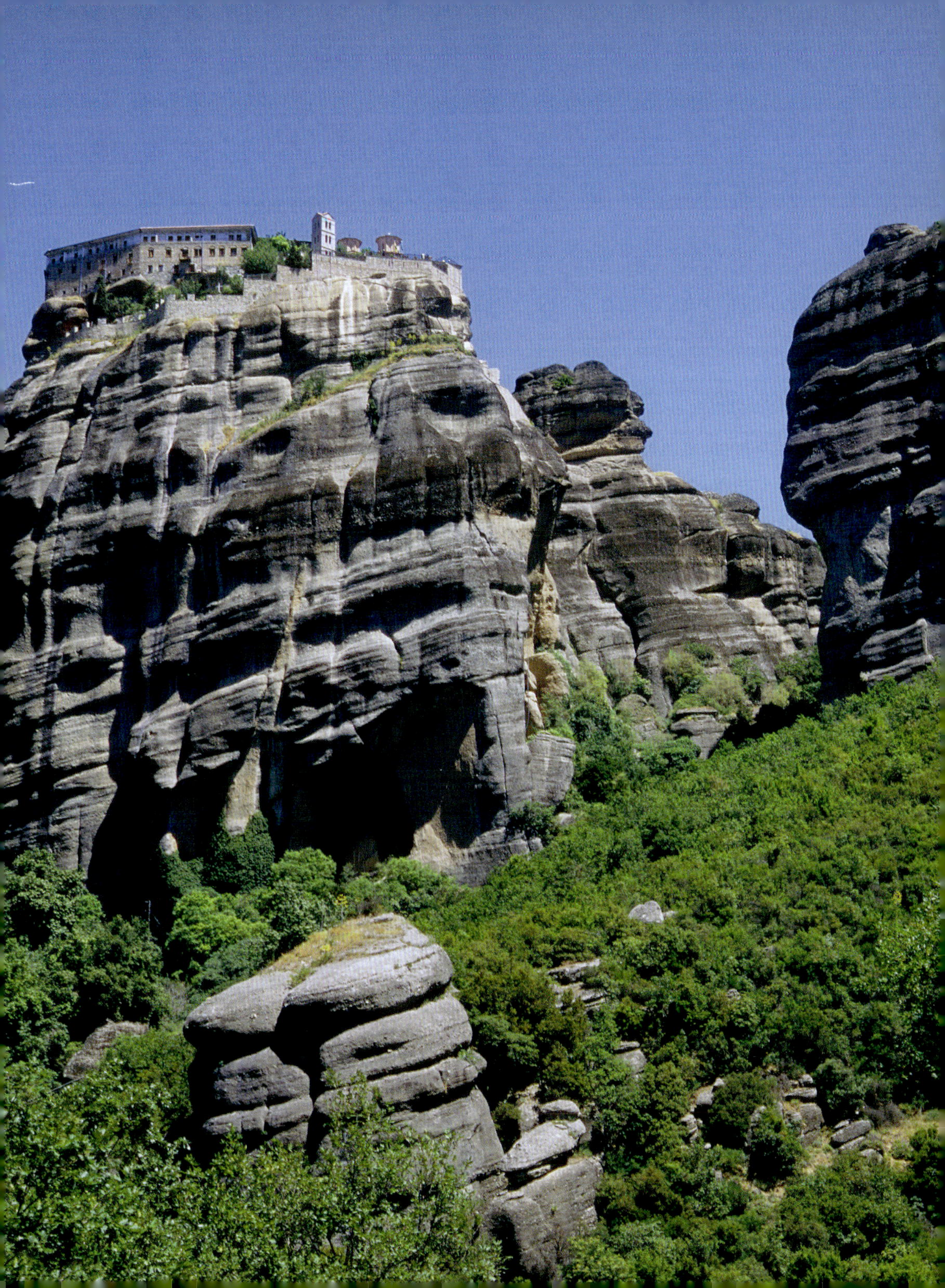

ネパール
ボダナートの大仏塔

カトマンズ近郊のボダナートにそびえる、高さ約36メートルの大仏塔。
チベット仏教の中心で、ネパール各地から信者が集まる。

アジア

夕暮れがチベットのカトマンズに迫る頃、チベット仏教の聖地ボダナートでは、人々が家を出て、ほこりっぽい道を歩き出し、祈りの旗で飾られた白い大きな仏塔（ストゥーパ）を目指す。竹の杖をついて歩く老人、赤ん坊を背負った母親、少年や少女、男たち。誰もが口々に経を唱え、マニ車を回しながら仏塔を7周するか、地面にひれ伏して祈る五体投地で礼拝する。

仏塔の四方に描かれたブッダの目に見守られる中、赤い僧服をまとった僧侶が数珠と托鉢の鉢を持って瞑想している。ここからは、晴れた日に、神々がすむという、雪を頂いたヒマラヤの山並みが見渡せる。この仏塔はネパール最大で、仏教の宇宙観を反映して、地、水、火、風、空の5要素を象徴している。

大仏塔が建てられたのは14世紀だが、実際の起源はもっと古いと信じられている。その真偽はともかく、ここは長い間、仏教徒の信仰を集めてきた。ネパール人のみならず、1959年に祖国を追われたチベット仏教徒にとっても、心のよりどころとなっている。

見どころと楽しみ

■ 早朝と夕暮れには、地元の人たちが熱心に**祈る姿**が見られ、もちろん一緒に祈ることができる。大仏塔の美しい姿と、僧院群の金色の屋根を眺めよう。

■ モンスーンの時期（7月～8月）が終わると、僧侶たちは**雨の修養**に入り、教義の学習と瞑想と祈りの日々を過ごす。

■ チベットの新年の祝いは**ロサル**と呼ばれる。通常は2月の満月の日。僧侶たちは特別な儀式を行い、銅製の長いラッパを鳴らしながら、焦がし麦を宙にまく。ネパール国内のみならず、海外からも熱心な**信者**が集まり、トルコ石やサンゴで飾った伝統的な衣装で着飾る。

ベストシーズン 夏のモンスーン期以外ならいつでも良い。昼間はボダナート見物の団体客で混雑するので、ゆっくり見るなら早い時間か遅めの時間に行くこと。

旅のヒント ボダナート地区はカトマンズの東端にある。最も便利な交通手段はタクシー。信者が祈っている時の写真撮影は控えめに。付近の商店には地元の工芸品や信仰道具が売られているので、のぞいてみよう。見て回るだけなら1日で十分だが、宗教的な体験を求めるならもっと長い期間が必要。宿泊や交通手段はさまざまだが、バスだけは避けた方が良い。出発前に現地の安全情報を確認しておくこと。

ウェブサイト welcomenepal.com（ネパール政府観光局）、www.go2kathmandu.com（英語）

大仏塔の前にたたずむ僧侶。三層構造の最上部は地球を象徴しており、二つの円形台座は水を表している。

サドゥと呼ばれる行者たちが、緑豊かな庭に集い、瞑想や詠唱で時を過ごす。

インド
混沌の聖地 リシケシュ

ヒンドゥー教の聖地リシケシュには、エメラルド色の丘陵地や寺院、隠棲地があり、悟りを求める大勢の人々が訪れる。

ガンジス川の両岸に広がるリシケシュの町には、行者や聖者が数多く訪れる。ここは、ヒマラヤへの玄関口であり、ニューエイジ運動の信奉者たちの楽園、そして世界に冠たるヨガの都である。また、ヒンドゥー教徒にとっては、ウッタラーカンド州にある4カ所の聖地(ヤムノートリー、ガンゴートリー、ケダルナート、バドリナート)を巡るチャール・ダム巡礼の出発地でもある。

リシケシュの路地を歩くと、行者やヒッピーなど多彩な人々の姿に気づく。

リシケシュの寺院や偶像は特定の神を対象としているわけではないので、ヨガやインド伝統のアーユルベーダ治療、スピリチュアルな修養、音楽や舞踊も盛んだ。町の東側、ガンジス川沿いの一帯は特に瞑想にうってつけで、少し歩けば適当な場所がいくらでも見つかる。リシケシュの町は歩いて回れるが、テンポと呼ばれるエンジン付きリキシャに乗るのも良い。夜は、たいていの寺院でガンガ・アルティという儀式が行われる。僧侶が大きなろうそくを灯し、詠唱したり鐘を鳴らしたりしてガンジス川を祝福するのだ。

見どころと楽しみ

■ リシケシュは、1967年にビートルズが訪問し、マハリシ・マヘシュ・ヨギの元に滞在したことで一躍有名になった。マハリシの家を訪ねるビートルズ・アシュラム・ツアーは現在も行われている。

■ ラクシュマン・ジューラは徒歩で渡るつり橋。リシケシュを代表する二つの寺院、スワルジ・ニバスとシュリ・トラヤンバクシュバに囲まれた町の風景が一望できる。

■ あちこちの店で、ルドラクシャ(ジュズボダイジュ)の実でつくった装飾品や首飾りが売られている。伝説によると、ルドラクシャの種はシバ神の涙だという。この飾りを身につけていると病が治り、幸運が訪れるとされる。

ベストシーズン 気候が良いのは4月から10月。毎年2月または3月には、国際ヨガフェスティバルが開かれ、さまざまな講座に参加できる。

旅のヒント デーラー・ドゥーンのジョリー・グランド空港が最寄り空港で、デリーからの国内便がある。そこからタクシーでリシケシュに向かう。デリーからリシケシュ行きのバスや電車もある。幅広い価格帯のホテルがあるが、予約したほうが良いだろう。町を堪能し、周辺の隠棲地や寺院を見て回るには1週間あれば十分。ガンジス川での沐浴は、見た目より川の流れが速いので気をつけること。サドゥになりすました泥棒がいるので要注意。物乞いには金銭ではなく食べ物を施す。リシケシュではアルコール類は禁止、レストランはニンニク抜きの菜食料理が中心だが、ほかの選択肢もある。

ウェブサイト www.embassyofindiajapan.org (在日インド大使館)、www.rishikesh.org (英語)

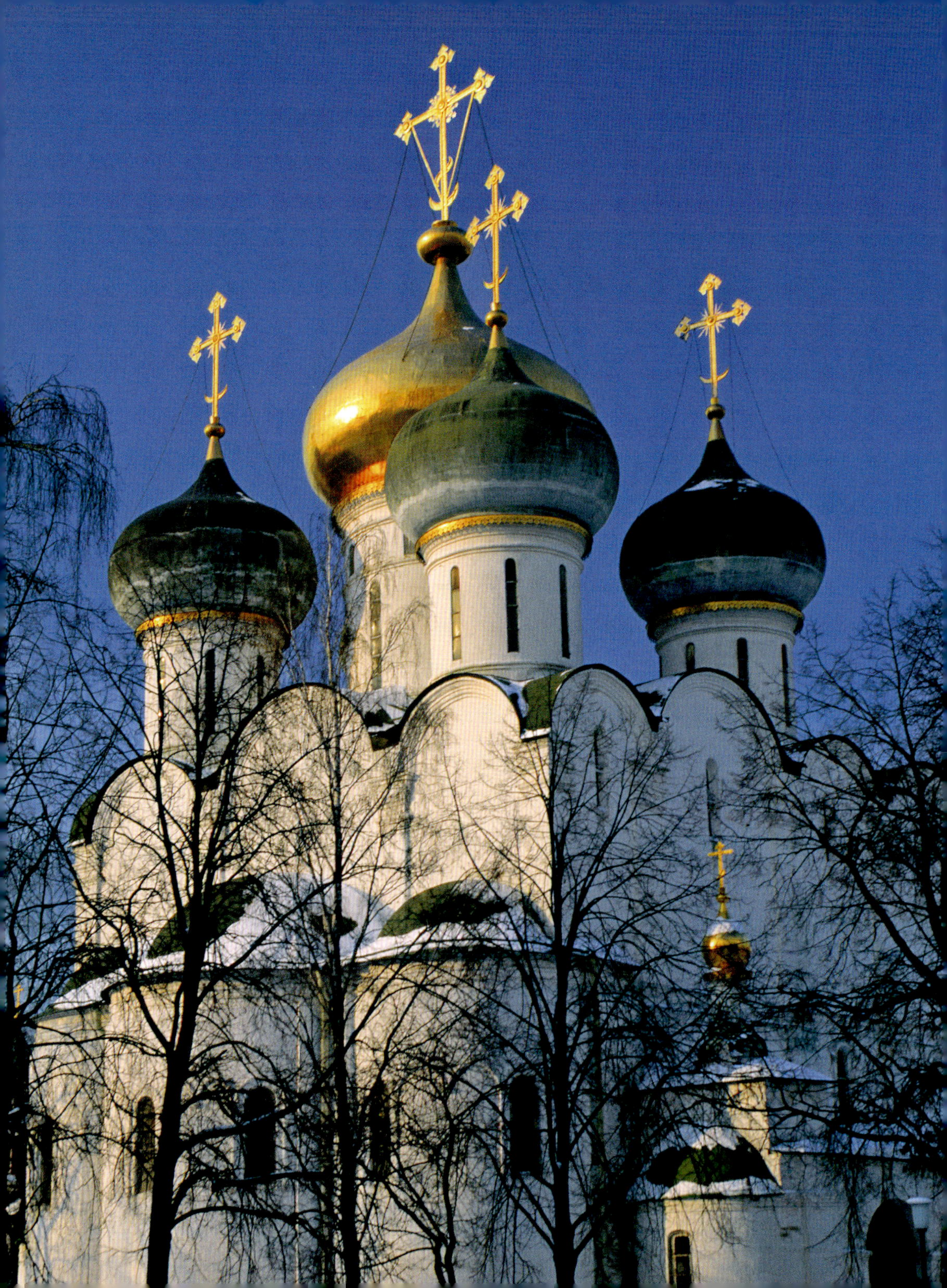

ノボデビチ女子修道院

ロシア

王家や貴族出身の貴婦人たちが多く避難した歴史をもつ修道院は、今再び、都会での暮らしから逃れる場所として注目されている。

大きく湾曲したモスクワ川の岸辺に、王家や貴族の婦人たちをかくまい、守ってきた聖地がある。静かな庭園や美しくつくられた池に囲まれてたたずむ、ロシア正教会のノボデビチ女子修道院だ（ノボデビチとは、「新しい乙女たちの」という意味）。

モスクワ・バロック建築の傑作の一つであるこの修道院は、白壁と細長い狭間が特徴で、戦闘用の塔を12基も備えた要塞でもあった。1524年、ロシア西方のスモレンスクをリトアニアから奪回したのを祝し、ヴァシリー3世が建設を命じた。

ノボデビチ修道院は、これまで王族や貴族出身の女性の避難所となっていた。彼女たちは自ら望んで、または強制されて修道女となり、多くの寄付もしたため、この修道院はモスクワで最も裕福な施設になった。

モスクワのほかの女子修道院と同様、ノボデビチの曲線的な要塞構造は、町の城壁の一部をなしている。敷地内には、白亜のスモレンスキー聖母大聖堂や、赤い壁と黄金のドームを頂く「門の上の救世主顕栄教会」など、美しい教会もある。

大聖堂のアーチ窓から差しこむ光が、フレスコ画や17世紀の黄金のイコノスタスを照らしている。外に出て有名な墓地を散策すれば、豊かな緑、ところどころに現れる教会が静かな時間を演出してくれる。また、ここに埋葬されている人物の業績をたたえる記念碑を見て歩くのも楽しいものだ。

ベストシーズン モスクワを訪れるなら5月初旬から6月後半まで、または9月が良い。夏は暑く、冬は寒すぎるので避けるのが賢明だ。

旅のヒント 地下鉄スポルティブナヤ駅を降り、歩いてすぐ。プレオブラジェンスキー・ツェルコフの下にある入り口で、展示物観覧券を購入できる。撮影料は別。フラッシュは禁止。敷地全体と墓地を見て回るには、3〜4時間は必要。この修道院は1922年、ボルシェビキによって閉鎖された。再開は1994年で、翌年から聖者の日にはミサも行われるようになった。時間があれば、大聖堂でロシア正教会のミサに出席しよう。墓地はいつでも開いている。

ウェブサイト www.russia-emb.jp（在日ロシア連邦大使館）、www.moscow.info（英語）

見どころと楽しみ

■ ピョートル大帝は、異母姉ソフィアが自分に対して反逆を企てたのを知り、彼女をこの修道院の北側にある衛兵所に幽閉する。この時、処刑したストレリツィ（銃兵隊員）の死体を窓の外につるして見せしめにしたという。6層構造の鐘楼はソフィアが建てさせたもので、この修道院で最も高い建築物である。

■ ソフィアの墓と、ピョートル大帝の最初の妻だったエブドキヤ・ロブヒナの墓は、ともに**ノボデビチ旧墓地**にある。ここは新墓地と並び、クレムリンに次いでロシアでも有名な埋葬地だ。

■ **展示物には**、美しい挿絵が描かれた写本、貴重なロシア古典絵画、刺繍、陶磁器、木製品などがある。

■ 1898年につくられた新しい墓地には、ロシアの著名人が数多く埋葬されている。**アントン・チェーホフ**の墓に植えられた桜の木は、名作『桜の園』を思い出させる。ドミトリ・ショスタコービッチ、ニキータ・フルシチョフ、それにバイオリン奏者のダビッド・オイストラフなどの墓もある。

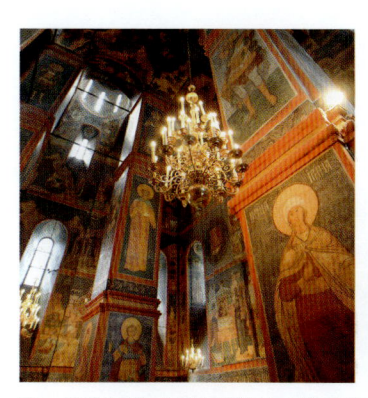

前ページ：黄金のドームとそれを囲む四つのドームが、冬の夕日を浴びて映える。**上左**：神々しい雰囲気を醸し出す内部のフレスコ画は、ヤロスラブリのドミトリ・グリゴレフが1684年に描いたもの。**上右**：ノボデビチの優美なドームを背景に、片手を挙げた姿の天使像がたたずむ。

伝説の風景　謎の巨大遺構　信仰の発祥地　永遠の史跡　日々の祈り　神が宿る場所　巡礼の道　儀式と祝祭　忘れえぬ人々　心を見つめて

ノルウェー
修道士の島 ムンク

フィヨルドに浮かぶこの島の自然は、厳しくも美しい。
静かに内省するにはぴったりの場所だ。

　霧の向こうに山の姿が浮かぶ。フェリーに乗りこむと、トロンヘイム・フィヨルドのサファイアブルーの海の中に、小さな島影が見えるだろう。潮の香りのする風を顔に受けているうちに、「修道士の島」と呼ばれるムンク島が少しずつはっきりした形を現す。

　もともとニダルホルムと呼ばれていたこの小さな島には12世紀初頭、カトリック教会に属するベネディクト会の修道院が建設された。以来、修道士たちはこの島で祈りと労働の日々を送ってきたが、1530年代にノルウェーに宗教改革の波が押し寄せ、カトリックに代わって、ルター派が席巻する。

　その後ムンク島は、監獄兼要塞になったり、税関になったりと役割をさまざまに変え、第二次世界大戦中にはナチスドイツの占領下にも入った。

　この島は、ノルウェー第3の都市トロンヘイムから距離的には近いものの、精神的には大きく隔たっているように思える。今日この島を訪れる人々も、美しい海と新鮮な空気、そして静けさに心が洗われる思いをすることだろう。

ベストシーズン　ノルウェーの冬は風雪が厳しい。行くなら夏が良い。
野の花が咲き乱れ、雪どけ水が勢いよく川や滝に流れる春もおすすめ。

旅のヒント　ムンク島へは、トロンヘイムのラブンクロア港からフェリーが出ている。
運航は5月中旬から9月初旬。島周辺はメキシコ湾流の影響で水温が高く、海水浴をしてのんびり過ごせる。ただし天気が変わりやすいので、上着や雨具の用意もしておこう。

ウェブサイト　www.norway.or.jp（駐日ノルウェー王国大使館）

ヨーロッパ

見どころと楽しみ

■ **トロンヘイムのニダロス大聖堂**のガイド付きツアーに参加し、ぜひパイプオルガンの演奏を聞こう。もとは11世紀に建てられたカトリック教会だったが、1800年代に修復され、宗派も変わった。

■ **トロンヘイム**はかつてニダロスと呼ばれ、大聖堂にある聖オーラブの霊廟を目指す巡礼地でもあった。昔の**巡礼路**を歩くガイド付きツアーもある。

■ トレッキング好きなら、ラーデ半島の**ラーデ・トレイル**は見逃せない。道を曲がるたびに、トロンヘイム・フィヨルドの荒々しい風景が目に飛びこんでくる。

夏は海水浴や日光浴も楽しめる。美しい景色を眺めながら、熟考の時間をもつこともできる。

修道院付属教会の鐘を鳴らす修道士。教会は救世主キリストと、聖コンスタンティン、聖ヘレナを祭る。

ギリシャ
アルカディ修道院

エーゲ海に浮かぶクレタ島にアルカディ修道院はある。ここは、オスマン・トルコからの独立と信仰の自由を求めて戦った歴史を秘めている。

　プシロリティス山のふもとに広がる高原に、ギリシャ正教会のアルカディ修道院がある。自然に囲まれたこの穏やかな修道院の歴史を振り返ると、実はここが、1866年に起きたオスマン・トルコに対する蜂起の拠点だった。

　トルコは1830年にクレタ島を占領し、ギリシャのほかの地域が独立した後も島に駐留し続けた。2日間の包囲戦で、女性や子どもを含む850人のクレタ人が死に、反乱を主導した大修道院長も命を落とした。修道院に立てこもっていた兵士や村人たちは火薬倉庫に集まり、トルコ兵が侵入すると同時に火薬のたるに火をつけ、1500人の敵兵もろとも壮絶な最期を遂げた。鐘楼や大食堂の重厚な扉、さらに庭の古木などには、今もトルコ軍の銃弾や砲弾の跡が残っている。

　16世紀には、文化と学習の中心地として知られていた修道院も、現在はひと握りの修道士が暮らすのみだ。正面玄関からアーチ天井の通路を通って中庭に出ると、ベネチア様式の美しい教会がある。内部は明るく落ち着き、瞑想するにはぴったりだ。かつての火薬倉庫は爆発で屋根が飛んだままの姿で残っている。壁には、修道士や島民の勇敢な犠牲をたたえる絵が描かれている。

ベストシーズン　修道院は8時～20時に開いているが、日中は数時間閉じる。夏は暑さが厳しく、冬は雨が多いので、訪ねるなら4月、5月、9月、10月が良い。毎年11月には、オスマン・トルコによる大虐殺をしのぶ儀式が行われる。

旅のヒント　バス便は本数が少なく、特に週末は少ないので注意。2～3時間あれば十分見て回れる。地元の代理店に頼めば、クレタの伝統的な村々を巡り、アルカディ修道院や郊外まで行くウォーキングツアーを催行してくれる。

ウェブサイト　www.visitgreece.jp（ギリシャ政府観光局）、www.rethymnon.gr（ギリシャ語、英語ほか）

見どころと楽しみ

■ 教会はゴシック、バロック、古典といった**異なる建築様式**が混在する独特のスタイル。簡素で禁欲的な食堂、修道士の小部屋、貯蔵室などが中庭を囲むように配置されている。

■ 敷地内の**博物館**と**納骨堂**を訪ねよう。1866年の大虐殺の時の神聖な旗や頭蓋骨、そのほかの遺物がある。また爆発で損傷した木製のイコノスタスや、祭服、聖画なども展示されている。

■ 修道院からほど近いレシムノン周辺はクレタ島でも山が多い地形で、**美しい渓谷**や**砂浜**がたくさんある。レシムノンの町自体も、曲がりくねった通りや古い家々に中世の面影が残る。

ヨーロッパ

ブラマンテ回廊にたたずむ聖ベネディクト像。台座に「神の名において入る者に祝福あれ」と刻まれている。

イタリア
モンテカッシーノ修道院

ベネディクト会の修道士たちは、この美しい修道院で
1500年間労働にいそしみ、静かに魂を交流させてきた。

標高520メートルの丘の上にあるモンテカッシーノ修道院からは、イタリア中部に位置するカッシーノの町とその周辺の田園地帯を一望できる。ベネディクト会を創設したヌルシアの聖ベネディクト（イタリア語ではベネデット）が、この修道院を建設したのは529年のこと。回廊のある壮麗な建築群は第二次世界大戦中に爆撃を受けて破壊されたが、後に、戦前の姿に復元された。

ここでは修道士たちが、聖ベネディクトの定めた規則と「怠惰は魂の敵である」という言葉を実践するかのように、祈りと労働に日々励んでいる。

修道士は膨大な蔵書や資料を管理し、聖画を制作し、論文を出版し、さらにはイベントや演奏会まで企画する。そして「わたしはよそ者だったが、あなた方は歓迎してくれた」というイエスの言葉どおり、訪問者を迎え、修養希望者を受け入れる。

見どころと楽しみ

- **大聖堂内部**はモザイク画とフレスコ画、精巧な象眼細工の大理石の床で飾られ、5000本のパイプが使用されたバロックオルガンが迎えてくれる。

- 修道院が所蔵していた宝物はほとんどが第二次世界大戦で失われたが、**地下祭室**だけは無事で、現在では、モザイク画や20世紀初頭にドイツのボイロンで描かれたベネディクト派絵画などを見ることができる。

- **博物館**には**中世修道院美術**や宗教的な写本、刺繍などが展示されている。

- ブラマンテ回廊の西に広がるのが**ポーランド戦士墓地**。1944年、モンテカッシーノの戦いで戦死したポーランド兵1000人以上が埋葬されている。連合軍はこの激戦を勝ち抜いたことでローマに入ることができた。谷間にある**カッシーノ戦争墓地**も訪ねてみよう。

ヨーロッパ

ベストシーズン 修道院は1年を通じて開いているが、12時半〜15時半は閉じる。祭日は教会にしか入れない。冬期、博物館は日祭日のみ開館。聖ベネディクトの命日である3月21日の前週に訪れれば、この聖地の歴史を祝う中世風の行列を見られる。

旅のヒント 全部を見て回るなら少なくとも2時間は見ておこう。ショートパンツ、ノースリーブ、胸元が大きく開いた服では入れない。大聖堂では会話禁止、ほかの場所でも騒いだりしないこと。修道院内では飲食できない。訪問者が使えるトイレは駐車場にしかない。

ウェブサイト www.enit.jp（イタリア政府観光局）、www.montecassino.it（イタリア語、英語）

フランス
世界中の若者が集う テゼ共同体

ブルゴーニュ地方テゼ村にある共同体は調和と信頼、質素を旨とする。
ここには宗派の違いを超えて人々が集まって来る。

単調な旋律を繰り返すテゼの詠歌は、その歌声で音の伽藍とも言える空間をつくり出す。調和教会に集まる数百人の大半は若者で、1週間の修養の一環としてシンプルな儀式に参加する。彼らの国籍はさまざまだが、朝、昼、夜と祈りを重ねるうちに共通のよりどころが生まれてくるという。

国籍を問わない方法は、スイス生まれのロジャー・シュッツが追求したものだ。シュッツは1940年、テゼ村の丘の上にすむようになった。そこはナチスドイツの占領地区のすぐ外側であり、彼はその後2年間、スイスに亡命するユダヤ人の手助けを続けた。違いを乗りこえることを自らの使命と信じたシュッツは、宗派を超えた禁欲的共同体を創設し、カトリックとプロテスタント双方の信者を受け入れた。

シュッツはその後も共同体を率いていたが、90歳になった2005年、統合失調症をわずらっていた若い女性に刺殺される。

それ以降も、テゼ共同体は人間同士の魂の出会いを提供し続けている。

ヨーロッパ

見どころと楽しみ
■ 共同体のメンバーと話をしたり、**ディスカッショングループ**に参加してみよう。

■ ブルゴーニュ南部の**美しい田園地帯**を散策する機会はたくさんある。夜になるとメンバーがギターなどを持って集まり、ポピュラーソングやそれぞれの国の歌を歌う。

■ 時間と交通手段があれば、共同体滞在の前後に**ブルゴーニュ地方**を回ってみよう。クリュニーや歴史のあるトゥールニュ、そしてマコネーのブドウ畑も忘れずに。

ベストシーズン 祈りにはいつでも誰でも参加できる。修養は日曜日に始まり、日曜日に終わる。15歳から29歳の若者は1年中いつでも参加できるが、30歳以上の者は3月から10月だけに限られる。事前に申し込みをすること。

旅のヒント テゼには、自動車道路A6で行くか、パリから電車でマコン・ロシェ駅まで行き、そこから村までバスに乗る。テントを持参するか、ドミトリーの部屋を確保しておく。混雑期でなければ、共同体内のゲストハウスに部屋がとれるかもしれない。トイレなどの清掃は自分で行う。シャワーから熱い湯が出るのは1日1～2時間なので、このタイミングを逃したら冷たい水を浴びることになる。

ウェブサイト www.taize.fr/ja（テゼ共同体）

ろうそくが灯された広い調和教会では、白いローブをまとったテゼの同胞たちが夕べの祈りを捧げる。

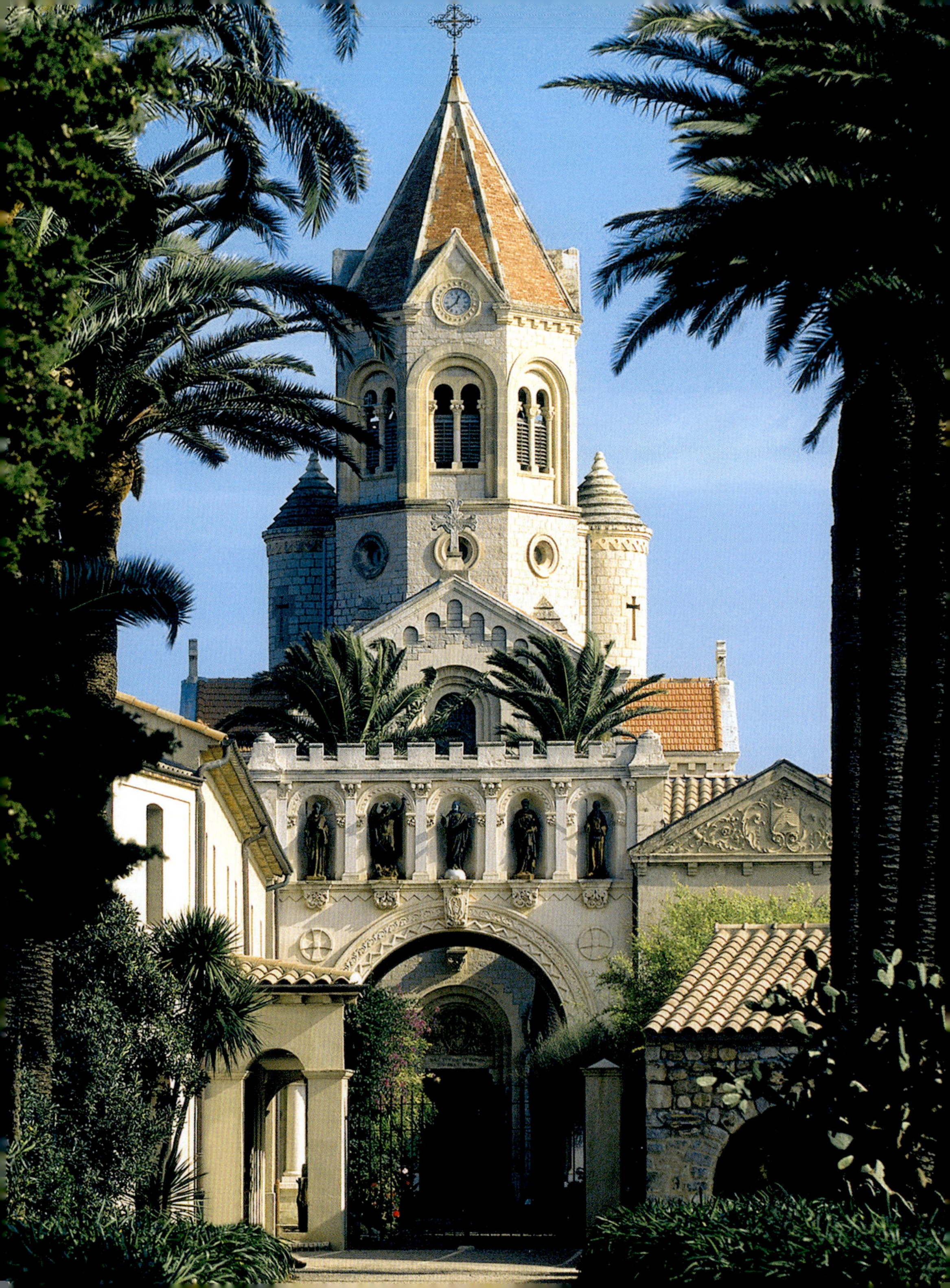

フランス
サントノラ島

カンヌの沖合に浮かぶサントノラ島に、シトー会の共同体がある。
魂の癒やしを求め、楽園のようなこの島を訪れる人は後を絶たない。

小さなフェリーが、地中海に浮かぶレラン諸島の一つ、サントノラ島に到着する。紺碧の海と潮風が、フェリーが出発したカンヌの喧噪を洗い流してくれるようだ。島の名前は、ここで隠遁生活を送った聖オノラトゥス(フランス語ではサントノラトゥス)に由来する。聖オノラトゥスに続き、彼の弟子たちも島を訪れるようになり、427年に修道院が設立された。

船を下りて木陰の小道を進み、島の南側にある修道院を目指す。途中にはフランス最古とされる5世紀の教会跡もある。

道では、白い法衣姿の修道士とすれ違うかもしれない。彼らは島唯一の住人で、ブドウ畑やラベンダー畑を管理している。

この修道院はたび重なる襲撃にあったため、11世紀に要塞化された。その後フランス革命の際に宗教とは切り離されたが、1859年、フレジュス司教が島を買い取って修道院を復活させた。

現在あるセナンク・シトー会修道院はその10年後に建てられたもので、もともとあった回廊や総会室、大食堂は以前のまま残っている。修道士たちはキリスト教共同体本来の精神を受け継ぎ、労働と祈りの日々を分かち合っている。そして訪問者も、その一端を経験することができる。

ベストシーズン 4月、5月、9月、10月なら、気候が快適で混雑も少ない。夏期の毎週火曜日、修道院は祈りと内省の日として一般に開放される。

旅のヒント 1日あれば古代の教会や城を巡り、ミサに出席し、島を散策できる。カンヌの新しいフェリー発着場は港の南西端にあり、1時間に1便は出航する(12時～14時は例外)。カンヌ行き最終便は18時(冬期は17時)。食料は持参する。暑い日は水も多めに持っていこう。海辺には着替え施設がないので、海水浴をしたい人は水着をあらかじめ着ていく。ただし島内を歩く時はきちんとした服装で。修道院内では私語は禁止。沈黙の誓いを立てている修道士もいることを忘れずに。養蜂希望者は少なくとも2カ月前に申し込む。

ウェブサイト jp.franceguide.com (フランス政府観光局)
www.beyond.fr/sites/sthonorat.html (英語)

見どころと楽しみ

■ **アバティアル・デ・レラン教会**では毎日7回ミサが行われ、訪問者はどのミサにも出席できる。

■ 男性なら、**修道士の生活**を体験できる。労働、祈り、学習に励み、出身もいろいろな修道士と同じ食事をする。修道院では一度に30人まで宿泊可能。夏にはキリスト教のさまざまなテーマに関して内省する日が設けられる。

■ **ギフトショップ**では、有名な**サン・ソーブール**という**ワイン**や**リキュール**、**ラベンダーの精油**や**蜂蜜**を販売している。すべてこの修道院でつくられたもの。春には、リキュールを試飲して購入できるプランタン・デ・リキュールという催しも開かれる。

■ どこまでも青い**地中海**でのんびり泳ぎ、岩場の隠れた**洞窟**を探検しよう。

■ **サント・マルグリット島**も訪れよう。ここにあるロワイヤル要塞に、鉄仮面の男が幽閉されていた。

前ページ：ヤシの木に囲まれた修道院には、現在25名の修道士が暮らす。**上左**：中心となる建物は19世紀の建築だが、写真の回廊は約1000年前のもの。**上右**：海賊など海からの侵略者を防ぐよう、修道院は要塞で守られる。教会の屋根には今も当時の大砲がある。のろしで信号を伝えるシステムもあった。

英国スコットランド
フィンドホーン共同体

40年にわたって、新しい生活様式を追求してきた共同体では、
地球に優しく、互いを思いやる暮らしが営まれている。

　スコットランド北東部にあるフィンドホーン湾。かつての漁村の近くに、共同体がある。魂が清められる魅力に引かれて人々はここに集まる。
　フィンドホーン共同体の理念は、「神聖で内的な傾聴、あらゆる生命の結び付きの尊重、地球への奉仕、個人的な分かち合い」だ。現在では、ホテルを改造したクラニー・パークやたる型のエコ・ビレッジなどの施設を展開している。
　フィンドホーンの誕生は1960年代初頭だ。アイリーンとピーターのキャディ夫妻と、彼らの友人ドロシー・マクリーンは、近くにあるクラニー・パークなどのホテルで働いていたが、解雇されてしまう。小さなトレーラーホームに住まいを移した彼らは菜園を始めるが、砂がちな土壌のため、ほとんど収穫はなかった。
　ところが、アイリーンが植物の「ディーバ」（霊的な存在）に祈りを捧げたところ、キャベツがぐんぐん育った。この逸話の真偽はともかく、フィンドホーンの菜園は育ちが良い。また、住民たちは深い絆で結ばれている。今やフィンドホーンは、ホリスティックな生き方を追求する意識の高い共同体として知られる。

ベストシーズン　「体験週間」は1年中行われている（ただしワークショップや講座を受けることが条件）。4月から11月にはビジターツアーも催行される。

旅のヒント　フィンドホーンでは、目的によって必要日数も変わる。エコ・ビレッジの見学だけなら日帰りも可能だが、精神的な意義を学びたいなら、体験週間に参加したり、エレイド島の生活体験に挑戦するのがおすすめ。アイオナ島では、7月から9月に夏の修養週間を実施。

ウェブサイト　www.findhorn.org（フィンドホーン財団）

ヨーロッパ

見どころと楽しみ

■フィンドホーンの**エコ・ビレッジ**は、「リビング・マシーン」という下水処理施設で知られる。これは温室を基にした浄水システムで、処理された水はスイミングプールにも使用できる水質だという。

■この共同体は、**エレイド島**と**アイオナ島**の修養施設も所有しており、フィンドホーンとはやや趣の異なる、より内省的な体験を提供している。

■**地球規模の問題**を考える会議が定期的に開かれ、共同体の人間のみならず、世界各地から知識人や活動家を招いた講演が行われる。またホリスティックや環境に優しいデザインを学ぶ講座も随時開かれている。

環境に優しいシンプルな小屋は、地元産の木材を使用して、フィンドホーンの住民たちがつくったもの。

荒れ放題だった修道院教会も20世紀に入って修復され、今では誰でも参加できるミサが定期的に行われる。

英国 スコットランド
アイオナ島

スコットランド西岸沖に浮かぶこの小島は風の吹きすさぶ不毛の地。
だが信心深いキリスト教徒にとっては特別な意味をもつ場所だ。

　泥炭の湿原に、群生するヒースとむき出しの岩。563年、この荒涼たるアイオナ島に、アイルランドの小君主だった修道士コルンバがスコットランド初のキリスト教伝道所を建てた。コルンバは仲間やピクト人やスコットランド人へ布教を行い、イングランドのノーサンバーランドにも足を延ばした。

　やがてこの島には、ヨーロッパ北部から巡礼者が訪れるようになる。9世紀から11世紀にかけて、6人のスコットランド王が修道院墓地に埋葬された。

　一方、島の名声と豊かさを目当てに、794年、バイキングがこの島を襲撃して神聖な宝物を奪い去るようになり、半世紀後、修道士たちはこの修道院を放棄した。

　それ以来無人になっていたが、1203年にベネディクト会の修道女たちがすみつく。だが、1560年に宗教改革の波が押し寄せ、ケルト風の十字架は根こそぎ抜かれて破壊された。女子修道院は今も廃墟のままだが、聖メアリー修道院は、アイオナ島を含むヘブリディーズ諸島で最も美しい中世の教会だ。

　寂れていたアイオナ島に、1938年、ジョージ・マクラウド卿が宗教的な共同体を創設。現在はアイオナ島と近隣のマル島に3カ所の宿泊センターがある。

見どころと楽しみ
■ 修復された修道院は穏やかなたたずまいを残しており、中世期や宗教関連の**石の彫刻**のコレクションを所蔵している。

■ アイオナ島は歴史好きには興味深い土地だ。島に埋葬された君主に**マクベス**がいる。彼はピクト系スコットランド人の王で、**シェイクスピア**劇の残忍な悪役のモデルにもなった。

■ 島の海岸はたいへん美しく、ほとんど無人の**白い砂浜**はビーチコーミングにうってつけ。有名なアイオナ産大理石のかけらが見つかるかもしれない。

■ **雄大な自然**がそのまま残るアイオナ島の海岸を歩くと、アシカやイルカ、ツノメドリなどの海鳥、時にはミンククジラやウバザメの姿を目撃できる。

ヨーロッパ

ベストシーズン　気候が穏やかな4月から10月がおすすめ。
旅のヒント　マル島のフィナフォートからアイオナ島までフェリーで10分。マル島行きのカルマック・フェリーは、本土のオーバン、アードナマーカン、ロッフアリーンから出ている。アイオナ島内で車を運転できるのは居住者のみだが、自転車は港でレンタルしている。宿泊施設としては、1868年創業のアーガイル・ホテルがあり、主にオーガニック素材を使ったおいしいレストランもある。セント・コルンバ・ホテルはマル島まで望める景色がすばらしい。チャーター船ボランテ号は14時に桟橋を出て、90分で海岸付近を一周して戻る。
ウェブサイト　www.visitbritain.jp（英国政府観光庁）　www.isle-of-iona.com　www.historic-scotland.gov.uk（英語）

635年当時、リンディスファーン小修道院はアングロサクソン系キリスト教の拠点だった。今も残る廃墟は11世紀にノルマン人が建てたものだ。

英国 イングランド
聖なる島 リンディスファーン

英国北岸沖にあるこの小さな島は、古くからキリスト教伝道の最前線だった。今では、魂の癒やしを求めて、多くの人が静かな島を訪れる。

リンディスファーンは、聖なる島とも呼ばれる。干潮時にはノーサンバーランドから土手道を通って島に渡れるが、満潮時には道は海に没する。本土から眺めると、リンディスファーンには、目印の建物が二つある。小高い丘の上に建つ要塞の廃墟と、小修道院跡のアーチ型の橋だ。

アイルランド生まれの修道士エイダンは635年、スコットランドのアイオナ島の修道院からこの島にやって来た。異教信仰を続けるイングランド人に、キリスト教を広めるためだ。それ以来リンディスファーンは清明な聖地として知られるようになり、11世紀には聖なる島という別名がついた。

エイダンと12人の同胞が建てたという修道院はすでに失われている。今日見られるのは、664年のホイットビー教会会議後に建設された修道院の跡だけだ。この会議の決定を受けて、聖カスバートを筆頭とする修道士たちは本土の聖職者たちに従った。それから1世紀以上は平穏な日々が続いたが、793年にバイキングの襲撃が始まり、875年、島は無人になった。その後11世紀に再び修道士たちがすみついたが、1537年、ヘンリー8世がイングランド国内の修道院解散を命じ、幕を閉じた。

ベストシーズン イングランドの美しい花が満開になる晩春がおすすめ。

旅のヒント 車で行くなら特に、潮の干満時刻を確認すること。少なくとも2日は滞在しよう。1日は島全体を、もう1日はノーサンブリア地方の荒々しくも美しい海岸を見る。入植した修道士たちの苦労がしのばれるはず。リンディスファーンの聖カスバート・センターには、訪問者が自主修養するための小屋がある。センターでは団体修養も行っている。

ウェブサイト www.visitbritain.jp（英国政府観光庁）、www.lindisfarne.org.uk（英語）

見どころと楽しみ

■ **リンディスファーン福音書**は、イギリスで最も保存状態の良い挿絵入り写本だ。715年頃、聖カスバートをたたえて島の修道士たちが制作したもの。オリジナルはロンドンの大英博物館にあるが、リンディスファーン・センターで複製を見ることができる。

■ 島での静かな1日を楽しもう。拠点となるのは、キリスト教巡礼者が目指す英国教の**聖マリア教会**だ。

■ リンディスファーンでつくられる**酒精強化ワイン**と**蜂蜜酒**は、村のワイナリーで購入できる。

■ **リンディスファーン城**は、古代の小修道院の石を利用して1515年に建設された。1901年、城の新しい持ち主がエドワード・ラチェンズ卿に依頼し、アーツ・アンド・クラフツ様式で改装。庭園は英国の著名な作庭家ガートルード・ジキルが設計した。

ヨーロッパ

英国ウェールズ
カルデイ島

6世紀に修道士たちが住みついたこの島は、荒々しい自然と、古代から連綿と続く高い精神性が魅力的だ。

　英国本土とカルデイ島とを隔てる5キロほどの瀬戸を渡ってきた船が、プライアリー湾の船着き場に到着する。島に上陸すると、白い法衣を着た修道院のゲストマスター（案内係）が出迎えに来ているだろう。これからの数日間を過ごすことになる、セント・フィロミーナ修養所に向かうのだ。

　5キロ程度の船旅では、日常生活から抜け出せないと思うかもしれない。だが、いつもの世界から少し離れてみることで、日常を見つめ直すことができる。

　ウェールズ南岸沖に浮かぶカルデイ島は、トラピスト会として知られる、厳律シトー会のものだ。修道士たちは沈黙の誓いを立てているわけではないが、決して多弁ではない。慎み深い彼らの前では、不要なおしゃべりは避けたほうが賢明だ。

　全長2.5キロほどのカルデイ島は、自給自足の上に成り立っている小さな宇宙だといえる。とりわけ、カルデイ島の船着き場から本土側のテンビーの町に向かう最後の船が、日帰り観光客を連れて帰った後は、島は外界との行き来を遮断された、完全に独立した世界になる。

ベストシーズン　復活祭から10月末までがおすすめ。日曜日、聖金曜日、一部の土曜日はカルデイ島行きの船は運休。修道院のミサは15時30分に始まり、19時35分まで続く。

旅のヒント　天候に問題がなければ、テンビー発カルデイ行きの最初の船は午前10時頃出発。カルデイ発最終便は日暮れ前。セント・フィロミーナ修養所での宿泊は全食事付き。ベッドメーキングは自分でやり、食後の片付けも手伝う。復活祭はすぐに予約で埋まるので、準備は早めに。料金が決まっているわけではないので、自分の出せる範囲で寄付する。

ウェブサイト　www.caldey-island.co.uk（英語）

ヨーロッパ

見どころと楽しみ

■ 修養所から小さな渓谷を渡った先に、20世紀初頭のアーツ・アンド・クラフト様式でつくられた**修道院**の建物がある。**カルデイ・ストーン**（古代ケルト語やラテン語の文字が刻まれている）や、**サン・イルディド教会**、旧小修道院、崖の上に建つ**灯台**なども見て回ろう。

■ **修道士**と話をしよう。俗世での興味深い経歴をもつ人が多い。尋ねてみれば、喜んで話をし、アドバイスをしてくれる。

■ どこのトラピスト修道院でもそうだが、ここでも修道院内でつくられた品々を販売している。奇妙な形の郵便局では、修道院製の**香水**や**ローション**などを買える。

■ **プライアリー湾の砂浜**では夏に海水浴が楽しめる。ロッククライミングの心得がある人は、誰かにガイドを頼んでカルデイの海岸にある洞窟を探検しよう。

シトー会修道士がカルデイ島に渡ったのは1929年のことだが、ここでは6世紀のケルト人修道士に始まる伝統が忠実に守られている。

心を見つめて | 383

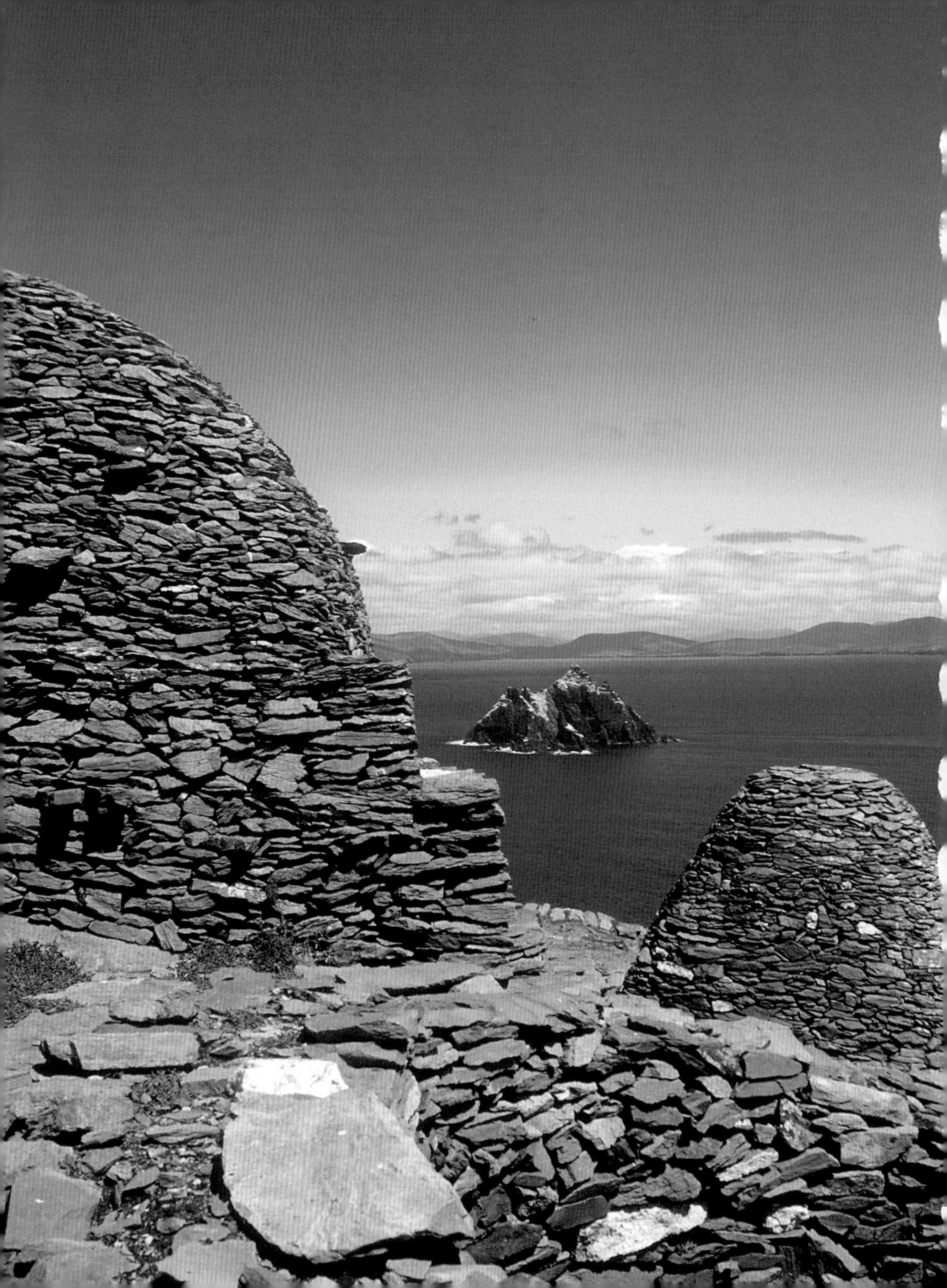

急峻な岩の島 スケリッグ・マイケル
アイルランド

6世紀にこの孤島に修道院を築いた人々は、隠遁こそが神と一つになる方法だと信じていた。
辺境の地に根づいたキリスト教信仰は、今も多くの巡礼者たちを導いている。

アイルランドの南西沖13キロほどの海上に、無人島スケリッグ・マイケル（「ミカエルの岩」という意味）がある。面積18ヘクタールほどのこの島は、円錐形をした急峻な岩山からなり、その頂上に、うずくまるようにしてぽつんと修道院が建っている。その修道院にたどり着くには、海岸から石段を640段も上らなければならない。

辺境にあるこの修道院には、6世紀からアイルランド系のキリスト教修道士が生活していた。多い時でも十数人しかいなかった修道士は、高さ185メートルの峰の頂上付近に、「クロカン」と呼ばれる石積みのドーム型の小屋をつくり住居とした。また、大きなケルト式十字架を設置したオラトリー・テラスと、聖マイケル教会など2カ所の祈りの場もつくっている。

修道士たちは岩場に降る雨水を貯水槽に貯める工夫もした。だが、12世紀に、全員が本土のバリンスケリッグス小修道院に移り、島には誰もいなくなった。

クライスト・サドルと呼ばれる草の生えた渓谷の先には、高さ220メートル近いサウスピークがそびえ、そのほぼ垂直な斜面には、古代の隠遁所跡が残っている。隠遁所は狭く、1人しか入れないが、9世紀になってバイキングがこの島をたびたび襲撃した頃は、隠遁所が避難所としての役割も担ったという。

ベストシーズン 船が出るのは4月から9月のみ。天候次第で欠航もある。ニシツノメドリを見るなら6月初旬より前に訪れること。6月中旬になると渡りで島を去る。
旅のヒント 島で3時間過ごすとして、船の往復を考えると最低でも5時間は見ておこう。バレンティア島からの船は午前10時と11時の2便だが、天候や海の状態で変わる。島には飲食施設はないので、食事と水は持参のこと。スケリッグ体験シークルーズは島々を眺め、イルカやハイイロアザラシなどの海洋生物が見られる。所要時間は2時間だが、島には上陸しない。スケリッグ体験ヘリテージセンターで、クルーズと入館がセットになったチケットを売っている。
ウェブサイト www.discoverireland.jp（アイルランド政府観光庁）、www.skelligexperience.com（英語）

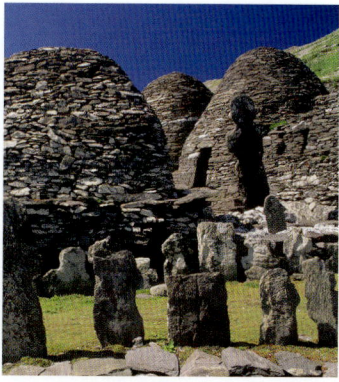

ヨーロッパ

見どころと楽しみ

■**古代の石造建築物**を見よう。眠るための小さな小屋は、モルタルを使わず、島の天然石を積み上げてつくられている。

■**スケリッグ・マイケルとその隣にあるリトル・スケリッグ**は**海鳥観察**の楽園。ミツユビカモメ、シロカツオドリ、ウミガラス、ニシツノメドリの姿を見られる。

■**バレンティア島にあるスケリッグ体験ヘリテージセンター**は4月から11月に開館。二つの島の歴史と自然、海洋生物、灯台などについて学べる。スケリッグという名前は、アイルランド語で「岩」を意味する言葉に由来する。

前ページ：後方に見えるリトル・スケリッグは、世界有数のシロカツオドリのコロニーでもある。この島には一般の人は立ち入ることができない。上左：スケリッグ・マイケルにはニシツノメドリが何千羽も生息している。上右：スケリッグ・マイケルにある墓地。クロカンと呼ばれる石積みの小屋のすぐそばにある。

旧市街の廃墟から美しいモスクやオアシス全体が一望できる。

エジプト

シワ・オアシス

癒やしの温泉が湧き出すオアシスでは、歴史と伝説が交錯する。
今はベルベル人が日々の生活を営み、その穏やかな日常に触れることができる。

　リビアとの国境に近い大砂漠を横断し、リビア海岸とナイル川渓谷を結んだ古い隊商路を進んだ先にシワ・オアシスはある。古代エジプトでは「ヤシの地」と呼ばれた場所だ。今はゴツゴツした岩やナツメヤシ、畑が目を引く。

　シワには、200近い泉が湧き出していたため、この地には、紀元前1万年前からずっと人がすんでいた。隊商路上の重要な宿泊地であり、やがてシャリ・ガーリという要塞化された古代集落もできた。その廃墟は今もシワの町を見下ろす高台に残っている。近くの山には、崩れかかったアメン神殿もある。

　古代エジプトのファラオやギリシャの英雄たちが、この神殿で託宣を求めたという。アレクサンドロス大王はここを訪問した後、自分はアメン神の息子だと宣言し、エジプトをはじめとする占領地の支配を正当化した。

見どころと楽しみ

■ ビルケット・シワの塩の湖に浮かぶファトニス島で、ヤシの木や美しい風景を眺めながら、**天然鉱泉**に入ってほてった身体を冷やそう。

■ 砂丘に夕日が沈み、やがて夜のとばりが下りると、**無数の星**が夜空に現れる。

■ 温かい**泥湯**に首までつかろう。泥湯はリューマチに効果があるという。近くにはほかにも**温泉**があり、夜遅くまで楽しめる。

■ 町の北側にある**ジェベル・アル・マウタ**（死者の山）の墓を見学しよう。墓は壁画で飾られ、今も人骨が納められている。ウンム・バイダ神殿や、アル・ゼイトゥムのローマ時代の墓も必見。

アフリカ

ベストシーズン　気候が穏やかなのは3月から5月と9月から11月。

旅のヒント　シワはカイロの西560キロ、バスで10時間の距離だ。アレクサンドリアからなら陸路で7時間。見どころを全部回り、シワの生活を満喫するには、4～5日は滞在したい。地味な服装を心がけ、現地の習慣を尊重すること。泳ぐ時も肌はできるだけ露出しない。地元の人たちは服を着て泳ぐ。町を見る時は、ロバの車に乗るか、バイクをレンタルしよう。サファリツアーでは、星空の砂漠で夜を過ごす。

ウェブサイト　www.egypt.or.jp（エジプト大使館エジプト学・観光局）

エチオピア
デブレ・シオン修道院

「契約の箱」が隠されていたと伝えられる湖の島に建つ修道院。
ここでは、キリスト教初期の息吹きが今も感じられる。

エチオピア中部に位置するジーウェー湖の浅瀬では、子どもたちがおしゃべりと遊びに興じ、ロバや牛が干潟をのんびりと歩いている。デブレ・シオン修道院は、この湖に浮かぶトゥッロ・グド島にある。

現在の建物は後世に再建されたものだが、創設の目的と精神は厳格に伝えられている。最初に建設されたのは800年頃。その後、10世紀になって、非キリスト教徒の女王ジュディットが、キリスト教エチオピアの都だったアクスムから、十戒を刻んだ石板が入っているとされる「契約の箱」を奪うと脅す事態となった。そこで、この修道院に契約の箱を避難させ、その後40年間、500人以上の修道士が守ったという。今日でも、古代の写本や羊皮紙の聖書が保管されており、黒い僧服にシャンマと呼ばれる白い肩衣をかけた3人の修道士が管理している。

内部は鮮やかな色彩の聖画が壁を飾り、至聖所へと続いている。数世紀も前から時間が止まったままに思えるが、興味を抱いて訪れる者は温かく歓迎される。

ベストシーズン　雨期を避けるなら9月から4月がおすすめ。

旅のヒント　エチオピア入国にはビザが必要。アディスアベバの南西190キロのジーウェーに行き、そこからトゥッロ・グド島行きの船を探す。島への定期便はない。アシの船で4時間、モーターボートなら1時間。トゥッロ・グド島およびデブレ・シオン修道院に行くなら丸1日見ておこう（島にはホテルはない）。訪問者はめったにないので、アクスム人の子孫や修道士には最大の敬意を払うこと。きちんとした服装を心がけたい。修道院に入る際は、靴を脱ぐ。

ウェブサイト　www.ethiopia-emb.or.jp（駐日エチオピア大使館）

見どころと楽しみ

■ ジーウェー湖は長い湖岸に鳥がたくさん生息していて、**バードウォッチング**には最適だ。チドリの仲間、黒い翼のセイタカシギ、ソリハシセイタカシギなどを観察することができる。

■ エチオピアの**伝統料理**を試してみよう。大皿に、穀物でつくったパンケーキや、肉料理、野菜料理が盛られてくる。食べる時は右手しか使ってはいけない。手が自分の口に触れないようにして押しこむ。

■ コーヒー（ブナ）は恐ろしく甘い。すすめられたら3杯は飲むのが礼儀。最後の1杯は「**祝福のカップ**」とされる。

修道院に保存されている羊皮紙の貴重な写本は、エチオピアにおけるキリスト教信仰の歴史を伝えている。

用語解説

太字は見出し項目がある用語

アイマラ族
南米アンデス山脈とアルティプラノ地方の先住民。ボリビア、ペルー、チリ、アルゼンチンにまたがり居住。ティワナク（ティワナコ）文明（前1500頃～前1200頃）を開いたとされる。**インカ**に支配され、後にスペイン人に征服された。

アシュケナージ
中世にドイツや東ヨーロッパに定住したユダヤ人の子孫で、その伝統を継承する。
→**セファルディー**

アステカ人
メキシコの先住民。14世紀から16世紀にかけて、**メソアメリカ**（中米の一部を含む）に帝国を築いた。スペインの探検家エルナン・コルテスは、1519年から21年にアステカ帝国を征服した。

アナサジ族
北米大陸の先住民。現在のアリゾナ、ニューメキシコ、コロラド、ユタの4州が接する地域にすんでいた。現代のプエブロ族の祖先。

イエズス会士
カトリック教会のイエズス会修道士。教育活動に重点を置いた。

イエスの変容
イエス・キリストが弟子を伴い高い山に登った際、預言者モーセ、エリヤと語り合いながら、白く光り輝いたという、**共観福音書**の記述を指す。

イコノスタス（聖障）
正教会の教会堂にある、身廊と**聖所**を隔てるイコンの衝立（ついたて）。

イスラム教
6世紀のアラブの**預言者ムハンマド**の教えに基づく宗教。アッラー（アラビア語で「神」）の意志に従うことを求める。

イマーム
モスクの礼拝の指導者。**イスラム教シーア派**では、イマームは宗教共同体の指導者でもあり、神によって選ばれたと信じられている。

インカ
15世紀、南米アンデス山脈を中心に帝国を築いたペルーの先住民。

会衆派教会
プロテスタントの一教派。会衆（信者）が教会を運営する。16世紀にヨーロッパで生まれた。米国建国の父祖には会衆派が多かった。ハーバード、イエール、アマースト、などの米国の有名大学は会衆派による創設。

カタリ派（アルビジョワ派）
11世紀から13世紀の南仏を拠点とした**キリスト教**一派。聖職者の堕落を激しく批判し、**カトリック教会**より異端とされた。アルビジョワ**十字軍**（1209～1229）で弾圧された。

カテドラル（大聖堂）
司教の座が置かれた**キリスト教**の教会堂。

カトリック教会
世界最大のキリスト教会。バチカン市国のローマ教皇が最高権威とされる。

カリフ
預言者ムハンマドの継承者とされ、イスラム国家における政治と宗教の指導者の称号。

共観福音書
新約聖書の4福音書のうち、マタイ、マルコ、ルカの福音書を指す。イエス・キリストの生涯と教えを記したこの3書は、内容も構成も非常によく似ている。一方、ヨハネの福音書は、イエスの生涯の時系列がほかとは違っていたり、最初からイエスを偉大なる主、キリストとして登場させたり、別のテーマで個人的な空想の言説を記すなど、ほかの福音書とは異なっている。

ギリシャ正教会
ギリシャの国教で、**正教会**の一部。
→**ロシア正教会**

キリスト教
新約聖書に書かれているナザレのイエス（イエス・キリスト）の生涯と教えに基づく宗教。キリスト教徒はイエスを神の子と信じる。

クリュニー会
ベネディクト会の修道士による中世**カトリック教会**の修道会。910年、アキテーヌ公ギヨームと修道士ベルーノが創設し、フランス東部のクリュニー修道院を拠点にした。

契約の箱
モーセの十戒が刻まれた石板などを納めていたとされる箱。エルサレムの第1神殿の至聖所に安置され、地上での神の所在を象徴した。

ケチュア族
南米アンデス地方の先住民。**インカ**に支配された。ケチュアは、その地域の言語も指す。

ケルト族
ローマ時代以前の古代ヨーロッパに広くすんでいた民族。ケルト語を話した。

コプト教会
エジプトで古くからあるキリスト教会。古代エジプト語から派生したコプト語を用いる。

ゴプラム
インドの寺院の入り口に建てられた華美な塔。南部に多い。

コーラン（クルアーン）
イスラム教の聖典。イスラム教では、大天使ジブリール（ガブリエル）が**預言者ムハンマド**に啓示を与えたとされる。

最後の審判
キリスト教では、この世の終わりにイエス・キリストが万人に対して、生涯の行いに見合った審判を下すと信じられており、その審判を指す。キリスト教芸術に非常によく使われる題材。

悟り
インド起源の宗教で、真理に到達すること。

三位一体の主日
神は父と子と聖霊の三位にして一つである、というキリスト教の教理を祝う。西方キリスト教では聖霊降臨祭後の最初の日曜日、東方教会では聖霊降臨祭の日曜日にあたる。

シーア派
イスラム教の少数派。**預言者ムハンマド**の娘婿アリを正統な継承者とみなし、最初の4代のカリフを認めていない。シーア派は、独自の教義を発展させ、**イマーム**を共同体の最高指導者とする。全イスラム教徒の15%を占める。
→**スンニ派**

司教／主教
キリスト教会で**司祭**を監督する権限をもつ聖職者。カトリック教会では司教、正教会や聖公会では主教と呼ばれ、聖職の位を授け、教区に対して権限をもつ。→**カテドラル**

シク教
グル・ナーナク（1469～1539）とその継承者9人の教えに基づく宗教。徳の高い行いをし、神の名を念じれば救済されるとする。聖典は『グル・グラント・サーヒーブ』。

司祭
キリスト教会で、宗教的儀式を行う聖職者。叙任による聖職位階では2番目。

死者の書
古代エジプトの弔いの文書。呪文や来世への過程が、玄室の壁やパピルスに記された。

シトー会
フランスのディジョン近くのシトー修道院で1098年に創設された**カトリック教会**の修道会。ベネディクト会の『聖ベネディクトゥスの戒律』を厳守することに回帰した。シトー会は12世紀、カトリック教会で強大な影響力を誇った。

詩篇書
聖書の詩篇やそのほかの聖句を含む本。中世の詩篇書の多くは彩色写本として作られた。

ジャイナ教
古代インドに生まれた宗教。紀元前6世紀にヴァルダマーナ、別名マハーヴィーラ（偉大な勇者）が開いた。不殺生を厳守する。

写本（コーデックス）
古代や中世の、手書き文書を綴じた本。

宗教改革
16世紀にヨーロッパで起こった**カトリック教会**に改革を求める運動。その結果、プロテスタント諸教派が誕生することとなった。

十字軍
一般的には、1095年から1291年まで数回にわたり行われた、キリスト教徒によるイスラム勢力との戦争。また、十字軍は南仏の**カタリ派**といったキリスト教異端派やボヘミアのフス派を弾圧するためにも派遣された。

儒教
孔子（前551〜前479）の教えに基づく古代中国の政治、道徳、宗教に関する思想体系。

上座部仏教（小乗仏教）
カンボジア、タイ、スリランカ、ミャンマーで主流の仏教。アルハット（阿羅漢）となり、涅槃に達することを最終的な目標とする。

助祭／輔祭／執事
キリスト教会で、司教、司祭に次ぐ、叙任する3番目の聖職位階。カトリック教会では助祭、正教会では輔祭、聖公会などでは執事と呼ばれる。

真言宗
日本の仏教の宗派。弘法大師によって9世紀に開かれた。手に印を結び、真言を唱え、瞑想することで、あらゆる苦しみから解放されると説く。

神道
日本古来の宗教。多様な神や霊を祭る。

ストゥーパ
ブッダ、または聖人の遺骨が埋葬されている。ストゥーパは霊廟であり、マンダラでもある。中国や日本に伝わり、仏塔へと姿を変えた。

スンニ派
イスラム教の多数派。預言者ムハンマドの継承者とされる、最初の4人のカリフを認めている。全イスラム教徒の85％ほどを占める。→シーア派

聖遺物
聖人の遺骨や遺品。聖遺物を納めた容器は聖遺物箱と呼ばれ、豪華に飾られることが多い。

正教会
キリスト教の中で、カトリック教会に次ぐ信者数を誇る教派。教義や儀式を巡る違いから、1054年、カトリック教会と分裂。ロシア正教会やギリシャ正教会などがある。

聖公会（アングリカン・チャーチ）
キリスト教プロテスタントの一派。世界各国にあるアングリカン・コミュニオンは、英国国教会と歴史的つながりがあるか、同じ典礼を用いている。

聖書
ユダヤ教とキリスト教の聖なる文書をまとめた聖典。旧約聖書（ヘブライ語聖書）と新約聖書が含まれる。

聖所
カトリック教会や正教会で、祭壇のある神聖な場所。→内陣

聖人
奇跡を行ったり、模範的な行いをした人物。キリスト教だけでなく、ヒンドゥー教などでも、崇拝の対象となる過去の人物を指すことが多い。

聖体顕示台
カトリック教会や聖公会の教会堂で、聖別した聖体（聖餐式のパン）を入れて、信者に見せるための容器。

聖体祝日
キリスト教の聖体拝領、または聖餐を祝う日。儀式に使われるパンやウエハースをキリストの肉体として祝う。聖体祝日は、三位一体の主日の後の、木曜日、または日曜日。

聖体拝領／聖餐
キリスト教の儀式。キリストが十字架にかけられる前の弟子たちとの別れの食事、「最後の晩餐」を記念する。祈祷と、パン（ウエハース）とワインを分け合うことが中心になっている。イエスはパンをちぎりながら「これは私の肉体である」と言った。そしてワインをすすめながら「これは私の血である。これを私の記念として行え」と言った。

聖櫃（せいひつ）
ユダヤ教の礼拝に使われるトーラーの巻物を納めた箱を示す。

聖母の被昇天
聖母マリアが臨終して天国へ昇っていったことを指す。カトリック教会の教義では、聖母は肉体と霊魂を伴って天国へ召された。カトリック教徒は毎年8月15日に聖母被昇天祭を祝う。

聖母マリア
イエス・キリストの母。イエスを身ごもり、出産したが、処女のままだったと信じられている。

セファルディー
15世紀頃にイベリア半島と北アフリカに定住したユダヤ人の子孫。→アシュケナージ

禅宗
日本で盛んな大乗仏教の一派。人間に本来備わる仏性を、座禅などの修行を通じて自覚することを旨とする。

ゾロアスター教
紀元前7世紀頃にイランの預言者ゾロアスターが開いた古代の宗教。善悪二元論を特徴とし、善の神アフラ・マズダを最高神とする。のちのユダヤ教、キリスト教、イスラム教に影響を与えた。現在でも、イランやインドを中心に20万人ほどの信者がいる。

大乗仏教
仏教の二大宗派の一つ。日本、中国、チベット、ベトナム、韓国で信仰されている。菩薩となることを最高の目標にしている。→菩提

タルムード
ユダヤ教の口伝律法を記した文書群。トーラーを補足する。「ミシュナ」（200年頃）と「ゲマラ」（500年頃）から成る。ユダヤ教徒の生活と信仰の基礎となっている。

チベット仏教
チベットを中心に信仰されている仏教。仏教全体の教えを説いた「道次第」などが特徴。

天台宗
大乗仏教の日本の宗派。最澄によって平安時代初期に中国から伝えられた。

典礼
キリスト教での公的礼拝。一般的には、ミサのような儀式での礼拝式文を指す。

道教
古代中国の宗教。紀元前6世紀に老子が著したとされる「道徳経」に基づく。

トーラー
ヘブライ語聖書の最初の五つの書（創世記、出エジプト記、レビ記、民数記、申命記）を指す。これらは神の言葉であるとされている。

トラピスト
シトー会の一派で、正式名は厳律シトー会。トラピストという通称は、1664年にノルマンディーのトラップ修道院で創設されたため。修道士はトラピスト、修道女はトラピスチヌと呼ばれる。禁欲的な修道規律には、沈黙の誓いもある。

トルテック人
アステカ人が祖先と崇める中米の古代民族。10世紀から12世紀にかけてメキシコ中部に住んでいた。

内陣
キリスト教会内の祭壇とその周辺。聖職者や聖歌隊が使う。教派によっては、聖所と呼ぶ。

涅槃（ねはん）
仏教とジャイナ教で、悟りに至り輪廻転生の苦悩から解放されること。

バール
豊穣、空、嵐をつかさどる古代中東の神。テュロスやカルタゴなど、多くの都市の守護神。聖書には、土着の神として登場する。

バシリカ（聖堂）
もとは古代ローマ時代の大きな公共建造物を指した。のちに、カトリック教会やギリシャ正教会の巨大な教会堂を指すようになった。

バハイ教
19世紀ペルシャで、ミルザ・ホセイン・アリ（称号はバハオラ）が開いた宗教。人類の和合を説く。

バプテスト教会
プロテスタントの一教派。信仰告白のできない幼児が浸礼（洗礼）を受けることを否定している。

パントクラトールのキリスト
全能の支配者、宇宙の支配者としてのキリスト。正教会で用いられるイコンの題材。パントクラトールとは、ヘブライ語の「エル・シャダイ」（全能の神、すべてに足りている者）のギリシャ語訳。

ヒンドゥー教
古代インドに生まれた宗教。開祖も教祖もいない。サナタナ・ダルマ（永遠の法）とも呼ばれる。原理の一部は紀元前六千年紀にはあった。

プエブロ族
現在の米国南西部にすむ先住民。

福音書
新約聖書に収められたイエス・キリストの言行録。マタイ、マルコ、ルカ、ヨハネの四つがある。また、イエスにまつわるメッセージを指すこともある。

復活祭
磔刑から3日後のイエスの復活を祝う、**キリスト教**の主要な祭り。

仏教
心の状態が何よりも重要であると説いた**ブッダ**の教えに基づく宗教であり、思想である。仏教徒は、安らかで清明な心の状態に達するために瞑想する。そうすれば、来世はもっと高いレベルに生まれ変われると信じている。アジアでは、**大乗仏教**と**上座部仏教**が広く信仰されている。

ブッダ
仏教の開祖。古代インドの聖者ゴータマ・シッダールタ（前563頃〜前483頃）。仏教の宗派によっては、ブッダとは**悟り**を開いた人を意味する。また、仏像を指す場合もある。

フランシスコ会
イタリア・アッシジの聖フランチェスコが13世紀に創設した**カトリック教会**の修道会。

ブルトン人
フランス・ブルターニュ地方に定住したケルト人。

フレスコ画
壁や天井など、塗りたてのしっくいの上に描かれた絵。一般的には、水性の顔料で描かれた。

プロテスタント
大まかには、**カトリック教会**と**正教会**以外の**キリスト教**の教派。**聖公会**、**カルバン派**、**ルター派**、**メソジスト派**、**バプテスト派**など。

ベネディクト会
イタリア・ヌルシアのベネディクトゥス（480頃〜547頃）が記した『**聖ベネディクトゥスの戒律**』に従う**キリスト教**の修道会。祈りと「聖なる読書」と労働を生活の中心とし、西欧の修道会則の基本となった。

菩薩
悟りを求める者、または、悟りに達した者。**大乗仏教**では、涅槃に至る資格を得ているのに、人々に苦難を克服する術を教えるために現世に生まれ変わることを選んだ人とされる。

菩提
仏教で、煩悩を断って至る**悟り**を指す。

ボン教
チベットの古くからの民族信仰で、**チベット仏教**の発展に影響を与えたといわれている。初期の信仰には、シャーマニズム、天来の皇帝や森羅万象の神々への崇拝がみられた。**仏教**の影響を受けた後は、「リグパ」と呼ばれる**悟り**の境地に達することで、苦から脱することを目指す。チベットでは現在も、10人に1人がボン教の信者。

マニ車
チベット仏教で用いられる宗教用具。円筒の側面に**マントラ**が刻まれ、回転させることで、経文を読むのと同じ功徳があるとされる。

マハーバーラタ
インドのサンスクリット語で書かれた叙事詩。紀元前300年頃から紀元400年頃にかけて編さんされた。10万以上の2行連句からなり、世界最長の詩である。**ヒンドゥー教**で特に重要な聖典である『**バガヴァッド・ギーター（神の歌）**』も含まれる。

マヤ
メソアメリカに栄えた先住民の文明。250年頃から900年頃に最盛期を迎えた。

マンダラ
世界観や宇宙観を象徴的に表した絵画など。特に、**ヒンドゥー教**や**仏教**で、意識を集中し、精神修養のために使われる。

マントラ
精神を集中するために唱える言葉。**ヒンドゥー教**や**仏教**、**ジャイナ教**、**シク教**で用いられる。

ミサ
主に**カトリック教会**で行われる**聖体拝領**の儀式。1960年代までは、ラテン語で行われていた。盛式ミサ（大ミサ）は、伝統的なラテン語のミサで、香と音楽を伴い、**司祭**、**助祭**、副助祭が執り行う。読誦ミサは、香と音楽なしで、司祭が執り行う。死者を追悼する葬送ミサもある。

ミナレット
モスクの尖塔。ここから礼拝を呼びかける。

ミフラーブ
イスラム教の聖都メッカの方角を示す、モスク内壁のくぼみ。信者はミフラーブに向かって礼拝する。

メソアメリカ
紀元前1万2000年頃から紀元1521年まで先住民がすんでいた中米の文化的領域（メキシコ、グアテマラ、ホンジュラス、ニカラグア、コスタリカを含む）。文明とその時代を指すこともある。

メソジスト派
キリスト教プロテスタントの一教派。英国人説教師ジョン・ウェスレー（1703〜91）が始めた。

メディスン・ホイール
北米大陸の先住民が地面に石を並べて描く環。

モーセの十戒
旧約**聖書**の出エジプト記と申命記に記されている戒律。シナイ山でモーセが授かったとされる。

ユダヤ教
紀元前2000年頃に生まれた、ユダヤ人の宗教。超越的な唯一絶対の神、万物の創造主を信仰する。神はアブラハムやモーセなどの預言者たちの前に姿を現したとされている。礼拝は**トーラー**、**タルムード**、ラビの教義のしきたりに従って執り行われる。

ユダヤ教正統派
トーラー、タルムードやその他の文書に記されたモーセの律法に従うユダヤ教の一派。

預言者ムハンマド
イスラム教を開いたアラビア人。570年頃に生まれ、632年に没した。アッラー（神）のメッセージと預言を伝える人物と信じられている。

ラスタファリズム
ジャマイカなどの黒人を中心に起こった宗教的、政治的運動。エチオピア皇帝ハイレ・セラシエ皇帝（1892〜1975）を神と崇拝する。

ラーマーヤナ
古代インドのサンスクリット語で書かれた叙事詩。紀元前200年頃から紀元200年頃にかけて編さんされた。ヒンドゥー教のビシュヌ神の化身とされるラーマ王子の物語で、聖典とされている。

臨済宗
日本の禅宗の一派。9世紀に中国でおこり、12世紀の日本で広まった。

ルター派
ドイツの宗教改革者、マルチン・ルター（1483〜1546）の教義にもとづいた**キリスト教**プロテスタントの一教派。→**プロテスタント**

列聖
カトリック教会や**正教会**など、聖人崇拝を行うキリスト教会が、信仰の模範となる行いをした信者を**聖人**の地位にあげること。

ロシア正教会
ロシアを拠点とする、**正教会**に属する教会。

ローマ教皇
ローマ**司教**で、**カトリック教会**の最高権威。聖ペテロの継承者とされる。

各宗教の聖地と見どころ一覧

アジア固有の信仰
インドネシア
タナ・トラジャの断崖墓地　327

アフリカ固有の信仰
ジンバブエ
マラム バテムワ　18
スワジランド
インクワラ　300
タンザニア
イチジクの木　18
キリマンジャロ　40
ナイジェリア
オシュン-オショグボの聖なる木立　18
ボツワナ
ツォデイロの丘　54
マダガスカル
アンブヒマンガの泉　24
アンブヒマンガの丘の王領地　258
バオバブの並木道　18

アボリジニの信仰
オーストラリア
ウビル　54
ウルル　33
カタ・ジュタ　32
ダグラス温泉自然公園　24

イスラム教
アフガニスタン
ジャムのミナレット　172
イスラエル
神殿の丘　103
イラク
イマーム・フセイン廟　249
サーマッラーの大モスク　172
イラン
イマーム・レザー廟　219
インド
タージ・マハル　330
ウズベキスタン
ウスマーンのコーラン　88
エジプト
シナイ山　106
シワ・オアシス　386
聖カタリナ修道院　165
エチオピア
ソフ・オマール洞窟　126
サウジアラビア
ハッジ　253
ヒラーの洞窟　104
預言者のモスク　256
シリア
ウマイヤド・モスク　217
スペイン
ヘネラリフェ庭園　324
メスキータ　195
スリランカ
アダムズ・ピーク　28
チュニジア
ケルアンの大モスク　197
トルコ
スルタン・アフメト・モスク　163
旋回舞踏の儀式　295
トプカプ宮殿　224
パキスタン
スーフィー聖者の廟　215
バードシャーヒー・モスク　157
レイラトゥル・バラー　278
マリ
ジェンネの泥モスク　198
モロッコ
ハッサン2世のモスク　172
フェズ祭　98
ヨルダン
ネボ山　40

キリスト教
アイルランド
キルデアの聖ブリギッドの泉　24
クロウ・パトリック山　260
ケルズの書　88
スケリッグ・マイケル　385
聖パトリックの足跡　254
アルゼンチン
ベンディミア　300
アルメニア
聖エチミアジン大聖堂　97
イスラエルとヨルダン川西岸地区
イエス・キリスト生誕の洞窟　101
ガリラヤ湖　37
ゲッセマネの園　324
神殿の丘　103
聖墳墓教会　252
イタリア
海の聖母祭り　299
オリバガンド　300
ガッラ・プラキディア廟　108
古代ローマのカタコンベ　346
サン・ガルガーノ修道院　133
サンタ・クローチェ・イン・ジェルサレンメ教会　224
サンタ・マリア・マッジョーレ大聖堂　108
サン・ドナート大聖堂　190
サン・ビターレ聖堂　181
サン・ミケーレ・アルカンジェロ聖堂　126
スクロベーニ礼拝堂　184
スティグマータ礼拝堂　259
聖セバスティアーノ教会　184
聖フランチェスコ大聖堂　227
トラパーニの聖金曜日　306
トリノ大聖堂のシンドネ礼拝堂　224
パエストゥムの神殿群　74
花の聖母マリア大聖堂　187
パラティーナ礼拝堂　108
ピオ神父巡礼教会　228
ベネチアのカルネバーレ　304
ベネチアの聖夜のミサ　302
モンテカッシーノ修道院　376
ロレートの聖家　230
ロンバルディアの鉄王冠　224
ウクライナ
修道士の聖歌隊　98
英国
アイオナ島　381
イタリア人の礼拝堂　230
ウェストミンスター寺院　188
エレアノールの十字架　254
オックスフォード大学セント・メアリー教会　172
カルデイ島　383
カンタベリー大聖堂　254
干潮する泉　24
ケンブリッジ大学キングス・カレッジ聖歌隊　98
サンダム記念礼拝堂　184
聖ウィニフレッドの泉　24
セント・マーチン教会　230
ソールズベリー大聖堂　172
ラットレル詩篇　88
リーヴォー大修道院　137
リバプール大聖堂　190
リンディスファーン島　382
エクアドル
花と果物の祭り　304
パネシージョのマリア像　78
エジプト
アル・モアラッカ教会　166
シナイ山　106
聖カタリナ修道院　165
エチオピア
アクスム　105
デブレ・シオン修道院　387
ラリベラの岩窟教会群　257
オーストラリア
セント・メアリーズ大聖堂　190
ロッキンガムの涙の聖母像　230
オーストリア
ウィーン少年合唱団　98
カナダ
サンタンヌ・ド・ボープレ大聖堂　236
キプロス
トロードス山の壁画教会群　164
ギリシャ
アトス山　110
アルカディ修道院　375
海の公現祭　300
オシオス・ルカス修道院　108
ギリシャ正教会の復活祭　298
聖ゲオルギウス教会　161
パトラスのカーニバル　304
メテオラ修道院群　368
黙示録の洞窟　226
グアテマラ
マシモン　206
グルジア
上スパネティ地方　36
クロアチア
エウフラシウス聖堂　108
ドブロブニク大聖堂　224
コートジボワール
平和の聖母大聖堂　199
コロンビア
塩の教会　145
シリア
ウマイヤド・モスク　217
聖アナニア教会　216
スイス
グラン・サン・ベルナール救護所　368
スペイン
エル・エスコリアルの聖ロレンソ修道院　224
クエンカ大聖堂　190
サグラダ・ファミリア教会　194
サグラド・コラソン教会のキリスト像　78
サラゴサのピラール祭　308
サン・アントニオ・デ・ラ・フロリダ修道院　184
サント・ドミンゴ・デ・シロス修道院の聖歌隊　98
サン・フアン祭　278
サン・フアン・デ・ラ・ペーニャ修道院　368
シッチェスのカルナバル　304
セビリアの聖週間　309
聖テレサ修道院　233
聖ヤコブの巡礼路　265
トレド大聖堂　190
ラ・モレネータ　232
スリランカ
アダムズ・ピーク　28
チェコ
聖ビート大聖堂　190
セドレツ納骨堂　339
チリ
ロ・バスケス聖母教会　239
デンマーク
イェリングの墳丘墓と石碑　337
ドイツ
アーヘン大聖堂　180
アンデックス修道院　368
ウルム大聖堂　172
エクステルンシュタイネの奇岩　75
キリスト受難劇　297
ケルンのカルナバル　304
聖コロマン教会　177
東方三博士の聖遺物箱　223
ドン・コサック合唱団　98
バッハ音楽祭　98
ビッテンベルク城教会　111
ファッシング　304

トリニダードトバゴ
カーニバル　304
トルコ
アクダマル島の聖十字架教会　129
アララト山　39
カッパドキアの岩窟教会群　130
聖ソフィア大聖堂　107
聖パウロの道　254
聖母マリアの家　230
ノルウェー
ボルグン・スターヴ教会　172
ムンク島　374
ロム・スターヴ教会　174
バチカン市国
サン・ピエトロ大聖堂　183
システィーナ礼拝堂　184
復活祭のミサ　303
ハンガリー
エステルゴム大聖堂　175
ベルギー
聖ウルスラの聖遺物箱　224
フィリピン
十字架の道　283
ブラジル
アパレシーダの聖母　230
救世主キリスト像　78
シセロ神父像　207
ボン・ジェズス・ダ・ラパの洞窟　238
リオデジャネイロのカーニバル　304
フランス
アリスカンの墓地　350
ヴァンス大聖堂　108
樫の礼拝堂　18
カニグー山　42
クリュニー修道院　135
サクレ・クール寺院　193
サントノラ島　379
サント・フォワ教会　224
サント・マドレーヌ聖堂　229
サン・ピエール礼拝堂　184
シャルトル大聖堂　189
聖ワンドリーユ修道院の聖歌隊　98
テゼ共同体　377
トロ・ブレイズ　261
ネヴェの森　18
パリのノートルダム大聖堂　192
マルティニクのカーニバル　304
モン・サン・ミシェル　263
モンセギュール　136
ラ・サレットのノートルダム聖堂　230
ルルド　264
ロカマドールの黒い聖母像　230
ロザリオ礼拝堂　184
ロマの巡礼　307
ブルガリア
リラ修道院　368
リラ修道院の隠者の洞窟　24

米国
アンヌ・ド・ブルターニュの祈祷書　88
オールド・ノース教会　142
感謝祭　300
グーテンベルク聖書　88
クモラの丘　86
クリスタル・カテドラル　144
ゴシック様式の聖遺物箱　224
ゴスペル聖歌隊　98
コンセプシオン教会　141
サン・エステバン祭　268
シカゴ教会堂　172
ストウ・コミュニティー教会　142
聖墳墓山修道院　324
セント・ポール聖公会教会　142
セントルイス大聖堂　108
第一会衆派教会　142
第一教会　142
第一キリスト教会　142
第一バプテスト教会　142
バーンステーブル会衆派西教区教会　142
船乗りの礼拝堂　142
ブラウン長老派記念教会　190
マルディ・グラ　304
ミーティング・ハウス　142
無原罪の御宿りの聖母大聖堂　203
モルモン開拓者の道　254
リトル・ビッグホーン戦場跡　318
ワシントン国立大聖堂　190
ワシントン大行進　254
ベネズエラ
サン・フアン祭　274
ペルー
「奇跡の神」祭り　276
クスコ大聖堂　146
コイユル・リティ　241
ポーランド
黒い聖母像　221
聖者たちの道　254
ビエリチカ岩塩坑の教会　167
ボリビア
聖母マリアの祝祭　275
ポルトガル
ファティマの聖母　230
マデイラ島の花祭り　300
マルタ
聖パウロの洞窟　126
聖母を祭る教会群　230
南アフリカ
モファット伝道会　254
メキシコ
グアダルーペの聖母大聖堂　205
クビレテ山への騎馬巡礼　237
「死者の日」祭り　273
ヨルダン
地図の教会　108
ネボ山　40

ラトビア
ジャニ　278
リトアニア
十字架の丘　220
ルーマニア
シナイア修道院　368
ブコビナの修道院群　170
ホレズ修道院　171
陽気な墓地　341
レバノン
神の杉の森　18
ロシア
アレクサンドル・ネフスキー大修道院　331
ウスペンスキー大聖堂　160
ウラジーミルの生神女　230
オストロミール福音書　88
キジ島の木造教会群　159
皇帝の礼拝堂　184
トローイツェ・セルギエフ修道院　96
ノボデビチ女子修道院　373

シク教
インド
アムリトサルの黄金寺院　213
パキスタン
ナンカナ・サヒーブ　95

ジャイナ教
インド
エローラ石窟寺院群　125
シュラバナベラゴラのゴーマテーシュワラ像　78
ハンピ　123
中国
カイラス山　40

儒教
台湾
文武廟　151
中国
曲阜　90
懸空寺　149
泰山　27

神道
日本
伊勢神宮　208
厳島神社　209
春日山原始林　18
太鼓の音　98
大仙古墳　326
秩父夜祭　278
ねぶた祭　280
富士山　40
米国
ジャパニーズ・ティー・ガーデン　324

ゾロアスター教
イラン
王宮の庭園跡　324

道教
台湾
文武廟　151
媽祖生誕祭　285
中国
懸空寺　149
泰山　27
天壇　148
媽祖生誕祭　285

南北米大陸固有の信仰
カナダ
ウッズ湖　10
カムルーパ・パウワウ　269
ハイダ・グワイ　202
グアテマラ
アティトラン湖　22
ティカルのマヤ神殿　52
マシモン　206
チリ
イースター島のモアイ　61
米国
ウッズ湖　10
ウーンデッド・ニーの虐殺地　320
感謝祭　300
クレーター・レイク　20
サン・エステバン祭　268
サンフランシスコ連峰　14
シャスタ山　40
首長たちの谷　54
セドナ　13
チャコ・キャニオンの集落跡　47
デナリ国立公園　17
デビルス・タワー　11
ハービン・ホット・スプリングス　358
ビッグ・サー　15
ビッグホーン・メディスン・ホイール　46
ブラック・ヒルズ　40
リトル・ビッグホーン戦場跡　318
ペルー
コイユル・リティ　241
ボリビア
太陽の島と月の島　23
メキシコ
ポポカテペトル山　21

バハイ教
イスラエル
バブ廟　100

ヒンドゥー教
インド
エレファンタ石窟寺院群　126
エローラ石窟寺院群　125

カジュラホのヒンドゥー教寺院
　　群　121
カニャークマリ　29
クリシュナ・ジャンマブーミ　91
クンバ・メーラ　291
塩の行進　254
サバリマラの丘　245
トリベーニー・サンガム　31
バイシュノ・デビ女神の洞窟
　　212
パンダルプルのビトーバ神祭り
　　293
ハンピ　123
ビシュワナート寺院　172
ビルラ・マンディール　172
プリーの山車祭り　292
ホーリー祭　289
マハーバリプラムの海岸寺院
　　154
ミーナークシ寺院　155
リシケシュ　371
インドネシア
アイル・バナス　24
アグン山　40
米の収穫祭　300
ブサキ寺院のオダラン　287
カンボジア
アンコール・ワット　114
スリランカ
アダムズ・ピーク　28
中国
エベレスト山　40
カイラス山　40
トリニダードトバゴ
ディワーリー　270
ネパール
エベレスト山　40
スワヤンブナート寺院　247
パキスタン
スーフィー聖者の廟　215
米国
ヒンドゥー教寺院の庭園　324
マレーシア
タイプーサム　286

仏教
インド
アジャンタ石窟寺院群　125
エローラ石窟寺院群　125
サンチー　122
ブッダガヤ　124
ラダックの僧院群　368
インドネシア
ボロブドゥールの仏教遺跡　243
英国
金剛経　88
オーストラリア
菩提樹の森僧院　365
カナダ
ガンポ僧院　356
韓国
燃灯祝祭　282

カンボジア
アンコール・ワット　114
スリランカ
アウカナ仏像　78
アダムズ・ピーク　28
聖なる菩提樹　18
ダンブッラの石窟寺院　126
仏歯寺　248
ポロンナルワ　128
タイ
アユタヤ　116
スコータイ遺跡　115
チャンタブリの果実祭　300
ワット・プラ・ケオ　153
中国
エベレスト山　40
カイラス山　40
カワカブ山　244
懸空寺　149
ジョカン寺　93
泰山　27
タシルンポ寺　368
提灯祭　278
敦煌莫高窟　117
普陀山　364
宝蓮寺　363
萬佛寺　152
楽山大仏　78
ラブラン寺　211
龍門石窟群　126
日本
永平寺　362
お盆　277
国東半島霊場巡り　242
高徳院の阿弥陀如来像　78
高野山金剛峯寺　361
三社祭　281
大仙院の枯山水庭　324
秩父夜祭　278
東大寺の盧舎那仏像　78
比叡山延暦寺　87
富士山　40
龍安寺石庭　324
鹿苑寺金閣　147
ネパール
エベレスト山　40
コパン僧院　368
スワヤンブナート寺院　247
ボダナートの大仏塔　370
ルンビニ　94
バングラデシュ
ソーマプラ大僧院　120
ブータン
タクツァン僧院　367
ツェチュ祭　288
米国
"禅の山"僧院　368
バーヴァナ・ソサエティ　357
ベトナム
テト　278
ミャンマー
シュエダゴン・パゴダ　158

チャイティーヨー・パゴダ　224
バガン　119

ボン教
中国
カイラス山　40
ナムツォ湖　26

ユダヤ教
イスラエル
アッベル・シナゴーグ　190
仮庵の祭り　300
ガリラヤ湖　37
死海文書　88
嘆きの壁　251
神殿の丘　103
プリム祭　294
ベト・アルファ・シナゴーグ　108
マサダ要塞跡　131
ヤド・バシェム　335
イタリア
カサーレ・モンフェッラートのシ
　　ナゴーグ　182
ウクライナ
サタニフのシナゴーグ跡　132
ジョウクバのシナゴーグ　178
エジプト
シナイ山　106
聖カタリナ修道院　165
スロバキア
トルナバのシナゴーグ　178
チェコ
ウシュチェクのシナゴーグ　178
旧新シナゴーグ　169
ドイツ
ベルリンのホロコースト記念碑
　　343
トルコ
アララト山　39
ハンガリー
セゲドの新シナゴーグ　178
ブダペストの大シナゴーグ　176
マードのシナゴーグ　178
ブルガリア
ソフィアの中央シナゴーグ　178
米国
トゥロ・シナゴーグ　140
ベト・ショロム・シナゴーグ　184
ボスニア・ヘルツェゴビナ
サラエボ・ハガダー　88
ポーランド
ティコチンのシナゴーグ　178
ベルゼク強制収容所跡　338
レム・シナゴーグ　178
ヨルダン
ネボ山　40
リトアニア
パクルオイスのシナゴーグ　178
ルーマニア
シレトのユダヤ人墓地　340
ボートシャニの大シナゴーグ
　　178

マオリ族の信仰
ニュージーランド
マウアオ山　40
ロトルア　35

ラスタファリズム
ジャマイカ
ナイヤビンギ　271

特定宗教にとらわれない場所
イタリア
サン・ミケーレ島　345
英国
セノタフ　318
カナダ
戦没者記念碑　318
トルコ
アンザック戦没者慰霊地　318
日本
広島平和記念公園　323
フランス
チープバル記念碑　318
ノルマンディー米兵墓地と記念
　　碑　318
ペール・ラシェーズ墓地　349
米国
アーリントン国立墓地　313
グラウンド・ゼロ　315
サーペント・マウンド　316
戦艦アリゾナ記念館　318
朝鮮戦争戦没者慰霊碑　318
ニューオーリンズの墓地　321
ベトナム戦争戦没者慰霊碑　317
リトル・ビッグホーン戦場跡　318
リバティ・メモリアル　318
ロスコ礼拝堂　184
ベルギー
メニン門記念碑　347
ポーランド
ワルシャワ蜂起記念碑　318
ロシア
ママエフの丘　332

索引

ア行

アイオナ島（英国）381
アイマラ族　23, 241
アイル・バナス
　（インドネシア）24-25
アウカナ仏像（スリランカ）78
アウサンガテ山
　（ペルー）240-241
アクスム（エチオピア）105
アクダマル島の聖十字架教会
　（トルコ）129
アクトゥン・トゥニチル・ムクナル
　（ベリーズ）126
アクロポリス（ギリシャ）68
アグン山（インドネシア）40
アコマ（米国）268
アサパスカ族　17
アジャンタ石窟寺院群
　（インド）125
アステカ　21, 48, 205, 273
アダムズ・ピーク（スリランカ）28
アッシジ（イタリア）227
　聖フランチェスコ　227, 259
アッペル・シナゴーグ
　（イスラエル）190
アティトラン湖
　（グアテマラ）22, 206
アテネ（ギリシャ）68, 298
アトス山（ギリシャ）110
アナサジ族　47
アナトリア（トルコ）39, 130
　岩窟教会群　130
アナング族　33
アパッチ族　13
アパレシーダの聖母
　（ブラジル）230
アビラ（スペイン）233
アーヘン大聖堂（ドイツ）180
アボリジニ　24, 32, 33, 54
アポロン神殿（イタリア）74
アポロン神殿（ギリシャ）69
アムリトサル（インド）213
アユタヤ（タイ）112-113, 116
アラスカ州　16-17
アラーハーバード
　（インド）31, 291
アラパホ族　318
アララト山（トルコ）39
アリスカン（フランス）350
アリゾナ州（米国）12-13, 14
アーリントン国立墓地
　（米国）310-311, 313
アルアクサ・モスク

　（イスラエル）103
アルカディ修道院
　（ギリシャ）375
アルメンドレスの環状列石
　（ポルトガル）81
アル・モアラッカ教会
　（エジプト）166
アレクサンドル・ネフスキー大修
　道院（ロシア）331
アレッツォ（イタリア）190
アンコール・ワット
　（カンボジア）114
アンザック戦没者慰霊地
　（トルコ）318
アンデックス修道院
　（ドイツ）368
アンヌ・ド・ブルターニュの祈祷書
　（米国）88
アンプヒマンガ
　（マダガスカル）24, 258
イエス・キリスト生誕の洞窟
　（ヨルダン川西岸地区）101
イェリング（デンマーク）337
石壺の平原（ラオス）44-45, 62
イースター島（チリ）60-61
イスタンブール
　（トルコ）107, 108, 162-163, 224
伊勢神宮
　（三重県）200-201, 208
イタリア人の礼拝堂（英国）230
イチジクの木（タンザニア）18
厳島神社（広島県）209
イマーム・フセイン廟
　（イラク）249
イマーム・レザー廟
　（イラン）218-219
イムナイドラ神殿（マルタ）71
イリノイ州（米国）172
岩のドーム
　（イスラエル）84-85, 102-103
インカ　56, 57, 146, 241
インカの聖なる谷（ペルー）57
インクワラ（スワジランド）300
ヴァンス大聖堂（フランス）108
ウィンザー（米国）142
ウィーン少年合唱団　98
ウェストバージニア州
　（米国）357
ウェストミンスター寺院
　（英国）188
ウェルズ（米国）142-143
ウシュグリ（グルジア）36
ウシュチェクのシナゴーグ
　（チェコ）178
ウスペンスキー大聖堂
　（ロシア）160
ウスマーンのコーラン

　（ウズベキスタン）88
ウッジャイン（インド）291
ウッズ湖（米国／カナダ）10
ウビル（オーストラリア）54
ウマイヤド・モスク（シリア）217
海の公現祭（イタリア）300
海の聖母祭り（イタリア）299
ウラジーミルの生神女
　（ロシア）230
ウルム大聖堂（ドイツ）172
ウル（オーストラリア）33
ウーンデッド・ニー（米国）320
永平寺（福井県）362
エウフラシウス聖堂
　（クロアチア）108
エクステルンシュタイネ
　（ドイツ）75
エステルゴム大聖堂
　（ハンガリー）175
エスフィグメヌ修道院
　（ギリシャ）110
エフェソス（トルコ）230
エベレスト山
　（ネパール／中国）40
エル・エスコリアルの聖ロレンソ
　修道院（スペイン）224
エルサレム（イスラエル）
　84-85, 88, 102-103, 190,
　250-251, 252, 300-301, 324,
　334-335
エレアノールの十字架
　（英国）254
エレファンタ石窟寺院群
　（インド）126-127
エローラ石窟寺院群
　（インド）124-125
オアハカ
　（メキシコ）272-273, 324
　民族植物園　324
王家の谷（エジプト）352-353
王宮の庭園跡（イラン）324
大みそかの祝祭（ブラジル）278
オークニー諸島（英国）230
オシオス・ルカス修道院
　（ギリシャ）108
オジブワ族　10
オシュン・オショグボの聖なる木立
　（ナイジェリア）18
オースティン（米国）88
オストロミール福音書
　（ロシア）88
オタワ　318
オックスフォード大学セント・メア
　リー教会（英国）172
オネガ湖（ロシア）159
オーバーアマガウ
　（ドイツ）296-297

オハイオ州（米国）316
オリパガンド（イタリア）300
オリャンタイタンボ（ペルー）57
オリンポス山（ギリシャ）40
オールド・ノース教会（米国）142
オルメカ人頭像（メキシコ）78
オレゴン州（米国）8-9, 20

カ行

カイラーサ寺院
　（インド）124-125
カイラス山（中国）40
カイロ（エジプト）166
カウアイ島（米国）324
ガウディ、アントニ　194
カサブランカ（モロッコ）172
カサーレ・モンフェッラートのシ
　ナゴーグ（イタリア）182
カザンラク（ブルガリア）342
樫の礼拝堂（フランス）18
カジュラホ（インド）121
春日山原始林（奈良県）18
カタ・ジュタ（オーストラリア）32
カッパドキア（トルコ）130
ガッラ・プラキディア廟
　（イタリア）108
カテドラルロック（米国）12-13
カトマンズ
　（ネパール）246-247, 370
カニグー山（フランス）42
カニャークマリ（インド）29
カフカス　36, 63, 97
鎌倉（神奈川県）78-79
カマルグ（フランス）307
上スバネティ地方（グルジア）36
神の杉の森（レバノン）18
ガムラ・ウプサラ
　（スウェーデン）336
カムループ・パウワウ
　（カナダ）269
カラカス（ベネズエラ）274
カラニッシュ（英国）76
ガーラープリー島
　（インド）126-127
仮庵の祭り
　（イスラエル）300-301
カーリエ博物館（トルコ）108
カリフォルニア州
　（米国）15, 40, 144, 324, 358
ガリラヤ湖（イスラエル）37
ガル・ビハーラ（スリランカ）128
カルデイ島（英国）383
カルナック（フランス）80
カルバラー（イラク）249
カルメル山（イスラエル）100
カレグ・ケネン城（英国）24

カワカブ山（中国）244
カンザスシティ（米国）318
ガンジス川（インド）30-31
感謝祭（米国）300
カンタベリー大聖堂
　（英国）254-255
カンダーリヤ・マハーデーバ寺院
　（インド）121
ガンポ僧院（カナダ）356
干満する泉（英国）24
キエフ（ウクライナ）98
キジ島の木造教会群
　（ロシア）159
「奇跡の神」祭り（ペルー）276
北アイルランド（英国）43
キブツ・ヘフチバ
　（イスラエル）108
キャンディ（スリランカ）248
旧新シナゴーグ
　（チェコ）168-169
救世主キリスト像（ブラジル）78
曲阜（中国）90
ギョレメ（トルコ）130
ギリシャ正教会の復活祭
　（ギリシャ）298
キリスト受難劇
　（ドイツ）296-297
キリマンジャロ
　（タンザニア）40
キルデア（アイルランド）24
金閣（京都府）147
グアダルーペの聖母大聖堂
　（メキシコ）204-205
クアラルンプール
　（マレーシア）286
クィーン・シャーロット諸島
　（カナダ）202
クエバ・デ・ラス・マノス
　（アルゼンチン）54
クエンカ大聖堂（スペイン）190
クシュ王国（スーダン）82
クスコ大聖堂
　（ペルー）138-139, 146
グーテンベルク聖書（米国）88
国東半島（大分県）242
クビレテ山への騎馬巡礼
　（メキシコ）237
クモラの丘（米国）86
グラウンド・ゼロ（米国）314-315
クラクフ（ポーランド）178, 254
グラストンベリー（英国）278
グラナダ（スペイン）324-325
クラマス族　8-9, 20
グラン・サン・ベルナール救護院
　（スイス）368
クリエベ（ベネズエラ）274
クリシュナ・ジャンマブーミ

　（インド）91
クリスタル・カテドラル
　（米国）144
クリー族　46
クリュニー修道院
　（フランス）134-135
グリーンフィールド（米国）142
グル・ナーナク　95
クレタ島（ギリシャ）126, 375
クレーター・レイク
　（米国）8-9, 20
クレムリン（ロシア）160, 184
黒い聖母像（ポーランド）221
クロウ族　46, 54
クロウ・パトリック山
　（アイルランド）254, 260
クンバ・メーラ
　（インド）31, 290-291
夏至祭（英国）278
ケチュア族　241
ケツァルコアトルの神殿
　（メキシコ）48
ゲッセマネの園
　（イスラエル）324
ケープ・ブレトン島（カナダ）356
ケルアンの大モスク
　（チュニジア）196-197
ケルズの書（アイルランド）88-89
ケルン大聖堂（ドイツ）222-223
ケルンのカルネバル
　（ドイツ）304
懸空寺（中国）149
ケンブリッジ大学キングス・
　カレッジ（英国）98
コイユル・リティ
　（ペルー）240-241
皇帝の礼拝堂（ロシア）184
高徳院の阿弥陀如来像
　（神奈川県）78-79
孔廟（中国）90
高野山金剛峯寺
　（和歌山県）360-361
ゴシック様式の聖遺物箱
　（米国）224
ゴスペル聖歌隊（米国）98
ゴゾ島（マルタ）70
古代トラキア人の墓
　（ブルガリア）342
古代ローマのカタコンベ
　（イタリア）346
コネティカット州（米国）142
コパカバーナ（ボリビア）275
コパカバーナ海岸
　（ブラジル）278-279
コパン僧院（ネパール）368
ゴーマテーシュワラ像
　（インド）78

米の収穫祭（インドネシア）300
コリキア洞窟（ギリシャ）126
コルドバ（スペイン）195
コンク（フランス）224
金剛経（英国）88
コンコルディア神殿
　（イタリア）73
コンセプシオン教会（米国）141
コンヤ（トルコ）295

サ行

サウスダコタ州（米国）40, 320
サグラダ・ファミリア教会
　（スペイン）194
サグラド・コラソン教会のキリスト
　像（スペイン）78
サクレ・クール寺院
　（フランス）193
サタニヴのシナゴーグ跡
　（ウクライナ）132
サバリマラの丘（インド）245
サプンツァ（ルーマニア）341
サーペント・マウンド
　（米国）316
サーマッラーの大モスク
　（イラク）172-173
サラエボ・ハガダー（ボスニア・
　ヘルツェゴビナ）88
サラゴサ（スペイン）308
サルデーニャ島（イタリア）24
サン・アントニオ・デ・ラ・フロリダ
　修道院（スペイン）184
サン・エステバン祭（米国）268
サン・ガルガーノ修道院
　（イタリア）133
サンクトペテルブルク
　（ロシア）88, 331
三社祭（東京都）281
サン・ジョバンニ・ロトンド
　（イタリア）228
サンタ・クローチェ・イン・ジェル
　サレンメ教会（イタリア）224
サンタ・マリア・マッジョーレ大聖
　堂（イタリア）108
サンタ・マリア・ラ・ブランカ教会
　（スペイン）309
サンダム記念礼拝堂（英国）184
サンタンヌ・ド・ボープレ大聖堂
　（カナダ）236
サンチー（インド）122
サンティアゴ・アティトラン
　（グアテマラ）206
サンティアゴ・デ・コンポステーラ
　大聖堂（スペイン）265
サント・ドミンゴ・デ・シロス修道
　院（スペイン）98

サン・ドナート大聖堂
　（イタリア）190
サントノラ島（フランス）378-379
サント・フォワ教会
　（フランス）224
サント・マドレーヌ聖堂
　（フランス）229
サント・マリー・デ・ラ・メール
　（フランス）307
サン・ピエトロ大聖堂
　（バチカン市国）183, 303
サン・ピエール礼拝堂
　（フランス）184
サン・ビターレ聖堂
　（イタリア）181
サン・フアン祭（スペイン）278
サン・フアン祭（ベネズエラ）274
サン・フアン・デ・ラペーニャ修道
　院（スペイン）368
サン・フェルナンド
　（フィリピン）283
サンフランシスコ（米国）324
サンフランシスコ山脈
　（メキシコ）54
サンフランシスコ連峰（米国）14
サン・マルコ大聖堂
　（イタリア）302
サン・マルタン・デュ・カニーグ修
　道院（フランス）42
三位一体礼拝堂（エジプト）106
サン・ミケーレ・アルカンジェロ聖
　堂（イタリア）126
サン・ミケーレ島（イタリア）345
ジェンネの泥モスク（マリ）198
塩の教会（コロンビア）145
塩の行進（インド）254
死海文書（イスラエル）88
シカゴ教会堂（米国）172
死者の書（米国）88
「死者の日」祭り
　（メキシコ）272-273
システィーナ礼拝堂
　（バチカン市国）184
シセロ神父像（ブラジル）207
シチリア（イタリア）
　72-73, 108, 306
シッチェスのカルナバル
　（スペイン）304
シドニー（オーストラリア）190
シナイア修道院
　（ルーマニア）368
シナイ山（エジプト）106, 165
シパン王の墓（ペルー）322
シャイアン族　46, 318
ジャイアンツ・コーズウェー
　（英国）43
シャスタ山（米国）40

ジャニ（ラトビア） 278
ジャネ川流域のドルメン
　（ロシア） 63
ジャパニーズ・ティー・ガーデン
　（米国） 324
ジャハーン・ナーマ庭園
　（イラン） 324
ジャムのミナレット
　（アフガニスタン） 172
シャルトル大聖堂
　（フランス） 189
ジュアゼイロ・ド・ノルチ
　（ブラジル） 207
宗教改革 111
十字架の丘（リトアニア） 220
十字架の道（フィリピン） 283
修道士の聖歌隊
　（ウクライナ） 98
シュエジーゴン・パゴダ
　（ミャンマー） 119
シュエダゴン・パゴダ
　（ミャンマー） 158
ジュガンティーヤ神殿
　（マルタ） 70
首長たちの谷（米国） 54
ジュピター神殿（レバノン） 65
シュラバナベラゴラ（インド） 78
ジョウクバのシナゴーグ
　（ウクライナ） 178
ジョカン寺（中国） 92-93
ショショニ族 46
ショナ族 18
シーラーズ（イラン） 324
シレトのユダヤ人墓地
　（ルーマニア） 340
シワ・オアシス（エジプト） 386
真珠湾（米国） 318-319
神殿の丘（イスラエル）
　84-85, 102-103, 251
神殿の谷（イタリア） 72-73
清東陵（中国） 328-329
シンドネ礼拝堂
　（イタリア） 224
スクロベーニ礼拝堂
　（イタリア） 184-185
スケリッグ・マイケル
　（アイルランド） 384-385
スコータイ遺跡（タイ） 115
スー族 340
スターリングラード攻防戦 332
スティグマータ礼拝堂
　（イタリア） 259
ステルムジェの樫の木
　（リトアニア） 18
ストウ・コミュニティー教会
　（米国） 142
ストーンヘンジ（英国） 77

スーフィー聖者の廟
　（パキスタン） 214-215
スルタン・アフメト・モスク
　（トルコ） 162-163
スワヤンブナート寺院
　（ネパール） 246-247
聖アナニア教会（シリア） 216
聖ウィニフレッドの泉（英国） 24
聖ウルスラの聖遺物箱
　（ベルギー） 224
聖エチミアジン大聖堂
　（アルメニア） 97
聖カタリナ修道院
　（エジプト） 165
聖ゲオルギウス教会
　（アテネ） 298
聖ゲオルギウス教会
　（ギリシャ ミストラ） 161
聖コロマン教会（ドイツ） 177
聖セバスティアーノ教会
　（イタリア） 184
聖者たちの道（ポーランド） 254
聖ソフィア大聖堂（トルコ） 107
生誕教会
　（ヨルダン川西岸地区） 101
聖テレサ修道院（スペイン） 233
聖なる井戸（イタリア） 24
聖なる菩提樹（スリランカ） 18
聖パウロの洞窟（マルタ） 126
聖パウロの道（トルコ） 254
聖パトリックの足跡
　（アイルランド） 254
聖ビート大聖堂（チェコ） 190
聖フランチェスコ大聖堂
　（イタリア） 227
聖ブリギッドの泉
　（アイルランド） 24
聖墳墓教会（イスラエル） 252
聖墳墓山修道院（米国） 324
聖ベルナデッタ 264
聖母マリアの家（トルコ） 230
聖母マリアの祝祭
　（ボリビア） 275
聖母を祭る教会群（マルタ） 230
聖ヤコブの巡礼路
　（スペイン） 265
聖ワンドリュー修道院
　（フランス） 98
世界貿易センタービル
　（米国） 315
セクワブミック（シュスワプ）族 269
セゲドの新シナゴーグ
　（ハンガリー） 178-179
セドナ（米国） 12-13
セドレツ納骨堂（チェコ） 339
セネガンビアの環状列石

（セネガル／ガンビア） 83
セノタフ（英国） 318
セビリアの聖週間
　（スペイン） 309
セヘワーン・シャリーフ
　（パキスタン） 214-215
戦艦アリゾナ記念館
　（米国） 318-319
セント・ポール聖公会教会
　（米国） 142-143
セント・マーチン教会
　（英国） 190
セント・メアリーズ大聖堂
　（オーストラリア） 190
セントルイス大聖堂（米国） 108
旋回舞踏の儀式（トルコ） 295
戦没者記念碑（カナダ） 318
"禅の山"僧院（米国） 368
ソウル（韓国） 282
ソソコトラン墓地
　（メキシコ） 272-273
ソフィアの中央シナゴーグ
　（ブルガリア） 178
ソフ・オマール洞窟
　（エチオピア） 126
ソーマプラ大僧院
　（バングラデシュ） 120
ソールズベリー大聖堂
　（英国） 172

タ行

第一会衆派教会（米国） 142
第一教会（米国） 142
第一キリスト教会（米国） 142
第一バプテスト教会（米国） 142
泰山（中国） 27
大スフィンクス（エジプト） 78
大仙院（京都府） 324
大仙古墳（大阪府） 326
タイプーサム（マレーシア） 286
太陽の島と月の島
　（ボリビア） 23
タクツァン僧院
　（ブータン） 366-367
ダグラス温泉自然公園
　（オーストラリア） 24
タシケント（ウズベキスタン） 88
タージ・マハル（インド） 330
タシルンポ寺（中国） 368
タッシリ・ナジェール
　（アルジェリア） 54
タナ・トラジャの断崖墓地
　（インドネシア） 327
タヌム（スウェーデン） 54-55
タプタプアテア
　（フランス領ポリネシア） 59

ダブリン（アイルランド） 88
ダマスカス（シリア） 216, 217
ダンブッラの石窟寺院
　（スリランカ） 126
チェンストホーバ
　（ポーランド） 221
地図の教会（ヨルダン） 108
チーズの塔（フランス） 134-135
チチェン・イッツァ
　（メキシコ） 24
秩父夜祭（埼玉県） 278
チーブパル記念碑
　（フランス） 318
チフビン墓地（ロシア） 331
チベット自治区（中国）
　26, 40, 92-93, 244, 368
チャイティーヨー・パゴダ
　（ミャンマー） 224-225
チャコ・キャニオン（米国） 47
チャンタブリの果物祭
　（タイ） 300
朝鮮戦争戦没者慰霊碑
　（米国） 318
提灯祭（中国） 278
ツェチュ祭
　（ブータン） 266-267, 288
ツォデイロの丘（ボツワナ） 54
ティカルのマヤ神殿
　（グアテマラ） 52
ティコチンのシナゴーグ
　（ポーランド） 178
ティティカカ湖
　（ボリビア） 23, 275
ティルパッルバル（インド） 29
ティワナク（ボリビア） 53
ディワーリー
　（トリニダードトバゴ） 270
テオティワカン（メキシコ） 48
テキサス州（米国） 88, 141, 184
テゼ共同体（フランス） 377
テト（ベトナム） 278
デナリ国立公園（米国） 16-17
デビルス・タワー（米国） 11
デブレ・シオン修道院
　（エチオピア） 387
天壇（中国） 148
ドゥオーモ（イタリア） 186-187
東大寺の盧舎那仏像
　（奈良県） 78
東方三博士の聖遺物箱
　（ドイツ） 222-223
トゥーラ（メキシコ） 49
トウロ・シナゴーグ（米国） 140
トップ10
　岩に描かれた絵 54
　巨大な聖像 78
　芸術家の礼拝堂 184

心を打つ響き 98
山上の僧院 368
四旬節前の祝祭 304
収穫祭 300
神聖な庭園 324
ステンドグラス 190
聖遺物箱 224
聖なる泉 24
聖なる樹木 18
聖なる塔 172
聖なる洞窟 126
聖なる文書 88
聖なるモザイク画 108
聖なる山 17
聖母を祭る場所 230
世界の夜祭り 278
戦争記念碑 318
東欧のシナゴーグ 178
ニューイングランドの歴史ある
　教会 142
歴史を彩る巡礼 254
トプカプ宮殿（トルコ）224
ドブロブニク大聖堂
　（クロアチア）224
トラパーニの聖金曜日
　（イタリア）306
トリノ大聖堂（イタリア）224
トリベーニー・サンガム
　（インド）30-31
トルテック 49
トルナバのシナゴーグ
　（スロバキア）178
トレド大聖堂
　（スペイン）190-191
トロイツェ・セルギエフ修道院
　（ロシア）96
トロードス山の壁画教会群
　（キプロス）164
トロ・ブレイズ（フランス）261
敦煌莫高窟（中国）117
ドン・コサック合唱団
　（ドイツ）98

ナ行

ナイヤビンギ（ジャマイカ）271
嘆きの壁（イスラエル）
　84-85, 250-251
ナスカの地上絵（ペルー）58
ナニーの巻物（米国）88
ナバホ族 13
ナムツォ湖（中国）26
ナンカナ・サヒーブ
　（パキスタン）95
ニオー洞窟（フランス）54
ニューエイジ運動 13, 15, 358
ニューオーリンズ

　（米国）304, 321
ニューグレンジ（アイルランド）
　351
ニューデリー（インド）172
ニューハンプシャー州
　（米国）142
ニューポート（米国）140
ニューメキシコ州（米国）47, 268
ニューヨーク市（米国）88, 98,
　224, 314-315
ニューヨーク州（米国）86, 368
ネヴェの森（フランス）18
ねぶた祭（青森県）280
ネボ山（ヨルダン）40
ネムルート山（トルコ）333
燃灯祝祭（韓国）282
ノーザン・テリトリー（オーストラ
　リア）24, 32, 33, 54
ノバスコシア州（カナダ）356
ノボデビチ女子修道院
　（ロシア）372-373
ノルマンディー米兵墓地と記念碑
　（フランス）318

ハ行

バイエルン地方（ドイツ）177
バイシュノ・デビ女神の洞窟
　（インド）212
ハイダ・グワイ（カナダ）202
バーヴァナ・ソサエティ
　（米国）357
パエストゥム（イタリア）74
バオバブの並木道
　（マダガスカル）18-19
バガン（ミャンマー）118-119
パクルオイスのシナゴーグ
　（リトアニア）178
ハジャー・イム神殿（マルタ）71
ハズラト・ラール・シャハバー
　ズ・カランダル廟
　（パキスタン）214-215
ハッサン2世のモスク
　（モロッコ）172
ハッジ（サウジアラビア）253
バッハ音楽祭（ドイツ）98
パドバ（イタリア）184-185
バードシャーヒー・モスク
　（パキスタン）156-157
パトラスのカーニバル
　（ギリシャ）304
パナギア・フォルビオティッサ教会
　（キプロス）164
花と果物の祭り
　（エクアドル）304
花の聖母マリア大聖堂
　（イタリア）186-187

パネシージョのマリア像
　（エクアドル）78
ハービン・ホット・スプリングス
　（米国）358
バブ廟（イスラエル）100
バーモント州（米国）142-143
パラティーナ礼拝堂
　（イタリア）108-109
バラナシ（インド）172
ハラム・モスク（サウジアラビア）
　234-235, 253
ハーラル青歯王の石碑
　（デンマーク）337
パリ（フランス）
　192, 193, 348-349
　ノートルダム大聖堂 192
バリ島（インドネシア）
　24-25, 40, 287, 300
ハリドワール（インド）291
バルカモニカ（イタリア）54
ハル・サフリエニの地下墳墓
　（マルタ）344
バルセロナ（スペイン）78, 194
パルテノン神殿（ギリシャ）68
パルナッソス山
　（ギリシャ）69, 126
春の夜祭り（メキシコ）278
バールベック（レバノン）65
パレルモ（イタリア）108-109
パレンケ（メキシコ）50-51
ハワイ州（米国）318-319, 324
バンコク（タイ）153
バーンステーブル会衆派西教区
　教会（米国）142
万聖教会（チェコ）339
ハンタルプルのビトーバ神祭り
　（インド）293
ハンピ（インド）123
比叡山延暦寺（滋賀県）87
ビエリチカ岩塩坑
　（ポーランド）167
ピオ神父巡礼教会
　（イタリア）228
ビシュヌ神 354-355
ビシュワナート寺院（インド）172
ビッグ・サー（米国）15
ビッグホーン・メディスン・ホイー
　ル（米国）46
ビッテンベルク城教会
　（ドイツ）111
ビハール州（インド）254
碑文の神殿（メキシコ）51
ビムベトカ（インド）54
ヒューストン（米国）184
ヒラーの洞窟
　（サウジアラビア）104
ピラール祭（スペイン）308

ビルパークシャ寺院
　（インド）123
ビルフランシュ（フランス）184
ビルラ・マンディール
　（インド）172
ピレネー山脈 42, 264, 265
広島平和記念公園 323
ヒンドゥー教寺院の庭園
　（米国）324
ファッシング（ドイツ）304
ファティマの聖母
　（ポルトガル）230-231
フィレンツェ（イタリア）186-187
フィンドホーン共同体
　（英国）380
フェズ祭（モロッコ）98
フォン・ド・ゴーム洞窟
　（フランス）126
ブコビナの修道院群
　（ルーマニア）170
ブサキ寺院（インドネシア）287
富士山（静岡県／山梨県）40-41
普陀山（中国）364
ブダペストの大シナゴーグ
　（ハンガリー）176
復活祭のミサ
　（バチカン市国）303
福建省（中国）285
仏歯寺（スリランカ）248
ブッダガヤ（インド）254
船乗りの礼拝堂（米国）142
ブラウン長老派記念教会
　（米国）299
ブラック・ヒルズ（米国）40
ブラックフット族 46
プラハ（チェコ）168-169, 190
ブリティッシュ・コロンビア州
　（カナダ）202, 269
プリーの山車祭り（インド）292
プリマス・プランテーション
　（米国）300
プリム祭（イスラエル）294
ブリンダバン（インド）289
ブルージュ（ベルギー）224
ブルターニュ（フランス）80, 261
文武廟（台湾）150-151
平和の聖母大聖堂
　（コートジボワール）199
北京（中国）148
ベズレー（フランス）229
別府温泉（大分県）359
ベツレヘム
　（ヨルダン川西岸地区）101
ベト・ショロム・シナゴーグ
　（米国）184
ベト・アルファ・シナゴーグ
　（イスラエル）108

索引 | 397

ベトナム戦争戦没者慰霊碑
　（米国）317
ペトラ（ヨルダン）66-67
ベネチア（イタリア）
　184, 302, 304, 345
　カルネバーレ　304
　聖夜のミサ　302
ヘネラリフェ庭園
　（スペイン）324-325
ベルゼク強制収容所跡
　（ポーランド）338
ペール・ラシェーズ墓地
　（フランス）348-349
ベルリンのホロコースト記念碑
　（ドイツ）154
ペンシルベニア州（米国）184
ベンディミア
　（アルゼンチン）300
宝蓮寺（香港）363
北米先住民　10, 11, 13, 14, 15,
　17, 20, 40, 46, 47, 54, 184, 202,
　268, 269, 300, 312, 318, 320,
　358
ボストン（米国）142
菩提樹の森僧院
　（オーストラリア）365
ボダナートの大仏塔
　（ネパール）370
ポートシャニの大シナゴーグ
　（ルーマニア）178
ホピ族 13
ポポカテペトル山（メキシコ）21
ホーリーウェル（英国）24
ホーリー祭（インド）289
ボルグン・スターブ教会
　（ノルウェー）172
ボルティモア（米国）190
ホレズ修道院（ルーマニア）171
ポレチ（クロアチア）108
ホロコースト　334-335, 343
ボロブドゥール
　（インドネシア）243
ホロン（イスラエル）294
ポロンナルワ（スリランカ）128
香港（中国）152, 363
ボン・ジェズス・ダ・ラパ
　（ブラジル）238

マ行

マウアオ山
　（ニュージーランド）40
マオリ族　35, 40
マサイ族　18
マサダ要塞跡（イスラエル）131
マサチューセッツ州
　（米国）142, 300

マシモン（グアテマラ）206
魔女の夜祭り（メキシコ）278
媽祖生誕祭
　（中国／台湾）284-285
マダバ（ヨルダン）108
マチュ・ピチュ（ペルー）56
マデイラ島の花祭り
　（ポルトガル）300
マトゥラー（インド）91
マドゥライ（インド）155
マードのシナゴーグ
　（ハンガリー）178
マドリード（スペイン）184, 224
マハーバリプラムの海岸寺院
　（インド）119
ママエフの丘（ロシア）332
マヤ　22, 24, 51, 52, 126, 206
マラムバテムワ（ジンバブエ）18
マーリー、ボブ　271
マリアム・シオン教会
　（エチオピア）105
マルウィヤ・ミナレット
　（イラク）172-173
マルディ・グラ（米国）304
マルティニクのカーニバル　304
萬佛寺（香港）152
ミウォク族　358
ミストラ（ギリシャ）161
ミズーリ州（米国）108, 318
ミーティング・ハウス（米国）142
ミーナークシ寺院（インド）155
ミネソタ州（米国）10
ミノア人の洞窟群
　（ギリシャ）126
ミラ（トルコ）64
無原罪の御宿りの聖母大聖堂
　（米国）203
ムンク島（ノルウェー）374
メキシコ市　204-205, 278
メスキータ（スペイン）195
メッカ（サウジアラビア）
　234-235, 253
メディナ（サウジアラビア）256
メテオラ修道院群
　（ギリシャ）368-369
メニン門記念碑（ベルギー）347
メリーランド州（米国）190
メロエの古代ピラミッド
　（スーダン）82
メンドーサ（アルゼンチン）300
モアイ（チリ）60-61
黙示録の洞窟（ギリシャ）226
モスクワ（ロシア）
　160, 184, 230, 372-373
モチェ　322
モファット伝道所
　（南アフリカ）254

モルモン開拓者の道（米国）254
モン・サン・ミシェル
　（フランス）262-263
モン州（ミャンマー）224-225
モンセギュール（フランス）136
モンタナ州（米国）54, 318
モンテカッシーノ修道院
　（イタリア）376

ヤ行

ヤズルカヤ（トルコ）38
ヤド・バシェム
　（イスラエル）334-335
ヤババイ族　13
ヤンゴン（ミャンマー）158
陽気な墓地（ルーマニア）341
預言者のモスク
　（サウジアラビア）256
ヨルバ族　18

ラ行

ライプチヒ（ドイツ）98
楽山大仏（中国）78
ラコタ族　318, 320
ラザルス墓地（ロシア）331
ラ・サレットのノートルダム聖堂
　（フランス）230
ラスタファリズム
　（ジャマイカ）271
ラダックの僧院群（インド）368
ラットレル詩篇（英国）88
ラブラン寺（中国）211
ラ・ベンタ（メキシコ）78
ラベンナ（イタリア）108, 181
ラマス祭（英国）300
ラ・モレネータ（スペイン）232
ラリベラの岩窟教会群
　（エチオピア）257
ランス・アムールの塚
　（カナダ）312
リーヴォー大修道院（英国）137
リオデジャネイロ（ブラジル）
　78, 278-279, 304-305
リシケシュ
　（インド）354-355, 371
リトル・ビッグホーン戦場跡
　（米国）318
リバティ・メモリアル（米国）318
リバプール大聖堂（英国）190
リマ（ペルー）276
龍門石窟群（中国）126
リュキアの石窟墓（トルコ）64
龍安寺石庭（京都府）324
リラ修道院
　（ブルガリア）24, 368

隠者の洞窟　24
リンディスファーン島
　（英国）382
ルイジアナ州（米国）304, 321
ルイス島（英国）76
ルター、マルチン　111
ルルド（フランス）264
ルンビニ（ネパール）94
レイラトゥル・バラー
　（パキスタン）278
レム・シナゴーグ
　（ポーランド）178
レモ（インドネシア）327
ろうそくの聖母教会
　（ボリビア）275
ロカマドールの黒い聖母像
　（フランス）230
ロザリオ礼拝堂（フランス）184
ロスコ礼拝堂（米国）184
ロッキンガムの涙の聖母像
　（オーストラリア）230
ロードアイランド州
　（米国）140, 142
ロトルア
　（ニュージーランド）34-35
ロ・バスケス聖母教会
　（チリ）239
ロマ　307, 338
ローマ（イタリア）108, 224, 346
ロム・スターブ教会
　（ノルウェー）174
ロレットの聖家（イタリア）230
ロンドン
　（英国）88, 188, 254, 318
ロンバルディアの鉄王冠
　（イタリア）224

ワ行

ワイオミング州（米国）11, 46
ワシントンD.C（米国）190, 203,
　254, 317, 318, 324
ワシントン国立大聖堂
　（米国）190
ワシントン大行進（米国）254
ワッシュ（ガンビア）83
ワット・プラ・ケオ（タイ）153
ワット・ヤイ・チャイ・モンコン
　（タイ）116
ワルシャワ蜂起記念碑
　（ポーランド）318
ワン湖（トルコ）129

執筆者と写真のクレジット

執筆者

Jill Anderson
Lisa Armstrong
Steven Baker
Eleanor Berman
Monica Bhide
Hannah Bowen
Mary Frances Budzik
Kim Burstein
Riazat Butt
Karryn Cartelle
Marolyn Charpentier
Kathy Chin Leong
Helen Douglas-Cooper
Denise Dube
William Dupont
Polly Evans
Kay Fernandez
Mary Frances Budzik
Paul Franklin
Ellen Galford
Robin Gauldie
Dan Gilpin
Margie Goldsmith
Ruth Ellen Gruber
Lisa Halvorsen
Solange Hando
John Haywood
Randy B. Hecht
Tom Jackson
Laura Kearney
Andrew Kerr-Jarrett
Judy Kirkwood
Tom Le Bas
Susan McKee
Anne McKenna
Antony Mason
Nancy Mikula
Peter Neville Hadley
Theresa Pasqual
Bethanne Patrick
Zoe Ross
Richard Rubin
Sathya Saran
Amy Smith
Peter Sommers
David St Vincent
Linda Tagliaferro
Alex Talavera (translated by Randy B. Hecht)
Pat Tanumipaja
Jenny Waddell
Joby Williams
Joe Yogerst

写真のクレジット

略号:

GI (Getty Images); LPI (Lonely Planet Images); RH (Robert Harding).

1 左から右に: Anwar Hussein/EMPICS Entertainment/PA Photos; Andre Jenny/Alamy; Jon Arnold Images/Photolibrary Group; Mike Norton/Shutterstock; joSon/GI; Jon Arnold Images/Photolibrary Group. **2-3** Hoberman Collection/Corbis. **4** Chung Sung-Jun/GI. **5** David Carriere/Photolibrary Group (1); Nevada Wier/Corbis (2); Schmid Reinhard/4Corners (3); Steve Vidler/Photolibrary Group (4); Francesco Venturi/Corbis (5); Michael Freeman/Corbis (6); Zainal Abd Halim/Corbis (7); Nevada Wier/Corbis (8); Rob Bourdreau/GI (9); © Paul Beinssen/LPI (10). **6** Ahmad Al-Rubaye/GI. **8-9** Index Stock Imagery/Photolibrary Group. **10** WorldFoto/Alamy. **11** Bill Ross/Corbis. **12** Tim Harris/GI. **13** George H. H. Huey/Corbis, L; Buddy Mays/Corbis,R. **14** David Muench/Corbis. **15** Chris Rodenberg Photography/Shutterstock. **16** Alaska Stock Images/Photolibrary Group. **17** Tim Heacox/GI. **19** Gallo Images/Corbis. **20** Larry Neubauer/Corbis. **21** Carolyn Brown/GI. **22** F1 Online/Alamy. **23** Joe Blit/Shutterstock. **25** Al Rod/Corbis. **26** Sam Stearman. **27** Lowell Georgia/Corbis. **28** The Travel Library/Rex Features. **29** Australian Only/Paul Nevin/Photolibrary Group. **30** Kazuyoshi Nomachi/Corbis. **31** Kazuyoshi Nomachi/Corbis, L; Edward North/Alamy, R. **32** John Carnemolla/Australian Picture/Corbis. **33** Larry Williams/zefa/Corbis. **34** Tomas del Amo / Alamy. **35** © David Wall/LPI, L; © Michael Gebicki/LPI, R. **36** Fred Bruemmer / Still Pictures. **37** Jon Arnold Images / Alamy. **38** Vanni Archive/Corbis. **39** Reza Webistan/Corbis. **41** Hiroshi Ichikawa/Shutterstock. **42** Fridmar Damm/zefa/Corbis. **43** imagebroker/Alamy. **44-45** Nevada Wier/Corbis. **46** © Jim Wark/LPI. **47** Yann Arthus Bertrand/Corbis. **48** Gordon Galbraith/Shutterstock. **49** Pacific Stock/Photolibrary Group. **50** JTB Photo/Photolibrary Group. **51** Colman Lerner Gerado/Shutterstock, L; World Pictures/Alamy,R. **52** Michael Zysman/Shutterstock. **53** N.J.Saunders/Werner Forman Archive. **55** Anders Blomqvist/Photolibrary Group. **56** Jarno Gonzalez Zarraonandia/Shutterstock. **57** JTB Photo/Photolibrary Group. **58** Yann Arthus-Bertrand/Corbis. **59** Douglas Peebles/Corbis. **60** F1 Online/Photolibrary Group. **61** Jose Alberto Tejo/Shutterstock. **62** Colin Brynn/RH. **63** Vladimir Sidoropolev. **64** Index Stock Imagery/Photolibrary Group. **65** Charles Bowman/RH. **66** Jon Arnold Images/Photolibrary Group. **67** Lindsay Hebberd/Corbis, L; Mauritius/Die Bildagentur/Photolibrary Group, R. **68** Photononstop/Photolibrary Group. **69** Ken Gillham/RH. **70** © Patrick Syder/LPI. **71** Hans Georg Roth/Corbis. **72** Taxi/Vincenzo Lombardo/GI. **73** Sergio Pitamitz/Corbis. **74** Laura Frenkel/Shutterstock. **75** Fridmar Damm/zefa/Corbis. **76** Patrick Dieudonne/RH. **77** Skyscan/Corbis. **79** JTB Photo/Photolibrary Group. **80** Adam Woolfitt/RH. **81** Jane O'Callaghan/RH. **82** Michael Freeman/Corbis. **83** McPhoto/Still Pictures. **84-85** SIME/Schmid Reinhard/4Corners. **86** Philip Scalia/Alamy. **87** JTB Photo/Photolibrary Group. **89** © The Board of Trinity College, Dublin, Ireland/The Bridgeman Art Library. **90** Panorama Media (Beijing)/Photolibrary Group. **91** Dinodia/Art Directors. **92** Rob Howard/Corbis. **93** Craig Lovell/Corbis, L; Steve Allen Travel Photograph/Alamy, R. **94** Pep Roi/Alamy. **95** AP Photo/PA Photos. **96** SIME/Grafenhain Gunter/4Corners. **97** Kim Berstein. **99** Suzanne Held/akg-images, London. **100** E Simanor/Robert Harding/Corbis. **101** Alvaro Barrientos/AP/PA Photos. **102** Photographer's Choice/Sylvain Grandadam/GI. **103** Sandro Vannini/Corbis. **104** AMR NABIL/AP/PA Photos. **105** Andrew Holt/Alamy. **106** Israel Images/Alamy. **107** © Peter Ptschelinzew/LPI. **109** De Agostini/GI. **110** Yann Arthus Bertrand/Corbis. **111** akg-images, London. **112-113** Steve Vidler/Imagestate/Photolibrary Group. **114** Vladimir Korostyshevkiy/Shutterstock. **115** Anthony Cassidy/Photographer's Choice/GI. **116** Steve Vidler/Imagestate/Photolibrary Group. **117** Weibiao Hu/Panorama Stock/Photolibrary Group. **118** Radius Images/Photolibrary Group. **119** Photoshot, L; Christian Kober/RH, R. **120** Mustafiz Mamun/Majority World/Still Pictures. **121** © Chris Mellor/LPI. **122** JTB Photo/Photolibrary Group. **123** Hemis/Photolibrary Group. **124** © Richard I'Anson/LPI. **125** Luca Tettoni/Corbis, L; Lindsay Hebberd/Corbis, R. **127** Christophe Boisvieux/Corbis. **128** JTB Photo/Photolibrary Group. **129** AP Photo/Burhan Ozbilici/PA Photos. **130** Gianni Dagli Orti/The Art Archive. **131** Joseph Calev/Shutterstock. **132** Ruth Ellen Gruber. **133** Arcangel Images/Marco Scataglini/Photolibrary Group. **134** Travel Library/RH. **135** Richard Wadey/Alamy, L; Sandro Vannini/Corbis, R. **136** De Riehemond/Andia/Still Pictures. **137** AA World Travel Library/TopFoto. **138-139** Francesco Venturi/Corbis. **140** Bob Krist/Corbis. **141** Ethel Davies/RH. **143** Andre Jenny/ Alamy. **144** Catherine Karnow/Corbis. **145** Philippe Eranian/Corbis. **146** Peter Adams/Jon Arnold Images/Photolibrary Group. **147** Peter Adams/Jon Arnold Images/Photolibrary Group. **148** Tibor Bognar/Art Directors. **149** Christophe Boisvieux/Corbis. **150** Kenichi Minoruda/AFLO **151** Lonely Planet Images /Martin Moos, L; Helene Rogers/Art Directors, R. **152** Axiom Photographic Agency/Mark Thomas/GI. **153** National Geographic/Paul Chesley/GI. **154** Wolfgang Kaehler/Corbis. **155** F1 Online/ URF/Photolibrary Group. **156** K M Chaudhry/AP/PA Photos. **157** Michele Falzone/Alamy, L; Ed Kashi/Corbis, R. **158** © Ryan Fox/LPI. **159** Ellen Rooney/RH. **160** Andrew McConnell / Alamy. **161** Authors Image/RH. **162** SIME/Da Ros Luca/4Corners. **163** Index Stock Imagery Michele Burgess/Photolibrary Group. **164** F1 Online/Colorvision/Photolibrary Group. **165** Jose Fuste Raga/Corbis. **166** Rex Allen / Alamy. **167** Photoshot. **168** Nathan Benn/Corbis. **169** © Richard Nebesky/LPI, L/R. **170** Melvyn Longhurst/Alamy. **171** © age fotostock/SuperStock. **173** Richard Ashworth/Robert Harding World Imagery/Corbis. **174** Thomas David Pinzer / Alamy. **175** Photoshot. **176** Jozsef Toth/Rex Features. **177** Guenter Rossenbach/zefa/Corbis. **179** Bernard O'Kane/Alamy. **180** Photoshot. **181** JTB Photo/Photolibrary Group. **182** CuboImages/RH. **183** Jon Arnold Images/Photolibrary Group. **185** Scrovegni Chapel Padua/Alfredo Dagli Orti/The Art Archive. **186** Photoshot. **187** Fred de Noyelle /Godong/Corbis, L; SIME/Baviera Guido/4Corners, R. **188** Photoshot. **189** SIME/Ripani Massimo/4Corners. **191** Sonia Halliday Photographs. **192** Craig Thomas/Index Stock Imagery/Photolibrary Group. **193** Photoshot. **194** Travel Library/RH. **195** SIME/Giovanni Simeone/4Corners. **196** Michael Nicholson/Corbis. **197** Photoshot, L; Liquid Light/Alamy, R. **198** Gavin Hellier/JAI/Corbis. **199** LEPETIT Christophe/Hemis/Photolibrary Group. **200-201** Michael Freeman/Corbis. **202** Franklin Viola/Photolibrary Group. **203** William S Kuta/Alamy. **204** Robert Harding/Photolibrary Group. **205** Robert Harding/Photolibrary group, L; Mireille Vautier, R. **206** Reuters/Corbis. **207** Tony Morrison/South American Pictures. **208** ©Tomomi Saito/SEBUN PHOTO/amanaimages **209** Chris Rennie/ArkReligion.com. **210** © Krzysztof Dydynski/LPI. **211** Robert Preston/Alamy, L; Photoshot, R. **212** Indiapicture/Anand/Alamy. **213** Jeremy Bright/RH. **214** Bruno Morandi/Reportage/GI. **215** Bruno Norandi/Reportage/GI. **216** Christopher Rennie/RH. **217** Geoffrey Morgan/Alamy. **218** Michael Good/ArkReligion.com. **219** Robert Harding. **220** Gary Cook/RH. **221** Photoshot. **222** Cologne Cathedral, Germany/The Bridgeman Art Library. **223** Robert Harding/Yadid Levy/Photolibrary Group, L; Heiko Specht/VISUM/Still Pictures, R. **225** Daryl Benson/Photographer's Choice/GI. **226** Gianni Dagli Orti/The Art Archive. **227** San Francesco, Assisi, Italy, Giraudon/The Bridgeman Art Library. **228** Paul Raftery/Photolibrary Group. **229** Christophe Boisvieux/Corbis. **230** Reuters/Corbis. **232** Photoshot. **233** Tibor Bognar/ArkReligion.com. **234-235** Zainal Abd Halim/Reuters/Corbis. **236** Jonathan Blair/Corbis. **237** David Alan Harvey/National Geographic Image Collection. **238** Ricardo Siqueira/BrazilPhotos/Alamy. **239** Eliseo Fernandez/Reuters/Corbis. **240** Kazuyoshi Nomachi/Corbis. **241** Ira Block/National Geographic/GI, L; Kazuyoshi Nomachi/Corbis, R. **242** DAJ/GI. **243** JTB Photo/Photolibrary Group. **244** Travel Ink/GI. **245** Chinju/digipix/Alamy. **246** Pep Roig/Alamy. **247** Oriental Touch/RH, L; Hugh Sitton/GI, R. **248** SIME/Johanna Huber/4Corners. **249** Faleh Kheiber/Reuters/Corbis. **250** Arcangel Images/Tal Paz-Fridman/Photolibrary Group. **251** Gali Tibbon/AFP/GI. **252** Gali Tibbon/AFP/GI. **253** Das Fotoarchiv./Still Pictures. **255** Axiom Photographic Agency/Mark Thomas/GI. **256** Behrouz Mehri/AFP/GI. **257** Photoshot. **258** Ariadne Van Zandbergen/Alamy. **259** SIME/Johanna Huber/4Corners. **260** Gary Cook/RH. **261** Betermin/Andia/Still Pictures. **262** SIME/Giovanni Simeone/4Corners. **263** Anthony Pilling/Alamy, L; Funkytravel London/Paul Williams/Alamy,R. **264** Pascal Deloche/Godong/Corbis. **265** R H Productions/RH. **266-267** Nevada Wier/Corbis. **268** José Patricio/Acoma Pueblo. **269** © Emily Riddell/LPI. **270** AP Photo/Ramakanta Dey/PA Photos. **271** AP Photo/Colin Reid/PA Photos. **272** Jose Luis Jeronimo/AFP/GI. **273** Jose Luis Jeronimo/AFP/GI. **274** Jorge Silva/Reuters/Corbis. **275** Tony Morrison/South American Pictures. **276** Walter Hupiú/epa/Corbis. **277** John Lander/Alamy. **279** AP Photo/Silvia Izquierdo/PA Photos. **280** JTB Photo/Photolibrary Group. **281** Kazuhiro Nogi/AFP/GI. **282** Kim Kyung-Hoon/Reuters/Corbis. **283** Jay Directo/AFP/GI. **284** AP Photo/Wally Santana/PA Photos. **285** Ian Trower/Alamy, L; Pat Behnke/Alamy, R. **286** Ahmad Yusni/epa/Corbis. **287** Patrick Ward/Corbis. **288** Blaine Harrington III/Alamy. **289** The Image Bank/Philip Kramer/GI. **290** Superstock. **291** Raj Patidar/Reuters/Corbis,L; Radhika Chalasani/Corbis, R. **292** Jayanta Shaw/Reuters/Corbis. **293** Dinodia/Art Directors. **294** AP Photo/Ariel Schalit/PA Photos. **295** Anwar Hussein/EMPICS Entertainment/PA Photos. **296** Kevin Galvin/Alamy. **297** Susan Frost/Alamy, L; Michael Dalder/Reuters/Corbis, R. **298** Picture Contact/Alamy. **299** Apneaworld. **301** E Simanor/RH. **302** Photoshot. **303** Arturo Mari/Osservatore Romano/AFP/GI. **305** Vanderlei Almeida/AFP/GI. **306** Marco Di Lauro/GI. **307** SIME/Da Ros Luca/4Corners. **308** Photo by Haga Library/JTB Photo/Photolibrary Group. **309** Marco Di Lauro/GI. **310-311** Rob Boudreau/GI. **312** All Canada Photos/Alamy. **313** Larry Downing/Reuters/Corbis. **314** © Lee Foster/LPI. **315** Photoshot,R; Nigel Hudson Photography/Alamy, R. **316** Richard A. Cooke/Corbis. **317** David Muench/Corbis. **319** eStock/Pictures Colour Library. **320** Layne Kennedy/Corbis. **321** David Seawell/Corbis. **322** Odyssey/RH. **323** Martin Barlow/ArkReligion.com. **325** SIME/Ripani Massimo/4Corners. **326** JTB Photo/Photolibrary Group. **327** R H Productions/RH. **328** Tobor Bognar/ArkReligion.com. **329** Liu Xiaoyang/China Images/Alamy,L; James Nesterwitz, R. **330** Bob Krist/Corbis. **331** Colin Gibson/Ark Religion.com. **332** Dean Conger/Corbis. **333** Peter Adams/GI. **334** Boris Saktsier (b.1942).Korczak and the Ghetto's Children,1978. Cast bronze. Collection of the Yad Vashem Art Museum, Jerusalem. Gift of Mila Brenner and Ya'acov Meridor/Dave G. Houser/Corbis. **335** Nandor Glid (1924-1997). Memorial to the Victims of the Concentration and Extermination Camps, 1979. Cast bronze. Collection of the Yad Vashem Art Museum, Jerusalem. Gift of the artist. **336** Nordicphotos/Alamy. **337** Photoshot. **338** Momatiuk-Eastcott/Corbis. **339** Radim Beznoska/isifa/GI. **340** Ruth Ellen Gruber. **341** Steven Weinberg/National Geographic Image Collection **342** Alfredo Dagli Orti/The Art Archive. **343** Michel Setboun/Corbis. **344** Werner Forman Archive. **345** Peter Barritt/Alamy. **346** Araldo de Luca/Corbis. **347** Travel Library/RH. **348** Photoshot. **349** Clement Guillaume/The Bridgeman Art Library, L; Alan Copson/JAI/Corbis, R. **350** Jon Hicks/Corbis. **351** The Irish Image Collection/Corbis. **352** Ellen Rooney/RH. **353** Gianni Dagli Orti/The Art Archive, L; Pharaonic Village Cairo/Gianni Dagli Orti/The Art Archive, R. **354-355** © Paul Beinssen/LPI. **356** Courtesy of gampoabbey.org. **357** 2007 L.E.Halfpenny/Bhavana Society. **358** Harbin Hot Spring/Ann Prehn. **359** ©Sumio Kumabe/SEBUN PHOTO/GI **360** Jon Arnold Images/Demetrio Carrasco/Photolibrary Group. **361** Tibor Bognar/ArkReligion.com, L; Jochen Schlenker/RH, R. **362** Photo by Haga Library/JTB Photo/ /Photolibrary Group. **363** © Holger Leue/LPI. **364** Dennis Cox/Alamy. **365** Shona and William Townend. **366** © Wes Walker/LPI. **367** Angelo Cavalli/RH, L; © Lindsay Brown/LPI, R. **369** Tibor Bognar/ArkReligion.com. **370** Don Smith/RH. **371** Christophe Boisvieux/Corbis. **372** Jon Arnold Images/Alamy. **373** PCL/Alamy, L; Olaf Meinhardt/transit/Still Pictures, R. **374** Wolfgang Kaehler/Corbis. **375** Buddy Mays/Corbis. **376** Vittoriano Rastelli/Corbis. **377** Christophe Boisvieux/Corbis. **378** Henri Gaud/CIRIC/ArkReligion.com. **379** Photononstop/Photolibrary Group, L; Photoshot, R. **380** Gideon Mendel/Corbis. **381** Geoff Renner/RH. **382** Peter Terry/ArkReligion. **383** Manor Photography/Alamy. **384** David Lomax/RH. **385** Biosphoto/Menghini Julien/Still Pictures, L; Patrick. Dieudonne/RH, R. **386** James McClean/Alamy. **387** Sean Sprague/Still Pictures.

カバー表面

背景写真: Suzanne and Nick Geary/Stone/Getty Images

上段の写真（左から右に）: Anwar Hussein/PA Photos; Andre Jenny/Alamy; Jon Arnold Images/Photolibrary Group; Mike Norton/Shutterstock; joSon/GI; Jon Arnold Images/Photolibrary Group.

カバー裏面

背景写真: Suzanne and Nick Geary/Stone/Getty Images

Sacred Places of a Lifetime

Published by the National Geographic Society

John M. Fahey, Jr., President and Chief Executive Officer
Gilbert M. Grosvenor, Chairman of the Board
Tim T. Kelly, President, Global Media Group
John Q. Griffin, President, Publishing
Nina D. Hoffman, Executive Vice President; President,
　Book Publishing Group

Prepared by the Book Division

Kevin Mulroy, Senior Vice President and Publisher
Leah Bendavid-Val, Director of Photography Publishing and
　Illustrations
Marianne R. Koszorus, Director of Design
Barbara Brownell Grogan, Executive Editor
Elizabeth Newhouse, Director of Travel Publishing
Carl Mehler, Director of Maps
Lawrence M. Porges, Project Manager
Carol Farrar Norton, Design Consultant
Anne Marie Houppert, Karin Kinney, Mary Stephanos,
　Contributors
Jennifer Thornton, Managing Editor
R. Gary Colbert, Production Director

Manufacturing and Quality Management

Christopher A. Liedel, Chief Financial Officer
Phillip L. Schlosser, Vice President
Chris Brown, Technical Director
Nicole Elliott, Manager
Monika D. Lynde, Manager
Rachel Faulise, Manager

Created by Toucan Books Ltd

Ellen Dupont, Editorial Director
Helen Douglas-Cooper, Senior Editor
Barbara Bonser, Jo Bourne, Hannah Bowen, Cecile Landau,
　Alice Peebles, David St Vincent, Editors
Tom Pocklington, Editorial Assistant
Leah Germann, Designer
Christine Vincent, Picture Manager
Tam Church, Marian Pullen, Picture Researchers
Marion Dent, Proofreader
Michael Dent, Indexer

Copyright © 2008 Toucan Books Ltd. All rights reserved.
Copyright Japanese edition © 2010 Toucan Books Ltd. All rights reserved.
Reproduction of the whole or any part of the contents without written permission from the publisher is prohibited.

ナショナル ジオグラフィック協会は、米国ワシントンD.C.に本部を置く、世界有数の非営利の科学・教育団体です。
1888年に「地理知識の普及と振興」をめざして設立されて以来、9000件以上の研究調査・探検プロジェクトを支援し、「地球」の姿を世界の人々に紹介しています。
ナショナル ジオグラフィック協会は、世界の30言語で発行される月刊誌「ナショナル ジオグラフィック」のほか、雑誌や書籍、テレビ番組、インターネット、地図、さらにさまざまな教育・研究調査・探検プロジェクトを通じて、世界の人々の相互理解や地球環境の保全に取り組んでいます。日本では、日経ナショナル ジオグラフィック社を設立し、1995年4月に創刊した「ナショナル ジオグラフィック日本版」をはじめ、DVD、書籍などを発行しています。

日経ナショナル ジオグラフィック社のホームページ
nationalgeographic.jp
画像や映像など多彩なコンテンツによって、「地球の今」を皆様にお届けしています。

いつかは行きたい　一生に一度だけの旅
世界の聖地 BEST 500
［コンパクト版］

2010年9月27日　第1版1刷
2011年4月 1日　　　　2刷

著者　　　ジル・アンダーソンほか
訳者　　　藤井 留美　花田 知恵
編集　　　石井 ひろみ　長友 真理
編集協力　岩田 正之
制作　　　日経BPコンサルティング

発行者　　伊藤 達生
発行　　　日経ナショナル ジオグラフィック社
　　　　　〒108-8646　東京都港区白金1-17-3
発売　　　日経BPマーケティング
印刷・製本　日経印刷

ISBN978-4-86313-120-0
Printed in Japan

© 2010 日経ナショナル ジオグラフィック社
本書の無断複写・複製（コピー等）は著作権法上の例外を除き、禁じられています。購入者以外の第三者による電子データ化及び電子書籍化は、私的使用を含め一切認められておりません。

本書の編集にあたっては最新の正確な情報の掲載に努めておりますが、詳細は変更になっていることがありますので、旅行前にご確認ください。また、一部にはテロや紛争などの危険性が高い地域も含まれます。外務省の渡航関連情報などを参考に、計画を立てることをお勧めします。

本書は2008年に発行した大判書籍『一生に一度だけの旅 心に響く世界 BEST 500』を再編集、改題したものです。